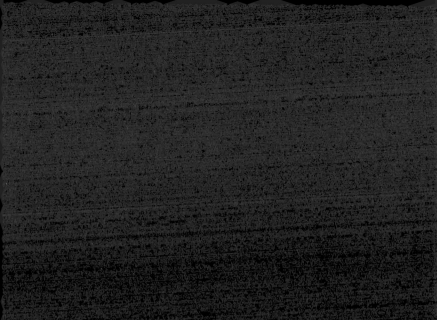

을 유 세 계 문 학 전 집 · 4

골짜기의 백합

골짜기의 백합

LE LYS DANS LA VALLÉE

오노레 드 발자크 지음 · 정예영 옮김

❀ 을유문화사

옮긴이 **정예영**

서울대학교 불문과와 동대학원 불문과를 졸업했다. 2005년 파리 8대학에서 「발자크의 『인간 극』에서의 이미지의 정신분석」으로 박사 학위를 받았고 현재 서울대 불문과 교수이다. 논문으로는 「발자크와 20세기 음악」, 「환상문학을 둘러싼 해석들-모파상의 『오를라』를 중심으로」, 「발자크의 『양피 가죽』에서의 우연과 놀이」 등이 있다.

을유세계문학전집 4
골짜기의 백합

발행일·2008년 7월 20일 초판 1쇄 | 2022년 12월 30일 초판 7쇄
지은이·오노레 드 발자크 | 옮긴이·정예영
펴낸이·정무영, 정상준 | 펴낸곳·(주)을유문화사
창립일·1945년 12월 1일 | 주소·서울시 마포구 서교동 469-48
전화·02-733-8153 | FAX·02-732-9154 | 홈페이지·www.eulyoo.co.kr
ISBN 978-89-324-0334-2 04860 978-89-324-0330-4(세트)

차례

왕립 의학 아카데미 회원이신 나카르 선생님께[*]

친애하는 선생님, 이 책은 차근차근,
힘들게 구축되고 있는 문학적인 구조물의 둘째 층입니다.
예전에 나를 살렸던 과학자에게 감사를 표하기 위해,
그리고 일상생활의 친구에 대한 우정을 기념하기 위해
선생님의 이름을 새기고자 합니다.

나탈리 드 마네르빌 공작부인께

　당신의 청을 들어 주기로 했소. 사랑하는 여인은 매번 우리로 하여금 양식(良識)에 어긋나는 일을 저지르게 하는 특권을 가지고 있소. 그것은 그녀가 우리를 사랑하는 것 이상으로 우리가 그녀를 사랑하기 때문이오. 그대들의 이마에 주름이 잡히는 것을 보지 않기 위해, 조그마한 거절에도 슬퍼하며 입술이 토라지는 것을 막기 위해, 우리는 기적적으로 거리를 뛰어넘고, 피를 바치고, 미래를 희생하기도 하지. 오늘날 그대는 나의 과거를 원하고 있으니, 여기에 있소. 하지만, 이것만은 꼭 알아 주오, 나탈리, 그대에게 복종하기 위해 난 지금까지 성역처럼 지켜 왔던 추악한 부분들을 파헤쳐야 했소. 왜 그대는 한참 행복한 와중에도 나를 갑작스럽게 사로잡는 긴 상념들을 이상하게 여기는 거요? 왜 나의 침묵에 대해 그토록 사랑스럽게 화를 내는 거요? 그 이유를 묻지 않고, 그냥 내 성격의 기복에서 유희를 느낄 수는 없었던 건지? 아니면 혹시, 그대도 내가 고백을 한 후에야 용서를 구할 비밀이라도 가지고 있소? 어쨌든, 나탈리, 당신은 잘 알아맞혔소. 그리고 당신이 모든 사연을 아는 편이 나을 수도 있소. 그래, 유령이 내 삶을 지배하고 있소. 그것은 작은 암시에도 희미하게 모습을 드러내고, 자주 내 머리 위에서 저절로 요동을 치기도 한다오. 내 마음의 가장 깊은 곳에 무거운 기억들이 묻혀 있는데, 그것은 마치 고요한 날씨에는 언뜻 보였다가, 폭풍이 일면 파도가 모래사장으로 조각조각 실어 던지는 바다의 산물들과 같소. 비록 이런 생각들을 말로 표현하기 위해서 들여야 했던 노력이, 느닷없이 떠오르며 내게 격심한 고통을 안겨주는 옛 감정들을 진정시키긴 했지만, 혹시 내 고백의 파편들이 당신에게 상처를 준다면, 기억해 주오, 당신이 내게 복종하도록 협박까지 했었다는 것을. 당신에게 복종한 대가로 나를 벌하지 마오. 내 고백으로 당신의 애정이 더욱 깊어지기를 바랄게. 그럼 저녁에 봅시다.

펠릭스

가장 애틋한 비가(悲歌)를 그 누가 들려줄 것인가? 오직 딱딱한 돌에만 부딪히는 여린 뿌리와 같이, 증오에 찬 손에 의해 짓찢기는 첫 잎사귀와 같이, 피어날 때 상해를 입는 꽃과 같이 조용히 고통을 당하는 영혼들을 눈물을 먹고 자란 어떤 천재가 읊을 것인가? 어느 시인이 쓰디쓴 젖을 빨고, 엄한 눈초리의 따가운 불길을 맞고 미소를 되삼키는 아이의 아픔을 노래할 것인가? 감수성이 발달하도록 도와줘야 하는 주위 사람들에게 오히려 짓밟힌 불쌍한 영혼들을 묘사한 소설이 바로 내 어린 시절의 진정한 이야기일 것이다. 갓난아기에 불과했던 내가 누구의 허영심을 상하게 했단 말인가? 내게 무슨 육체적, 또는 정신적 결함이 있었기에 어머니는 날 그토록 냉정하게 대했을까? 난 의무적으로 낳은 아이였던가, 혹은 우연히 생긴 아이, 또는 존재 자체가 죄책감을 자극하는 아이였던가? 나는 곧바로 시골에 있는 보모한테 맡겨졌고, 3년 동안 가족들에게 잊혀졌다. 아버지의 집으로 돌아왔을 때 너무나 하찮은 대접을 받아서 하인들의 동정을 살 정도였다. 어떤 감정이나 다행스런 우연 덕분에 내가 이런 첫 낭패에서 일어설 수 있었는지 모르겠다. 어린 시절에는 무지했고, 성인이 된 지금도 모르겠다. 나의 처지를 위로해 주기는커녕 내 형과 누이들은 나를 괴롭히는 것을 재미로 삼았다. 서로의 사소한 잘못들을 숨겨 주고, 그러면서 명예를 배워 가는 아이들 사이의 규약은 내게 적용되지 않았을 뿐만 아니라, 난 빈번히 아무런 항의도 못하고 형 대신 벌을 받곤 했다. 아첨하는 기질이 일찍이 발동하여, 그들도 두려워하는 어머니에게 잘 보이기 위해 나를 박해하는 데 가담했던가, 아니면 모방 심리 때문에 그랬던 것일까? 힘을 시험해 보려는 필요에 의해서였을까, 아니면 동정심이 모자라서였을까? 어쩌면 이 모든 이유들이 합쳐져서 내가 형제애를 누리지 못했을지도 모른다. 모든 애정을 박탈당한 나는 사랑할 대상이 없었을 뿐 다정한 성격을 타고났던 것을! 이렇게 끊임없이 장애물에 부딪히는 감수성이 흘리는 한숨들을 쓸어 모으는 천사가 있기라도 한 것일까? 간혹 인정받지 못한 감정이 증오심으로 변하는 경우가 있지만, 내게 있어서는 그 감정들이 응축되어 마음에 층을 형성해서, 그 후 내 삶 속으로 다시 흘러 들어왔다. 성격에 따라서는, 떠는 습관 때문에 감성이 둔해지고, 겁이 많아져서 항상 양보하게 되는 경우가 있다. 그렇게 약해진 사람은 타락하고 노예근성이 생기기 마련이다. 하지만 내게는 끊임없는 불행이 점점 강한 힘을 발휘하도록 하였고, 정신적인 저항력을 키워 주었다. 마치 다음 구타를 기다리는 순교자처럼 언제나 새로운 고통을 당할 준비를 하고 있던 내 몸에 우울한 체념의 자세가 배어서 어린이다운 행동과 단아함이 피어나지를 못했다. 그래서 난 저능아로 여겨졌고, 어머니의 불길한 예감이 사실로 판명나는 듯했다. 부당한 대접을 받고 있다는 확신 때문에 이성의 산물인 자존심을 내 마음속에 일찍이 키웠다. 그런 자존심 덕분에 이런 성장 환경 속에서도 나는 잘못된 길로 빠지지 않을 수 있었다. 어머니는 나를 내버렸지만 가끔 양심의 가책을 느끼고는, 내 교육에 대해 이야기하며 직접 맡겠다는 의향을 비치었다. 어머니와 매일 접촉한다면 얼마나 괴로울까를 생각하니 소름이 끼쳤다. 난 버림받은 것을 축복으로 여기고, 정원에서 조약돌을 가지고 놀거나, 벌레들을 관찰하거나, 푸른 하늘을 바라보는 것이 마냥 행복했다. 외로움이 나를 공상가로 만드는 데 일조했지만, 명상에 쉽게 빠지는 습성은 특정한 사건에서 유래한 것이다. 그 사건은 내 어린 시절의 불행을 잘 보여 준다. 모두 내게 무관심했기 때문에 가정부도 나를 잠자리에 들게 하는 것을 곧 잘 잊었다. 어느 날 저녁, 나는 무화과나무 아래 평화롭게 앉아, 아이들을 사로잡는 이상한 열정을 품고 별 하나를 바라보고 있었다. 내 철 이른 우수가 거기에 일종의 감성적인 예지를 더했을 것이다. 내 누이들은 놀며 소리를 지르고 있었다. 그 먼 소란이 내 상념을 반주해 주는 것처럼 들렸다. 이윽고 소리는 멈추었고, 밤이 왔다. 우연히 어머니는 내가 사라졌다는 것을 눈치챘다. 힐책을 모면하기 위해 무시무시한 가정부, 카롤린 양은 내가 집을 끔찍이도 싫어한다고 하면서, 자신이 주의 깊게 감시하지 않았다면 나는 이미 도망쳤을 것이라며 어머니의 그릇된 편견들을 뒷받침했다. 그녀에 의하면, 난 멍청한 게 아니라 음흉하며 자기가 돌본 모든 아이들 중에서 나만큼 본성이 악한 아이는 없었다는 것이다. 그녀는 나를 찾는 척하며 나를 불렀다. 대답하자, 내가 있을 줄 알았던 무화과나무로 왔다. "여기서 뭘 하는 거죠?" 내게 물었다. "별을 보고 있었어요." "넌 별을 보고 있었던 게 아니야." 발코니 위에서 듣고 있던 어머니가 말했다. "네 나이에 천문학에 대해서 무엇을 안다고." "아, 마님!" 카롤린이 비명을 질렀다. "아드님이 저수지의 수도꼭지를 틀어놨어요. 정원에 홍수가 난 걸요." 소문이 온 집안에 퍼졌다. 내 누이들이 물이 흐르는 것을 보기 위해 수도꼭지를 돌리면서 장난하다가, 자신들 쪽으로 튄 물줄기에 온통 젖고 놀라서, 꼭지를 잠그지도 않고 정신없이 도망갔던 것이다. 나는 이런 장난을 생각해 낸 범인으로 지목되었고, 유죄를 선고받았다. 결백을 주장했지만 거짓말한다는 혐의까지 뒤집어써서 매정하게 벌을 받았다. 그러나 가장 잔인한 벌이란! 바로 사람들이 별에 대한 내 사랑을 비웃고, 어머니가 저녁에 더 이상 정원에 머물지 못하게 했던 것이다. 하지만 포악한 금지는 성인보다 아이들에게 더 열정을 북돋우는 법이다. 아이들에게는 금지로 인해 저항할 수 없이 더욱 매력적이 된 그 대상만을 생각하는 장점이 있다. 나는 별 때문에 자주 회초리를 맞았다. 아무에게도 속내를 드러낼 수 없어서 별에게, 예전에 첫마디를 옹알거렸듯이, 첫 상념들을 더듬거리며 이야기하는 아이의 귀여운 말씨로 서러움을 토로했다. 삶의 아침에 받았던 인상들이 마음속에 깊은 흔적을 남기듯, 열두 살에 중학교를 다닐 때에도 지극한 쾌락을 느끼며 그 별을 응시하곤 했다.

나보다 다섯 살이 많은 형 샤를은 지금 미남인 만큼 그 당시에도 예쁜 아이여서, 아버지의 총애와 어머니의 사랑을 한몸에 받았고, 집안의 희망이자 왕이었다. 몸도 건실하고 튼튼했으며, 가정교사가 있었다. 반면 허약하고 변변치 못했던 나는 다섯 살에 시내의 한 기숙학교에 통학생으로 보내졌다. 아버지의 시중꾼이 아침에 데려다 주고 저녁에 데리러 왔다. 푸짐한 식사를 가지고 오던 친구들과는 달리 내 도시락은 부실했다. 나의 궁핍과 그들의 풍족함이 비교되어 나는 수많은 고통을 겪어야 했다. 투르의 유명한 특산물인 기름에 볶은 돼지고기가 아침식사와 귀가한 직후에 먹는 저녁식사 사이에 취하는 중간 식사의 주된 요리였다. 몇몇 미식가들이 매우 좋아하는 이 요리가 투르의 귀족 상에 올라오는 일은 드물다. 나는 그런 것이 있다고 듣긴 했지만 빵 한 조각 위에 발라진 그 갈색 반죽을 먹어 본 적은 없었다. 학교에서 유행하지 않았어도 먹어 보고픈 욕망이 덜하진 않았을 것이다. 마치 파리의 가장 우아한 백작부인 중 한 명이 문지기 여인들이 요리하는 스튜를 먹어 보고 싶었듯이—그리고 그녀는 여성이었기 때문에 그 소원을 풀 수 있었다—, 나에게 그 욕망은 강박관념처럼 되었다. 여성들이 남자의 눈을 보고 사랑을 읽을 줄 알듯이 아이들은 눈 속의 갈망을 알아차린다. 그리하여 나는 웃음거리가 되었다. 거의 모두가 중하류 부르주아 계층에 속하던 친구들은 내 앞에 너무도 맛있어 보이는 돼지고기를 내밀며 내게 어떻게 만드는 줄 아느냐, 어디서 파는지 아느냐, 왜 넌 없냐고 묻곤 했다. 그들은 익은 송로와 비슷하게 생긴, 제 기름에 볶은 돼지고기 찌꺼기를 자랑하며 입맛을 다셨다. 그리고 내 바구니를 검사해, 오직 올리베* 치즈, 말린 과일 따위만을 발견하고는 "너 집이 참 어렵구나?"라는 말을 던질 때 나는 죽고만 싶었다. 그럴 때는 내가 형에 비해 얼마나 차별대우를 받는지를 실감했다. 행복한 다른 아이들과 비교되는, 버림받은 내 처지는 꽃다운 어린 시절을 오염시켰고, 푸른 내 청춘을 시들게 했다. 처음으로 어떤 아이가 위선적인 표정을 짓고 내가 그토록 탐내던 음식을 건넸다. 친절을 베푸는 줄로 착각하고 손을 내미는 순간에, 그 녀석은 고기 바른 빵조각을 도로 가져갔고, 미리 알고 있던 다른 친구들은 폭소를 터뜨렸다. 가장 고상한 인격자도 자존심에 상처를 입을 수가 있거늘, 멸시와 야유를 당해서 우는 아이를 어찌 나무랄까? 이와 같은 상황에서 얼마나 많은 아이들이 탐욕스러워지고, 비굴해지고, 비겁해졌겠는가? 나는 박해를 피하기 위해 싸웠다. 벼랑 끝에 선 자의 용기로 무장하여 친구들이 두려워하는 존재가 되었지만, 늘 증오의 대상이었고, 그들의 비열함 앞에서는 무방비였다. 어느 날 저녁, 학교에서 나오며 돌멩이로 채워져 돌돌 묶인 손수건을 등에 맞았다. 단단히 복수를 해 준 시중꾼이 어머니에게 이 사건을 알렸을 때, 어머니는 한탄했다. "이 몹쓸 아이는 말썽만 일으키는군!"

가족 안에서나 학교에서나 나를 향한 반감을 느끼면서 나는 자신감을 잃었다. 집에서와 마찬가지로, 학교에서도 나만의 세계 속에 틀어박혔다. 이렇게 두 차례의 폭설로 내 마음속의 싹이 제때에 피어나지 못했다. 사랑받는 이들이 지독한 악동들이라는 것을 보고 나는 더욱 자존심을 세웠고, 여전히 외로웠다. 내 불쌍한 가슴을 채우는 감정들을 분출할 길이 없었다. 항상 침울하고, 미움받고, 외톨이인 채로 있는 나를 보며 선생님은 내가 본성이 악하다고 판단했다. 이렇게 가족들의 잘못된 생각이 확증을 얻었다. 내가 글을 깨치자마자 어머니는 나를 퐁르부아에 있는 오라토리오회 수도사들이 운영하는 학교로 전학시켰다. 이 학교는 '라틴어 첫걸음'이라는 반에 내 또래의 아이들을 받았는데, 거기에는 지능 개발이 뒤처져서 기초 지식을 익히지 못한 학생들도 있었다. 나는 그곳에서 8년 동안, 아무도 못 보고, 천민처럼 생활하며 지냈다. 어찌하여 그렇게 되었냐고? 내 용돈은 한 달에 고작 3프랑에 불과했다. 그 액수로는 기본적인 학용품, 즉 펜, 칼, 자, 잉크와 종이 등을 겨우 구입할 수 있을 정도였다. 학우들과의 유흥에 필요한 죽마 또는 밧줄 등을 살 수 없었던 나는 놀이에서 제외되었다. 거기에 끼기 위해서는 부유한 아이들에게 아첨하거나 같은 반의 힘센 아이들 비위를 맞춰야 했을 것이다. 그러나 아이들이 서슴지 않는 그런 비굴한 짓은 생각만 해도 역겨웠다. 나무 밑에 앉아, 구슬픈 몽상에 빠지거나, 매달 도서관 사서가 나눠 주던 책을 읽으며 시간을 보냈다. 이런 끔찍한 고독의 밑면에 얼마나 많은 고통이 숨어 있었던가. 그리고 버림받은 것이 얼마나 큰 번민을 낳았는가! 내가 상 수여식에서 가장 명예로운 두 상, 즉 라틴어 작문상과 번역상을 받았을 때 나의 여린 마음이 느꼈을 감동을 상상해 보라! 친구들의 부모들이 강당을 메웠지만 박수와 팡파르가 울리는 가운데 상을 받으러 단상 위에 오른 나를 축하해 주기 위해 아버지도 어머니도 오지 않으셨다. 상을 수여하는 선생님에게 관례대로 키스를 하는 대신 난 그의 가슴에 안겨서 울음을 터뜨렸다. 그날 저녁 화로 속에 상장을 불태우고 말았다. 상 수여식을 준비하는 일주일 동안 부모들이 시내에 머물렀기 때문에 친구들은 아침에 학교를 즐겁게 빠져나갔다. 나는 부모님이 몇 리 떨어진 곳에 계셨기 때문에 해외파들, 즉 가족이 섬이나 외국에 있는 학생들과 함께 교실에 남아 있어야 했다. 저녁 기도 시간에 들어온 녀석들은 부모와 함께 즐긴 푸짐한 저녁식사를 자랑했다. 나의 불행은 발을 들여놓는 사회적인 반경에 따라 커져만 갔다. 내 안에서만 갇혀 살아야 하는 가혹한 운명을 바꾸려 얼마나 노력했던가! 열정적인 마음이 오랫동안 품은 희망들이 하루 만에 무너진 적은 또 얼마나 많았던지! 부모님께 학교에 와 달라고 하기 위해 매우 감상적인 편지를 띄우곤 했다. 감정 표현이 좀 과장적이긴 했지만 어머니는 내 문체를 비웃으며 날 꾸짖어야만 하셨던 걸까? 하지만 나는 포기하지 않고 부모님께서 제시하시는 조건을 모두 충족하겠다고 약속하고, 버림받은 아이들의 습성에 따라, 축일과 생일 때 누이들에게 꼬박꼬박 편지를 써서 도와달라고 애원했다. 그러나 모두 허사였다. 상 수여식이 가까워지자 더욱 간절하게 부모님께 오시라고 청하면서, 내가 상을 받을 거라고 미리 말씀드렸다. 부모님께서 답장을 보내지 않으셔서 헛된 희망을 품고 기대에 부푼 가슴으로 그분들을 기다렸다. 친구들에게 말해 놓기까지 했다. 가족이 도착하는 대로 아이들을 호명하는 늙은 수위의 발걸음이 교실 안에 울릴 때 나는 병적인 경련을 일으켰다. 그 노인은 끝내 내 이름을 부르지 않았다. 어느 날 삶을 저주한 죄를 고백하니 고해신부는 하늘을 가리키며, 주님께서 "눈물 흘리는 자는 복되도다"*라고 말씀하심으로써 위로를 약속하신 것을 상기시켜 주었다. 첫 영성체에 나는 젊은 영혼을 정신적인 낙원으로 인도하는 종교의 가르침에 매혹되어 기도에 깊이 몰두하였다. 열렬한 신심으로 불타며 나를 위해 순교자 명부에서 읽었던 기적을 재현해 달라고 하느님께 기도했다. 다섯 살에는 별나라로 날아갔었고, 열두 살에는 성전의 문을 두드렸던 것이다. 그러한 때의 황홀감은 내 안에서 휘황찬란한 꿈들을 싹트게 했는데, 그런 꿈들은 내 상상력을 키우고 감수성을 자극하고, 사고력을 고무시켜 주었다. 영적인 운명으로 나를 이끌어 줄 천사들이 그런 눈부신 환영들을 보내 준다고 믿었다. 그 환영들 덕분에 내 눈이 사물의 내밀한 정신까지 꿰뚫는 능력을 지니게 되었다. 그런 환영들을 본 시인은 느낌과 현실 사이의 괴리, 원대한 야망과 하찮은 결과 사이의 괴리를 가늠하는 치명적인 능력 때문에 불행해진다. 나는 그런 비범한 능력을 받아들일 마음의 준비가 되었다. 또, 환영들은 내게 풍부한 표현력을 새겨 주어, 말하고자 하는 바가 있으면 머릿속에 쓰여진 글자를 읽기만 하면 되었고, 내 입술 위에는 즉흥적인 달변가의 화술을 심어 주었다. 아버지는 오라토리오회의 교육에 회의를 느끼고 퐁르부아에서 나를 빼내어 파리의 마레 지구에 있는 학교에 입학시켰다. 내 나이 열다섯 살이었다. 퐁르부아에서 수사학 공부를 했었기에, 나는 능력 시험을 본 결과, 중학교 3학년으로 들어갈 실력을 인정받았다. 르피트르 기숙학교에 머무는 동안 가족 안에서, 초등학교에서, 중학교에서 겪었던 괴로움들을 새로운 형태로 다시 만났다. 아버지는 내게 용돈을 주지 않았다. 부모님은 나를 먹여 주고, 입혀 주고, 라틴어와 그리스어를 잔뜩 주입시키기만 하면 그만이었다. 중학교를 다니는 동안 약 1천 명의 동료들을 알게 되었지만 나만큼 푸대접을 받는 이는 없었다. 부르봉 왕가의 광적인 추종자였던 르피트르 선생은 충성스런 왕당파들이 마리 앙투아네트 왕비를 성당으로 대피시키려 했을 당시 아버지와 친분을 맺었다. 그 후에 그들은 다시 서로 왕래하기 시작했다. 그래서 르피트르 선생은 자기가 마땅히 아버지의 무관심을 만회해야 한다는 의무감에 내게 용돈을 주었지만, 그가 부모님의 의도를 몰랐기 때문에 그 액수는 보잘것없었다. 학교는 구주아유스 호텔이 있었던 건물을 쓰고 있었는데, 오래된 귀족 저택의 일반적인 구도에 따라 수위실이 별채였다. 조교가 우리를 샤를마뉴 고등학교로 데려가기 전 쉬는 시간이면 부유한 동료들은 수위 두아지 씨의 집에 가서 점심을 먹었다. 밀수입자 노릇을 하는 두아지의 활동을 르피트르 선생은 몰랐거나 모르는 척했다. 두아지는 우리들의 탈선을 은밀히 봐주고, 지각할 때를 모두 알고, 금지된 책들을 빌릴 때 중간자 역할을 했기 때문에 학생들은 그에게 잘 보일 필요가 있었다. 나폴레옹 제정기에 식민지 물품의 값이 과도하게 올랐기 때문에 커피우유를 곁들여서 점심을 먹는 것은 고급스런 취향이었다. 부모들도 설탕과 커피를 고급품으로 여겼지만, 우리 사이에서는 거만한 우월의식의 표시였다. 모방 심리, 탐욕스러움, 유행의 전염성이 이미 충분한 동기가 되었겠지만, 그렇지 않았더라도 그런 우월의식이 아이들의 욕망을 자극했을 것이다. 두아지는 우리 모두에게 학생의 명예를 중요시하고 빚을 갚아 주는 누나나 이모들이 있다고 믿고 외상으로 물건을 넘겼다. 나는 오랫동안 매점의 유혹을 뿌리쳤다. 나를 심판한 자들이 유혹의 힘을 알았더라면, 금욕을 위한 내 영혼의 피나는 노력, 기나긴 저항 중에 억눌러야 했던 격분을 경험했더라면, 그들은 내 눈물을 흐르게 하는 대신에 닦아 주었을 것이다. 하지만 어린 내게 남들의 멸시를 멸시할 수 있는 대범함이 있었겠는가. 그리고 어쩌면 사회적인 악덕들에 조금씩 물들었는지도 모른다. 그런 악덕들은 나의 탐욕에 보태져 더욱 강하게 침투했으리라. 두 번째 해 말에 부모님은 파리에 오셨다. 파리에 살면서도 나를 단 한번도 방문하지 않던 형이 그분들이 도착하시는 날짜를 알려주었다. 누이들도 동행해서 우리는 함께 파리를 구경할 예정이었다. 첫날은 루브르 근처에서 저녁을 먹은 후 프랑스 국립 극장에 갈 계획이 잡혀 있었다. 이런 예상치 못했던 유흥 일정이 나를 설레게 했지만, 불행에 익숙한 이들이 금세 직감하는 폭풍의 기운이 내 기쁨에 찬물을 끼얹었다. 난 두아지에게 100프랑을 빚지고 있었는데, 그는 직접 부모에게 돈을 청구하겠다고 협박하고 있었다. 나는 형을 중재자로 삼는 방법을 생각해 냈다. 그에게 두아지와 잘 합의를 보고, 부모님께는 내 참회를 전달하고 용서를 대신 구하는 역할을 맡겼다. 아버지는 관용을 베푸는 방향으로 기울었으나 어머니는 무자비했다. 그녀의 짙은 푸른빛 눈은 나를 얼어붙게 만들었다. 겨우 열일곱 살에 그런 무모한 짓을 저지르고 다니면 나중엔 무엇이 되겠는가, 네가 진정 내가 낳은 아이인가, 네가 집안을 파산시킬 작정인가, 집에 너 혼자뿐인 줄 아느냐, 형 샤를이 들어선 직업이 따로 후원금이 필요하지 않은가, 그리고 집안의 명예를 드높이는 행실로 형은 그것을 받을 자격이 충분히 있지만 너는 치욕을 가져올 뿐이지 않은가, 네 두 누이는 지참금 없이 결혼시켜야 할 것인가, 너는 돈의 가치도 모르고 네게 돈이 얼마나 많이 드는지도 모르나, 교육에 설탕과 커피가 무슨 소용이 있는가, 이런 품행은 곧 온갖 악덕을 배우고 있다는 증거 아닌가…… 어머니는 무시무시한 예언들을 퍼부었다. 마라*는 나와 비교해서는 천사였다. 내 마음속에 커다란 공포심을 몰고 온 급류 같은 악담들로 충격을 받은 나를 형이 기숙사로 데려다 주었다. 이로써 나는 프레르 프로뱅시오*에서의 저녁식사도 못하고, 「브리타니쿠스」*에서 열연하는 탈마*를 볼 기회도 빼앗겼다. 이것이 12년 만의 어머니와의 재회였다.

고전 학습을 마친 후에도 아버지는 나를 르피트르 선생에게 계속 맡겼다. 나는 고급 수학을 배워야 했고, 법학에 1년간 입문해야 했으며, 고등교육을 받기 시작해야 했다. 나는 기숙사 1인실에 머물면서 수업에서 벗어나 이제 비참한 생활이 잠시 멈추는 줄 알았다. 그러나 내가 열아홉 살이 되었음에도 불구하고, 혹은 열아홉 살이 되었기 때문에 아버지는 예전과 같은 방침을 고수했다. 간식 없이 초등학교에 보내고, 작은 놀잇감 없이 중학교에 보내고, 그리하여 결국 두아지에게 빚지게 만든 그 방침대로 내게 여전히 적은 액수의 용돈을 주셨다. 파리에서 돈 없이 무엇을 할 수 있겠는가? 게다가 내 자유는 철저히 구속당했다. 르피트르 선생은 시중꾼으로 하여금 나를 법학 학교에 데려다 주어 손수 교수에게 넘기고, 수업 후에 다시 데리러 오게 했다. 어머니의 염려 때문에 갖추어진 감시 체계는 나를 젊은 처녀 이상으로 지켰다. 부모님은 파리를 두려워할 만도 했다. 기숙사에서 남학생들이나 여학생들이나 똑같은 관심사에 마음을 빼앗긴다. 어찌 됐든 여학생들은 애인의 이야기를 하고, 남학생들은 여자에 대해 이야기를 하는 법이다. 그 당시 파리에서는 친구들 사이에 루브르 주변의 동양적인 터키풍 환락가가 주된 화제였다. 그 구역은 저녁이 되면 금덩어리들이 동전의 형태로 뛰어다니는 사랑의 낙원이었다. 그곳에서는 가장 순진한 의혹들도 그쳤고, 깨어난 호기심이 해결될 수 있었다. 팔레루아얄과 나는 서로를 향하지만 결코 만날 수 없는 두 개의 점근선(漸近線)과 같았다. 운명은 그곳으로 진출하려는 나의 시도에 훼방을 놓았다. 아버지는 생루이 섬*에 사는 당신의 숙모 한 분께 나를 소개했는데, 난 매주 목요일과 일요일에 그분의 집에서 저녁을 먹어야 했다. 르피트르 선생 부부가 그날 외출하면서 거기에 데려다 주었고, 귀가할 때 다시 태워 갔다. 참 이상한 휴일이었다. 리스토메르 후작부인은 결코 내게 금화 한 닢을 줄 생각을 한 적이 없고, 격식을 중요시하는 귀부인이었다. 성당처럼 고색을 띤 부인은 세밀화처럼 덧분칠을 하고, 호화로운 옷으로 치장을 한 채 자신의 저택에서 마치 루이 15세의 재위 시절처럼 호사스럽게 생활하면서, 노부인과 귀족들만을 상종했다. 이런 화석 같은 사람들 사이에서 나는 공동묘지에 있는 기분이었다. 아무도 내게 말을 걸지 않았고, 나 또한 먼저 말을 할 용기가 나지 않았다. 적대적이거나 냉랭한 시선들을 받으며 모든 사람을 불편하게 하는 듯한 내 젊음이 부끄러웠다. 나의 탈출 계획은 이런 무관심을 이용한 것이었다. 저녁식사가 끝나자마자 빠져나와서 갈르리 드 부아로 달려가려 했다. 휘스트 게임이 시작되면 숙모는 더 이상 내게 신경을 쓰지 않고, 그녀의 하인인 장은 르피트르 선생에 대해 전혀 개의치 않았다. 하지만 저녁식사는 낡은 치아와 불완전한 틀니 때문에 너무 길었다. 드디어 어느 날 저녁 여덟 시와 아홉 시 사이에 연인과 함께 가출하던 날의 어린 비앙카 카펠로처럼 떨면서 계단까지 나왔다. 수위가 문을 열어 주었을 때 길에 르피트르 선생의 마차가 보였고, 내 이름을 부르는 그의 천식증이 섞인 목소리가 들렸다. 운명이 팔레루아얄의 지옥과 내 젊음의 낙원 사이를 세 번씩이나 가로막았다. 스무 살의 무지가 수치스러워서 모든 위험을 무릅쓰기로 작정했던 날, 르피트르 선생이 차에 올라탈 때 그를 어렵게 (그는 루이 16세*만큼이나 뚱뚱했고 게다가 안짱다리였다) 따돌리는 순간, 그 순간에 어머니가 역마차를 타고 오는 것이 아닌가! 나는 그녀의 시선을 맞고 뱀 앞에서의 새처럼 꼼짝 못한 채 멈춰 서 있었다. 무슨 우연이었을까? 내막을 알면 그보다 더 자연스런 일은 없을 것이다. 나폴레옹은 전쟁에서 고전하여 최후의 일격을 시도하고 있었다. 부르봉 왕가의 귀환을 예견한 아버지는 이미 황실 외무부에 근무하는 형에게 이 사실을 귀띔하러 어머니와 함께 투르를 떠나 상경했다. 적군의 전진을 신중하게 지켜보던 이들이 파리가 위험에 노출되었다고 전했으므로 어머니는 나를 투르로 다시 데려가기로 했었다. 파리에서 치명적으로 탈선할 뻔한 그 순간이 지나고 나는 몇 분 만에 파리를 강제로 떠나야 했다. 불운에 지친 사람들이 수도원에 틀어박히듯이, 억압된 욕망 때문에 끊임없이 자극된 상상력으로 인한 번뇌, 계속된 결핍 때문에 암울해진 삶의 지루함을 잊기 위해 나는 학업에 몰두하였다. 젊은이들이 왕성한 혈기에 따라 청춘사업에 전념할 나이에 나는 학업에 대한 열정 속에 스스로를 가둬 버렸다. 그것이 내게 치명적일 수도 있었다.

내 청춘을 대강 그려낸 이런 가벼운 스케치에서도 수많은 애환을 짐작할 수 있을 것이다. 그것은 내 젊은 시절이 훗날 끼친 영향을 설명하기 위해 필요한 이야기였다. 불행에 짓눌려 나는 스무 살이 넘어서도 여전히 작고, 마르고, 창백했다. 의욕적인 정신은 허약한 육체 안에서 요동을 치고 있었다. 그러나 투르의 한 노의사의 말대로 내 육체는 강철 같은 성격과 최후의 융합을 겪고 있었다. 내 육체는 어렸지만 사고는 노숙했다. 많은 책을 읽고, 많은 사색을 하였기 때문에, 구불구불한 인생 협로의 난관들과 들판의 모랫길을 엿볼 즈음에 이미 형이상학적인 안목이 생겼다. 공교롭게도 나는 처음으로 마음이 설레고, 쾌락에 눈뜨고, 모든 것이 맛있고 신선하게 느껴지는 아름다운 연령에 머물러 있었다. 나는 학업으로 연장된 사춘기와 뒤늦게 피어나는 남성다움의 중간에 있었다. 어떤 젊은이도 나만큼 만물을 느끼고, 사랑할 준비를 갖추지는 못했을 것이다. 내 이야기를 잘 이해하기 위해서는, 입은 거짓말을 모르고, 욕망을 억제하는 수줍음의 무게로 눈꺼풀이 내려앉아 가려진 눈빛은 솔직하고, 세상의 위선에 물들지 않고, 가슴 속에서 두려움과 용기가 서로 힘을 겨루는 꽃다운 시절로 되돌아가야 한다.

파리에서 투르까지 어머니와 함께한 여행에 대해서는 이야기하지 않겠다. 어머니의 냉담함은 솟구치는 애정을 억눌러 버렸다. 각 파발을 떠날 때마다 나는 말을 건네야겠다고 속으로 맹세했다. 그러나 어머니의 눈초리 하나, 말씀 하나에 당황하여 조심스럽게 구상한 서두를 입 밖에 내지도 못했다. 오를레앙에서 잠자리에 들 때 어머니는 내 침묵을 나무랐다. 나는 뜨거운 눈물을 흘리며 어머니의 발치에 엎드려서 그녀의 무릎을 끌어안고 애정이 넘치는 내 가슴을 열어 보였다. 계모의 마음도 움직였을, 사랑에 굶주린 이의 간절한 변론으로써 그녀를 감동시키려 했으나 어머니는 내가 연극을 한다고 여겼다. 그리고 내가 버림받았다고 불평하자 나를 패륜아라 했다. 가슴이 너무나 메어서 블루아에서 루아르 강에 뛰어들려고 다리 위로 달려갔지만, 난간이 높아서 실행하지 못했다.

　집에 도착했을 때 내가 낯설었던 두 누이는 사랑보다는 놀라움을 표시했다. 하지만 시간이 지나서 그녀들이 상대적으로 내게 호의적이라고 느꼈다. 나는 4층의 방에 묵게 되었다. 스무 살의 청년인 내게 어머니는 기숙사에서 쓰던 속옷 꾸러미와 파리에서 입었던 옷 외에 다른 속옷이나 옷을 주지 않았다면 내 처지가 얼마나 비참했는지 실감할 것이다. 내가 어머니의 손수건을 주워 드리기 위해 거실의 반대쪽 끝에서 달려오면 그녀는 하인한테 하듯이 겨우 차갑게 고맙다고 할 뿐이었다. 나는 그녀의 가슴속에 사랑이 뿌리내릴 수 있는 연한 부분이 있는지 관찰하였지만, 내가 본 것은 키가 크고, 마르고, 인정머리 없고, 짓궂고, 이기적이며, 모든 리스토메르가(家)의 여인들처럼 결혼할 때 지참금과 함께 무례함을 가지고 온 여인이었다. 그녀에게는 삶의 모든 일들이 의무로만 여겨졌다. 이처럼, 내가 만난 차가운 여자들은 모두 의무를 종교로 삼았다. 어머니는 우리들의 사랑을 마치 미사 중에 향을 받는 사제와 같은 태도로 받아들였다. 그녀가 가진 약간의 모성애를 형이 모두 흡수해 버린 듯했다. 무정한 사람들의 무기인 신랄한 빈정거림으로 아무런 대꾸도 못하는 우리에게 상처를 입히곤 했다. 이런 가시 박힌 장벽에도 불구하고, 본능적인 감정의 뿌리가 너무도 깊어서, 또 어머니의 사랑을 포기하는 것이 너무나 고통스럽고, 그녀에 대한 거룩한 외경심은 버릴 수가 없어서, 우리가 더 나이 들어서 그녀를 정당하게 심판하게 된 그날까지 너무나 어리석게도 그녀를 계속 사랑했다. 그때부터 자녀들의 복수가 시작되어,

과거의 원한이 낳은 무관심은 그 시절의 아픈 기억들과 더해져서 부모가 죽은 이후에도 변함이 없다. 어머니의 사악한 태도로 투르에 오면 충족하리라고 믿었던 달콤한 가족애에 대한 기대는 깨지고 말았다. 나는 절망적으로 아버지의 서재로 피신하여 모르던 책들을 모조리 읽기 시작했다. 긴 학업 시간은 어머니와의 접촉을 면하게 해 주었지만 내 정신건강을 악화시켰다. 훗날 사촌 리스토메르 후작과 결혼한 누이가 때로 나를 위로하려 했지만 나의 초조함을 진정시키지는 못했다. 나는 죽고 싶었다.

그 당시 나와는 관계가 없는 큰 행사들이 준비 중이었다. 루이 18세를 만나러 보르도에서 파리로 상경하는 앙굴렘 공작이 통과하는 도시마다 환영식이 개최되었는데, 이는 부르봉 왕가의 귀환이 프랑스의 보수파들 사이에 몰고 온 열기의 표현이었다. 혈통 왕족에 대한 충성심으로 들뜬 투렌 주민들, 웅성거리는 도시, 깃발을 꽂은 창문들, 빼입은 시민들, 축제의 준비, 그리고 사람을 취하게 만드는 대기 중의 그 무엇 때문에 나는 공작을 맞이하기 위해 열리는 무도회에 가고 싶어졌다. 편찮아서 축제에 참가하지 못하는 어머니께 용기를 모아 그런 뜻을 말씀드리자 그녀는 크게 노하였다. 어찌 너는 콩고에서 온 사람처럼 아무것도 모를 수가 있는가? 우리 가문이 그 무도회에 대표를 보내지 않을 거라고 상상했는가? 아버지와 형이 없는 동안에 거기에 참석하는 것이 곧 네 의무가 아니겠는가? 너는 어머니도 없는가, 그리고 자기는 자녀들의 행복을 늘 생각하지 않았던가? 한 순간에 인정받지 못했던 아들이 중요한 인물이 되었던 것이다. 내 청을 듣고 어머니가 폭우처럼 퍼붓는 야유보다 내가 급작스레 지니게 된 입지에 더욱 어리둥절했다. 누이들에게 물었더니, 이런 돌발적인 행동을 즐기던 어머니는 내가 입을 옷까지 마련해 놓았다는 것이다. 투르의 재단사들은 그녀의 까다로운 요구에 당황하여 아무도 내 복장을 맡으려 하지 않았다. 어머니는 지방의 풍습대로 모든 종류의 바느질을 할 줄 아는 날품팔이 여직공을 불렀다. 그럭저럭 연푸른색 옷이 비밀리에 재단되었다. 실크 양말과 새 무도화는 쉽게 구할 수 있었고, 남자 조끼는 짧은 것이 유행이라 아버지의 조끼를 입으면 되었다. 난생 처음으로 나는 장식깃의 주름이 가슴 부분을 부풀리면서 넥타이 매듭 속으로 휘감기는 셔츠를 입었다. 차려 입은 나는 너무도 달라 보여서 누이들이 감탄하였는데, 그 덕에 투렌의 사람들이 모인 자리에 모습을 드러낼 용기가 생겼다. 그러나 어려운 과제였다! 그 축제에는 관중이 너무 많아서 그만큼 돋보이는 이도 적었다. 내 작은 키 덕분에 파피옹가의 정원에 세워진 천막 아래로 쓱 들어가서 공작이 앉아 있는 의자 근처까지 갔다. 처음으로 참석하는 공식적인 축제에서 나는 곧 더위에 질식할 것 같았고, 불빛과 붉은색 장막, 금색 장식, 화려한 복장과 다이아몬드에 눈이 부셨다. 뿌연 먼지 속에서 달려들어 서로 부딪히는 남녀 군중들이 나를 밀쳤다. 군악대의 강렬한 금관악기 소리와 부르봉 왕가다운 기상은 함성 속에 파묻혀 들리지 않았다. "앙굴렘 공작 만세! 폐하 만세! 부르봉 왕조 만세!" 이 축제는 모두가 태양처럼 떠오르는 부르봉 왕가 앞으로 가장 맹렬하게, 가장 재빠르게 달려가기 위해 기를 쓰는 열광의 도가니였다. 나는 이 같은 당파 이기주의에 냉담했고, 오히려 위축되어 내 안으로 수그러들었다.

이런 소용돌이 속에 지푸라기처럼 실려 가면서, 나도 앙굴렘 공작이 되어 경탄하는 군중 앞에 뽐내는 왕족들 사이에 끼고 싶은 유치한 욕망이 일었다. 투르 시골뜨기의 어리석은 소망이 내 마음속에 야심의 씨앗이 되었다. 그런 야심이 내 성격과 당시 상황에 힘입어 원대한 포부로 발전했다. 그로부터 몇 달 후, 온 파리 시민들이 엘바 섬에서 돌아오는 황제를 마중하러 달려 나갔을 때 다시 접하게 된 이와 같은 환호를 누가 부러워하지 않으랴? 한 사람을 위해 마음과 삶을 모두 바치는 대중들에게 미치는 이런 위력을 목격하고 나는 명예에 대한 갈망을 느꼈다. 명예란 바로 옛날에 갈리아족의 여사제가 사람들을 제물로 희생시켰듯이 오늘날 프랑스인들의 목숨을 빼앗는 여사제가 아닌가. 그때 끊임없이 내 야망을 부채질하고 왕정 한복판에 나를 던져 놓음으로써 그 야망을 실현시켜 줄 여인을 갑자기 만났다. 나는 여인들에게 춤을 청하기에는 너무나 소심했고, 게다가 춤동작을 혼동할까 봐 두려운 나머지 시무룩해져 몸 둘 바를 모른 채 있었다. 군중의 발 구르는 소리 때문에 몸이 불편해졌을 때 딱딱한 가죽 신발과 더위로 부은 내 발을 한 장교가 밟았다. 이 불상사로 축제에 대해 환멸을 느끼고 말았다. 그러나 빠져나가기란 불가능했다. 그래서 구석에 버려진 벤치 끝자락으로 피신하여 시선을 고정시키고, 부동의 자세로 뿌루퉁하게 앉아 있었다. 허약해 보이는 내 외모 때문에 한 여인이 나를 보고 어머니를 기다리며 졸고 있는 아이로 착각하고 둥지 위로 내려오는 새처럼 옆에 앉았다. 즉시 내 마음속에서 찬란한 동양의 시처럼 빛을 발하는 여인의 향기를 느꼈다. 내 옆자리에 앉은 그녀를 보는 순간 그녀는 축제보다 더 눈이 부셨고, 그녀가 나의 축제가 되었다. 그대가 그때까지의 내 삶을 잘 이해했다면 내 가슴에서 솟구친 감정을 짐작할 것이다. 나는 마치 처음으로 노출되어 수줍은 듯 홍조를 띤 희고 관능적인 어깨에 매료되어 그 위에 뒹굴고 싶은 충동을 느꼈다. 분홍빛의 어깨에는 혼이 깃들어 있었다. 매끄러운 피부가 실크처럼 햇빛 아래 눈부시게 반짝거렸다. 손보다 대담한 내 시선은 양 어깨를 나누는 선을 따라 미끄러져 내려갔다. 그리고 나는 앞을 보기 위해 떨면서 몸을 추켜세웠다. 푸른빛이 도는 완벽한 모양의 가슴이 얇은 사(紗)로 덮여 레이스 물결 속에 포근하게 눕혀져 있는 광경이 내 눈을 사로잡았다. 머리의 모든 부분까지 무한한 쾌락을 불러일으키며 나를 유혹했다. 소녀처럼 솜털이 난 목 위로 매끈하게 내려오는 윤기 나는 머릿결, 상상력이 뛰어다니는 산뜻한 오솔길처럼 빗이 그 위에 새긴 흰 선들, 이 모든 것이 내 정신을 어지럽게 만들었다. 아무도 나를 보지 않는다는 것을 확인하고 나는 어머니의 품속으로 뛰어드는 아이처럼 이 등 위로 달려들어 머리를 부비며 어깨 전체에 입맞춤을 퍼부었다. 여인은 날카로운 소리를 질렀지만 음악 소리 때문에 들리지 않았다. 그녀는 뒤돌아서 나를 보고 말했다. "여보세요!" 아, 만약 '꼬마야, 갑자기 왜 그러니?' 라고 했더라면 그녀를 죽였을지도 모른다. 그러나 **여보세요!**라는 말을 듣고는 뜨거운 눈물이 솟았다. 거룩한 분노가 서린 눈빛과 잿빛 머리카락이 왕관 모양으로 둘러진, 아름다운 등과 조화된 눈부신 얼굴을 보고 나는 꿈쩍도 못했다. 수치심 때문에 그녀의 얼굴은 붉게 물들었다. 하지만 자신이 야기한 격정적인 몸짓임을 이해하고 뉘우침의 눈물 속에 무한한 숭배가 담겨 있음을 알아보는 여인은 용서하기 마련이다. 그녀의 얼굴은 이미 누그러지고 있었다. 그리고 곧 여왕과 같은 자태로 가 버렸다. 나는 그제서야 내 입장이 얼마나 우스꽝스러운 지를 자각했다. 그제서야 내가 알프스 산악 지방의 원숭이처럼 망측한 옷차림을 하고 있다는 것을 깨달았다. 창피했다. 나는 방금 훔쳐먹은 사과의 맛을 음미하며, 내가 빨아들인 피의 온기를 입술에 간직한 채, 일말의 뉘우침도 없이, 하늘에서 내려온 여인을 얼빠진 눈으로 좇았다. 처음으로 마음의 열병을 동반하는 육체적인 욕망의 포로가 되어 황량해진 무도회장을 서성였지만 그 미지의 여인은 찾아내지 못했다. 그날 저녁, 잠자리에 들었을 때 나는 다른 사람이 되어 있었다.

　알록달록한 날개를 가진 새 영혼이 애벌레 상태를 벗어났다. 내가 사랑하는 별은 푸른 초원에서 내려와, 그 광채와 반짝거림, 신선함 그대로 여성으로 강림했던 것이다. 사랑에 대해 아무것도 모르던 내가 갑자기 사랑에 빠지고 말았다. 인간의 가장 강렬한 감정이 처음으로 들이닥치는 순간이 참으로 기묘하지 않은가? 숙모님의 거실에서 예쁜 여자들을 본 적은 있었지만 그중 아무도 인상에 남지 않았다. 여성 전체를 사랑할 나이에 운명적인 사랑을 만나기 위해서는 특정한 시간, 천체의 결합, 또 필연적인 상황의 조합, 그리고 단 한 명의 여인이 존재한단 말인가? 내가 선택한 여인이 투렌에 산다는 것을 생각하며 숨쉬는 것조차 황홀했고, 하늘의 빛깔도 예전과 다르게 보였다. 정신적으로는 기뻤지만 겉으로는 많이 아파 보여서 어머니는 죄책감 섞인 우려를 표했다. 병을 예감하는 동물처럼 나는 훔친 입맞춤을 되새기며 정원의 한구석에 쭈그리고 앉아서 보냈다. 기억에 오래 남을 이 무도회가 지난 지 며칠 후에 어머니는 내가 보이는 학업에 대한 싫증, 자신의 무서운 눈초리와 빈정거림에 대한 무반응, 침울한 태도를 모두 내 나이 또래의 젊은이들이 으레 겪어야 하는 자연스런 증세라고 판단했다. 그녀는 나를 시골에 보내는 것이 내 무기력을 치유하기 위한 최선의 처방이라 여겼다. 시골이란 바로 의학이 고칠 수 없는 병의 영원한 치료제가 아닌가. 어머니는 몽바종과 아제르리도 사이, 앵드르 강변에 위치한 프라펠이라는 성에 나를 며칠 머물게 하기로 결정했다. 그 성에는 어머니의 친구분이 살고 있었는데, 아마도 그분에게 나 몰래 몇 가지 지시를 내렸을 것이다. 내게 자유의 문이 열리던 날, 나는 사랑의 대양 속에 너무나 힘겹게 헤엄을 친 끝에 급기야 그것을 건너고야 말았다. 미지의 여인의 이름도 몰랐으니 어떻게 그녀를 부를 것이며, 어디서 그녀를 찾을 수 있었겠는가? 게다가 누구에게 그녀의 이야기를 할 수 있겠는가? 사랑이 싹틀 때 젊은 가슴을 사로잡는 이유 없는 두려움은 내 소심한 성격 탓에 더욱 강했다. 희망이 없는 사랑을 포기할 무렵에는 우수에 젖어들었다. 나는 오로지 들판을 가로질러 오가며 달리고 싶을 뿐이었다. 아무 의혹도 없이 기사답게 행동하는 대담한 아이처럼 걸어서 이 성 저 성을 돌아다니며 투렌을 뒤질 계획을 세웠다. 예쁘고 아담한 탑이 보일 때마다 "여기야!"라고 외치면서.

그리하여 어느 목요일 아침 생텔루아 문을 통해 투르에서 나와, 생소뵈르 다리들을 건너, 집집마다 올려다보면서 퐁세에 도착했고, 시농으로 가는 길에 다다랐다. 난생 처음으로 나는 참견하는 이 없이 나무 밑에 쉬어 갈 수도, 마음대로 천천히 혹은 빨리 걸을 수도 있었다. 나는 젊은 시절의 누구나 다소간 겪는 압제를 종류별로 모두 당했기 때문에 최초의 자유 의지의 실현은, 이런 하찮은 일에서라도, 영혼을 개화(開花)시켜 주었다. 많은 이유로 이 날은 황홀한 축제일이 되었다. 어린 시절에 산책할 때에는 도시 밖으로 10리 이상 벗어난 적이 없었다. 퐁르부아 근방이나 파리를 주행할 때 자연의 아름다움은 제대로 보지 못했다. 그럼에도 불구하고 익숙해진 투르의 풍경에서 숨쉬는 아름다움이 인생의 첫 기억 중 하나로 남아 있었다. 비록 전원의 풍경 속에 담긴 시정(詩情)은 처음 느꼈지만, 예술적인 기교를 모르면서 이상적인 형태를 꿈꾸는 이들처럼 나도 모르게 욕심이 많았다. 프라펠에 걸어가거나 말을 타고 갈 때 거리를 단축하기 위해 상피에서 지름길로 들어서서, 셰르 강 유역과 앵드르 강 유역 사이를 가르는 고원 꼭대기에 위치한, 샤를마뉴 광야라 불리는 황무지를 통과한다. 평평하고 모래가 많은 황야는 약 10리 정도 이어지며 보는 이의 마음을 울적하게 한다. 그러다가 작은 숲이 있는 지점에서 프라펠이 속한 읍인 사셰로 가는 길과 만난다. 발랑을 훨씬 지나서 시농으로 가는 도로로 통하는 이 길은 아르탄이라는 작은 고장까지 기복 없이 구불구불한 평원을 따라간다. 그곳에서는 몽바종에서 루아르 강까지 가는 골짜기가 한눈에 들어오는데, 그것은 양 언덕 위에 서 있는 성들 밑으로 뛰어내리는 듯하다. 그 화려한 에메랄드 잔의 밑바닥에 앵드르가 똬리 트는 뱀처럼 곡선을 그린다. 이 광경을 보고 지루한 황야와 고단한 행로로 지쳤던 나는 환희에 찬 놀라움을 금치 못했다. '모든 여성 중의 꽃인 그 여인이 세상 어디선가 살고 있다면 바로 이곳일 테지!' 라고 생각하며 호두나무에 기댔다. 그날 이후 사랑하는 골짜기에 돌아올 때마다 나는 그 호두나무 밑에서 쉬어 갔다. 그 나무에게 속내를 털어놓고, 매번 그 밑에서 내가 마지막으로 그곳을 떠난 후로 겪은 변화들에 대해 성찰하곤 한다. 그녀는 그곳에 있었다. 내 가슴은 나를 속이는 법이 없었으니까. 광야의 경사면에서 내가 본 첫 번째 성이 그녀의 거처였다. 호두나무 밑에 서 보니 슬레이트 기와와 유리창은 정오의 태양에 반짝거렸다. 그녀의 면 드레스가 포도밭의 살구나무 밑에 흰 점을 찍었다. 아직은 아무것도 모르는 당신도 이미 짐작했겠지만, 그녀는 이 골짜기의 백합이었다. 그녀는 하늘의 은총을 받고 피어나고 있었으며, 그 고결한 향기는 골짜기를 채웠다. 나는 잠깐 사이에 겨우 엿본 대상에 마음이 빼앗겼다. 태양 아래 초록색 강변 사이로 줄줄 흐르는 긴 물줄기와, 사랑스런 골짜기를 출렁거리는 레이스로 장식하는 포플러의 행렬, 강물에 의해 다양한 모양으로 깎인 작은 언덕 위의 포도밭, 그 사이로 나오는 떡갈나무 숲, 그리고 서로 반대 방향으로 달아나는 희미한 지평선, 이 모든 것이 오직 그 대상에만 집중된 무한한 사랑을 노래했다. 젊은 약혼녀처럼 아름답고 순결한 자연을 보고 싶다면, 봄날 그곳에 가 보라. 마음속에 피나는 상처를 치유하고 싶다면 늦가을에 다시 들르라. 봄에는 사랑이 하늘 한가운데서 날갯짓을 하고, 가을에는 이 세상을 떠난 사람들이 생각난다. 신선한 공기는 병든 폐에 이롭고, 금빛 수풀은 마음에는 평화를, 눈에는 휴식을 준다. 그때 앙드르의 폭포 위에 세워진 물레방아 돌아가는 소리는 살아 있는 계곡의 목소리를 들려주었고, 포플러는 웃으면서 흔들거렸다. 하늘에는 구름 한 점 없었고, 새들은 지저귀고, 매미는 울고 있었다. 모든 것이 노래했다. 내가 왜 투렌을 사랑하는지 묻지 마라. 그곳을 나는 요람을 사랑하듯이 사랑하지도, 사막의 오아시스를 사랑하듯이 사랑하지도 않는다. 나는 그곳을 예술가가 예술을 사랑하듯이 사랑한다. 당신만큼 사랑하지는 않지만 투렌 없이 나는 아마 살 수 없을 것이다. 나도 모르게 내 눈은 그 흰 점, 그 여인에게로 향했다. 그녀는 초록색 덤불 사이에 만지면 시드는 메꽃 방울이 돋보이듯이 이 넓은 정원 안에서 빛이 났다. 나는 감동받은 가슴을 안고 계곡 아래로 내려갔다. 밑에는 마을이 있었는데, 시심(詩心)으로 가득 찬 내게 비할 바 없이 아름다워 보였다. 물 한가운데에 있는, 나무들이 둥글게 난 어여쁜 섬 위에 세 개의 물레방아를 상상해 보라. 물 위에는 풀밭이 떠 있다. 이토록 생명력이 강하고 색이 화려한 수생 식물들을 달리 뭐라 부를 수 있겠는가! 그것들은 위로 솟아올라 강물을 뒤덮고, 그 구비를 따라 구불거리며, 물레방아의 바퀴가 물을 휘저을 때 풍랑에 순응한다. 물이 여기저기 튀어나온 자갈 더미 위로 술 모양으로 부서져 햇빛을 받고 반짝거린다. 아마릴리스, 수련, 백수련, 등심초, 플록스 등이 물가에 휘황찬란한 자수를 놓는다. 들보가 썩은 불안정한 다리의 기둥은 꽃으로 덮여 있었고, 그 난간 위에 난 잡초와 부드러운 이끼는 떨어질 듯 강물을 굽어본다. 낡은 나룻배, 그리고 어부들의 그물이 물 위에 떠 있었고, 양치기의 단조로운 노래도 들렸다. 오리들은 섬 사이를 떠다니거나 루아르 강이 몰고 오는 자갈밭 위에서 깃털을 뽑고 있었다. 헝겊 모자를 눌러쓴 방앗간 일꾼들은 노새 위에 짐을 싣고 있었다. 이 모든 것들은 놀랍도록 순박한 장면을 연출했다. 다리를 지나 농가 두어 채, 비둘기장, 작은 탑들, 그리고 정원 또는 인동덩굴, 재스민과 참으아리속 울타리로 경계지어진 서른여 채의 허름한 오막살이, 집집마다 문 앞에 놓인 거름 더미, 왔다갔다 하는 암탉과 수탉을 상상해 보라. 이것이 바로 퐁뤼앙이라는 아기자기한 마을인데, 십자군 원정 시대에 지어진, 화가들이 찾는 바로 그런 개성 있고 고색창연한 성당이 그 위로 솟아 있다. 그 주위에는 오래된 호두나무와 연한 금색 잎사귀가 달린 어린 포플러가 둘러져 있고, 안개 낀 따뜻한 하늘 아래로 시선이 닿는 곳까지 길게 뻗은 평원들 가운데에 아담한 공장들이 그림처럼 서 있다. 이로써 이 아름다운 고장이 지닌 수많은 풍경 중 하나를 상상할 수 있을 것이다. 나는 강의 좌안에서 사셰로 가는 길을 따라가면서 반대편에 자리한 언덕들을 세밀하게 관찰했다. 드디어 100년 된 고목들이 심어진 정원에 이르렀을 때 나는 프라펠 성에 도착했음을 알았다. 바로 점심 시간을 알리는 종이 울리고 있었다. 식사 후에, 내가 투르에서 걸어왔으리라고 짐작도 못한 주인은 자신의 소유지 주위를 둘러보게 해 주었다. 그리하여 다양한 지점에서, 여기서는 틈새로, 저기서는 한번에 골짜기의 온갖 형상들을 볼 수가 있었다. 때로 내 시선은 수평선 쪽으로 아름다운 금색 칼날과 같은 루아르 강에 끌렸는데, 그 위에는 돛단배가 파도 사이에서 바람에 실려가 기이한 도형들을 그렸다. 산등성이를 오르면서 처음으로 나는 아제 성을 보고 감탄했다. 그것은 꽃으로 가려진 기둥 위에 앵드르 강이 끼워넣은 다면체의 다이아몬드였다. 그 아래에는 사셰 성의 그림 같은 건물들이 보였다. 그곳은 경박한 사람들이 보기에는 너무도 엄숙하지만, 가슴에 상처를 입는 시인들은 사랑하는, 모든 것이 조화롭고 우수에 찬 곳이다. 그래서 그 후로 나는 그곳의 침묵과 노쇠한 거목들, 그리고 고독한 골짜기에 퍼진 신비로운 그 무엇을 사랑했다. 인접한 언덕의 비탈면 위에 처음으로 눈에 띈 작은 성이 보일 때마다 한참을 관조하곤 했다.

"아하," 그분은 젊은 나이에는 숨길 수 없는 생생한 욕망을 내 눈에서 읽어내고는 말했다. "지금 자네는 개가 멀리서 사냥감의 냄새를 맡듯이 아름다운 여성의 냄새를 알아차렸군그래."

나는 '사냥감'이라는 단어가 거슬렸지만 성과 그 주인의 이름을 물었다.

"클로슈구르드라네." 그는 말했다. "루이 11세 시절에 작위를 얻은 투렌의 유서 깊은 가문의 후예인 모르소프 백작 소유의 아담한 집일세. 모르소프라는 이름은 문장(紋章)과 명성의 유래를 설명하지. 그는 교수대 위에 올라갔다가 살아남은 사람의 후손이야.* 그래서 모르소프의 문장은 다음과 같네. 금색 바탕에 T 모양의 밤색 십자가, 중심에는 하단이 굵직한 금색 백합. 명구(銘句)는 '하느님께서 대왕폐하를 보호하사'라네. 백작은 망명에서 돌아온 후 이 영지에 자리를 잡았어. 이 영토는 르농쿠르-지브리 가문의 르농쿠르 출신인 부인의 소유일세. 그런데 모르소프 부인이 외동 딸이어서 르농쿠르-지브리 혈통은 이제 끊어지게 되었어. 모르소프의 재산은 가문의 명성과 어울리지 않게 보잘것이 없어 자존심에 의해서든 필요에 의해서든 그들은 클로슈구르드에 틀어박혀 아무도 만나지 않는다네. 이제까지는 그들의 고립을 부르봉 왕가에 대한 충성심 때문이라고 할 수 있었지만, 왕의 복귀가 이런 생활 방식을 달라지게 할 것 같지는 않아. 작년에 내가 여기로 이주했을 때 인사를 하러 갔었는데 답례로 저녁 초대를 하더군. 겨울에 몇 달간 우리는 떠나 있었고, 정치적인 사건들 때문에 늦게 돌아왔지. 실은 프라펠에 온 지 얼마 안 되었어. 모르소프 부인은 어디를 가나 가장 돋보일 수 있는 인물이야."

"부인은 투르에 자주 나오나요?"

"결코 가는 일이 없지. 아니야," 그는 정정했다. "최근에 모르소프 백작에게 은혜를 베푼 앙굴렘 공작이 지나갈 때 갔었어."

"그녀로군요!"

"그녀라니?"

"아름다운 어깨를 가진 여인 말입니다."

"투렌에서 아름다운 어깨를 가진 여성을 많이 만나게 될 걸세." 그는 웃으면서 말했다. "하지만 자네가 피곤하지 않다면 강을 건너서 클로슈구르드에 가 보도록 하지. 자네는 어깨를 유심히 살펴

보게."

나는 기쁨과 부끄러움으로 얼굴이 붉어지면서 찬성했다. 한참 동안 눈으로만 어루만지던 작은 성에 네 시쯤 도착했다. 경치의 아름다움을 더해 주는 집이 실제로는 검소하다. 남향의 정면에는 창문이 다섯 개 나 있는데, 양쪽 끝에 있는 창문은 4미터 정도 나와 있어서 두 개의 별채가 있는 것처럼 보여, 건물의 우아함을 더한다. 가운데 창문은 문의 역할을 하고, 거기서 이중 층계로 내려가면 계단식 정원이 있다. 이 정원은 앤드르 강변의 좁은 초원으로 통한다. 아카시아와 옻나무로 그늘진 정원의 마지막 층과 초원 사이를 지나가는 도로가 경계선을 짓지만, 그 초원은 정원의 일부처럼 느껴진다. 도로는 움푹 들어가 있고, 한쪽에는 정원이, 다른 쪽에는 노르망디식 울타리가 그 가장자리를 따라 늘어서 있기 때문이다. 잘 정돈된 경사면이 집과 강 사이에 충분한 거리를 두기때문에 강물로 인한 피해 없이 그 광경을 만끽할 수 있다. 집 아래에 있는 곳간, 마구간, 헛간, 부엌의 입구들이 아케이드를 이루며 줄을 지었다. 지붕의 모서리는 맵시 있게 다듬어졌고, 다락방 창문의 가로살은 조각되어 있었으며, 합각머리에는 납으로 된 꽃모양 장식이 있었다. 대혁명 기간 동안 방치된 것이 틀림없는 지붕은 남향의 집들 위에 자라는 납작하고 불그스름한 이끼로 뒤덮였다. 출입문 위에 놓인 종탑에 블라몽─쇼브리 가문의 가문(家紋)이 아직도 새겨져 있다. '붉은색 바탕에, 세로로 네 쪽으로 나뉘고, 가운데에는 종 모양을 교차시킨 청백색의 무늬가 있고, 그 위에는 살색과 금색의 두 손바닥에 거꾸로 된 V자로 놓인 두 대의 흑색

창으로 된' 문장이었다. '모두들 보라. 그러나 만지지는 말라' 라는 명구는 나를 매우 놀라게 했다. 문장을 받치는 금색 바탕의 그리핀*과 용은 멋스런 조각의 효과를 냈다. 공작의 관(冠)과 금색 열매가 달린 녹색 종려나무로 구성된 꼭대기 장식은 혁명 때 손상되었다. 공안 위원회의 간사였던 스나르가 1789년 이전에 사세의 법관이었다는 사실을 알면 그리 놀라운 일이 아니다.

모든 요소들은, 꽃처럼 어여쁘게 꾸며져서 공중에 떠 있는 듯한 이 작은 성의 외관에 아담한 인상을 부여했다. 골짜기에서 보았을 때는 1층이 2층인 것처럼 보이나, 마당 쪽에서는 그 층이 넓은 모래 길과 같은 높이에 있다. 길은 몇몇 원형의 화단들이 장식하는 잔디밭과 맞닿아 있다. 양쪽에는 포도밭, 과수원, 그리고 호두나무가 심어진 경작지 몇 칸이 집을 에워싸고, 앵드르 강까지 내려가는 급경사를 이룬다. 그곳에는 자연이 창조한 다양한 초록색의 수풀이 무성하게 자란다. 클로슈구르드의 옆길을 걸어오르면서 나는 잘 배치된 구역들에 감탄하고, 행복이 가득한 공기를 마셨다. 정신적인 자연에도 물리적인 자연과 마찬가지로 상통하는 전류와 급속한 기온 변화가 있는 것일까? 마치 짐승들이 좋은 날씨를 예측하고 들뜨듯이 내 가슴은 지워지지 않을 흔적을 남길 신비한 사건들을 예감하여 설레었다. 내 인생에서 중대한 이 날을 성대하게 치르는 데는 어떠한 의식도 빠지지 않았다. 그날 나는 연인을 마중 나가는 여성처럼 차려 입은 자연의 목소리를 최초로 들었고, 중학교 시절에 꿈속에서 상상했던 것만큼 풍성하고 다양한 그 모습을 보았다. 나는 이미 중학교 때의 꿈들이 내게 미친 영향에 대해 서툴게 설명한 바 있다. 영혼의 눈에만 보이는 그 꿈들은 내 삶을 상징적으로 예언하는 묵시록과 같았고, 그 이후의 모든 행복과 불행은 기묘한 상징으로 그것들과 연결되어 있다. 우리는 시골의 생산 활동에 필요한 건물들, 즉 헛간, 압착장, 외양간, 마구간 등으로 둘러싸인 안마당을 지났다. 개 짖는 소리에 나온 하인이 아침에 아제로 떠난 백작은 아마 곧 돌아올 것이고, 백작부인이 계시다고 말했다. 셰셀 씨(氏)는 나를 바라보았다. 나는 혹여 그가 남편이 없을 때 모르소프 부인을 만나려 하지 않을까 봐 내심 떨었지만 그는 하인에게 우리의 방문을 부인께 알리라고 하였다. 어린아이다운 열망에 이끌려 나는 집을 가로지르는 긴 대기실로 뛰어 들어갔다.

"어서들 오십시오!" 황금 같은 목소리가 들렸다.

모르소프 부인은 무도회에서 내게 한마디밖에 하지 않았지만, 나는 그녀의 목소리임을 확인할 수 있었다. 그 목소리는 태양빛이 감방에 들어와 금색으로 온통 물들이듯이 내 마음속에 침투하여 가득 채웠다. 그녀가 내 얼굴을 기억할 수도 있다는 생각에 도망치고 싶었으나, 이미 너무 늦었다. 그녀가 문지방에 모습을 드러냈기 때문이다. 우리의 눈이 마주쳤을 때, 둘 중에 누가 얼굴이 더 붉어졌는지 모르겠다. 너무 놀라 말문이 막힌 부인은 하인이 안락의자 두 개를 가까이에 가져다 놓자 자수 앞에 다시 앉아서 거기에 집중하는 척하며 바늘을 마저 뽑고는, 땀을 세었다. 그리고 온화하면서 도도한 머리를 셰셀 씨를 향해 들면서 그가 어떤 반가운 연유로 방문했는지 물었다. 나의 급작스런 등장이 궁금했을 터이지만 그녀는 우리 둘 중 아무도 쳐다보지 않고 계속 시선을 강 쪽으로 두었다. 그러나 듣는 태도로 보아, 장님들처럼 미세한 말투의 변화로 사람의 마음을 읽어 낼 줄 아는 것 같았다. 실제로 그랬다. 셰셀 씨는 내 이름을 밝히고 내 내력에 대해 이야기했다. 몇 달 전, 파리가 전쟁의 위기에 빠졌을 때 부모님이 나를 투르로 데리고 와서, 그곳에 온 지 몇 달이 되었다고 했다. 투렌의 아들이지만 투렌에 대해 무지한 나는 과도한 학업 때문에 몸이 쇠약해져 기분 전환할 필요에 의해 이곳에 보내졌고, 자신의 영지에 처음 와서 이 주위를 구경시키는 중에 언덕 아래에서야 내가 투르부터 프라펠까지 걸어왔다는 것을 알고 그렇잖아도 허약한 체력이 염려되어 부인께서 잠시 쉴 수 있게 해 주시리라 믿고 클로슈구르드에 들어왔다고 말했다. 셰셀 씨는 사실을 말하고 있었으나 이런 기막힌 우연은 너무나 계획적으로 보여서 모로소프 부인은 경계를 완전히 풀지 않았다. 그녀는 나를 향해 차갑고 엄한 시선을 돌렸다. 나는 부끄러워서, 그리고 속눈썹 사이로 맺히는 눈물을 숨기기 위해 눈을 내리깔았다. 위엄 있는 안주인은 내 이마에 맺힌 땀방울을 보았다. 어쩌면 눈물도 알아차렸을지 모른다. 다정한 말투로 필요한 것이 있냐고 물었다. 이에 나는 다시 말을 되찾아, 잘못을 저지른 젊은 처녀처럼 얼굴을 붉히면서, 노인처럼 떨리는 목소리로 없다고 대답했다. 눈을 다시 들어 두 번째로, 그러나 번개처럼 짧은 순간 동안 그녀와 눈을 마주치며 말했다.

"제가 바라는 것은, 단지 이곳에서 쫓겨나지 않는 것뿐입니다. 지금 몸이 몹시 지쳐서 걸을 수 없을 것 같습니다."

"왜 우리 아름다운 고장의 손님 대접을 의심하는 거죠?" 그녀가 말했다. "클로슈구르드에서 저녁식사를 하신다면 더 좋겠네요." 내 옆에 앉은 셰셀 씨를 바라보며 덧붙였다. 셰셀 씨는 나의 애원하는 듯한 시선을 보고 사양하는 것이 상례인 그러한 제안을 받아들일 방법을 모색했다. 사교계에 익숙한 셰셀 씨는 이 같은 어조의 미묘한 차이를 감지할 수 있었던 반면, 경험이 없는 나는 아름다운 여성의 말과 생각이 일치하리라 굳게 믿었기 때문에 저녁에 돌아오면서 셰셀 씨의 이야기를 듣고 매우 놀랐다. "자네가 목숨 걸고서라도 남고 싶어해서 수락했지만, 난 내 이웃과 사이가 틀어졌을지도 몰라. 자네가 이 일을 만회해 주지 않는다면 말이야." 이 **자네가 이 일을 만회해 주지 않는다면**이라는 말은 나를 긴 사색에 잠기게 했다. 내가 모르소프 부인의 마음에 들었다면, 그녀는 나를 소개한 사람을 원망하지는 않을 것이라는 뜻이었다. 셰셀 씨는 내가 어쩌면 그녀의 관심을 끌 수 있을지도 모른다고 예상했던 것이다. 이는 곧 그럴 가능성이 충분히 있다는 뜻이 아니겠는가? 이런 논리는 내가 도움이 필요한 순간에 희망을 불어넣어 주었다.

"그건 어렵겠는데요." 그는 대답했다. "아내가 기다립니다."

"매일 함께 식사하시잖아요." 백작부인이 대꾸했다. "사람을 보내서 부인께 알려드리지요. 혼자 계십니까?"

"켈뤼 신부님과 함께 있습니다."

"그렇다면, 저희와 저녁식사 하시는 걸로 하겠습니다"라면서 그녀는 하인을 부르는 벨을 당기기 위해 일어섰다.

이번에는 셰셀 씨가 그녀의 초대가 진심인 줄 알고 나를 격려하는 듯한 눈길을 보냈다. 저녁을 이 지붕 밑에서 보내는 것이 확실해지자 나는 영원을 얻은 기분이었다. 많은 불행한 이들에게는 내일이란 무의미한 단어다. 나는 그 당시에 내일에 대해 전혀 믿음이 없는 사람 중의 하나였다. 내게 단 몇 시간이 주어졌을 때 그 안에서 평생의 쾌락을 누리고자 했다. 모르소프 부인은 나와 전혀 상관없는, 이 지역의 여러 일들과 농사, 포도밭에 대한 이야기를 꺼냈다. 보통 안주인의 이러한 태도는 무교양 또는 대화에서 소외된 사람에 대한 무시의 표현이다. 그러나 백작부인은 난처해서 그러는 것이었다. 그 당시에는 그녀가 일부러 나를 어린아이처럼 대하는 줄 알고, 30세의 성인으로서 내가 모르는 진지한 주제에 대해 부인과 대화를 나누는 셰셀 씨가 부러웠지만, 그리고 부인이 그에게만 말을 걸어 속으로 서운했지만, 그로부터 몇 달이 지난 후 나는 여성의 침묵이 얼마나 의미심장하고, 산만한 대화 속에 얼마나 많은 생각이 감춰져 있는지 알게 되었다. 처음에 나는 내 의자에 편안히 앉으려 애썼다. 그리고는 백작부인의 목소리를 마음 놓고 들을 수 있는 내 위치의 이점을 깨달았다. 플루트의 키를 누르면 음이 분절되듯이 그녀의 입에서 나오는 음절의 끝소리마다 영혼의 숨결이 울리는 듯했다. 그 숨결은 귀 속에서 파장을 일으키며 사라졌는데, 그럴 때면 그 부위의 피가 더 세차게 약동했다. 단어 끝에 '이'를 발음할 때는 마치 새의 노랫소리와 같았다. 그녀의 '슈' 발음은 애무처럼 부드러웠고, 'ㅌ'의 발성은 그녀의 감정적인 기질을 나타냈다. 그녀는 이렇게, 자신도 모르게 단어들에 더 많은 의미를 부여하며 듣는 사람의 마음을 초인적인 세계로 인도했다. 음성의 연주를 듣기 위해, 그녀의 영혼이 실린 입김을 마시기 위해, 부인을 열정적으로 품에 안듯이 말로 나오는 빛을 껴안기 위해 나는 몇 번이나 마무리 지을 수 있는 대화를 계속했던가! 몇 번이나 부당한 꾸짖음을 자초하지 않았던가! 그녀가 간혹 웃을 때 그것은 제비의 명랑한 노랫소리로 변했다. 그러나 자신의 근심에 대해 이야기할 때에는 동무들을 부르는 백조의 목소리였다. 백작부인이 내게 무관심한 틈을 타 그녀를 자세히 관찰할 수가 있었다. 내 눈은 즐기며 대화에 전념한 아름다운 여인을 훑어보았다. 나는 눈으로 그녀의 허리를 휘어감았고, 그녀의 발에 키스했고, 머리카락 안에 뒹굴었다. 그러면서 나는 진정한 열애의 무한한 기쁨을 경험한 자들만이 아는 공포에 사로잡혔다. 열정적으로 키스했던 어깨에서 눈을 뗄 수 없는 나를 그녀가 목격할까 봐 두려웠던 것이다. 오히려 두려움은 더 강한 유혹을 불러일으켰고, 나는 어깨를 계속 바라볼 수밖에 없었다! 내 눈은 옷감을 찢고, 등을 양분하는 고운 선이 시작하는 곳에 찍힌, 우유에 빠진 파리와 같은 점을 보는 듯했다. 그 점은 무도회 이후로 뜨거운 상상력을 가진 순결한 젊은이들의 잠이 흘러드는 암흑 속에서 저녁마다 타올랐다.

어디서든 돋보이는 백작부인의 인상착의를 대강 그릴 수는 있다. 그러나 가장 정확한 소묘도, 가장 따뜻한 색채도 그녀를 제대로 보여 주지 못할 것이다. 내적인 빛을 암시할 줄 아는, 과학적으로 설명할 수도, 언어로 묘사할 수도 없지만 사랑하는 사람에게는 보이는 광채를 재현해 낼 줄 아는 뛰어난 화가만이 그녀의 모습을 근접하게 그릴 수가 있다. 그녀의 가는 잿빛 머리카락으로 인해 그녀는 자주 두통에 시달렸다. 아마도 피가 머리로 갑작스럽게 몰리는 탓이었을 것이다. 그녀의 둥근 이마는 모나리자처럼 돌출되었는데, 드러내지 않는 생각과 억압된 감정, 씁쓸한 물속에 잠겨 시든 꽃들로 찬 것처럼 보였다. 갈색 점들이 찍힌 연한 초록빛의 눈은 항상 생기가 없었으나, 자녀들에 대한 이야기를 하거나 체념한 여인에게서 보기 드물게 기쁨이나 슬픔이 표출될 때 그 눈은 섬세한 빛을 발했다. 그 빛은 생명의 샘까지 불태워서 말라 버리게 할 만한 것이었다. 가장 대담한 사람의 시선도 떨구게 했을 그 섬광이 내게 경멸의 눈총을 쏠 때 나는 눈물을 흘릴 수밖에 없었다. 피디아스*의 조각과 같은 코와, 그것과 이중의 아치로 연결된 우아하게 구부러진 입술은 계란형의 얼굴에 혼을 불어넣었다. 흰 동백꽃잎과 견줄 만한 피부색은 볼에서 예쁜 분홍빛을 띠었다. 살집이 좀 있었으나 허리는 유연했고, 몸매의 곡선은 아름답게 발달되어 있었다. 나를 매혹시켰던 어깨와 팔뚝을 잇는 선이 전혀 주름 없이 매끄러웠다는 것을 이야기해 주면 당신은 그 완벽함을 가늠할 수 있을 것이다. 머리 뒤쪽에는 어떤 여성들의 목덜미가 그러하듯이 나무줄기처럼 움푹한 부분이 없었고, 힘줄이 돌출되지 않고 모두 부드러운 곡선으로 이루어져 있어, 그저 감상하는 사람이나 붓을 든 화가나 모두 절망을 느낄 수밖에 없었다. 볼과 목의 편평한 곳에 난 듯 만 듯 애교스런 솜털은 빛을 머금은 비단결 같았다. 작고 잘생긴 귀는 그녀의 표현을 빌리자면 노예의 귀이자 어머니의 귀였다. 내가 그녀의 마음에 들어간 후에, 그녀는 "모르소프 백작께서 오시는군요"라고 말하곤 했다. 청력이 뛰어나던 나는 아직 아무 소리도 못 들었지만 그녀가 영락없이 옳았다. 그녀의 팔은 아름다웠다. 손가락을 구부린 손은 길었고, 고대 조각에서처럼 얇은 손톱 밖으로 살이 나왔다. 내가 평평한 허리를 둥근 허리보다 선호한다고 해도 섭섭하게 생각하지 마라. 당신은 예외니까. ―둥근 허리는 힘의 상징이지만, 그러한 허리를 가진 여성들은 권위적이며 고집 세고, 다정하기보다 관능적이다. 반면, 평평한 허리의 여성들은 헌신적이며, 섬세하고, 우울증에 잘 빠지는 등 보다 여성스럽다. 평평한 허리는 유연하고 포근한 데 비해, 둥근 허리는 곧고 질투심이 많다. 이제 당신은 그녀의 모습을 상상할 수 있을 것이다. 그녀의 발은 요조숙녀의 발이었다. 적게 걷고, 쉬 지치고, 드레스 밑으로 살짝 나올 때 눈을 즐겁게 해 주는, 그런 발이었다. 비록 두 아이의 어머니였지만, 나는 지금까지도 그녀만큼 처녀다운 여성을 본 적이 없다. 그녀의 표정은 천진했고, 무언가 당황한 듯 그리고 사색에 골몰한 듯했으며, 마치 풍부한 감정의 세계를 훌륭하게 묘사한 초상화가 우리를 잡아끌듯이 사람을 끄는 힘이 있었다. 그녀의 아름다움은 비유에 의해서만 묘사될 수 있다. 디오다티 빌라에서 돌아오는 길에 우리가 꺾은 히드의 순결하고 야생적인 향기를 떠올려 보라. 당신은 그 꽃의 검정과 분홍 색깔을 극찬하지 않았던가? 분홍빛과 검정빛을 동시에 지닌 이 여인이 사교계와 멀리 떨어져서도 얼마나 맵시 있고, 표정이 자연스러우며 얼마나 세련되었는지 짐작하게 될 것이다. 그녀의 몸은 새롭게 펴진 잎사귀들만큼 신선했고, 사고는 야만인처럼 심오하면서 간결했다. 감정적으로는 어린이처럼 순수했지만, 다른 한편 고통을 아는 진지함이 있었다. 그녀는 동시에 성주의 부인이면서 어린 색시이기도 했다. 그래서 앉고, 일어서고, 침묵하거나 한마디를 던지는 태도 모두 꾸밈없이 매력적이었다. 평소에는 내성적이고, 모두의 평안을 책임지며, 위험을 살피는 파수병처럼 주의 깊었지만, 가끔 미소를 흘릴 때면 엄격한 생활 밑에 파묻힌, 잘 웃는 본성이 드러났다. 그녀의 교태는 신비로운 것이어서, 여성들이 바라듯이 남자들의 관심을 끌기보다 상상력을 자극했다. 구름이 벌어진 사이로 하늘이 보이듯 그녀의 강렬한 불꽃 같은 본래의 성격과 어린 시절의 푸른 꿈들이 엿보였다. 자기도 모르게 드러나는 이런 면모는 불 같은 욕망 때문에 내면의 눈물까지 다 말라 버린 사람들조차도 당혹스럽게 했다. 그녀는 몸짓과 특히 눈길을 아꼈기 때문에 (자녀들 이외에는 아무도 쳐다보지 않았다) 어떤 행동이나 말을 할 때면 매우 근엄하게 느껴졌다. 그럴 때 그녀는 여자들이 체면을 희생시켜 가며 어떤 고백을 하는 경우에 짓는 표정을 지었다. 그날 모르소프 부인은 줄무늬의 분홍 드레스에 넓은 단의 장식깃을 달았고, 검은색 벨트를 두르고 같은 색 편상화(編上靴)를 신고 있었다. 이것은 불완전한 밑그림일 뿐이다. 그러나 그녀의 가족에게로 끊임없이 발산되는 영혼의 향기, 즉 태양이 빛을 발하듯이 철철 넘쳐흐르는 양식, 또한 그녀의 내면적인 본질, 평화로운 시간의 자태, 어려운 순간의 체념, 사람의 성격이 드러나는 인생의 모든 소용돌이는 기상의 변화처럼 예상치 못하고 획 스쳐 가는 다양한 요인에 달렸다. 그런 요인들은 유심히 살펴보아야만 서로간의 유사성을 발견할 수 있다. 그것에 대한 묘사는 이 이야기 전개와 필연적으로 얽히게 될 것이다. 이 진정한 가족 서사시는 대중에게 비극이 위대하게 느껴지는 만큼 현인의 눈에는 위대한 것으로서, 당신은 내가 이 이야기에 연루되었다는 이유 이외에도 많은 여성들의 운명과 닮았기 때문에 이에 몰입하게 될 것이다.

클로슈구르드에서는 모든 것이 영국식으로 청결했다. 백작부인이 생활하는 거실의 벽은 두 가지 명암의 회색으로 칠해진 목재였다. 벽난로는 마호가니 상자에 든 추시계로 장식되어 있었는데, 그 위에는 잔과, 금색 그물무늬가 있는 흰 자기 꽃병이 있었다. 꽃병에는 희망봉에서 온 히드가 꽂혀 있었다. 까치발 달린 탁자 위에는 램프가 하나 있었고, 벽난로 앞에는 주사위 놀이판이 있었다. 술이 없는 고운 면직물 커튼은 두 개의 넓은 끈으로 묶여 있었다. 초록색 줄이 가장자리에 둘러진 회색 커버가 의자들에 씌워져 있었는데, 백작부인의 태피스트리 틀을 보면 가구가 왜 그렇게 싸여 있는지를 알 수 있었다. 이와 같은 검소함은 위대해 보이기까지 했다. 그 이후로 어떤 거실도 내게 이 클로슈구르드의 거실만큼 풍부하고 알찬 인상을 남기지 못했다. 이곳은 백작부인의 생활처럼 평화롭고 조용했으며, 그녀의 수도사다운 규칙적인 일과를 느끼게 해주었다. 내가 품게 된 대부분의 이념들이, 과학이나 정치에 관한 가장 진보적인 의견까지도, 마치 꽃에서 향이 나듯이 여기에서 탄생하였다. 이곳에는 내 영혼에 풍부한 열매의 씨앗을 던져 준 미지의 식물이 푸르게 자랐고, 나의 좋은 본성을 발달시키고 나쁜 것들은 말라죽게 한 태양이 빛났다. 창문으로 퐁드뤼앙이 늘어선 언덕에서부터 아제 성까지, 프라펠의 탑들이 변화를 주는 강변의 맞은 편 굴곡을 따라, 그리고 평원 위에 검게 서 있는 성당, 시내, 사셰 성을 따라 골짜기가 한눈에 보였다. 가족들로 인한 근심 이외에는 항상 고요한 삶과 조화된 이곳의 잔잔함이 보는 이의 마음에 전달 되었다. 만일 그녀를 무도회 드레스를 화려하게 차려 입었을 때가 아니라 이곳에서, 백작과 두 아이들 사이에서 처음 보았더라면 나 는 미친 듯이 키스를 퍼붓지 않았을 것이다. 그것이 내 사랑을 가 망 없게 만들 것이라는 생각에 후회스러웠다. 너무나 불행해져서 무릎을 꿇고 그녀의 신발에 입 맞추며 거기에 눈물 몇 방울을 떨어 뜨리고는 앤드르 강에 몸을 던지고 싶은 충동이 일었다. 그러나 신 선한 재스민 같은 그녀의 피부를 스치고, 사랑으로 가득 찬 잔의 젖을 맛보았던 내 영혼 속에는 이미 초인적인 쾌락에 대한 갈망이 자리 잡고 있었다. 나는 마치 야만인이 복수할 기회를 노리듯이 환 희의 순간을 기다리며 살고 싶었다. 나는 나무에 매달리고 싶었고, 포도나무 사이를 기고 싶었으며, 앤드르 강물 속에 숨어서 때를 살 피고 싶었다. 밤의 침묵과 삶의 권태로움, 태양의 따스함이 내 편 이 되어 이미 깨문 사과를 통째로 먹을 수 있게 도와주기를 바랐 다. 그녀가 내게 노래하는 꽃이나 살인마 모건*의 동료들이 묻은 보물을 가져다 달라고 했다면, 내가 원하는 확실한 보물과 말 없 는 꽃을 얻기 위해 그것을 그녀에게 가져다 줬을 것이다. 그러다 가 꿈이 깨졌다. 내 우상을 한없이 주시하고 있던 중 하인이 와서 그녀와 몇 마디를 나누었다. 그리고 그녀가 백작에 대한 이야기를 하는 것이 들렸다. 그때서야 나는 여성은 남편에게 속해야만 한다는 사실을 기억했다. 그런 생각에 현기증이 났다. 곧 이런 보물의 주인이 누구인지 보고 싶은 분노와 슬픔이 뒤섞인 호기심이 들었다. 두 가지의 감정, 증오심과 두려움이 나를 사로잡았다. 증오심은 모든 장애물을 헤아리면서도 전혀 아랑곳하지 않는 것이었고, 두려움은 결투 그리고 그 승패에 대한 희미하지만 현실적인 것이었다. 그러나 무엇보다 두려웠던 것은 바로 그녀였다. 말로 표현할 수 없는 예감에 시달리며 나는 그녀의 남편과 악수를 나누는 불명예스런 상황을 미리 염려했고, 가장 굳건한 의지도 무뎌지게 하는 난관들이 미리 보이는 듯했다. 또한 오늘날 열정적인 사람들이 추구하는 운명 따위는 더 이상 찾아볼 수 없게 만드는 사회의 무기력증이 두려웠다.

"모르소프 백작께서 오시는군요." 그녀는 말했다.

나는 놀란 말처럼 벌떡 일어섰다. 이 동작을 셰셀 씨도, 부인도 목격했지만 아무도 내게 눈치를 주지 않았다. 왜냐하면 그때 약 여섯 살쯤으로 보이는 소녀가 "아버지께서 오세요"라고 하며 들어와서 관심이 그쪽으로 쏠렸기 때문이다.

"마들렌, 인사해야지?" 어머니가 말했다.

소녀는 셰셀 씨가 내민 손을 맞잡고, 놀라움에 찬 가벼운 인사를 내게 한 후 나를 주의 깊게 관찰했다.

"따님의 건강은 어떻습니까?" 셰셀 씨가 부인에게 물었다.

"나아졌어요." 그녀는 이미 자신의 치마폭 안에 웅크린 아이의 머리카락을 쓰다듬으며 대답했다.

셰셀 씨의 다른 질문을 듣고 마들렌의 나이가 아홉 살이라는 것을 알았다. 내가 의아함을 조금 표시했더니 어머니의 이마에 어두운 그림자가 드리워졌다. 셰셀 씨는 내게 눈짓을 보냈다. 사교계의 사람들은 이런 눈짓으로 젊은이들에게 제2의 교육을 베푼다. 그것은 함부로 건드리지 말아야 하는 어머니의 상처가 있는 부분이었을 것이다. 연한 색의 눈과 약한 빛을 받은 도자기처럼 흰 피부를 가진, 허약한 아이였던 마들렌은 도시에서는 살아남지 못했을 것이다. 시골의 공기며, 알을 품듯이 그녀를 품는 어머니의 정성이, 낯선 기후를 무릅쓰고 온실로 옮겨진 식물처럼 연약한 이 육체 속에 생명을 유지하고 있었다. 비록 어머니의 외모를 전혀 닮지 않았지만 마들렌은 그녀의 정신을 물려받은 듯했고, 그 정신이 그녀를 지탱했다. 듬성듬성 난 검은 머리카락, 오목한 눈, 패인 볼, 마른 팔, 좁은 가슴은 그녀 안에서 삶과 죽음이 싸우고 있다는 것을 보여 주었는데, 아직까지 이 휴전 없는 결투에서 백작부인이 승리하고 있었다. 마들렌은 아마도 어머니의 근심을 덜어 주기 위해 발랄한 척하는 것 같았다. 가끔 넋을 놓을 때에는 능수버들과 같은 자세를 취했다. 배고프고 지쳤지만 관객 앞에서 꾸미고 용기 있게 나서는, 고향에서 구걸하며 온 어린 보헤미아 소녀 같았다.

"자크는 어디에 두고 왔니?" 아이의 머리카락을 까마귀의 날개와 같이 두 부분으로 나누는 가르마에 키스하면서 어머니가 물었다.

"아버지와 함께 오고 있어요."

그 순간에 백작이 아들의 손을 잡고 들어왔다. 자크는 역시 허약한 기질을 보이는 여동생의 복제판이었다. 그토록 눈부시게 아름다운 어머니와 대조되는 두 가냘픈 아이들을 보면 백작부인의 얼굴에 서린 근심의 이유를 짐작하지 않을 수 없었다. 하느님 이외 누구에게도 털어놓을 수 없는 근심들은 이마에 무시무시한 수심을 새겨 놓았다. 내게 인사를 하면서 모르소프 백작은 관찰하기보다는 사람 보는 안목이 없어서 의심이 많을 수밖에 없는 자의 서툴고 염려스런 눈길을 보냈다. 그에게 나를 소개한 후 부인은 앉았던 자리를 그에게 내주고 우리의 곁을 떠났다. 마치 어머니의 눈에서 빛을 받는 것처럼 거기에서 눈을 떼지 않는 아이들이 따라나서려 했지만 그녀는 그들에게 말했다. "여기 있어요, 사랑하는 내 천사들아!" 그리고 입술에 손가락을 댔다. 그들은 순종했지만 눈빛이 어두워졌다. 아, 나는 이 '사랑하는'이라는 단어를 듣기 위해 어떤 과중한 노역도 마다하지 않았을 것이다! 아이들과 마찬가지로, 그녀가 떠난 후 내 몸의 온기가 식었다. 내 이름을 알자 백작의 태도는 달라졌다. 냉랭하고 오만했던 그는 거의 다정해졌으며, 예의 바르고 친절해졌다. 내게 존경을 표했고, 나의 방문을 기뻐하는 듯했다. 예전에 나의 아버지는 왕가를 위해서 위대하지만 비밀스러운, 위험하지만 효과적인 역할을 헌신적으로 수행한 적이 있었다. 나폴레옹이 최고의 통치자가 되면서 모든 것이 수포로 돌아갔을 때 그분은, 많은 음모자들이 그랬듯이, 모질고도 부당한 비난을 받아들이고 사생활의 아늑함을 누리기 위해 시골로 피신했다. 그것은 전 재산을 다 거는 도박꾼처럼, 정치 게임에 축으로서의 역할을 다한 후 몰락하는 충신들의 피할 수 없는 대가이다. 내 가문의 재산이나 과거, 미래에 대해 아무것도 모르던 나는 모르소프 백작이 기억하는 아버지의 빗나간 운명의 세부 사항에 대해서도 무지했다. 그래서 백작이 갑자기 나를 반기는 이유를 몰라 어리둥절했다. 그는 사람을 대할 때 가문을 가장 중요시한다는 것을 그 이후에야 알게 되었다. 그 당시에는 그런 급작스런 태도의 변화가 나를 편하게 해 주었다. 우리 세 사람이 대화를 다시 시작하자, 마들렌은 머리를 아버지의 손에서 빼내어 열려 있는 문 쪽을 쳐다보고는 뱀장어처럼 밖으로 미끄러져 나갔고, 자크가 뒤따랐다. 둘은 어머니에게로 갔다. 멀리서, 사랑하는 벌집 주위에서 벌들의 윙윙거리는 소리와 비슷한 그들의 목소리와 몸짓들이 들렸다. 나는 백작의 성격을 알아보기 위해 그를 주시했지만, 얼굴의 주된 특징들이 흥미로워 그 생김새의 표면적인 관찰에 그쳤다. 마흔다섯 살밖에 되지 않았던 그는, 18세기 말의 대혁명 당시 갑자기 늙어서 지금은 예순 가까이 된 것처럼 보였다. 머리 뒷부분에 머리카락이 많이 빠져서 수도사처럼 초승달 모양으로 나 있었고, 관자놀이에서는 검정과 회색이 섞인 뭉치들을 이루다가 귀 부분에 이르러서는 점점 드물어졌다. 건강이 근본적으로 상하고, 위가 약해지고, 기질이 과거의 질병으로 오염된 사람답게 코가 붉어서 그의 얼굴은 코에 피가 묻은 흰 늑대와 조금 흡사했다. 아래가 뾰족한 얼굴과는 어울리지 않게 넓고 납작하면서 불균등하게 주름진 이마는 정신적인 노동보다는 야외에서의 생활 습관과, 극복하려는 의지보다 끊임없는 시련의 무게를 나타냈다. 창백한 피부색 가운데 돌출된 갈색 광대뼈를 보면 오래 지탱해 줄 만큼 튼튼한 골격을 지녔음을 알 수 있었다. 냉혹해 보이는 밝은 노란색의 눈은 차갑게 빛났다. 생각 없이 근심스러워하며, 이유 없이 의심을 품은 그 눈빛이 사람을 바라볼 때는 겨울 햇살과 같은 느낌이었다. 입은 난폭하고 거만한 성미를 나타냈고, 턱은 곧고 길었다. 그는 마르고 키가 컸으며, 관습적인 신분 계급이 부여하는 작위에 의존하는 귀족처럼 행세했다. 자신의 신분으로는 남들보다 우위에 있으나 실제로는 열등하다는 것을 알았던 것이다. 그는 시골 생활에 젖어서 외모는 돌보지 않았다. 촌사람의 옷차림을 하고 있었고, 아마도 농부들과 이웃들은 그의 신분은 잊고 토지 재산만을 인정했을 것이다. 그을리고 신경질적인 손은 그가 승마할 때나 일요일 성당에 갈 때 이외에는 장갑을 끼지 않는다는 것을 보여 주었다. 그의 신발은 볼품이 없었다. 망명 생활 10년과 농촌 생활 10년이 그의 겉모습에 영향을 끼쳤지만 그에게는 귀족 신분의 흔적이 남아 있었다. 가장 증오에 찬 자유주의자도 그의 기사다운 충성심과 왕당파 일간지 『코티디엔』 독자의 군센 신념을 인정했을 것이다. 그리고 자신의 명분을 열정적으로 신봉하고, 정치적인 성향을 솔직하게 표현하지만, 개인적으로 자신이 지지하는 당을 도울 능력은 없고, 오히려 실수로 그것을 파멸시킬 수는 있는, 프랑스가 처한 제반 상황에 대해 무지한 이 사람을 보고 감탄을 금치 못할 것이다. 실제로 백작은 타협을 모르고 고집스럽게 못을 박아 버리는 우직한 사람이었고, 자기가 맡은 초소에서 무기를 들고 죽을 준비가 되어 있지만, 돈보다 목숨을 먼저 내놓을 만큼 인색한 사람이었다. 저녁식사 동안, 그의 시들하고 늘어진 볼살과 간혹 아이들에게 힐끗 던지는 시선에서 언뜻언뜻 떠오르며 그를 괴롭히는 근심의 흔적을 알아보았다. 그를 본 사람이라면 누가 그의 심정을 이해하지 못했겠는가? 누가 자녀들에게 생명이 결여된 육체를 물려주었다고 그를 탓하지 않았겠는가? 그는 비록 스스로를 단죄했지만 다른 사람이 자신을 심판하는 것은 용납하지 않았다. 자신의 잘못을 아는 권력자처럼 가혹하면서도 그로 인한 고통의 무게를 상쇄할 수 있는 대범함이나 매력을 지니지 못했기에, 그의 사생활은 평탄하지 않았을 것이다. 앙상한 얼굴과 항상 불안해하는 눈빛이 이를 나타냈다. 그의 아내가 옆구리에 두 아이를 끼고 다시 들어왔을 때, 나는 지하실의 천장 위를 걸으며 발밑의 깊이를 어느 정도 가늠할 수 있듯이 불행을 감지했다. 여기 모인 네 사람을 보면서, 그들을 눈으로 감싸고, 시선을 이 사람에게서 저 사람에게로 옮기며 각자의 얼굴 생김새와 태도를 살피는 동안, 화창한 해돋이 이후에 회색 가랑비가 아름다운 전원의 풍경을 흐려 놓듯이 울적한 생각들이 내 마음속에 들어앉았다. 화젯거리가 떨어지자 백작은 세셀 씨를 소외시키고 나도 몰랐던 내 가문의 여러 가지 내력에 대해 부인에게 알리며 다시 한번 내게로 주의를 집중시켰다. 그는 내 나이를 물었다. 대답하자 부인은 내가 딸의 나이를 알고 놀랐듯이 똑같이 놀랐다. 그녀는 나를 열네 살쯤으로 생각했을 것이다. 그 이후에 알았지만, 나의 앳된 모습이 그녀로 하여금 내게 애착을 갖도록 한 두 번째 이유였다. 나는 그녀의 마음을 읽었다. 그녀의 모성은 때늦은 희망의 빛을 보고 고무된 듯했다. 스무 살이 넘어서 그토록 가냘프고 연약하며 그토록 신경이 예민한 나를 보면서, 어떤 내면의 목소리가 그녀에게 '내 아이들도 살 수 있다!'라고 외쳤을지도 모른다. 그녀가 나를 호기심에 찬 눈으로 바라보았을 때, 나는 우리 사이에 얼음이 녹고 있음을 느꼈다. 그녀는 내게 수천 가지의 질문을 하고 싶지만 참는 것처럼 보였다.

"과도한 학업으로 병이 났다면, 우리 골짜기의 공기가 약이 될 겁니다." 그녀가 말했다.

"현대 교육은 아이들에게 치명적이오." 백작이 말을 받았다. "그들에게 수학을 잔뜩 주입시키고, 과학으로 압박하면서 일찍이 그들의 건강을 해치는 것이오. 자네는 여기서 쉬어야 하네. 자네 위에 쏟아진 대량의 지식과 사상에 짓눌린 거야. 공교육을 다시 종교단체에 맡김으로써 더 이상의 폐해를 막지 않는다면 이런 대중화된 교육이 어떤 미래를 가져다주겠는가!"

이는 그가 어느 날 선거에서 왕당파에게 유리할 수 있는 사람에게 표를 던지기를 거부하면서 했다는 말을 미리 예상케 했다. "나는 재치 있는 사람들을 항상 의심하오"라고 그는 투표 중개자에게 대답했다. 그는 정원 한 바퀴를 돌자고 제안하며 일어섰다.

"여보……" 부인이 말했다.

"왜 그러오, 당신?" 그가 집에서 절대자이길 원하지만 그렇지 못하다는 것을 드러내는 퉁명스럽고 거만한 자세로 돌아서면서 대답했다.

"이분은 걸어서 투르까지 오셨는데, 셰셀 선생님께서는 그것을 모르고 이미 프라펠을 산책하게 했답니다."

"자네는 무모한 짓을 한 거야. 하긴 자네 나이에는……" 그는 아쉽다는 듯이 머리를 설레설레 흔들었다.

대화가 계속 이어졌다. 그의 왕정주의가 얼마나 완고하고, 그와 충돌 없이 지내려면 얼마나 조심해야 하는지를 곧 파악했다. 제복으로 재빨리 갈아입은 하인은 저녁식사가 준비되었다고 알려 왔다. 셰셀 씨는 모르소프 부인에게 팔을 내밀었고, 백작은 경쾌하게 내 팔을 잡고 식당으로 건너갔다. 그것은 1층의 구조상으로 거실과 대칭적인 위치에 있었다.

식당은 투렌산 타일 바닥에, 팔꿈치로 기댈 만한 높이까지 나무판을 댄 벽에, 꽃과 과일 무늬가 둘러진 넓은 널빤지 모양의 니스를 칠한 벽지로 도배된 방이었다. 창문에는 붉은 단 장식의 커튼이 있었고 찬장은 불르에서 제작된 오래된 가구들이었으며, 수제 태피스트리로 덮인 의자는 떡갈나무를 깎은 것이었다. 푸짐한 저녁상은 전혀 호화롭지 않았다. 모양이 일관되지 않은 대대로 물려받은 은그릇들, 아직 유행이 돌아오지 않았던 작센 지방의 자기, 팔각형의 병들, 마노 손잡이의 칼, 중국 칠기로 된 둥근 병 받침, 그리고 늑대 이빨 모양으로 들쭉날쭉한 가장자리에 니스와 금색이 칠해진 물통과 그 속에 담긴 꽃들이 전부였다. 나는 그런 고색창연한 물건들이 좋았다. 특히 레베용 벽지의 꽃무늬 장식이 마음에 들었다. 황홀감으로 들떠서 나는 이와 같은 시골의 고독과 규칙적인 생활이 그녀와 나 사이에 극복하기 힘든 장애물이 된다는 것을 깨닫지 못했다. 나는 그녀의 오른쪽 옆에 앉아, 그녀에게 물을 따라 주었다. 그건 뜻밖의 행운이었다! 그녀의 드레스를 스쳤고, 그녀의 식탁에서 빵을 먹고 있었다. 세 시간 만에 내 삶이 그녀의 삶과 섞이고 있었다. 무엇보다 서로를 부끄럽게 하는, 비밀처럼 된 그 대담한 키스가 우리를 한 패로 엮었다. 나는 용감하고 비굴했다. 나의 아첨을 모두 받아들이는 백작의 환심을 사는 데 몰두했다. 기회만 주어졌더라면 그의 개도 쓰다듬었을 것이고, 아이들의 작은 부탁도 다 들어 주었을 것이다. 그들에게 굴렁쇠와 마노 구슬을 선물했을 것이고, 그들을 등에 태워 말 노릇까지 했을 것이다. 나는 벌써부터 그들이 나를 종처럼 부리지 않는 것이 아쉬웠다. 천재에게 직감이 있듯이 사랑에도 특유의 직감이 있다. 나는 난폭하거나, 무뚝뚝하거나, 적대적으로 굴면 모든 희망이 사라질 것임을 어렴풋이 짐작했다. 식사하는 동안 나는 마냥 행복했다. 그녀의 집에 와 있다는 것만으로도 기뻐서 나는 그녀의 실제적인 냉랭함에도, 백작의 정중함 속에 숨은 무관심에도 개의치 않았다. 사랑은 인생처럼 스스로도 만족하는 사춘기가 있다. 나는 사랑이 가져오는 내적인 혼란 때문에 몇 개의 서투른 답변을 했다. 그런 혼란을 아무도, 사랑에 대해 아무것도 모르는 그녀조차도 짐작할 수 없었을 것이다. 그 외의 시간은 꿈결 같았다. 그 아름다운 꿈은 따뜻하고 향기로운 저녁, 내가 달빛 아래에, 내가 들판과 강변과 언덕을 장식하는 흰 안개 사이로 앵드르 강을 건널 때 그쳤다. 청개구리—그 학술적인 명칭은 모르지만—의 맑고 우수에 찬 단선율의 노래가 균일한 간격으로 들렸다. 그 중대한 날 이후로 나는 그 노랫소리를 들을 때마다 무한한 황홀감에 젖는다. 나는 항상 그랬듯이, 내 감정을 무디어지게 했던 대리석과 같은 무정함에 부딪혔음을 뒤늦게 실감했다. 앞으로도 계속 그럴 것인지 궁금했다. 그것이 나의 숙명일지도 모른다고 생각했다. 과거의 어두운 일들이 좀전에 혼자서 맛본 기쁨을 몰아내려 했다. 프라펠로 돌아오기 전에 클로슈구르드를 다시 바라보았다. 저 밑에, 물푸레나무에 묶여 강물에 흔들리는 나룻배가 보였다. 투렌에서 '투'라고 부르는 나룻배는 모르소프 백작의 소유였고, 낚시용으로 쓰였다. 셰셀 씨가 클로슈구르드에서 말소리가 들릴 위험이 없어졌을 때 말했다.

"자, 자네의 그 아름다운 어깨를 찾았느냐고 물어볼 필요도 없네그려. 모르소프 백작에게 그만한 대접을 받은 것을 축하하네. 그것 참, 단번에 중심으로 진출하다니."

이런 칭찬과 이미 언급한 말은 의기소침한 내게 다시 활력을 불어넣었다. 난 클로슈구르드를 떠난 후로 아무 말도 하지 않고 있었는데, 셰셀 씨는 너무 행복에 겨워서 침묵하고 있는 줄 알았던 것이다.

"무슨 말씀이시죠?" 나의 냉소적인 말투는 억누른 열정의 절규로 오해받을 수 있었을 것이다.

"그가 이렇게 사람 접대를 잘한 적은 없어."

"솔직히 말씀드리자면 저도 놀랐습니다." 그의 말 속에 담긴 쓰라림을 감지하고 나는 대답했다.

셰셀 씨가 느끼는 감정의 원인을 이해하기에는 아직 사교계에 대한 경험이 부족했던 나였지만 그의 언짢은 표정은 알아차릴 수 있었다. 셰셀 씨는 본명이 뒤랑이라는 약점을 가지고 있었다. 그래서 가소롭게도 그는 대혁명 시기에 굉장한 부를 모은, 저명한 제조업자인 아버지의 이름을 저버렸다. 그의 아내는 대부분의 파리 법관들처럼 앙리 4세 때에는 부르주아 계급이었던, 오래된 국회의원 가문인 세셀가의 유일한 후손이었다. 야망이 컸기 때문에 세셀 씨는 그가 꿈꾸는 지위에 오르기 위해 본래의 성(姓) 뒤랑을 묻어 버리고자 하였다. 그는 우선 뒤랑 드* 세셀이라는 이름을 달았고, 그 후로 D. 드 세셀로 바꾸었다. 내가 방문한 당시에는 드 세셀이었다. 왕정 복고 시절에 그는 루이 18세가 내려준 귀족 문서 덕분에 백작이라는 직함으로 세습 재산을 마련했다. 그의 자녀들은 그런 용감한 노고의 결실을 물려받을 테지만 그 위대함은 알지 못할 것이다. 짓궂은 한 공작의 말이 그를 곧잘 따라다녔다. "세셀 씨는 뒤랑 씨의 옷을 잘 걸치지 않는다네." 이 말은 오랫동안 투렌에서 회자되었다. 벼락출세한 사람들은 민첩한 원숭이와 같다. 높이 올라가는 동안에는 사람들이 그들의 날렵함에 감탄한다. 그러나 그들이 꼭대기에 이르면 수치스런 면모만을 보게 된다. 세셀은 겉보기와는 달리 탐욕 때문에 옹졸해졌다. 그는 귀족 의원 직위와 인연이 없는 듯하다. 야심을 품고 그것을 실현시키는 것은 힘 있는 자들의 특권이지만, 야심을 겉으로 드러내놓고 능력이 미치지 못해서 우스꽝스러워지는 것은 소심한 사람들의 몫이다. 세셀 씨는 능력 있는 자의 직선 코스를 밟지 못했다. 두 번 하원 의원을 지냈고, 두 번 선거에서 낭패를 보았으며, 예전에는 국장이었는데, 오늘날에는 아무것도, 도지사도 아니었다. 성공과 패배의 연속은 그의 성격을 망쳤고, 좌절된 야심가의 모진 성미를 심어 주었다. 그는 예의 바르고 재치 있고, 큰일을 할 능력이 있는 사람이었으나 온갖 것을 시샘하는 데 몰두하는 투렌 사람 본연의 질투심 때문에 사회의 상류층에서는 배척당했을지도 모른다. 상류 사회에서는 남의 앞에 경직된 얼굴을 보이는 자나, 칭찬은 아끼지만 신랄한 말을 잘하는 뿌루퉁한 입술을 가진 자들이 환영받지 못한다. 그가 욕심을 덜 부렸더라면 더 많은 것을 얻었을지도 모른다. 그러나 그에게는 항상 똑바로 서서 걷고자 하는 우월의식이 있었다. 그 당시에 세셸 씨는 야망의 황혼기를 맞고 있었는데, 왕당파가 그에게 호의적으로 대하고 있었다. 그는 예의바른 체하는 것일 수도 있었지만, 내게는 흠 잡을 데 없이 잘 대해 주었다. 게다가 그가 내 마음에 드는 이유는 간단했다. 나는 처음으로 그의 집에서 휴식을 맛보았기 때문이다. 그가 보이는 관심이, 미약한 것이었을지언정, 불행하고 버려진 아이였던 내게는 부성애처럼 느껴졌다. 그의 후한 접대가 그때까지 나를 비참하게 했던 무관심과 너무나 대조되어, 자유를 만끽하며 극진한 대접을 받는 것에 대해 순수하게 감사했다. 프라펠의 주인들은 내 행복이 시작되던 시절에 함께 있었기에 내가 즐겨 되새기는 추억들 속에 얽혀 있다. 나는 후에, 바로 귀족 직위를 수여하는 국왕의 공문서 일로 세셸 씨를 기꺼이 도와주기도 했다. 그는 자신의 부를 누리며 호화롭게 살았는데, 이웃사람 몇 명은 이를 아니꼽게 여겼다. 훌륭한 말과 고급 마차를 새것으로 바꿀 수가 있었고, 그의 아내는 항상 세련된 차림을 했다. 그가 여는 파티들은 성대했고, 그 지역 평균보다 더 많은 하인을 거느렸다. 이렇게 그는 공작처럼 행세했다. 프라펠 영지는 거대하다. 이렇게 호화스러움을 누리는 이웃에 비해서, 투렌에서는 역마차와 비슷한 수준인 가족용 이륜마차를 타고 다니고, 재산이 보잘것없어서 클로슈구르드에 농사를 지을 수밖에 없었던 모르소프 백작은 그저 투렌 시골뜨기였다. 왕의 특별한 대우로 예상치 않게 그의 가문이 명예를 회복하게 되기까지는 말이다. 십자군 원정 때 문장(紋章)을 얻은, 재산을 잃어버린 가문의 후손인 나를 대접함으로써 그는 귀족이 아닌 이웃사람의 재산과 숲, 밭과 목장을 초라해 보이게 하고 그에게 굴욕감을 주려는 의도였다. 셰셀 씨는 그것을 알아차렸다. 그래서 프라펠과 클로슈구르드가 앵드르를 사이에 두고, 안주인들이 창가에서 서로 손짓을 보낼 수 있을 만큼 가까웠는데도 불구하고 그들은 항상 서로 예의를 차렸지만 일상적인 교류나 정다운 친분은 맺지 않았다.

　모르소프 백작의 고독한 삶은 단지 질투심 때문만은 아니었다. 그가 받은 교육은 명문가의 자녀들 대부분이 받는 것이었다. 불충분하고 피상적인 학과 교육은 사교계의 예법, 궁정의 규범을 배우고 왕실의 큰 직책이나 요직의 업무를 수행함으로써 보충된다. 백작은 교육의 두 번째 단계를 시작할 즈음에 망명했기에 그것을 받지 못했다. 그는 프랑스 왕정이 신속히 복고될 것이라고 믿은 사람 중 하나였다. 이를 굳게 믿었기 때문에 그는 망명 시절을 한심할 정도로 나태하게 보냈다. 그는 콩데 공의 군대에서 용맹을 떨쳐서 가장 충성스런 신하 중 하나로 꼽혔었다. 그 군대가 해산했을 때, 곧 하얀 깃발* 아래 프랑스로 돌아오리라고 기대하고, 다른 몇몇의 망명가들처럼 근면한 생활의 기반을 다지지 않았다. 어쩌면 천시되는 노동에 땀을 흘리며 먹고 살기 위해 이름을 포기할 용기가 그에겐 없었던 것이다. 앞날에 대한 희망과 아마도 명예 때문에 그는 외세에 봉사하지 않았다. 고통이 그의 용기를 갉아먹었다. 헛된 희망을 품고 충분한 양식 없이 떠난 긴 보행길이 그의 건강을 해쳤고, 마음을 지치게 했다. 날로 그의 가난은 극심해졌다. 많은 사람들에게 불행이 활력소라면, 다른 사람들에게는 용해제이다. 백작은 후자에 속했다. 헝가리를 돌아다니며 길 위에서 자고, 에스테르하지 공작이 주는 빵은 프랑스 귀족으로서 여러 번 사양했을 테지만, 나그네로서 공작의 양치기들에게 구걸하여 그들과 양고기 한 덩어리를 나눠먹는 투렌의 가없은 귀족 신사를 상상하면 나는 그가 의기양양하여 가소로워졌을 때조차 그에게 악의를 품지 못했다. 모르소프 백작의 백발은 지독한 고난을 증언했고, 나는 망명가들을 심판하기에는 그들에게 너무나 큰 연민을 느낀다. 프랑스인, 투렌 사람 특유의 쾌활함은 사라졌다. 그는 음울해지고, 병들어서 어느 독일의 구제원에서 치료를 받았다. 병은 장간막 염증이었는데, 대개는 치명적이고, 치료되어도 기질의 변화를 일으켜, 십중팔구 우울증을 동반한다. 나는 그가 마음 가장 깊은 곳에 묻은, 아무도 모르는 연애 행각을 알게 되었다. 그것은 하급 여성들과 벌인 것으로서 그의 삶을 해쳤을 뿐만 아니라, 미래까지도 망쳐 놓았다. 12년의 고생 끝에, 나폴레옹의 칙령이 귀향을 허락했을 때 그는 다시 프랑스로 눈을 돌렸다. 라인 강을 넘어가며, 병든 보행자가 아름다운 저녁 정취 속에 스트라스부르 성당의 종탑을 보았을 때 그는 거의 기절할 뻔했다. "프랑스! 프랑스!라고 나는 외쳤어. 마치 어린아이가 다쳤을 때 '어머니!' 라고 외치듯이 말이야." 그는 내게 이야기했다. 그는 태어나기 전에는 부유했지만 지금은 가난했고, 하나의 연대를 지휘하거나 정부 기관에서 통치할 운명이었으나 이제는 아무런 권력도, 미래도 없었으며 건실하고 튼튼하게 태어나 쇠약해진 불구의 몸으로 되돌아왔다. 사람들과 사물들이 진화한 고국에서 어찌할 바를 모르던 그는 아무런 영향력이 없었고, 모든 것을, 육체적이고 정신적인 힘마저 잃었던 것이다. 재산이 없는 귀족의 이름이 부담스러워졌다. 확고한 신념, 콩데 공의 군대에서의 이력, 근심과 추억들, 무너진 건강 등으로 신경이 예민해진 그를 빈정거림의 나라인 프랑스에서 사람들이 조심스럽게 대할 리 만무했다. 그는 거의 탈진 상태로 멘 강에 다다랐다. 그곳에는, 어쩌면 내전(內戰) 덕분에, 혁명 정부가 그의 소유였던 꽤 넓은 농지를 팔지 않고 방치해 두었었다. 소작인이 자신을 주인으로 가장하며 백작을 위해 그것을 지키고 있었다. 농지 근처에 있는 지브리 성에 살던 르농쿠르 가문의 사람들이 모르소프 백작이 왔다는 것을 알았을 때, 르농쿠르 공작은 주거가 마련되는 동안 지브리에 와서 지내라고 제안했다. 르농쿠르 집안은 백작을 후하게 대하였다. 그는 그곳에서 몇 달 동안 심신을 회복하고, 자신의 고통을 숨기려 노력했다. 르농쿠르 일가도 그 막대한 부를 다 잃었다. 이름으로 보면 모르소프 백작은 그들의 딸에게 내놓을 만한 결혼 상대였다. 르농쿠르 양(孃)은 서른다섯 살의 병들고 노쇠한 사람과 결혼하는 것을 반대하기는커녕 만족스러워하는 듯이 보였다. 결혼함으로써 그녀는 양(養)어머니와도 같은 숙모 블라몽—쇼브리 공의 여동생인 베르네유 공작부인과 함께 살 수 있게 되었다.

　부르봉 공의 부인과 절친한 친구 사이였던 베르네유 부인은 한 종교 단체의 일원이었다. 그 단체의 정신적 지주는 '미지의 철학자'라는 별명이 있는 투렌 태생의 생 마르탱*이었다. 이 철학자의 추종자들은 신비주의적 천계설이 설교하는 덕행을 실천했다. 이 이론은 인간의 삶이 숭고한 운명을 향해 나아가는 변신의 과정이라고 설명하며, 의무를 타락시키는 규범을 벗어던지고, 퀘이커 교도처럼 인생의 번민을 항상 순종적으로 받아들일 것을 설파하고, 하늘에 모신 천사에 대한 모성적인 사랑에 기대어 고통을 하찮게 여기라고 가르침으로써 천상의 열쇠를 주었다. 그것은 미래를 내다보는 금욕주의였다. 로마 교회의 교리에서 벗어나 초기 교회의 그리스도교로 돌아가려는 이 신앙의 주요 요소는 적극적인 기도와 순수한 사랑이다. 그러나 르농쿠르 양은 숙모도 저버리지 않았던 로마 교회에 충실했다. 혁명의 폭풍 속에서 호되게 고생한 베르네유 공작부인은 인생 말년에 신앙에 열렬하게 심취하여 사랑하는 양딸의 마음에, 생 마르탱의 표현을 그대로 빌리자면 신성한 사랑의 빛과 내적인 환희의 기름을 부어 주었다. 백작부인은 숙모의 집에서 자주 마주친 평화와 신성한 지식의 설교자를 숙모가 죽은 후에도 클로슈구르드에 오게 했다. 생 마르탱은 클로슈구르드에서 자신의 최후의 저서들이 투르의 르투르미 인쇄소에서 제작되는 과정을 지켜보았다. 삶의 비바람 치는 해협을 경험한 노부인답게 현명했던 베르네유 부인은 새 신부가 신혼집을 꾸밀 수 있도록 클로슈구르드를 내주었다. 노인이 은혜를 베풀면 아낌없이 베푼다. 그렇듯 공작부인은 조카에게 모든 것을 다 양도하고 자신이 쓰던 침실 바로 위층에 있는 방 하나로 만족했다. 백작부인이 숙모의 방을 쓰게 되었다. 공작부인의 급작스런 죽음은 신혼의 기쁨에 상장(喪章)을 드리우고, 클로슈구르드와 미신을 믿는 신부의 마음에 지울 수 없는 슬픔을 새겼다. 투렌에 처음으로 정착하던 시절이 백작부인의 삶에서 행복하다기보다는 가장 평온한 시기였다.

모르소프 백작은 외국에서 산전수전을 겪은 후에 엿보이는 아늑한 앞날에 대해 만족했고, 마음의 회복기를 맞이했다. 그는 이 골짜기에서 화사한 희망의 향기에 취했다. 재산을 늘릴 궁리를 해야만 했던 그는 농경 사업을 준비하기 시작했고, 거기에 약간의 즐거움을 맛보기도 했다. 그러나 자크의 출생이 현재와 미래를 망치는 날벼락을 가져왔다. 의사는 갓난아기가 살아남지 못할 것이라고 선고했다. 백작은 이런 사실을 부인에게 숨기고 자신도 진찰을 받고서 참담한 결과를 얻었다. 마들렌이 태어났을 때 그런 결과는 확인되었다. 이 두 사건과, 아이들이 오래 살지 못할 것이라는 내적인 확신이 망명가의 병적인 체질을 악화시켰다. 영원히 사라질 자신의 이름, 순결하고 흠 잡을 데 없지만, 자기 때문에 불행해진, 모성의 즐거움을 누리지 못하고 번민에 시달릴 운명을 진 아내, 즉 새로운 고통이 싹트는 과거의 토양이 그의 가슴을 압박하여 그를 완전히 파괴시켰다. 백작부인은 현재를 보고 과거를 모두 헤아렸으며, 미래를 점쳤다. 죄책감에 사로잡힌 사람을 행복하게 만드는 것만큼 어려운 일이 없지만 부인은 천사만이 엄두를 낼 일을 시도했다. 하루아침에 그녀는 금욕주의자가 되었다. 낭떠러지 속에서도 하늘을 엿보았던 것이다. 그녀는 한 사람만을 위해 빈민 구제 수도회의 수녀처럼 헌신했다. 백작을 자기 자신과 화해시키기 위해 스스로도 용서하지 못하는 죄를 용서해 주었다. 백작은 인색해졌지만 부인은 강요된 궁핍을 받아들였다. 사교계에서 혐오스런 경험만을 간직한 사람답게 아내가 자기를 속일까 봐 불안했다. 그래서 그녀는 고독한 생활을 받아들이고, 그의 의심을 불평 없이 참았다. 여성들이 잘 쓰는 꾀를 부려 그로 하여금 선을 추구하게 하였다. 그리하여 백작은 스스로 훌륭한 생각을 한다고 믿고 다른 곳에서는 누리지 못했을 우월의식을 자기 집에서는 누릴 수 있었다. 결혼 생활을 얼마간 한 후에 부인은 백작의 히스테리 기질을 알아보고는, 그의 행패 때문에 사람들이 짓궂고 험담을 일삼는 지역에서 아이들이 피해를 입을까 봐 클로슈구르드에서 나오지 않기로 결심했다. 부인이 이렇게 남편의 폐허를 두꺼운 담쟁이덩굴의 옷으로 덮었기 때문에 아무도 모르소프 백작의 실제적인 무능을 눈치 채지 못했다. 변덕스럽고, 불만스러워한다기보다 삐딱한 백작의 성격은 아내의 부드럽고 만만한 토양을 만났다. 그는 시원한 연고로 내면의 아픔이 누그러지는 것을 느끼며 그 위에 다시 누웠다.

이것이 셰셀 씨가 내심 원한을 품고 내뱉은 이야기의 가장 간략한 요지이다. 사교계의 경험이 풍부한 그는 클로슈구르드에 숨어 있는 비밀의 일부를 알아차렸다. 훌륭한 처신으로 모르소프 부인이 세인들의 눈은 속였지만 사랑의 예리한 감각을 속일 수는 없었다. 내 작은 침실에 들어왔을 때, 나는 진실을 예감하고 침대에서 벌떡 일어났다. 그녀의 침실 창문을 볼 수 있는데 프라펠에 가만히 있을 수는 없었다. 옷을 입고, 살금살금 아래층으로 내려가서, 나선형 계단이 있는 탑의 문을 통해 성 밖으로 나갔다. 밤의 냉기가 나를 진정시켰다. 나는 물랭 루즈 다리로 앵드르 강을 건너 클로슈구르드 앞에 있는 반가운 나룻배에 이르렀다. 아제 성 쪽과 가장 가까운 클로슈구르드의 창문에서는 빛이 새어나왔다. 나는 예전의 명상을 되찾는 기분이었다. 그러나 이번에 그 명상은 평화로웠고, 낭만적인 밤의 시인, 나이팅게일의 떨리는 노랫소리와 물가에 사는 밤꾀꼬리가 내는 단음이 섞여 있었다. 내 안에서 상념들이 유령처럼 일어나, 내 유망한 미래를 가렸던 베일을 벗기면서 스쳐갔다. 정신과 육체 모두가 주술에 걸려 있었다. 나는 얼마나 격렬하게 그녀를 원했던가! '그녀를 얻을 수 있을까?' 몇 번이나 나는 이런 후렴구를 미친 듯이 되뇌였던가! 지난 며칠 동안 내게 우주가 넓어졌다면, 그 하룻밤 사이 그 우주에 중심이 생겼다. 나의 모든 의욕과 야망이 그녀와 결부되었고, 그녀의 찢긴 가슴을 새롭게 부활시키고 채우기 위해 나는 그녀의 모든 것이 되고자 했다. 물레방아의 수문(水門)을 지나가는 물의 속삭임과, 그것과 교차하는 사셰의 종탑에서 시간마다 울리는 종소리를 들으며 그녀의 창가 밑에서 보낸 밤은 참으로 아름다웠다! 이 별이 내 삶을 밝혀 준 환한 밤에, 나는 세르반테스의 소설에서 웃음거리로 나오는 불쌍한 카스티야의 기사처럼 충성스럽게 내 영혼을 그녀에게 바쳤다. 우리는 그런 마음으로 사랑을 시작한다. 하늘에 첫 새벽빛이 비추었을 때, 첫 새의 울음소리에 나는 프라펠 정원으로 도망쳤다. 시골 사람들 중 아무도 나를 보지 못했고, 아무도 나의 탈주를 알아차리지 못했다. 나는 점심시간 종이 울릴 때까지 잤다. 점심식사 후에, 더위에도 불구하고, 앵드르 강과 섬들, 그리고 골짜기와 작은 언덕들을 다시 보기 위해 들판으로 다시 내려갔다. 나는 전원의 열렬한 애호가인 것처럼 보였다. 탈출한 말과 경주할 만한 속력으로 달려가 나의 나룻배와 나의 버드나무와 나의 클로슈구르드를 되찾았다. 정오의 시골이 그렇듯 모든 것이 조용하게 전율하고 있었다. 미동도 하지 않는 잎들이 하늘의 푸른 바탕 위에 돋보였다. 초록색 잠자리, 기뢰 등 빛을 먹고 사는 벌레들은 물푸레나무와 갈대를 향해 날아다니고, 가축 떼는 그늘에서 되새김질을 했고, 포도밭의 붉은 토양은 이글거렸으며, 뱀은 경사지(傾斜地)를 따라 미끄러지고 있었다. 내가 잠들기 전에 보았던 신선하고 요염한 풍경과는 너무나 다른 모습이었다. 갑자기 나는 배에서 뛰어내려 길을 걸어 올라가서 클로슈구르드 주위를 배회했다. 집을 나서는 백작을 본 것 같아서였다. 실제로 그랬다. 백작은 울타리를 따라 아제로 가는 길로 진입하는 문 쪽으로 가려는 듯했다.

"안녕하십니까, 백작님?"

그는 기뻐하며 나를 바라보았다. 그런 호칭을 자주 듣지는 못했을 것이다.

"어서 오게. 이런 더위에 산책을 하다니, 자네는 참 시골을 좋아하나 보군."

"야외에서 생활하도록 제가 이곳으로 보내지지 않았습니까?"

"좋아. 그렇다면 호밀 자르는 것을 구경하겠나?"

"기꺼이 그러죠. 고백하건대, 저는 매우 무지합니다. 호밀과 밀도 구별할 줄 모르고, 포플러와 사시나무도 구별하지 못합니다. 농업이나, 토지를 경작하는 다양한 방법들에 대해 아는 바가 전혀 없습니다."

"그러니까 이쪽으로 오게. 위쪽 문으로 들어오게나." 그는 되돌아오면서 명랑하게 말했다. 그는 안쪽에서, 나는 바깥쪽에서 울타리를 따라 다시 올라갔다.

"셰셀 씨 댁에서는 아무것도 못 배울 것이야. 그는 관리인으로부터 재산 보고를 받는 것 이외의 일에 관심을 갖기에는 너무 부자니까."

그는 뜰과 건물들, 정원, 과수원과 채소밭을 보여 주었다. 드디어 강가 옆에 아카시아와 일본 옻이 난 긴 오솔길로 나를 데려갔는데, 그 끝에 모르소프 부인이 벤치에 앉아 아이들과 시간을 보내고 있었다. 부르르 떨리는, 가위로 오린 듯한 작은 잎사귀 밑에 있는 여인은 아름답다! 나의 순진한 열의에 놀랐기 때문인지 그녀는 일어나지 않았다. 우리가 그녀에게로 간다는 것을 알았던 것이다. 백작은 내게 골짜기를 조망하게 했다. 그곳에서 봤을 때 골짜기는 우리가 지나온 다양한 높이의 지점에서 펼쳐졌던 것과는 완전히 다른 모습이었다. 그곳에서는 마치 스위스의 한 지방 같았다. 앵드르강에 합류하는 시냇물들이 가로지르는 평원 전체가 한눈에 보이고, 저 멀리 희미하게 사라진다. 몽바종 방면으로는 거대한 녹지가 눈에 들어오고 그 외의 방향으로는 언덕, 수풀, 바위 등이 시야를 가로막는다. 모르소프 부인에게 인사를 하기 위해 우리는 걸음을 재촉했다. 그녀는 갑자기 마들렌이 읽고 있던 책을 떨어뜨리고 경련을 일으키듯 기침을 하는 자크를 무릎 위에 앉혔다.

"무슨 일이야?" 백작이 창백해지면서 외쳤다.

"목이 아프대요. 아무것도 아니에요." 어머니가 대답했다. 그녀는 나를 못 본 척했다.

아이의 머리와 등을 동시에 받치는 그녀의 눈은 이 연약한 존재에게 생명을 불어넣는 두 개의 불빛 같았다.

"당신은 어쩜 그렇게 조심성이 없소. 아이를 서늘한 강변에 데리고 나와서 돌 벤치에 앉히다니." 백작이 모질게 꾸짖었다.

"아버지, 벤치가 뜨거워요!" 마들렌이 큰소리로 말했다.

"저 위에서는 더워서 아이들이 질식할 정도였어요." 부인이 해명했다.

"여자들은 항상 자신들이 옳다고 생각한다네." 백작이 나를 보며 말했다.

눈빛으로 그에게 동의나 이의를 표현하는 것을 피하기 위해 나는 자크를 주시했다. 그가 목이 아프다고 하자 어머니가 그를 데리고 들어갔다. 우리를 떠나기 전에 그녀는 남편의 말을 들을 수 있었다.

"저렇게 몸이 허약한 아이들을 낳았으면 잘 보살필 줄 알아야 할 것 아니야!"

매우 부당한 말이었지만 그의 자존심을 위해서는 부인을 희생시키면서까지 자신을 정당화해야만 했다. 부인은 날아가듯 층계를 올라갔다. 그녀가 문으로 사라지는 것이 보였다. 모르소프 백작은 머리를 기울인 채, 생각에 빠져 벤치에 앉아 있었다. 나는 불편해서 견딜 수가 없었다. 그는 나를 쳐다보지도, 내게 말을 걸지도 않았다. 산책하는 동안 그의 마음에 들려는 계획은 무산되었다. 내 생애에서 15분을 이보다 끔찍한 기분으로 보낸 기억이 없다. 나는 굵은 땀방울을 흘리며 계속 자문했다. '내가 떠나야 하나? 계속 있어야 하나?' 그에게 얼마나 많은 서글픈 생각들이 떠올랐으면 가서 자크의 상태를 묻는 것을 잊었을까? 그는 갑자기 일어나서 내게로 왔다. 우리는 아름다운 골짜기를 보기 위해 돌아섰다.

"백작님, 산책은 다음으로 미루도록 하지요." 내가 상냥하게 말했다.

"나가지! 불행히도 난 이런 발작을 자주 봐서 익숙해. 이 아이의 생명을 지켜 주기 위해 기꺼이 내 생명까지도 내놓을 텐데 말이야." 그는 대답했다.

"자크가 많이 좋아졌어요. 지금은 자요."

황금 목소리가 들렸다. 모르소프 부인이 문득 오솔길 끝에서 나타났다. 그녀는 아무런 원한도, 쓰라림도 없이 오고 있었다. 내 인사에 답례했다.

"클로슈구르드를 좋아하시는 것 같아서 기쁘네요."

"여보, 말 타고 델랑드 선생을 부르러 갈까?" 백작은 자신의 부당한 발언을 용서받으려 했다.

"걱정 말아요. 자크가 지난 밤에 잠을 못 잤을 뿐이에요. 이 애가 신경이 예민해서 악몽을 꾸었어요. 다시 잠들게 하기 위해서 계속 이야기를 해 주었는 걸요. 기침도 신경과민으로 인한 거예요. 고무종 기침약을 먹여서 진정시키니까 잠이 들었어요."

"가엾은 여인 같으니, 난 아무것도 몰랐소." 그는 그녀의 손을 잡고 젖은 눈으로 그녀를 쳐다보았다.

"왜 쓸데없이 걱정하세요? 호밀이나 보러 가세요. 당신이 가지 않으면 호밀을 잘라서 묶은 다발을 가져가기도 전에 소작인들이 타지의 이삭 줍는 여인들을 밭 안으로 들여보낼 거예요."

"저는 첫 농업 수업을 받으러 갑니다, 부인." 나는 말했다.

"좋은 교사를 만났군요." 그녀가 백작을 가리키자 그는, 속된 표현으로 '하트 모양의 입'이라 부르는 만족스런 미소를 지었다.

두 달 후에야 나는 그녀가 아들이 크루프성 후두염에 걸렸을까 봐 몹시 불안해하면서 밤을 지샜다는 것을 알았다. 촛불이 근심으로 주름진 그녀의 이마를 밝히고 있을 때, 나는 아무것도 모르는 채, 배 안에서 그 촛불을 경배하는 나를 그녀가 볼 것이라고 상상하면서, 달콤한 꿈에 젖어 있었다니. 크루프성 후두염이 투르를 휩쓸며 참혹한 피해를 일으켰다. 우리가 문에 이르렀을 때 백작은 감동어린 목소리로 말했다. "아내는 천사야!" 이 말에 나는 휘청거렸다. 나는 아직 이 가족을 피상적으로만 알고 있었던 터라, 젊은 영혼에게 들릴 법한 양심의 목소리가 외쳤다. '네가 무슨 권리로 이 깊은 평화를 깨뜨리려 하는가?'

백작은 젊은이를 상대로 쉽게 우위를 차지할 수 있어서 기뻐하며 부르봉 왕가의 귀환이 가져올 프랑스의 앞날에 대해 이야기했다. 우리가 두서없는 대화를 나누는 동안 나는 그의 어리석음에 깜짝 놀랐다. 그는 기하학적인 법칙만큼이나 명백한 사실들을 모르고 있었다. 그는 유식한 사람들을 두려워했고, 탁월한 재능을 부정했으며, 진보를 비웃었는데, 이 점에 대해서만큼은 그가 옳았을 수도 있다. 그에게 아픈 곳이 많았으므로 그것들을 건드리지 않기 위해서 신중을 기해야 했다. 그 때문에 그와의 긴 대화는 정신적인 노동임을 알게 되었다. 그의 약점들을 더듬어 찾아낸 후 나는 부인이 그것들을 정성스럽게 어루만지는 것처럼 유연하게 거기에 보조를 맞췄다. 내가 좀 더 원숙한 나이였다면 분명히 그의 기분을 상하게 했을 것이다. 그러나 아이처럼 수줍었던 나는 스스로 무지하다고 믿었거나, 또는 어른들은 모든 것을 안다고 믿었기에 이 인내심 많은 농경업자가 클로슈구르드에서 얻는 훌륭한 수확들을 보고 감탄할 뿐이었다. 나는 지상 낙원과 같은 이 아담한 영지를 부러워하며 프라펠보다 훨씬 높이 평가했다. 이런 고의적이지 않은 아첨으로 노귀족의 호감을 샀다. "프라펠은 거대한 은제품 세트지만 클로슈구르드는 보석함입니다!"라고 그에게 말했다.

그 후로 그는 이 문장을 내 이름과 함께 곧잘 인용했다.

"우리가 오기 전에는 아주 황폐했었지." 그는 말했다.

그가 묘목(苗木)과 육림원(育林原)에 대해 이야기할 때는 매우 주의 깊게 들었다. 농사일에 대해 문외한이었던 나는 물건의 가격, 경작 방법 등에 대해 질문 공세를 폈고, 그는 자세하게 가르쳐 줄 수 있어서 흐뭇해 보였다.

"자네 대체 무엇을 배운 거야?" 그는 어이없다는 듯 말했다.

첫날부터 백작은 집에 들어가며 부인에게 말했다고 한다. "펠릭스 군은 호감이 가는 젊은이로군!"

그날 저녁 나는 어머니에게 편지를 써서 프라펠에 머물겠다고 통보하고 옷과 속옷을 보내 달라고 부탁했다. 그때 진행 중이던 큰 변화에 대해서도 몰랐고, 그것이 내 운명에 미칠 영향도 더더욱 예상치 못했다. 나는 곧 파리로 돌아가서 법 공부를 마쳐야 한다고만 알고 있었는데, 학교는 11월 초에나 개강했다. 내게 두 달 반의 여유가 있었던 것이다.

초기에 나는 백작과 절친한 사이가 되고자 노력했다. 그러면서 가혹한 인상을 많이 받았다. 이유 없이 화를 내는 성미, 절망적인 상황을 단칼에 처리하는 습성에 나는 질겁했다. 그에게는 콩데의 군대에서 용맹을 떨쳤던 귀족의 기질이 문득 돌아오곤 했다. 그것은 정직하고 용기 있는 자에게 우연한 기회가 찾아왔을 때 시골 저택에서 살아갈 운명을 바꾸어 엘베, 봉샹, 샤레트*처럼 등관(登官)하게 만드는 의지력의 번뜩임이었다. 그런 의지력은 유사시에 정치계에 폭탄처럼 파란을 일으킬 수 있다. 어떤 암시를 들었을 때 그의 코는 수축되었고, 이마는 밝아졌으며, 눈에서 번개가 나왔다가 곧 수그러들었다. 내 눈빛을 읽고 그가 나를 홧김에 죽일까 봐 두려웠다. 그 당시에 나는 매우 여렸다. 남자들을 신기하게 변화시키는 의지력이 내 안에서 겨우 태동하기 시작했다. 내 불 같은 욕망들은 공포의 떨림과 유사한 감수성의 격한 반응을 일으켰다. 싸움이 두렵지는 않았지만 사랑하는 사람에게서 사랑을 받는 행복을 누리기 전에는 죽고 싶지 않았다. 난관과 욕망이 평행한 두 선을 따라 함께 커 가고 있었다. 내 감정을 어떻게 고백할까? 한심하게도 나는 어찌할 바를 몰랐다. 우연을 기다리며 지켜보았고, 아이들과 친해지면서 그들의 환심을 샀으며, 집안의 일원이 되고자 했다. 아주 조금씩 백작은 내 앞에서 자제력을 잃었다. 그리하여 나는 그의 갑작스런 기분의 전환, 이유 없는 우울, 느닷없는 발작, 신랄하고 퉁명스런 불평, 증오심에 찬 냉랭함, 억눌린 광기, 어린이 같은 비명, 좌절한 남자의 탄식, 뜻밖의 분노 등을 겪었다. 정신적인 법칙에는 절대적인 것이란 없다는 점에서 물리적인 법칙과 다르다. 결과는 사람들의 성격이나 하나의 현상에 대한 여러 생각들에 의해 좌우된다. 클로슈구르드에 내가 계속 출입할 수 있을지의 여부, 내 미래는 이 변덕스런 의지에 달려 있었다. '그가 나를 어떻게 맞이할까?' 라고 스스로에게 물으며 들어갈 때마다 내 마음을 압박하던 초조감을 표현할 길이 없다. 그 당시 쉽게 기를 펴고 또 쉽게 주눅 드는 나였다. 이 눈 덮인 이마 위에 폭풍의 기운이 감돌 때 얼마나 가슴을 조였던가! 경계를 늦출 겨를이 없었다. 나도 이 사람의 횡포 아래 놓이게 되었다. 내 고통이 모르소프 부인의 고통을 미루어 헤아릴 수 있게 해 주었다. 우리는 서로 눈신호를 주고받기 시작했고, 그녀가 눈물을 삼킬 때 가끔 내 눈물이 흐르곤 했다. 백작부인과 나는 이렇게 동병상련의 정을 나누었다. 가혹한 쓰라림, 무언의 희열, 가라앉았다가 표면에 떠오르는 희망으로 가득 찼던 이 첫 40일 동안 나는 얼마나 많은 것을 발견했던가! 어느 날 저녁 경건하게 사색에 잠겨 있는 그녀를 보았다. 노을이 골짜기를 침대처럼 펼쳐 보이며 봉우리들을 너무나 관능적인 붉은빛으로 물들이고 있어서 자연이 만물에 사랑을 권유하는, 영원한 아가서(雅歌書)의 목소리를 듣지 않을 수 없었다. 날아가 버린 처녀 적의 환상을 다시 잡으려 했던 걸까? 부인은 속으로 무엇을 비교하면서 아파하고 있었을까? 그녀의 느슨한 태도가 첫 고백을 하기에 유리한 기회로 여겨져 말을 걸었다. "참 힘겨운 날들이 있지요."

 "내 심중을 읽으셨군요. 어떻게 아셨어요?" 그녀가 물었다. 나는 대답했다.

 "우리는 많은 점에서 닮았습니다. 고통이나 즐거움을 느끼는 데 있어 특권을 받은 소수의 무리에 속하지 않았습니까? 감정이 안에서 큰 반향을 일으키며, 합창하듯 다 함께 진동하고, 예민한 본성이 만물의 섭리와 항상 조화를 이루지 않습니까? 그런 사람들은 모든 것이 불협화음인 환경에 처하게 하면 끔찍하게 고통을 받고, 반면 자신에게 친근한 생각, 감정, 또는 사람들을 만나면 황홀해지는 지경이 된답니다. 그러나 우리에게는 제3의 경우가 있습니다. 그런 불행은 같은 병을 앓는 영혼들만이 서로 알아주고, 형제처럼 서로를 이해하죠. 좋은 느낌도 나쁜 느낌도 받지 못하는 경우입니다. 작동을 잘하고 음량이 풍부한 오르간이 허공에서 연주를 하고, 대상 없이 열정을 쏟아내며, 소리는 내되 선율을 이루지 못해서 정적 속에 사라지는 음을 던지죠! 이것은 허무를 극복하려는 정신의 지독한 모순입니다. 피가 보이지 않는 상처에서 흘

78

러나오듯이 힘을 재충전할 겨를 없이 탕진시키는, 지겨운 노릇입니다. 감수성이 급류처럼 흘러서 몸은 심하게 허약해지고, 마음은 성당의 고백소에서도 말하지 못할 우울증에 빠집니다. 제가 방금 우리 두 사람이 똑같이 겪는 아픔들을 묘사하지 않았나요?"

그녀는 부르르 떨었다. 그리고 노을을 계속 보면서 대답했다. "어린 나이에 어떻게 그런 것을 벌써 알죠? 여자가 됐던 적이 있나요?"

"아, 제 어린 시절은 긴 투병이었습니다." 나는 감동어린 목소리로 말했다.

"마들렌이 기침을 하는군요." 하고 그녀는 갑자기 내 곁을 떠났다.

백작부인은 내가 그녀의 집에 부지런히 왕래하는 의도에 대해 의심을 품지 않았다. 그것은 두 가지 이유에서이다. 우선, 그녀는 아이처럼 순진해서, 정도를 벗어나는 생각을 하지 않았다. 그리고 나는 백작을 즐겁게 해 주었고, 이 발톱도 갈기도 없는 사자의 먹이가 되었다. 게다가 모두에게 그럴듯해 보이는 이유를 끝내는 찾아냈다. 나는 주사위 놀이를 할 줄 몰랐는데, 가르쳐 주겠다는 모르소프 백작의 제안을 받아들였다. 그러자고 합의하는 순간에 부인은 반사적으로 내게 동정의 눈길을 보냈다. 그 눈길은 '아주 위험한 모험을 하시는군요!' 라고 말하는 듯했다. 우선은 그 뜻을 이해하지 못했지만 3일째 되던 날, 내가 무엇에 말려들었는지 깨달았다. 내 어린 시절의 산물인 한계를 모르는 인내심은 이 시험의 기간 동안 무르익었다. 가르쳐 준 원리나 규칙을 실천에 옮기지 않으면 백작은 모진 핀잔을 퍼붓는 것을 즐겼고, 내가 생각을 오래 하면 게임이 느려서 지루하다고 불평했다가, 빠르면 다급하다고 삐쳤고, 실수를 하면, 기다렸다는 듯이, 내가 너무 서둘렀다고 나무랐다. 그는 포학한 교사나 감독관 같았다. 당신에게 이 상황에 대해 실감나게 설명하려면 나 자신을 심성이 악한 아이의 지배하에 놓인 에픽테토스*에 비유할 수밖에 없다. 돈을 걸기 시작한 후 그가 계속 이기자 명예를 뒤로 하고 치사스럽게 기뻐했다. 백작부인의 한마디가 나를 위로해 주었고, 그에게 예의와 체면을 즉시 상기시켜 주었다. 곧 나는 예상치 못했던 장작불 속에 떨어져서 고문을 당했다. 그렇게 내 돈은 달아났다. 비록 내가 갈 때까지, 매우 늦은 시간까지 있는 날조차도 백작이 나와 그의 아내 사이를 가로막고 있었지만 나는 항상 희망을 품고 그녀의 마음속에 슬그머니 들어갈 순간을 노렸다. 하지만 사냥꾼의 고된 인내심을 가지고 기다리는 그 순간을 얻기 위해서는 내 마음이 끊임없이 찢겨야 했고, 내 돈을 모두 쓸어 가는 그 짓궂은 게임들을 계속해야 하지 않았던가! 우리는 이미 몇 번이나 함께 앉아서 침묵을 지키며 들판에 태양빛이나 회색 하늘의 구름, 또는 안개 낀 언덕, 아니면 강물 속의 돌들 표면에 떨리는 달빛을 바라보았던가! 그럴 때면 우리는 "밤이 아름답군요!"라는 말 이외에는 하지 않았다.

"밤은 여인입니다. 부인."

"너무나 고요하지요?"

"네, 이곳에서는 완전히 불행할 수는 없을 겁니다."

그런 대답을 듣고 그녀는 태피스트리 틀로 다시 돌아갔다. 결국 나는 그녀의 가장 깊숙한 곳으로 애정이 꿈틀거리며 스며들고 있다는 것을 느꼈다. 그러나 돈 없이는 더 이상의 저녁 방문을 할 수 없었다. 나는 어머니께 돈을 보내 달라고 편지를 썼다. 어머니는 나를 꾸짖으며, 8일분도 채 주지 않았다. 누구에게 돈을 청할 수 있었겠는가? 내 생명이 걸린 일이었다. 이렇게 내 생애 최초의 큰 행복 한가운데서 어디에서나 나를 괴롭혔던 고민들을 다시 만났다. 그러나 파리에서든, 중학교에서든, 기숙사에서든 신중한 금욕으로서 극복했었다. 나의 불행은 소극적인 것이었지만, 프라펠에서는 능동적으로 변했다. 나는 그때 도둑질의 충동, 상상 속의 범죄, 진정시키지 못하면 자존심마저 버리게 되는, 마음을 균열시키는 무서운 분노 등을 알게 되었다. 어머니의 인색함 때문에 경험했던 불안감과 쓰라린 근심들에 대한 기억으로 나는 젊은이들을 관대하게 봐주는 습성이 생겼다. 그것은 낭떠러지에 빠지지는 않았지만 가장자리에서 그 깊이를 헤아려 본 자들이 지닌 거룩한 관대함이다. 삶이 갈라지면서 그 바닥의 메마른 자갈이 엿보이는 순간에 나의 정직함이 위기를 극복하고 강화되었지만, 인간의 매정한 정의가 사람의 목에 창을 들이댈 때마다 생각했다. '형법은 불행을 경험하지 못한 사람들에 의해 만들어졌다'고. 이렇게 궁지에 몰린 나는 셰셀 씨의 서가에서 주사위 교본을 발견하였다. 그것을 읽으면서 연구했고, 셰셀 씨는 내게 기꺼이 강의를 몇 번 해주었다. 훨씬 부드러운 가르침 덕에 내 실력이 향상되었고, 규칙과 전략들을 외워서 적용시킬 수 있었다. 며칠 만에 교사를 앞지를 수준이 되었으나 내가 이기자 그의 기분이 고약해졌다. 그의 눈은 호랑이처럼 번득였고, 얼굴은 찌푸려졌으며, 눈썹은 일찍이 그 누구의 눈썹도 그렇게 뒤틀리는 것을 본 적이 없을 정도로 뒤틀렸다. 그는 버릇없는 아이처럼 떼를 썼다. 어떨 때는 주사위를 집어던지고, 격분을 터뜨렸으며, 발을 구르고, 주사위 통을 물어뜯으며 내게 욕설을 퍼부었다. 그런 폭력에도 끝이 왔다. 내가 더 능란해지고 나서는 내 마음대로 게임을 끌어갔다. 전반부에서는 그를 이기도록 내버려 두었다가, 후반부 동안 내가 잃었던 점수를 만회함으로써 비기는 것으로 끝났다. 제자가 그런 단기간에 자신보다 우월해졌다는 사실이 백작에게는 세상의 종말보다 놀라웠을 것이다. 그러나 그는 이 사실을 결코 인정하지 않았다. 그는 항상 똑같은 게임의 결말을 새로운 불평의 구실로 삼았다. 그는 말하곤 했다.

"아무래도 내 머리가 지치나 봐. 자네가 게임이 끝날 즈음에 점수를 따는 것은 그때 내 기량이 떨어지기 때문일세."

게임을 잘 알던 백작부인은 처음부터 내 술수를 알아차리고 깊은 애정의 표현이라는 것을 짐작했다. 이런 세심한 사항은 주사위 놀이의 엄청난 어려움들을 아는 사람만이 이해할 수 있다. 이 작은 일이 얼마나 많은 것을 말하고 있는가! 사랑은 보쉬에*의 하느님처럼, 가장 화려한 승리보다 가난한 자가 베푸는 물 한 잔, 인정받지 못한 채 죽는 병사를 더 기특하게 여긴다. 부인은 젊은 가슴을 산산조각 내는 무언의 감사를 보냈다. 그녀는 자신의 아이들에게만 보내는 눈길을 내게 주었던 것이다! 그 축복받은 저녁 이후로 그녀는 내게 말을 할 때 항상 나를 쳐다보았다. 돌아갈 때의 나의 기분을 설명하기란 불가능하다. 내 정신이 육체를 흡수해 버려, 무중력 상태가 되어, 걷는 것이 아니라 날았다. 내 안에서 그 눈길을 느꼈다. 그것은 나를 빛으로 채웠다. 뿐만 아니라 그녀의 "안녕히 가세요!"는 부활절 성가 「오 아들 딸들이여」의 화음들을 내 마음속에 울리게 했다. 나는 새로운 삶을 맞이했다. 그녀에게 내가 중요한 존재가 되었다니! 붉은색 배내옷 속에서 잠이 드는 기분이었다. 감은 두 눈 앞에는 탄 종이의 재 위에서 쫓고 쫓기는 작은 불길 같은 것이 어둠 속에서 지나다녔다. 꿈속에서 그녀의 목소리는 만질 수 있는 그 무엇이 되었고, 빛과 향기로 나를 감싸는 공기, 그리고 내 영혼을 쓰다듬는 음악이 되었다. 그 다음날, 그녀는 나를 진심으로 반기는 태도로 맞이했고, 그때부터 나는 그녀의 목소리 속에 숨겨진 암시들을 알아듣기 시작했다. 그날은 내 생애 가장 인상적인 날들 중 하나가 되었다. 저녁식사 후, 우리는 고지대에서 산책했다. 돌이 많고, 메마르고, 부식토가 없어서 아무것도 자랄 수 없는 황야로 갔다. 그래도 몇 그루의 떡갈나무와 산사나무 열매가 잔뜩 매달린 덤불이 있었다. 그러나 잔디 대신 황혼 빛을 받은 꼽슬꼽슬한 야생 이끼가 양탄자처럼 깔려서 발 밑은 미끈거렸다. 나는 마들렌을 부축하기 위해 그녀의 손을 잡고 있었고, 모르소프 부인은 자크의 팔짱을 끼고 있었다. 백작은 앞에 가다가 뒤돌아서서, 지팡이로 땅을 치며 무시무시한 어투로 내게 말했다. "내 삶은 마치 이 땅과 같아." 아내에게 사과의 눈빛을 보내며 덧붙였다. "아, 당신을 알기 전에 말이오." 그러나 그것은 뒤늦은 사과였다. 부인은 이미 창백해져 있었다. 이렇게 얻어맞으면서 어떤 여자가 그녀처럼 휘청거리지 않았겠는가?

"이곳에는 그윽한 향기가 날아오고 빛이 아름다운 광경을 연출하는데요!" 나는 외쳤다.

"이 황야가 제 소유였으면 좋겠습니다. 시추(試錐)를 하면 보물이라도 나올지 모르죠. 하지만 백작님의 댁 근처라는 점이 제게는 가장 값지게 여겨집니다. 그런데 누구라도 이렇게 훌륭한 전망과 물푸레나무와 요정들 사이에서 영혼을 담글 수 있는 구불구불한 강을 비싼 값을 주고 사지 않겠습니까? 다양한 취향들이 있습니다. 백작님께는 이 땅이 황야이지만 제게는 천국입니다."

부인은 눈빛으로 내게 감사를 표시했다.

"목가(牧歌)를 부르고 있군!" 그는 씁쓸하게 대답했다. "이곳은 자네의 이름을 가진 사람이 살 만한 데가 아니네." 그는 잠시 말을 멈추었다가 계속했다. "아제의 종소리가 들리나? 나는 분명히 종소리가 들리는데."

모르소프 부인은 겁에 질린 표정으로 나를 바라보았고, 마들렌은 내 손을 꼭 쥐었다.

"들어가서 주사위 놀이를 한 판 할까요?" 나는 백작에게 권했다. "주사위 소리 때문에 종소리가 안 들리실 겁니다."

두서없는 이야기를 하면서 우리는 클로슈구르드로 돌아왔다. 백작은 분명하게 뭐라고 말하지 않고 강한 고통을 호소했다. 거실로 들어왔을 때, 우리는 정의할 수 없는, 어중간한 상황에 처했다. 백작은 안락의자 속에 파묻혀 명상에 잠겨 있었다. 부인은 병의 증세와 그 발작의 전조를 알고 있었기 때문에 남편의 침묵을 존중했다. 나도 그녀처럼 말없이 있었다. 그녀가 내게 가라고 당부하지 않은 이유는 어쩌면 주사위 놀이가 백작의 기분을 즐겁게 해주어서 지겹도록 발작을 일으키는 과민한 신경을 달랠 것이라고 믿었기 때문일지도 모른다. 백작은 주사위 놀이를 하고 싶은 마음이 항상 굴뚝 같았음에도 불구하고 그에게 한 게임 하게 하는 것처럼 어려운 일은 없었다. 교태를 부리는 여성처럼 그는 남이 애원하고 강요하다시피 하기를 원했다. 고마움을 표시하기 싫어서 그랬던 것인데, 아마도 속으로는 놀아 주는 사람에게 그가 고마워해야 할 입장이었기 때문일 것이다. 흥미진진한 대화에 정신이 팔려 내가 주사위 놀이를 제안하는 것을 잊으면 그는 시무룩해졌고, 신랄해지고, 모질어지면서 모든 이야기에 성을 내며 이의를 제기했다. 그의 언짢아지는 기분을 보고 눈치를 채며 나는 그에게 게임을 제안하곤 했다. 그러면 그는 투정을 부렸다. 우선 시간이 너무 늦었고, 그리고 내가 별로 하고픈 생각이 없어 보인다는 것이었다. 무엇을 진정으로 원하는지 헷갈리게 만드는 여인들의 난잡한 가식이었다. 나는 비굴해지며, 연습하지 않으면 쉽게 잊어버리는 기술을 유지하도록 도와달라고 간청했다. 이번에는 그의 승낙을 받아내기 위해 내가 엄청나게 명랑한 척을 해야 했다. 그는 현기증 때문에 계산을 제대로 못하겠다고 투덜거렸다. 머리가 바이스에 물린 듯이 조이고, 이명이 들리며 질식할 것 같다고 땅이 꺼질 듯한 한숨을 쉬었다. 결국 그는 놀이판 앞에 앉았다. 모르소프부인은 아이들을 재우고 하인들에게 기도를 시키기 위해 자리를 떴다. 그녀가 없는 동안 모든 것이 양호하게 진행되었다. 나는 백작이 이기도록 하였고, 그는 행복해 하며 일순간에 얼굴을 폈다. 스스로에 대한 불길한 예언을 내뱉게 하는 슬픔에 빠져 있다가 돌연히 취한 사람처럼 명랑해지고 분명한 이유 없이 미친 듯이 웃는 그를 보며 나는 불안했고, 소름이 끼쳤다. 그렇게 심한 증상을 내 앞에서 보인 적이 없었기 때문이다. 그와 내가 절친해진 결과였다. 그는 내 앞에서 더 이상 체면을 차리지 않았다. 매일 그는 나를 속박하려 했고, 성 낼 구실을 찾으려 했다. 실제로 특유의 욕구와 본능을 가지고 소유주가 자신의 토지를 넓히려 하는 것과 마찬가지로 정신병은 세력을 넓히려는 존재와 같다. 부인은 다시 내려와서 밝은 데서 태피스트리 틀을 보기 위해 주사위 놀이판 가까이 왔다. 그러나 그 앞에 앉으면서 그녀는 초조함을 잘 숨기지 못했다. 나도 어쩔 수 없었던 이런 치명적인 내색이 백작의 안면을 바꿔 놓았다. 즐거웠던 얼굴이 침울해지고, 붉은 기가 노랗게 되고, 눈빛이 떨렸다. 그리고는 내가 예상치도 못하고 돌이킬 수도 없는 결정적인 불행이 닥쳤다. 모르소프 백작이 패배를 자초하는 벼락같은 점수를 냈던 것이다. 즉시 그는 일어나서 놀이판을 내 쪽으로 넘어뜨리고, 램프를 땅에 집어던지더니, 탁자를 주먹으로 치고 거실 안을 오가며 걸었다기보다 쾅쾅 뛰어다녔다. 쉴 새 없이 욕설, 저주, 질책이며 두서없는 문장들을 쏟아붓는 모양이 마치 옛날, 중세에 악마 들린 사람 같았다. 내가 어떻게 했어야 할지 상상해 보라!

"정원에 가 있어요." 그녀는 내 손을 꼭 쥐고 말했다.

백작이 내가 없어졌다는 것을 눈치 채지 못하게 빠져나왔다. 천

86

천히 걸어간 테라스에서 나는 식당 바로 옆에 있는 그의 방에서 새어나오는 그의 높은 언성과 신음소리를 들었다. 비가 그치기 직전에 울리는 나이팅게일의 노래처럼 폭풍 속에서 간간이 천사의 목소리가 들렸다. 부인이 나오기를 기다리면서 8월 말의 가장 아름다운 밤에 아카시아 나무 밑을 거닐었다. 그녀의 손이 약속한 대로, 올 것이 분명했다. 며칠 전부터 우리 사이에는 할 말이 있었고, 암시적인 한마디에도 봇물처럼 터져 나올 것 같았다. 우리 마음속의 샘은 넘치기 직전이었다. 어떤 수치심이 우리가 서로를 완전하게 이해할 시간을 늦추고 있었던 것일까? 넘쳐나는 생명을 걷잡는 순간에, 사랑하는 신랑에게 자신을 보이기 전에 처녀들이 부끄러워하듯이, 자기 내면을 드러내기를 망설이면서 느끼는 두려움의 떨림과도 같은, 감수성을 멍들게 하는 설렘을 어쩌면 그녀는 나만큼이나 즐겼을지도 모른다. 이 불가피해진 첫 고백은 그동안 축적된 생각들 때문에 더욱 부풀려 있었다. 한 시간이 지났다. 내가 벽돌로 된 난간 위에 앉아 있을 때, 드레스가 팔랑거리는 소리와 발자국 소리가 저녁의 고요한 대기를 움직였다. 가슴이 너무 벅찬 그런 느낌이었다.

"모르소프 백작은 이제 잠드셨어요." 그녀는 내게 말했다. "그럴 때면 양귀비 머리를 몇 개 우려낸 물을 백작에게 한 잔 드립니다. 발작 사이의 간격이 길어서 이처럼 간단한 약도 항상 효험이 있어요. 있잖아요." 그녀는 목소리를 바꾸며 가장 설득력 있는 말투로 말했다. "불행한 우연으로 당신은 여태껏 꼼꼼하게 숨겨온 비밀을 알게 됐습니다. 이 같은 광경의 비밀을 가슴속에 묻어 둘 것을 약속해 주세요. 저를 위해서 그렇게 해 주세요. 제발. 맹세를 요구하지는 않겠어요. 명예로운 사람의 약속으로 만족하겠습니다."

"꼭 약속을 말로 해야겠습니까?" 내가 말했다. "우리는 항상 서로를 이해하지 않았습니까?"

"망명 시절에 당했던 고초의 후유증을 보고 백작을 나쁘게만 평하지 마세요." 그녀는 또 말했다. "내일이면 그는 자신이 한 말을 모두 잊으실 거예요. 그는 다시금 친절하고 다정해지실 겁니다."

"부인, 백작님의 행동에 대해 해명하려 하지 마십시오." 내가 대답했다. "저는 부인께서 바라시는 대로 하겠습니다. 백작님을 새 사람으로 만들고 부인께 행복을 돌려드릴 수 있다면 즉시 앵드르에 투신하겠습니다. 제가 바꿀 수 없는 단 한 가지는 제 의견입니다. 그것보다 제 안에 깊이 박힌 것은 없는 걸요. 저는 부인께 제 생명을 드릴 수는 있지만 제 소신을 드릴 수는 없습니다. 저는 그 목소리에 귀를 기울이지 않을 수는 있지만 그것이 말하는 것을 막을 수는 없죠. 그런데 제 생각으로는, 백작님은……."

"무슨 말씀이신지 알겠어요." 그녀는 이상하리만치 퉁명스럽게 내 말을 끊으면서 끼어들었다. "당신의 말이 옳아요. 백작님은 애교스런 여자처럼 신경이 예민합니다." 그녀는 완화된 표현으로 광기의 의미마저 완화시키고자 하였다. "하지만 가끔 그럴 뿐이에요. 1년에 많아봤자 한 번씩, 한참 더운 무렵에. 망명은 얼마나 많은 폐를 끼쳤습니까! 얼마나 많은 꽃다운 미래들을 망쳐 놓았습니까! 나는 확신합니다. 그가 위대한 전사이자 나라의 명예가 될 사람이었다는 것을."

"저도 잘 압니다." 나도 그녀의 말을 끊으며 나를 속일 필요가 없음을 암시해 주었다.

그녀는 멈춰 서서, 한 손을 이마에 대고 말했다. "누가 당신을 우리의 생활 속으로 끌어들였나요? 하느님께서 나를 돕기 위해 진정한 우정을 보내 주신 걸까요?" 내 손을 힘 있게 쥐면서 말을 이었다. "당신은 친절하고 너그러운 분이에요……." 그녀는 마치 자신의 은밀한 소망의 성취를 어떤 가시적인 징후로 확인하려는 듯이 하늘로 눈을 올렸다가 다시 나를 바라보았다. 나는 내 영혼 속에 또 다른 혼을 불어넣어 주는 그 시선에 감전된 것 같았다. 그래서 나는 사교계의 잣대로는 우둔하다고 할 반응을 보였다. 그러나 충격을 예방할 목적으로, 일어나지 않은 재난에 대한 조바심으로, 위험 앞에 용감하게 달려드는 영혼들이 있지 않은가. 아니면 이런 반응은 흔히 상대편 마음이 공감하고 있는지를 확인하기 위해 느닷없이 던지는 질문, 가하는 충격이 아니겠는가? 사랑에 완전히 입문하려는 순간에 여러 가지 생각이 내 안에서 섬광처럼 일어나 내 순수함을 더럽히는 오점을 씻으라는 조언을 하고 있었다.

"더 멀리 가기 전에" 침묵 속에서 내 목소리의 떨림은 뚜렷하게 들렸다. "과거의 기억 하나를 씻게 해 주세요."

"그만하세요." 그녀는 입술에 손가락을 가져갔다가 즉시 떼면서 성급히 말했다. 모욕을 당하기에는 너무나 고결한 여성답게 나를 위엄 있게 쳐다보며 내게 동요된 목소리로 말했다. "무슨 이야기를 하시려는지 알아요. 제가 최초로, 마지막으로, 그리고 유일하게 당한 치욕이었어요! 그 무도회에 대해 다시는 언급하지 마세요. 그리스도교 신자로서 당신을 용서했다면, 여인으로서 나는 아직도 고통스러워한답니다."

"하느님보다 더 무자비하지 마십시오." 눈물이 내 속눈썹 사이에 글썽거렸다.

"하느님보다 더 엄격해야만 해요. 난 더 나약하거든요." 그녀가 대꾸했다.

"하지만" 나는 아이처럼 반항하듯 매달렸다. "제 말 좀 들어보세요. 부인의 인생에서 처음이자 마지막이자 유일한 경우가 될지라도 말입니다."

"그렇다면" 그녀가 말했다. "말씀해 보세요! 아니면 당신은 내가 두려워서 들어 주지 않는다고 믿으실 테니까요."

인생에서 이런 순간은 두 번 다시 오지 않으리라는 예감이 든 나는 호소력을 실은 어조로 말했다. 그때까지 내가 본 모든 여인들이 그랬듯이, 무도회의 여인들 중 아무도 내 관심을 끌지 못했다고. 하지만 그녀를 보는 순간, 생활이 근면하기만 했던 내가, 그토록 소심한 내가, 그런 것을 느껴본 사람이라면 비난할 수 없는, 그런 열정에 휩싸였다고. 도저히 물리칠 수 없어 죽음까지도 이기게 하는, 그런 욕망이 그토록 사람의 마음을 채운 일은 이 세상에 없었을 것이라고……

"경멸은 어떻게 하고요?" 그녀가 내 말을 끊으며 물었다.

"부인은 저를 경멸했나요?" 나는 되물었다.

"그런 것에 대해 더 이상 이야기하지 맙시다." 그녀는 말했다.

"이야기 좀 합시다!" 나는 참을 수 없는 고통 때문에 흥분에 사로잡혀 대꾸했다. "이건 제 자신, 제 삶의 숨겨진 부분, 부인께서 아셔야만 하는 비밀에 관한 것입니다. 부인께서 몰라 주시면 저는 그 절망감으로 죽을 것 같습니다. 그렇다면 역시 부인과도 관련이 있지 않습니까? 부인께서 스스로도 알지 못하는 사이에, 시합의 승자에게 약속된 빛나는 월계관을 손에 든 귀부인이 되셨으니까요."

나는 내 유아기와 청년기에 대해 이야기해 주었다. 당신에게 했듯이, 거리를 두고 객관적으로 이야기한 것이 아니라, 상처가 아직 아물지 않은 젊은이의 격앙된 언어로 이야기를 했다. 내 목소리는 숲 속에서 나무꾼들의 도끼 소리처럼 울렸다. 죽은 세월이, 그 세월을 잎사귀 없는 가지로 만들었던 기나긴 고통들이 그녀 앞에 떨어졌다. 나는 열정으로 들끓는 단어로써 당신께는 언급하지 않은 끔찍한 세부 사항들까지 그녀에게 묘사하였다. 나의 빛나는 소망들, 순금 같은 욕망들, 알프스에서처럼 끝없는 겨울 때문에 쌓인 빙하 밑에 간직했던 뜨거운 심장의 보물을 쏟아내었다. 이사야의 불타는 숯*을 얹어서 되새겨 본 고통의 무게로 등이 휜 채, 고개를 숙이고 듣던 이 여인의 입에서 한마디가 새어나오기를 기다리고 있을 때, 그녀는 눈빛 하나로 암흑을 밝히고, 말 한마디로 지상과 천상에 생명을 불어넣었다.

"우리는 똑같은 유아기를 거쳤군요." 그녀는 순교자들의 후광으로 밝혀진 얼굴을 보이며 말했다. '나 혼자만의 아픔이 아니었어!' 라는 위안을 공유하며 우리의 두 영혼이 서로 결합한 한 순간의 침묵이 지난 후 부인은, 사랑하는 아이들에게 말할 때의 목소리로, 아들들이 죽은 가족에서 딸로 태어난 죄가 얼마나 컸는지를 이야기해 주었다. 그녀는 항상 어머니의 곁에 붙어 있어야 하는 딸로서 겪은 괴로움이 기숙학교에 던져진 아들의 그것과는 얼마나 다른지를 설명해 주었다. 그녀의 영혼이 끊임없이 짓찧는 맷돌 아래 놓였던 것에 비하면 나의 고독은 천국이었던 것이다. 결국 진정한 어머니인 숙모가 항상 새로이 되풀이되는 고통에서 그녀를 구출했다. 그녀는 단검(短劍) 앞에는 당당히 맞서면서도 다모클레스의 창* 아래서는 죽었을 예민한 성격으로는 견디기 어려운 작은 시비들에 시달렸다. 그녀의 어머니는 때로 냉랭한 한마디로써 자신의 아낌없는 심정의 토로를 뚝 그치게 하고, 또는 입맞춤을 차갑게 받아 주거나, 침묵을 강요한 뒤, 그것을 나무라곤 했다. 삼켜 버린 눈물이 아직도 그녀의 마음속에 고여 있었다. 외부 사람들의 앞에서 자랑스럽게 과시되던 모성 뒤에는 수녀원에서와 같은 횡포가 숨겨져 있었다. 어머니는 그녀를 자랑하면서 자신의 허영심을 충족시켰다. 그러나 다음날이면 교사의 영예를 드높이기 위해 선사했던 칭찬들의 대가를 치러야 했다. 복종과 온화함으로 어머니의 마음을 누그러뜨렸다고 믿어 그녀에게 자신의 속내를 보여 주면, 폭군은 그 고백들을 무기로 삼아 다시 살아났다. 간첩이라도 그렇게 비겁하거나 음흉하게 굴지는 않았을 것이다. 그녀는 처녀로서 누릴 수 있는 즐거움들, 생일 잔치 등의 값을 비싸게 지불해야 했고, 마치 잘못을 저지른 것처럼 행복을 누린 것에 대해 꾸짖음을 들었다. 그녀가 받은 고품격의 교육은 사랑으로 베풀어진 적이 결코 없었고, 신랄한 빈정거림만 깃들였을 뿐이다.

그러나 자신의 어머니에 대해 원한을 갖지 않았다. 단지 어머니에 대해 사랑보다는 두려움을 느끼는 자신을 나무랄 뿐이었다. 어쩌면 그런 엄격함이 필요했을 수도 있다고, 이 천사 같은 여인은 생각하고 있었다. 바로 그것이 현재 자신의 삶을 견딜 수 있게 해 주지 않았던가? 그녀의 말을 들으면서, 내가 연주할 때 거친 화음을 냈던 욥의 하프에 기독교적인 자비의 손길이 닿아 십자가 밑에서 성모가 부른 비가(悲歌)가 응답하고 있다는 느낌을 받았다.

"이곳에서 서로를 만나기 전에 우리는 같은 세상에서 살고 있었습니다. 부인은 동쪽에서, 나는 서쪽에서 떠나온 것입니다."

그녀는 절망적으로 머리를 흔들면서 말했다. "당신은 동쪽, 나는 서쪽을 향해 가고 있군요. 당신은 행복하게 살아갈 것이고, 나는 고통 속에서 죽을 테죠. 남자들은 자신들의 삶을 스스로 만들지만, 내 삶은 이대로 결정되었습니다. 어떠한 힘도 여자들을 붙들어 매는 무거운 사슬을 끊지 못해요. 그 사슬에 연결시키는 금반지가 아내들의 정절을 상징하죠."

우리가 같은 젖을 먹은 쌍둥이라고 느낀 그녀는 같은 샘에서 목을 축인 형제끼리 비밀을 남겨 두는 것은 있을 수 없는 일이라고 생각한 모양이다. 순수한 가슴들이 타인에게 열릴 때 자연스럽게 나오는 한숨을 내쉰 후 그녀는 신혼 시절과 당시의 실망감, 되풀이된 불행에 대해 이야기해 주었다. 마치 호수에 던져진 돌이 그 표면과 깊은 속까지 똑같이 흔들어 놓듯이, 작은 충격에도 전체적으로 흔들리는 맑은 영혼들에게는 크게 느껴지는 작은 사건들을 그녀는 나처럼 겪었다. 결혼하면서 그녀는 저축한 돈을 가지고 있었다. 그 얼마 되지 않는 금화들은 젊은 날의 행복했던 시간들, 수많은 소망들을 담고 있었는데, 궁핍에 시달리던 어느 날, 단순한 금화가 아닌, 추억이 깃든 기념품이라는 사실을 밝히지 않고 너그럽게 그것을 내놓았다. 남편은 그것에 대해 고맙게 생각한 적이 없다. 그는 그녀에게 빚졌다는 것을 몰랐던 것이다! 결국 망각의 물 속에 침몰된 이 보물을 바친 대가로 모든 것을 다 보상해 주었을 눈물 맺힌 눈길 하나 받지 못했다. 그런 눈길은 대범한 마음을 가진 이들에게는 힘겨운 날에 빛을 발하는 영원한 보석과 같다. 그녀의 삶은 고통의 연속이었다. 모르소프 백작은 그녀에게 살림에 필요한 비용을 주는 것을 번번이 잊곤 했다. 그녀가 여성의 수줍음을 극복하고 돈을 청구하면 그는 꿈에서 깨어나듯 했다. 한번도 그녀가 마음 졸이는 일이 없도록 배려해 준 적이 없었다. 이 망가진 인간의 병적인 성질이 드러났을 때 얼마나 공포에 사로잡혔겠는가! 그가 처음으로 미친 듯이 분노를 터뜨렸을 때 그녀는 억장이 무너지는 것만 같았다. 여자의 삶을 지배하는 위압적인 존재인 남편이 무가치하다는 것을 인정하기 전까지 얼마나 많은 잔인한 생각들에 시달렸던가. 두 차례의 출산이 얼마나 끔찍한 재앙을 동반했던가. 거의 사산이나 다름없는 아기들이 얼마나 소름끼치는 충격을 안겨 주었던가. '이들에게 생명을 불어넣어 주겠어! 매일매일 새로이 낳아 주겠어!' 라고 스스로에게 다짐하기 위해서는 얼마나 용기가 필요했던가. 게다가 여성에게 구조의 손길을 내밀어야 하는 사람이 장애물일 뿐이라는 사실을 알았을 때의 좌절이란! 하나의 고난을 이겨낼 때마다 이 엄청난 불행의 가시밭길이 굽이굽이 펼쳐지는 것이 보였으며, 하나의 바위를 오를 때마다 또 건너야 하는 사막들이 보였다. 그러다가 남편과, 자녀들의 체질과, 그녀가 살아가야 하는 환경을 잘 파악했다. 그래서 집에서 따뜻한 보살핌을 받다가 나폴레옹에 의해 징집된 아이처럼, 그녀의 발은 진흙탕과 눈 속에서 걷는 데 단련되고, 이마는 날아가는 대포알에 익숙해지고, 몸 전체는 군인의 수동적인 복종의 자세를 갖추었다. 그녀가 들려준 수많은 서러운 사건들, 승산 없는 부부 싸움, 헛된 노력에 대한, 길고 침울한 이야기를 나는 지금 요약할 뿐이다.

"결국" 그녀는 마치면서 말했다. "제대로 알기 위해서는 이곳에서 몇 달은 지내야 할 것입니다. 클로슈구르드에서 여러 가지 개선책을 실행할 때마다 내가 얼마나 힘이 드는지. 그이에게 가장 이익이 되는 일을 시키려면 얼마나 피곤하게 구슬려야 하는지도요. 내가 충고했던 일이 처음에 성과를 거두지 못하면 어린아이처럼 짓궂어진답니다. 잘되면 또 얼마나 기꺼이 자화자찬하는지요! 나는 그이의 생활에서 잡초를 뽑아 주고, 그의 공기를 향기롭게 하고, 그가 돌멩이를 깔아 놓은 길에 꽃을 심기 위해 분투하는데 항상 들려오는 불만을 견디기에도 큰 인내심이 필요하죠. 보상이라고는 이 지겨운 후렴구뿐입니다. '나는 곧 죽어야 해. 사는 것이 너무 힘들어.' 집에 손님이 많은 행복한 날이면 모든 심술이 사라지며, 예의바르고 친절해집니다. 자기 식구들에게는 왜 그렇게 못하는 거죠? 가끔은 진정으로 기사도다운 태도를 보이는 분이 이토록 의리가 없음을 어떻게 설명해야 할지 모르겠어요. 지난번 시내에서 있었던 무도회 때처럼 내게 장신구를 사다주기 위해 몰래 파리에 전속력으로 다녀오기도 한답니다. 집 살림을 위해서는 인색하지만, 나만 원한다면 내게는 후할 것입니다. 반대였어야 하는데 말이에요. 난 아무것도 필요 없지만, 집안 살림에 드는 비용은 많지요. 그의 삶을 행복하게 해 주려는 바람에서, 내가 아이의 어머니가 될 것이라는 생각은 못하고, 나를 희생양으로 여기도록 길들여 놓았는지도 모르겠습니다. 조금만 알랑거리면 그를 아이처럼 조종할 텐데, 내 자신을 낮춰서 비굴한 역할을 맡기만 한다면! 하지만 집안을 위해서는 내가 정의의 여신상처럼 침착하고 엄격해야 합니다. 내 마음은 본래 외향적이고 다정한데도요!"

"왜" 나는 물었다. "그런 영향력을 이용하여 그를 지배하는 주인이 되지 않습니까?"

"나 혼자라면 그의 고집스런 침묵 앞에서 몇 시간 동안 정당한 논거를 대면서 설득하려 하지도 않을 것이고, 어린아이의 투정처럼 이치에 닿지 않는 지적들을 반박하지도 못할 겁니다. 나는 나약한 자들과 어린이들 앞에서는 아무런 용기가 없습니다. 저항하지도 않고 그들에게 맞기만 하겠죠. 어쩌면 힘에는 힘으로 대적할 수도 있지만 내가 연민을 느끼는 이들에게는 속수무책입니다. 만약 마들렌을 구하기 위해서 그애에게 무엇을 강요해야 한다면, 차라리 그애와 함께 죽겠어요. 연민은 나의 모든 힘줄을 이완시키고, 나의 신경을 무르게 합니다. 10년 동안의 강한 충격들이 나를 쓰러뜨렸어요. 이제 너무나 많은 상처를 입은 내 감수성은 무디어져서 재생이 불가능합니다. 뇌우(雷雨) 속에서 버티게 하던 힘이 이제는 딸릴 때가 있어요. 그래요, 때로 나는 패한답니다. 힘줄을 다시 단련시킬 수 있는 휴식과 해수욕을 누리지 못해서 곧 죽을 지경이 되었어요. 모르소프 백작이 나를 죽인 셈이고, 그는 내 죽음으로 인해 뒤따라 죽겠죠."

"몇 달 동안 클로슈구르드를 떠나지 그러십니까? 아이들과 함께 바닷가에 다녀오시죠?"

"우선, 내가 멀어지면 모르소프 백작은 길을 잃은 아이처럼 헤맬 것입니다. 그는 자신의 처지를 직시하지 않으려 하지만 내심 의식은 하고 있습니다. 그의 안에는 인간과 환자가 공존하고 있어 두 성격 사이의 모순이 이상한 행동들을 일으키죠. 그가 두려워할 만도 합니다. 내가 없으면 이곳은 엉망이 될 테니까요. 당신은 아마도 내가 아이들 주위를 떠도는 소리개로부터 그들을 보호하는 어미라는 것을 목격했겠죠. 이런 막중한 임무에 언제나 '부인은 어디 있소?'라고 묻고 다니는 모르소프 백작까지 돌봐야 하지요. 이건 아무것도 아닙니다. 나는 자크와 마들렌의 가정교사이기도 합니다. 이것만이 아닙니다! 나는 집사이자 관리인입니다. 토지 경영이 가장 힘든 산업이라는 것을 알아야 당신은 내 말 뜻을 완전히 이해할 수 있어요. 금전적인 소득은 적고, 반타작을 하기 때문에 항상 감시를 해야 합니다. 직접 곡물과, 가축과, 그 외 온갖 수확물을 팔아야 하죠. 경쟁자들은 바로 우리의 소작인입니다. 그들은 주막에서 소비자들과 홍정을 하고, 먼저 자기 것을 팔고 난 후 가격을 정해 놓아요. 농업의 수많은 어려움들을 설명한다면 당신은 지루하다고 할 거예요. 내가 아무리 헌신을 해도 소작인들이 우리의 비료를 가지고 자기네 토지를 개량하는 행태를 막을 수는 없지요. 감시인이 수확물을 분배할 때 그들과 뒷거래를 하지 않는지 일일이 확인할 수도 없고, 판매를 위한 적절한 시기를 알 수도 없습니다. 그런데 백작님의 건망증과, 그이에게 자신의 일을 돌보도록 독려하는 데 들여야 하는 수고를 생각한다면, 내 짐이 얼마나 무겁고, 한순간도 내려놓지 못한다는 것을 이해하겠죠. 내가 집을 비우면 우리는 파산할 겁니다. 그이의 지시들은 대부분 서로 모순되기 때문에 아무도 그의 말을 듣지 않을 것입니다. 게다가 다들 그이를 싫어해요. 너무 잔소리가 많고, 독단적이라서요. 그리고 나약한 사람들이 그렇듯이, 저급한 사람들의 말에 너무 쉽게 귀를 기울여서 애정으로 가족을 결속시키지 못합니다. 내가 떠난다면, 모든 하인들은 8일 이내로 이곳을 떠날 것입니다. 마치 저 납으로 된 장식이 지붕에 부착되어 있듯이 내가 클로슈구르드에 묶여 있다는 것을 아시겠죠. 당신께 모든 것을 숨김없이 털어놓았습니다. 지역 전체는 클로슈구르드의 비밀을 모르는데, 당신은 이제 알게 되었어요. 그런데도 당신이 밖에서 클로슈구르드에 대해 좋은 이야기만 한다면 나는 당신을 존경할 것이고, 당신에게 감사할 것입니다"라고 그녀는 한결 부드러워진 목소리로 덧붙였다. "그 대가로 당신은 클로슈구르드에 오면 언제나 환영받을 것입니다."

"그러고 보니" 내가 말했다. "저는 고생했다고 할 수도 없군요. 부인만이……."

"아닙니다." 그녀는 화강암도 가를, 체념한 여인들의 미소를 흘리면서 말을 이었다. "이런 고백에 대해 놀라지 말아요. 인생을 당신이 상상하거나 희망하는 대로가 아니라, 있는 그대로 보여 줄 뿐입니다. 우리는 각자 단점과 장점이 있지요. 내가 낭비벽이 심한 사람과 결혼했다면, 그는 나를 파산시켰겠죠. 열정적이고 관능적인 젊은이의 아내가 되었다면, 그는 인기가 많아서 어쩌면 그를 내 곁에 잡아 두지 못했을지도 모르죠. 그러면 그는 나를 버렸을 테고, 나는 질투심으로 죽었을 거예요. 나는 질투심이 많아요!" 그녀는 마치 지나가는 뇌우의 천둥소리와 같은, 격앙된 어조로 말했다. "백작은 온 마음을 다해 나를 사랑합니다. 막달레나가 단지 안에 남은 향수를 다 그리스도의 발치에 부었듯이 그의 가슴속에 있는 모든 애정을 내 발치에 쏟아 바친답니다. 믿어 주세요! 불행히도 한평생의 사랑은 지상에서는 예외입니다. 모든 꽃은 시들기 마련이고, 큰 기쁨은 뒤끝이 좋지 않아요. 그것도 뒤끝이 있어야 말이지요. 실재의 삶은 번민으로 가득 찼습니다. 그것은 햇빛을 받지 않아서 초록색을 잃지 않은, 테라스 밑에 뿌리 내린 이 쐐기풀 같아요. 북방의 나라에서처럼 이곳에서는 가끔, 무척 드물지만, 하늘이 미소를 짓는데, 그럴 때면 그간의 고생을 보상받습니다. 그리고 헌신적인 어머니들은 기쁨보다는 희생에서 보람을 느끼지 않겠습니까? 여기서 나는 하인들이나 아이들을 향하는 번개를 내게로 유인하면서 은밀한 힘을 주는 어떤 감정을 느낍니다. 전날의 체념은 항상 그 다음날의 체념을 준비하죠. 하느님은 나를 희망 없이 그냥 내버려 두지는 않으십니다. 내 아이들의 건강 상태가 처음에는 나를 절망에 빠뜨렸지만, 이제 그들은 성장할수록 호전되고 있어요. 그리고, 결국 우리의 집은 아름다워졌고, 잃었던 재산은 복구되고 있습니다. 백작의 노후가 나로 인해 행복해질 수 있을지 누가 압니까? 믿으세요! 대심판자 앞에 나아갈 때 푸른 종려나무 가지를 손에 들고, 삶을 저주하던 이를 위로받은 상태로 데려다 주는 사람은 자신의 고통을 환희로 승화시킨 사람입니다. 나의 수난이 가족의 행복을 위한 것이라면 수난이라고 할 수 있겠어요?"

"그럼요." 나는 대답했다. "하지만 그것은 필요한 것이었습니다. 마치 나의 수난이 우리의 바위 밑에서 익은 과일의 맛을 제대로 음미하기 위해 필요했던 것처럼. 이제 우리는 어쩌면 그것을 함께 맛볼 수 있지 않겠어요? 어쩌면 그 기적에 대해 함께 경탄할 수 있지 않겠어요? 그 열매는 영혼을 적시는 애정의 급류, 노랗게 된 고엽을 재생시키는 수액입니다. 삶은 더 이상 무겁지 않죠. 이미 우리의 삶이 아닙니다. 하느님, 제 말이 들리지 않으십니까?" 나는 종교적인 교육이 심어 준 신비주의자들의 언어를 빌려서 말을 이었다. "우리가 어떤 행로로 서로를 향해 걸어왔는지 보이지 않습니까? 산기슭에서 꽃이 핀 푸른 물가 사이로, 반짝이는 모래 위에 흐르는 연수(軟水)의 원천을 향해 어떤 자석이 쓰디쓴 대양 위에 있는 우리를 이끌었나요? 우리는 동방박사들처럼 같은 별을 따라오지 않았던가요? 우리는 이제 성스런 아기가 깨어나고 있는 구유 앞에 왔습니다. 그 아기는 장차 벌거벗은 나무들의 이마에 화살을 던지고, 기쁨의 탄성을 질러 세상을 깨우며, 끊임없는 즐거움으로 삶에 보람을 부여하고, 밤에 휴식을, 낮에는 활기를 돌려줄 것입니다. 누가 해마다 우리 사이에 새로운 매듭을 짓게 한 건가요? 우리는 남매 그 이상이지 않습니까? 하늘이 맺은 것을 풀려고 하지 마십시오. 부인의 고통은 가장 찬란한 태양 빛을 받고 금색으로 물든 수확물을 얻기 위해 신께서 아낌없이 뿌린 씨앗입니다. 보십시오! 보십시오! 함께 한 잎 한 잎 그것을 다 따러 가지 않으시렵니까? 제 안에 어떤 힘이 솟아서 감히 부인께 이런 말을 하고 있는 건지요! 제게 대답을 해 주십시오. 아니면 저는 앵드르 강을 건너지 않을 것입니다."

"당신은 **사랑**이라는 단어는 입 밖에 내지 않았습니다." 그녀는 엄한 목소리로 내 말을 끊으며 말했다. "하지만 당신은 내가 모르는, 내게 허용되지 않은 감정에 대해 이야기를 하는군요. 당신은 아직 어리기 때문에 마지막으로 한번만 용서하겠어요. 내 마음은 모성으로 채워졌습니다. 내가 모르소프 백작을 사랑하는 이유는 사회적인 의무 때문이거나, 영원한 천복을 노려서가 아니라 내 심장의 섬유 한 올 한 올에 그를 얽어매는, 억제할 수 없는 감정 때문입니다. 결혼 생활 동안 내가 폭력을 당했다면, 그것은 불행한 자들에 대한 내 동정심 때문에 예정된 일이었습니다. 세월의 아픔을 치유하고, 전쟁터에서 부상당하고 돌아온 이들을 위로하는 것은 여자들의 몫이 아닌가요? 당신께 어떻게 설명할까요? 당신이 그를 즐겁게 해 주는 것을 보고 나는 이기적인 만족감을 느꼈답니다. 이것이 모성 그 자체가 아니라면 무엇이겠습니까? 내가 저버리면 안 되는 **세 명**의 아이들이 있다는 사실을 당신께 충분히 입증하지 않았나요? 나는 그 아이들 위에 희생의 이슬을 뿌려야 하고, 조금도 오염되지 않은 내 마음의 빛을 밝혀 주어야 합니다. 모유를 상하게 하지 마세요! 아내로서 나는 끄떡없지만, 다시는 내게 그런 말을 하지 말아요. 만일 당신이 이렇게 단순한 경고를 지키지 않는다면, 영원히 이 집을 드나들지 못하게 될 것입니다. 나는 순수한 우정과 강요된 애정보다 확고한 자발적인 형제애를 믿었어요. 그것은 오산이었죠. 살인적인 목소리가 으르렁거리고 마음이 약해지는 순간에 내 말에 귀를 기울여 줄, 나를 심판하지 않을 친구, 전혀 경계하지 않아도 되는 거룩한 친구를 원했어요. 젊음은 고결하고, 거짓말을 모르고, 희생할 줄 알면서, 사심이 없지요. 당신의 집요함을 보고, 솔직히 나는 하늘의 계시인 줄 알았습니다. 사제가 모두를 위한 것처럼 나만을 위한 영혼이 나타났다고 믿었습니다. 고통이 넘칠 때 그것을 토로할 수 있는, 계속 억누르면 질식할 정도로 참을 수 없는 비명을 들려줄 수 있는, 그런 영혼이라고 믿었어요. 그러면 아이들에게 너무나 소중한 내 삶이 자크가 성인이 될 때까지 연장될 수 있었겠죠. 하지만 내가 너무 이기적이었나요? 페트라르카의 라우라는 부활할 수 없는 걸까요? 하느님께서 원하지 않으셨는지, 내 상상은 어긋났어요. 친구가 없는 군인처럼 부서를 지키며 죽어야겠죠. 고해신부는 거칠고 엄격합니다. 그리고 …… 숙모는 더 이상 내 곁에 계시지 않고요!"

달빛의 조명을 받은 두 줄기 굵은 눈물이 그녀의 눈에서 나와, 볼을 타고 얼굴 끝까지 흘러내렸다. 나는 그 순간에 손을 뻗어 그것을 받아 마셨다. 남몰래 흘린 눈물, 지쳐 버린 감성, 한결같은 정성, 끊임없는 불안으로 보낸 10년의 세월과 여성의 가장 고귀한 용기가 묻어 있는 그녀의 말들은 내 안에 경건한 열망을 불러

일으켰다. 그녀는 온화하면서도 어리둥절한 표정으로 나를 바라보았다.

나는 말했다. "이것이 사랑의 첫 영성체입니다. 그래요, 저는 지금 부인의 고통을 함께 나누고, 성혈(聖血)을 마심으로써 그리스도와 교감하듯이 부인의 영혼과 결합했습니다. 가망 없는 사랑도 행복입니다. 아, 지상에 어떤 여자가 이 눈물을 마셨을 때와 같은 기쁨을 내게 선사할 수 있을까요? 내게는 고통뿐인 이 계약을 승낙하겠습니다. 다른 생각 없이 부인께 제 자신을 바칩니다. 부인께서 바라는 대로 되겠습니다."

그녀는 손짓으로 내 말을 멈추게 하며 그윽한 목소리로 내게 말했다. "만약에 당신이 우리를 이어 줄 연줄을 당기려 하지 않는다면 나도 이 계약을 받아들이겠어요."

"예, 하지만 제게 주어진 것이 적을수록 더욱 확실하게 내 것이 되어야 합니다."

"불신부터 하시는군요." 그녀는 의심 때문에 우울하게 이야기했다.

"아니요, 이건 순수한 기쁨을 위한 거죠. 들어 보세요! 우리가 서로에게 베푸는 감정을 우리 외에 그 누구도 공유할 수 없듯이, 저 혼자만 부르는 부인의 이름을 하나 가졌으면 합니다."

"과한 요구를 하는군요." 그녀는 대답했다. "하지만 나는 당신이 생각하는 것만큼 소심하지는 않아요. 모르소프 백작은 나를 블랑슈라고 부릅니다. 이 세상에서 단 한 사람, 내가 가장 사랑했던 숙모께서만 나를 앙리에트라고 불렀어요. 당신을 위해 앙리에트가 다시 되겠어요."

나는 그녀의 손을 잡고 그 위에 입을 맞추었다. 그녀는 나를 믿고 손을 내주었다. 그런 믿음이 여성에게 부여하는 우월성이 남자를 압도한다. 그녀는 벽돌로 된 난간 위에 몸을 기댄 채 앵드르 강을 바라보며 말했다.

"그런 식으로 처음부터 모든 것을 얻으려는 욕심은 잘못되지 않았나요? 첫 욕구를 충족시키기 위해 당신은 천진하게 내민 술잔을 비워 버렸네요. 그러나 진실된 감정은 분할되지 않죠. 전부가 아니면 아무것도 아닙니다." 잠시 침묵한 뒤 말을 계속했다. "모르소프 백작은 무엇보다 의리 있고 자존심이 강해요. 어쩌면 당신은 나를 위해서 그가 한 말을 잊고 싶을지도 모르겠네요. 그이가 자신이 무슨 말을 했는지 모른다면, 내가 내일 이야기해 주겠어요. 얼마 동안 클로슈구르드에 나타나지 말아요. 그러면 백작은 당신을 더욱 존경할 것입니다. 다음 일요일에, 교회에서 나오면, 그이가 직접 당신에게 다가갈 거예요. 나는 그이를 잘 알아요. 자신의 잘못을 지우려 할 것이고, 자신의 행동과 말에 대해 책임질 줄 아는 사람으로 대해 준 당신을 좋아하게 될 겁니다."

"부인을 보지 않고, 부인의 목소리를 듣지 않고 어떻게 닷새를 삽니까?"

"다시는 그렇게 열정적인 말투를 쓰지 말아요." 그녀가 말했다.

우리는 입을 다문 채 테라스의 둘레를 두 바퀴 돌았다. 그리고 그녀는 내 영혼을 차지했다는 것을 확인하는 명령투로 말했다. "늦었네요. 그만 헤어집시다."

나는 그녀의 손에 입맞추려 했다. 그녀는 망설이더니, 내게 도로 손을 내밀면서 애원하듯 말했다. "내가 드릴 때만 잡으세요. 내 자유 의지를 존중해 주세요. 그렇지 않으면 난 당신의 소유물로 전락할 것이고, 그건 옳지 않아요."

"안녕히 계세요." 나는 말했다.

나는 그녀가 열어 준 아래쪽으로 난 작은 문으로 나왔다. 그 순간, 그녀는 닫으려던 문을 다시 열고 손을 내밀며 말했다. "당신은 오늘 제게 진정한 자비를 베푸셨어요. 내 미래를 다 위로하신 걸요. 자요, 친구여, 자요!"

나는 그녀의 손에 여러 번 입을 맞추었다. 내가 눈을 들었을 때 그녀의 눈 속에 고인 눈물을 보았다. 그녀는 테라스 위에 올라가서 몇 분 동안 초원을 가로지르는 나를 쳐다보았다. 내가 프라펠의 길로 접어들 때 즈음, 여전히 달빛 아래 흰색 드레스가 보였다. 그리고 얼마 후에 불빛이 그녀의 침실을 밝혔다.

'오, 나의 앙리에트!' 나는 생각했다. '이 지구상에서 가장 순수한 사랑을 그대에게!'

나는 걸음마다 뒤를 돌아보며 프라펠에 이르렀다. 내 안에 이름 모를 충족감을 느꼈다. 모든 젊은이의 마음속에 가득한 희생정신이 내 경우에는 너무나 오랫동안 잠을 자고 있었는데, 그 정신을 발휘할 수 있는 찬란한 앞날이 드디어 펼쳐지고 있었다. 단 하나의 발걸음으로 새로운 삶으로 나아간 사제처럼, 나는 내 자신을 봉헌한 셈이었다. 나는 단순한 "예, 부인!"으로써 억제할 수 없는 사랑을 혼자만 간직하고, 우정을 기화로 그녀를 조금씩 사랑으로 기울게 하지 않기로 서약한 것이다. 온갖 고결한 감정들이 살아나 내 안에서 어수선하게 목소리를 섞었다. 좁은 방 안에 들어가기 전에 나는 쾌감에 젖어 별빛이 쏟아지는 창공 아래 머물고 싶었다. 상처 입은 산비둘기의 노래를, 순수한 고백의 꾸밈없는 말투를 내 속에서 다시 한번 들어 보고, 그 영혼의 파장이 모두 내게 오도록 공기 중에서 모으고 싶었다. 자아를 완전히 잊고, 상처받거나, 나약하거나 고통을 받는 이들을 신성시하고, 법적인 속박을 초월하여 헌신하는 이 여인이 내게 얼마나 위대해 보였던가! 그녀는 성녀, 순교자의 화형대 위에 차분하게 서 있었다. 암흑 속에서 나타난 그녀의 모습에 경탄하던 중에, 갑자기 그녀가 했던 말의 숨겨진 의미를 헤아린 듯했다. 그리하여 그녀는 완전히 숭고해졌다. 자기가 가족들에게 수호천사이듯이, 내가 자신에게 그런 존재가 되길 바라는 걸까? 내게서 힘과 위안을 찾기 위해, 나를 자신의 세계로, 같은 등급으로, 또는 더 높이 끌어올리려 하는 걸까? 우주를 설명하려는 몇몇 대담한 사람들이 천체들은 그렇게 운동과 빛을 서로 나눈다고 말한다. 이런 상념들이 갑자기 나를 하늘 위로 떠오르게 했다. 나는 옛 꿈들 속을 떠다니면서 어린 시절의 고통이 지금의 지극한 행복을 누리기 위한 것이었음을 스스로에게 설명했다.

눈물을 흘리며 죽어간 천재들이여, 인정받지 못한 가슴들이여, 클라리사 할로*와 같은, 알려지지 않은 성녀들이여, 사막으로부터 삶에 입문한 이들이여, 어디서나 차가운 얼굴들과 닫힌 마음들, 막힌 귀를 만난 이들이여, 결코 불평하지 마라! 누군가의 가슴이 당신에게 열리고, 누군가의 귀가 당신의 말에 귀를 기울이고, 누군가의 눈길이 당신의 것과 마주칠 때의 무한한 기쁨을 당신들만이 온전히 맛볼 수 있도다. 단 하루 만에 가혹했던 나날들이 지워진다. 지나갔지만 잊혀지지 않는 고통, 사색, 절망, 우울은 모두 그 사람의 영혼과 묶어 주는 끈이 된다. 그간 억압되었던 욕망으로 인해 더욱 아름답게 보이는 여성은 허비된 한숨과 사랑을 물려받는다. 그녀는 실망스러웠던 애착들을 더 크게 보상해 주고, 지난날의 슬픔은 영혼의 언약식 날 받는 영원한 행복을 위해 지불해야 했던 벌충금이었음을 알게 해 준다. 천사들만이 이런 거룩한 사랑에 어울리는 새로운 명칭을 입에 담듯이, 친애하는 순교자들이여, 당신들만이 모르소프 부인이 한순간에 불쌍하고 외로운 내게 어떤 존재로 다가왔는지 이해할 것이다!

이는* 화요일에 있었던 일이다. 산책 중에 앵드르 강을 건너지 않고 일요일까지 기다렸다. 닷새 동안 클로슈구르드에서는 중요한 사건들이 일어났다. 백작은 준장(准將) 직위*와 생루이 훈장,* 그리고 연금 4천 프랑을 하사받았다. 르농쿠르-지브리 공작은 귀족원 의원으로 임명되어 두 개의 숲을 되찾고, 궁정에서 관직에 다시 올랐다. 그의 아내는 제정 때 황제의 영지로 들어가서 팔리지 않았던 예전의 재산을 돌려받았다. 그리하여 모르소프 백작부인은 멘 지역의 가장 부유한 상속녀가 되었다. 그녀의 어머니가 지브리의 소득에서 저축했던 10만 프랑을 주러 왔다. 그것은 아직 지급되지 않은 지참금에 해당하는 액수였다. 모르소프 백작은 아무리 궁핍해도 지참금에 대해 결코 언급하는 법이 없었다. 외적인 생활에 있어서 백작은 강한 자존심과 아무런 사심 없는 태도를 보였다. 본인이 저축해 둔 액수를 더하면, 이제 그는 약 9천 리브르의 지대가 나오는 이웃 영토 두 곳을 구매할 수 있었다. 백작은 아들이 외조부의 의원직을 계승할 것을 예상하고 그에게 두 가문의 부동산으로 이루어진 세습 재산을 마련해 줄 계획을 세웠다. 르농쿠르 공작의 배려로 좋은 혼처를 구하게 될 마들렌에게 해를 끼칠 염려가 없었다. 이런 조치와 행운은 이민자의 상처를 달래 주었다. 르농쿠르 공작부인의 클로슈구르드 행차는 온 지역에서 하나의 큰 사건이었다. 나는 그 여인이 귀부인이라는 생각에 마음이 아팠고, 그녀의 딸에게서 고결한 정신 뒤에 숨은 특권의식을 엿보았다. 용기와 재능 이외에 아무런 앞날에 대한 보장이 없었던 가난한 나는 무엇이었겠는가? 나는 내게도, 남에게도 왕정 복고가 어떤 영향을 미칠지에 대해 생각하지 않았다. 일요일에 성당에서 셰셀 부부와 켈뤼 사제와 함께 전용 제실에서 나는 공작부인과 그녀의 딸, 백작, 아이들이 있는 측면 제실로 선망의 눈길을 보냈다. 내 우상을 가리는 밀짚모자는 미동도 하지 않았는데, 나를 잊은 듯한 태도가 오히려 그녀에게 더욱 강한 애착을 느끼게 했다. 내가 행복하게 해 주려는, 이제 나의 사랑하는 앙리에트가 된 위대한 앙리에트 드 르농쿠르는 열성적으로 기도하고 있었다. 나는 성인의 동상과 같은, 하느님께 열중하고 순종하는 그녀의 자태에 매혹되었다.

시골 교구들의 관습대로, 저녁 예배는 미사가 끝나고 조금 후에 있었다. 성당에서 나오며 셰셀 부인은 이웃들에게 더위 속에서 앵드르 강과 초원을 두 번 오가지 말고 두 시간을 프라펠에서 기다리라고 권했다. 그들은 초대에 응했다. 셰셀 씨는 공작부인과, 셰셀 부인은 백작과 팔짱을 끼고, 나는 백작부인에게 내 팔을 내밀었다. 나는 처음으로 내 허리에 그 아름답고 시원한 팔을 느꼈다. 성당에서 프라펠까지 가려면 사세의 숲을 통과해야 했다. 숲 속에서 나뭇잎에 걸러진 빛은 염색된 비단처럼 어여쁜 조명을 오솔길의 모래 위에 뿌렸다. 가는 동안 자랑스러움과 여러 가지 생각으로 내 가슴은 두근거렸다.

나는 침묵을 감히 먼저 깨지 못하고 걸었다. 몇 걸음을 옮긴 후 그녀가 물었다. "왜 그래요? 심장이 너무 빨리 뛰네요."

"부인께 희소식들이 있다고 들었습니다. 그래서 사랑하는 사람들이 그렇듯이 막연히 불안해지더군요. 당신의 영화(榮華)가 우정을 잊게 하지는 않을는지요?"

"내가요! 참! 다시 그런 생각을 했다가는 당신을 경멸하지도 않을 겁니다. 아주 영영 기억에서 지울 거예요."

나는 그녀를 정열적으로 쳐다보았다. 내 정열이 전염되는 듯했다.

"우리가 주도하지도, 요구하지도 않은 법의 혜택을 받았지만 과도한 욕심을 부리지 않을 거예요. 당신도 알다시피 나도, 백작도 클로슈구르드를 떠날 수가 없어요. 백작은 내 충고에 따라 왕실에서 내린 지휘관의 직위를 거절했습니다. 아버지의 의원직으로 족해요!" 그녀는 자조 섞인 미소를 지었다. "어쩔 수 없는 겸손한 태도가 벌써 우리의 아이를 위해 이롭게 되었어요. 아버지가 직무상 자주 뵙는 폐하께서 관대하게도 우리가 사양하는 특권을 자크에게 그대로 옮겨 주겠다고 말씀하셨답니다. 자크의 교육에 대해 고민해야 하는데, 지금 진지하게 논의 중입니다. 그는 르농쿠르와 모르소프, 두 가문을 대표할 거니까요. 내 모든 야망은 그에 대한 것뿐이어서, 근심이 커졌습니다. 자크는 살아남아야 할 뿐만 아니라 그의 이름에 걸맞는 인물이 되어야 하는데, 이 두 가지는 서로 상충됩니다. 이제까지는 내가 그의 능력에 맞는 과제를 주면서 교육시켰지만, 우선 적당한 가정교사를 어디에서 구하겠습니까? 그리고 그 후에, 어떤 친구가 도처에 정신적인 함정과 육체적인 위험이 도사리는 그 끔찍한 파리에서 그애를 지키겠습니까? 친구여," 그녀는 떨리는 목소리로 말했다. "당신의 이마와 눈을 보면 누구라도 높은 곳으로 날아오를 새라고 예감할 것입니다. 도약을 해서, 앞날에 사랑하는 아들의 보호자가 되어 주세요. 파리로 가세요. 당신의 형이나 아버지가 돕지 않는다면 우리 가문이, 특히 수완이 좋으신 어머니께서 영향력을 발휘할 것입니다. 우리의 영향력을 이용해 보세요! 그러면 당신이 어떤 길을 선택하든 아낌없이 후원해 드릴 겁니다. 여분의 힘을 고귀한 야망에 쏟아 보세요……."

"부인의 말을 이해합니다." 나는 그녀의 말을 끊었다. "야망을 정부(情婦)로 삼겠습니다. 하지만 그것 때문에 당신의 사람이 되지는 않겠습니다. 이곳에서의 현명한 처신에 대한 보상으로 저쪽에서 특권을 누리고 싶지는 않습니다. 저는 거기에 가서 혼자의 힘으로 서겠습니다. 부인께서 주는 것은 무엇이든 받겠지만, 다른 사람들로부터 오는 것은 모두 사양하겠습니다."

"어수룩하긴!" 그녀는 만족스런 미소를 참지 못하고 속삭였다.

"어쨌든 저는 제 자신을 바쳤습니다." 나는 말했다. "우리 두 사람에 대해 생각해 보았는데, 제 자신을 영원히 풀리지 않는 고리로 부인과 엮어야겠습니다."

그녀는 가볍게 소스라치며 멈춰 나를 응시했다.

"무슨 뜻이죠?" 그녀는 우리와 동행하던 두 쌍이 앞지르도록 걸음을 늦추고 아이들은 곁에 두며 말했다. 나는 대답했다.

"제가 부인을 어떻게 사랑하기를 바라는지 솔직하게 말해 보세요."

"숙모가 나를 사랑했듯이 사랑해 주세요. 그분이 내 이름들 중에서 선택한 것을 당신이 사용하도록 허락하면서 나는 당신에게 그분의 권리까지 양도한 셈입니다."

"그렇다면 저는 전적으로 헌신하면서, 희망 없이 사랑하겠습니다. 그래요, 저는 인간이 하느님을 섬기듯이 부인을 섬기겠습니다. 부인께서 그렇게 바라지 않으십니까? 저는 신학교에 입학해서 사제가 되어 자크를 가르치겠어요. 자크를 또 다른 나로 여기고, 제 정치적인 사상, 저의 생각들, 에너지, 인내심, 모든 것을 다 심어 주겠습니다. 그렇게, 크리스털 속에 든 은세공품처럼 종교 속에 갇힌 제 사랑은 전혀 의심받을 여지가 없기에 저는 부인 곁에 머물 것입니다. 한번 저를 압도했던, 남자를 사로잡는 무절제한 열정을 두려워하지 않으셔도 됩니다. 저는 그 불 속에 타 버리고, 부인께 정화된 사랑을 바치겠습니다."

그녀는 창백해지며 황급히 말했다. "펠릭스, 앞으로 당신의 행복에 걸림돌이 될 약속은 하지 마세요. 내가 그런 자살의 원인이라면 슬픔으로 죽을 거예요. 철없는 사람 같으니, 좌절된 사랑이 어찌 사명이 될 수 있나요? 인생을 논하기 전에 인생의 시련을 겪어 보세요. 그것이 내가 원하는 바, 아니 내가 명령하는 바입니다. 내가 금하건대, 교회와도, 여자와도, 그 무엇과도, 누구와도 결혼하지 마세요. 당신은 스물한 살입니다. 미래가 무엇을 가져다줄지 이제 겨우 엿보기 시작할 나이죠. 세상에, 당신에 대한 나의 판단이 틀렸던 걸까요? 어떤 성격들을 파악하는 데 두 달이면 충분하다고 믿었는데."

"어떤 희망이 있습니까?" 나는 빛나는 눈으로 그녀를 바라보았다.

"친구여, 내 도움을 받아들여요. 높은 곳에 오르고, 출세해요. 그러면 내 희망이 어떤 것인지 알게 될 겁니다. 그리고," 그녀는 비밀을 털어놓듯이 말했다. "지금 잡고 있는 마들렌의 손을 놓지 말아요."

그녀가 내 미래를 얼마나 생각하는지를 입증하는 그런 말을 하기 위해 내 귀 쪽으로 몸을 기울였다.

"마들렌 말입니까! 결코 그럴 수 없어요!" 나는 말했다.

이 몇 마디가 우리를 혼란스런 침묵 속에 빠뜨렸다. 우리는 마음속에 영원한 흔적을 남길 정신적인 동요를 겪고 있었다. 그때 프라펠의 공원 안으로 들어가는 나무문이 보였다. 덩굴 식물과 이끼, 풀과 가시덤불로 덮인 두 개의 망가진 기둥이 아직도 눈에 선하다. 갑자기 백작이 곧 사망할지도 모른다는 생각이 내 머리 속에 화살처럼 스쳤다. 나는 말했다. "알겠습니다."

"다행이군요." 그녀의 말투를 듣고 나는 그녀가 그런 일은 결코 상상하지도 못한다는 것을 알았다.

그녀의 순수함에 감동받아 나는 경탄의 눈물을 흘렸다. 그 눈물은 사랑의 이기심 때문에 쓰디썼다. 자성(自省)하면서, 나는 그녀가 자유로워지기를 바랄 만큼 나를 사랑하지는 않는다고 생각했다. 사랑이 범죄 앞에 주저하는 한, 한계가 있어 보인다. 그런데 사랑은 무한해야 한다. 내 가슴이 너무나 아프게 미어졌다.

'나를 사랑하지 않아.' 나는 생각했다.

그런 상념을 들키지 않기 위해서, 나는 마들렌의 머리 위에 입을 댔다.

"부인의 어머님이 무서워요." 나는 대화를 재개하기 위해 백작부인에게 말했다.

"나도 그래요." 그녀는 어린아이와 같은 손짓을 하며 대답했다. "'공작부인'이라고 부르고, 삼인칭으로 말하는 것을 잊지 말아요. 오늘날 젊은이들은 예의를 잊었어요. 나를 위해 다시 갖춰 주세요. 어쨌든 나이를 막론해서 여성들을 존중하고 의문을 제기하지 않고 사회적인 신분을 알아볼 줄 아는 것이 세련된 태도입니다. 공식적으로 우위에 있는 사람들에게 표하는 경의는 당신이 받을 경의에 대한 보장이 아니겠어요? 사회에서는 모든 것이 연계되어 있죠. 옛날에 로베레 추기경*과 우르비노의 라파엘로는 똑같이 존경받는 위인들이었습니다. 당신은 학교에서 혁명의 젖을 빨았고, 당신의 정치적인 생각이 그 영향을 받았을 수도 있지만, 잘못 정의된 자유의 원칙들이 민중의 복지를 창출하지 못한다는 것을 살아갈수록 깨닫게 될 것입니다. 르농쿠르 가문의 일원으로서 귀족이 어떠해야 한다고 생각하기 이전에, 농사짓는 아낙네의 상식으로 사회는 위계질서에 의해 지탱이 된다고 봅니다. 당신은 인생에서 선택을 잘해야 하는 순간에 와 있어요. 당신이 속한 진영의 편을 드세요. 특히, 우세할 때 말입니다." 그녀는 웃으며 덧붙였다.

나는 정치적인 통찰력이 따스한 애정 뒤에 숨은 이런 이야기에 깊은 감동을 받았다. 두 가지를 겸비한 여성은 너무나 매혹적이다. 그런 여성은 가장 날카로운 논리도 감성으로 포장할 줄 안다. 앙리에트는 백작의 행동을 정당화하고픈 마음에서, 내가 처음으로 그가 아첨하는 것을 목격했을 때 소감이 어떠할지를 예상하는 듯했다. 자기 집에서는 왕 노릇을 하는 모르소프 백작은 내 눈에 역사적인 후광까지 입어서 위대해 보였다. 그래서 솔직하게 말하자면, 비굴하다는 표현이 약할 정도로 스스로를 낮추며 자신과 공작부인 사이에 거리를 두는 그가 놀라웠다. 노예도 자존심이 있는 법이어서, 가장 위대한 군주에게만 복종하고자 한다. 나는 내 사랑을 지배하며 나를 떨게 하는 사람이 자기를 비하하는 광경을 보고 굴욕감을 느꼈다. 나는 이런 내 심정으로 미루어서 매일 남편의 비굴함을 덮어야 하는 자비로운 여인들의 수난을 이해했다. 존경심은 윗사람과 아랫사람 모두를 보호하는 울타리여서, 그것이 있으면 양쪽에서 각자가 서로 똑바로 쳐다볼 수가 있다. 나는 젊은이답게 공작부인에게 공손했다. 다른 사람들에게는 공작부인이었지만, 내게는 앙리에트의 어머니였기 때문에 나의 공경은 성스러운 것이었다. 우리는 프라펠의 큰 마당으로 들어가서 일행과 합류했다. 모르소프 백작은 친절하게 나를 공작부인에게 소개했다. 그녀는 나를 차갑고 조심스럽게 관찰했다. 그 당시 르농쿠르 부인은 56세였는데, 매우 젊어 보이고 격식을 차리는 여성이었다. 그녀의 냉랭한 푸른색 눈과, 금이 간 관자놀이, 마르고 노쇠한 얼굴, 당당하고 곧은 허리, 절제된 동작, 딸이 물려받은 눈부시게 흰 피부를 보고, 나는 광물학자가 스웨덴의 철을 알아보듯이, 즉시 내 어머니가 속한 매정한 족속을 알아보았다. 그녀는 옛 궁정의 말투를 썼다. '와'를 '에'라고 발음했고, '프루아'(froid: 차가운) 대신에 '프레'(frait)라고 했고, '포르퇴르'(porteurs: 짐꾼들) 대신 '포르퇴'(porteux)라고 했다. 나는 아첨을 떨지도, 점잔을 빼지도 않았다. 너무나 처신을 잘해서 저녁 예배를 보러 가면서 백작부인은 내게 "완벽해요!"라고 말했다.

백작은 내게 와서 손을 잡고 말을 걸었다. "펠릭스, 우리가 틀어진 것은 아니지? 내가 좀 지나치게 불끈했다면, 이 늙은 친구를 용서하게. 아마도 오늘 우리는 이곳에서 저녁식사를 할 것이고, 공작부인께서 떠나시기 전날인 목요일에 자네를 초대할 예정이야. 나는 몇 가지 일을 마무리 짓기 위해 투르에 잠시 가 있을 건데, 클로슈구르드에 소홀하지 말게. 내 장모는 친히 사귈 만한 분이야. 그분의 살롱은 생제르맹 지구*를 주도할 거네. 그분은 상류사회의 관습을 이어받았고, 굉장히 유식하다네. 유럽에서 최상위

귀족에서 가장 말단 귀족까지의 문장(紋章)을 모두 알고 있을 정도니까."

백작의 고상한 취향이, 또는 그의 수호천사의 충고가 그의 당파의 승리가 조성한 새로운 상황에서 빛을 발했다. 그는 거만하지도 않았으며, 모욕적으로 예의를 차리지도 않았고, 허풍을 떨지도 않았다. 공작부인은 보호자처럼 행세하지 않았다. 셰셀 부부는 다음 목요일의 저녁 초대를 감사로이 승낙했다. 나는 공작부인의 마음에 들었다. 딸이 내 이야기를 해서 나를 유심히 관찰하고 있음을 그녀의 눈빛에서 알 수 있었다. 저녁 예배 후 돌아오는 길에 그녀는 내 가족에 대해 여러 가지 질문을 했고, 이미 외교관인 방드네스가 내 친척이냐고 물었다. "제 친형입니다"라고 대답하자 그녀는 거의 다정해졌다. 그리고 나의 작은 할머니인 리스토메르 후작부인의 친정이 그랑리외 가문이라는 사실을 가르쳐 주었다. 모르소프 백작이 나를 처음 만난 날 내게 정중했던 것처럼 그녀도 나를 정중하게 대했다. 상류 귀족들과 그 외의 사람들 사이에 격차를 느끼게 하는 우월감의 표정이 그녀의 얼굴에서 사라졌다. 나는 내 가문에 대해 아는 바가 없었다. 공작부인은 내가 이름도 모르던 노(老)사제인 종조부가 국무회의의 일원이라는 것과, 내 형이 승진했다는 것, 나는 아직 모르고 있던 헌장에 의해 아버지가 다시금 방드네스 후작이 되셨다는 사실을 알려 주었다.

"나는 오직 한 가지, 클로슈구르드의 농노입니다." 나는 백작부인에게 속삭였다.

왕정 복고라는 마술 지팡이는 제정기에 자란 아이들을 어리둥절하게 할 정도로 급격한 변화를 가져왔다. 그러나 이런 격변이 내게는 아무것도 아니었다. 모르소프 부인의 작은 한마디, 가장 미세한 동작이 내게는 유일하게 중요한 사건이었다. 나는 국무회의가 뭔지도 몰랐고, 정치나 사회적인 일들에 대해 완전히 무지했다. 페트라르카가 라우라를 사랑한 것 이상으로 앙리에트를 사랑하는 것 외에는 다른 야심이 없었다. 공작부인은 이런 나의 무관심을 보고 나를 어린아이로 취급하였다. 프라펠에 손님이 많아 저녁 식탁에 서른 명이나 앉았다. 사랑하는 여인이 모든 여인들 중에서 가장 아름답고, 열렬한 시선의 대상이 되는 것을 보면서, 정숙하고 절제된 그녀의 눈빛을 독점하는 것은 젊은 남자로서 너무나 황홀한 일이다. 겉으로는 가볍고 빈정거리는 듯한 말 속에서 일관된 사고를 간파할 만큼 그녀 목소리의 모든 뉘앙스를 감지하는 것 또한 황홀하다. 그녀의 관심을 빼앗는 사교계의 만사에 대해 강한 질투심을 느끼는 와중에도 그러하다. 대접을 받아서 행복해진 백작은 젊어지다시피 했고, 그의 아내는 이것이 그의 기질을 변화시키는 계기가 되기를 희망하는 눈치였다. 나는 마들렌과 함께 웃고 있었다. 육체가 정신에 짓눌리는 아이답게 마들렌은 악의는 없지만 아무도 봐 주지 않는 풍자적이고 날카로운 지적으로 나를 웃게 했다. 즐거운 하루였다. 말 한마디가, 아침에 떠오르는 희망이 내게 세상을 밝게 비추어 주었다. 명랑한 나를 보고 앙리에트도 명랑해졌다. 그녀는 그 다음날 내게 말했다. "구름 낀 회색빛 삶 속에 비친 이런 행복은 그에게 많은 위로가 되었을 거예요."

그 다음날 나는 물론 클로슈구르드에서 하루를 보냈다. 나는 닷

새 동안 그곳에 가지 못해서 내 생명의 샘에 목말라 하고 있었다. 백작은 투르에서 구매 계약서를 작성하기 위해 여섯 시에 떠났다. 모녀간에 심각한 불화거리가 생겼다. 공작부인은 딸이 파리로 함께 가기를 바라고 있었다. 그곳에서 백작부인은 어머니의 영향력에 힘입어 궁정에서 직위도 얻고, 백작도 마음을 바꿔 높은 관직에 오를 수 있다는 것이었다. 행복한 여성으로 알려진 앙리에트는 아무에게도, 어머니에게조차도 자신이 당하는 끔찍한 고초와 남편의 무능력에 대해 털어놓으려 하지 않았다. 어머니가 이들 부부의 비밀을 꿰뚫지 못하게 그녀는 모르소프 백작을 공증인들과 담판을 벌이도록 투르에 보냈던 것이다. 그녀가 말했듯이, 오직 나만이 클로슈구르드의 비밀에 대해 알고 있었다. 이 골짜기의 신선한 공기와 푸른 하늘이 영혼의 상처를 치유하고 병으로 인한 극심한 고통을 달랜다고, 클로슈구르드의 환경이 아이들의 건강을 호전시킨다고 말한 뒤, 백작부인은 다른 논거를 대며 맞섰다. 공작부인은 딸이 밑지는 결혼을 한 것에 대해 슬퍼하기보다는 굴욕감을 느끼며, 성가시게 참견했다. 앙리에트는 어머니가 자크와 마들렌의 건강에 대해 별로 신경을 쓰지 않는다는 것을 깨달았다. 이것은 참으로 가혹한 발견이었다. 처녀 시절에 딸에게 부리던 횡포를 결혼 후에도 계속하는 어머니들의 습성대로, 공작부인은 반박을 용납하지 않는 의견들을 제시했다. 때로는 동의를 얻기 위해 엉큼하게 호의를 가장했고, 때로는 온화함으로는 얻을 수 없는 것을 공포감을 조성함으로써 받아내기 위해 지독한 냉랭함을 보였다. 그래도 소용없다는 것을 깨닫자, 내 어머니에게서 경험했던 조롱기를 발휘했다. 열흘 동안 앙리에트는 젊은 부인들이 독립을 쟁취하기 위해 반항할 때 느끼는 온갖 내적 갈등들을 겪었다. 다행히 가장 훌륭한 어머니를 둔 당신은 이해하지 못할 것이다. 메마르고, 냉정하고, 계산적이며 욕심이 많은 이 여인과 한없이 부드럽고 신선한 자비로 가득 찬 그녀의 딸 사이의 갈등을 조금이라도 실감하려면, 강철로 된 기계의 톱니바퀴 속에 으깨지는 백합을 상상하면 될 것이다. 백합은 항상 내가 마음속으로 그녀를 빗대는 심상이다. 그런 어머니는 딸과 통하는 데가 전혀 없었다. 그리고 왕정 복고로 주어진 특혜를 포기하고 고립된 생활을 이어 갈 수밖에 없는 진정한 이유들을 전혀 눈치 채지 못했다. 그녀는 나와 딸 사이의 어떤 '내연의 관계'를 의심했다. 그런 의혹을 드러내기 위해 그녀가 사용한 이 표현은 두 여인 사이에 영원히 채워지지 않을 구렁을 팠다. 집안마다 견디기 힘든 불화를 철저하게 숨기는데도 불구하고, 그 속을 들여다보면, 제각기 자연스런 감정을 해치는 깊숙하고 치유될 수 없는 상처들이 있다. 성격의 조화로 인한 진실되고 감동적인 애정은 영원하며 죽음이 닥치면 달랠 수 없는 지독한 아픔을 남기지만, 숨겨진 증오는 가슴을 천천히 얼어붙게 하여 최후의 작별이 다가왔을 때 눈물샘을 말린다. 과거에도 괴롭힘을 당했고, 오늘날도, 모두에게, 병약한 두 천사들에게조차 ― 비록 이들은 자신들이 겪는 아픔과 어머니로 하여금 겪게 하는 아픔에 아무런 책임이 없었지만 ― 괴롭힘을 당하는 이 불쌍한 여인은 자신을 괴롭히지 않고, 오히려 자신을 폭풍과, 접촉과, 상처로부터 보호하기 위해 주위에 삼중의 가시 울타리를 두르려 하는 사람을 사랑하지 않았겠는가? 나는 어머니와 벌이는 논쟁으로 함께 고통스러워하면서도, 그것이 그녀를 내게로 오게 한다는 것을 알고 가끔은 기뻐하기도 했다. 앙리에트는 내게 자신의 새로운 고민 거리들을 고백했다. 나는 고통 속에서 그녀가 발휘할 줄 아는 침착함과 굳건한 인내심에 감탄했다. 날이 갈수록 나는 그녀의 말의 의미를 더 잘 이해하게 되었다. "숙모가 날 사랑했듯이 나를 사랑해 주세요."

"자네는 야망이 없나?" 저녁식사 중에 공작부인은 굳은 표정을 지으며 내게 물었다.

"부인, 제 안에는 세상을 정복할 만한 힘이 있음을 느낄 수 있습니다. 하지만 저는 겨우 스물한 살이고, 혼자입니다." 나는 진지한 얼굴로 대답했다.

그녀는 딸을 놀란 듯한 표정으로 바라보았다. 딸이 나를 자기 곁에 두기 위해 내 야심을 억누르고 있다고 생각하는 듯했다. 르농쿠르 공작부인이 클로슈구르드에 머문 동안 내내 서로 불편했다. 백작부인은 내게 예의를 지키라고 당부하고, 온순한 말 한마디에도 불안에 떨었다. 그녀를 위해서 나는 위선의 옷을 입어야만 했다. 대망의 목요일이 드디어 왔다. 그날은 지루한 격식을 치르는, 사랑하는 사람들이 몹시 싫어하는 날이었다. 그런 사람들은 안주인을 독점할 수 있는 편안한 일상 속의 다정함과, 언제나 제자리에 있는 자신들의 의자에 익숙하기 때문이다. 사랑은 그 외의 것을 무엇이든지 배척한다. 공작부인은 궁정의 화려한 의식을 즐기러 돌아갔고, 클로슈구르드에는 모든 것이 정상으로 돌아왔다.

백작과의 작은 불화의 결과로서 나는 그곳에 전보다 더욱 확고하게 자리잡을 수 있었다. 나는 아무 의심도 받지 않고 언제나 갈수 있었고, 내 불행한 과거 덕분에 가장 아름다운 영혼 속에 덩굴 식물처럼 퍼질 수 있었다. 사랑하는 사람으로부터 사랑을 받는 마법과 같은 행복이 내게 열리고 있었다. 매시간, 매순간 신뢰에 기반을 둔 우리의 순결한 결혼은 더욱 돈독해졌다. 우리는 각자의 역할을 굳혔다. 백작부인은 나를 보살폈고, 모성애로 감싸 주었다. 나의 사랑은 그녀 앞에서는 천사처럼 숭고했던 반면 그녀에게서 멀어지면 붉게 달궈진 쇠처럼 뜨겁게 변질되었다. 그녀에 대한 사랑은 양면적이었다. 하나하나 튕겨 올려진 욕망의 화살들은 뚫을 수 없는 창공 속으로 사라졌다. 만약 당신이 젊고 혈기왕성한 내가 어째서 플라토닉한 사랑의 환상 속에 머물러 있었느냐고 묻는다면, 고백하건대, 내 안에는 남성이 아직 충분히 성숙되지 않았다. 항상 아이들에게 무슨 변이라도 일어날까 봐 초조해하고, 항상 남편의 격노, 또는 기분의 악화를 우려하며, 자크나 마들렌의 병세로 고생하지 않을 때에는 그로부터 괴롭힘을 당하고, 그가 진정하여 조금 쉬는 틈에는 아이들 중 한 명의 침대 곁을 지켜야 하는 이 여인을 흔들어 놓을 수가 없었다. 너무 격렬한 한마디가 그녀를 혼란스럽게 했고, 요구 하나가 그녀의 감정을 상하게 했다. 그녀가 다른 사람들에게 그렇듯이, 나는 그녀에게 베일에 가려진 사랑이어야 했고, 다정한 힘이어야 했다. 그런데, 여자인 당신은 이해할 것이다. 이런 상황에서 나는 달콤한 번민을 즐겼고 무언의 희생이 동반하는 충족감을 느꼈다. 그녀의 양심은 내게 전염되었고, 보상받을 수 없지만 집요하게 헌신하는 모습이 위압적이었다. 다른 미덕들까지 하나로 묶어 주는 깊고 은밀한 신앙심은 그녀의 주위에 일종의 정신적인 향을 피웠다. 그리고 나는 젊었었다! 그녀가 드물게 자신의 손등에 허락하는 입맞춤에 내 성적 본능을 집중시킬 수 있을 만큼 젊었다. 손바닥은 허락한 적이 없었다. 어쩌면 그녀에게는 그곳이 관능적인 쾌락이 시작되는 경계였는지도 모른다. 두 영혼은 유례없이 서로를 열정적으로 부둥켰지만 육체는 유례없이 철저하게, 효과적으로 억압되었다. 결국 훗날 나는 이토록 충만한 행복의 원인을 알게 되었다. 그 당시 내 나이에는, 어떠한 이해관계도 감정을 왜곡시키지 않았고, 급류처럼 쏟아져서 모든 것을 쓸어 가며 굽이치는 사랑의 흐름을 어떤 야심도 가로지르지 않았다. 그렇다, 후에는 사랑하는 여인을 여인 자신으로서 사랑한다. 그러나 첫사랑을 할 때에는 그녀의 모든 것을 사랑한다. 그녀의 아이들이 내 아이요, 그녀의 집이 내 집이고, 그녀의 이해관계가 내 이해관계이고, 그녀의 불행이 나의 가장 큰 불행이다. 그녀의 옷과 가구들을 모두 사랑한다. 내 돈을 잃는 것보다 그녀의 밀이 쓰러지는 것을 더 애석하게 생각하고, 손님이 벽난로 위의 골동품을 건드리면 꾸짖을 태세를 갖춘다. 그런 성스러운 사랑은 우리를 다른 사람 안에서 살게 하지만, 후에는, 불행히도, 우리가 다른 삶을 우리 안으로 끌어들이고, 여인에게 우리의 떨어진 기력을 젊은 감정으로 되살려 달라고 요구하게 된다. 나는 곧 집안의 식구가 되었고, 처음으로 느끼는 그런 무한한 행복은 목욕이 지친 몸을 달래듯이 고생한 영혼을 달래 주었다. 그것은 영혼을 구석구석 재생시키고, 가장 깊숙한 주름들까지도 어루만져 주었다. 여자인 당신은 이런 행복을 받지는 못하고 주기만 하기 때문에 이해하지 못할 것이다. 남의 집에서 안주인의 총애를 받으며 그녀의 애정이 향하는 비밀스런 중심이 되었을 때의 행복은 남자만이 안다. 개들은 우리를 보고 더 이상 짖지 않고, 하인들도 우리가 지닌 숨은 표상을 개들만큼이나 잘 알아본다. 거짓을 모르는 아이들에게는 선견지명이 있다. 우리 때문에 그들의 몫이 줄어들지 않으리라는 것과, 오히려 우리가 그들에게 이롭다는 것을 안다. 그들은 우리 앞에서 어리광을 떠는가 하면, 그들이 사랑하고, 그들을 사랑하는 사람들만을 위한 귀여운 횡포를 부리고, 비밀을 지켜 주는 순진한 공범이 된다. 종종걸음으로 우리 곁에 왔다가, 미소를 지어 보이고, 소리 없이 돌아가곤 한다. 모든 것이 우리의 비위를 맞추고, 우리를 사랑하고, 우리에게 미소 짓는다. 진정한 사랑은 불모지에서 피어났기에 더욱 보기 좋은, 아름다운 꽃과 같다. 나는 내 마음에 맞는 가족의 일원이 됨으로써 많은 특권을 누렸지만 의무도 역시 지게 되었다. 모르소프 백작은 그동안 내 앞에서 자제한 덕에 나는 그의 결점들의 일부만을 보아 왔으나 곧 그것이 적용되는 범위 전체를 경험했다. 그리고 백작부인이 자신이 겪는 일상적인 괴로움들을 묘사하면서 얼마나 자비롭게 그것들을 완화시켰는지를 깨달았다. 곧 나는 견디기 힘든 그의 성격을 모든 각도에서 알게 되었다. 사소한 것에 대한 끊임없는 푸념, 외적으로는 전혀 증상이 보이지 않는 아픔에 대한 하소연, 인생을 멍들게 하는 선천적인 불만족, 항상 누군가를 괴롭혀야 하는, 해

마다 새로운 희생양을 낼 수 있는 지독한 성미. 저녁 시간에 산책을 나갈 때에 우리는 그가 앞장 서서 가는 대로 따라갔다. 그러나 그는 항상 지루함을 느꼈다. 그리고는 집으로 돌아와서 자신의 권태를 남의 탓으로 돌렸다. 아내가 자신이 원하지 않는 대로 이끌었다며 그녀를 원망했다. 자신이 앞장 섰다는 것을 잊은 채 그는 삶의 가장 작은 부분에서도 그녀에게 조종당한다고, 스스로 어떠한 의지도 생각도 피력할 수 없다고, 집에서 쓸모없는 사람이 되었다고 불평했다. 그의 몰인정한 말들이 조용한 인내심에 부딪히면 자신의 권위에 한계를 느끼며 화를 냈다. 그러면 그는 종교가 여성들에게 남편을 즐겁게 하도록 가르치지 않느냐고, 아이의 아버지를 무시하는 것이 바람직하냐고 신랄하게 물었다. 그는 항상 끝에는 아내의 예민한 부분을 건드렸고, 거기에 상처를 입힌 후 그런 한심스런 권력을 휘두르는 데 특별한 쾌감을 느끼는 듯했다. 가끔은 갑자기 음울한 침묵, 병적인 무기력으로 위장하면, 아내는 놀라서 그에게 감동적인 정성을 쏟았다. 어머니의 근심에 아랑곳하지 않고 권력을 남용하는 버릇없는 아이들처럼 그는 자크와 마들렌을 질투하고, 그들처럼 보살핌을 받는 것을 좋아했다. 그리고 시간이 지날수록, 나는 그가 작건 크건 모든 상황에서 하인들과, 아이들과, 아내를 다루기를 주사위 놀이에서 나를 대했던 것과 똑같이 한다는 것을 알았다. 이 가족의 움직임과 호흡을 칡처럼 압박해서 방해하고, 집안의 순조로운 운영을 가늘지만 수많은 실로 속박하며, 필요한 조치들을 복잡하게 만들면서 재산의 증식을 지연시키는 시련의 뿌리와 잔가지들까지 파악한 나는 경외심에 사로잡혔다. 그 경외심은 내 사랑을 지배하며 그것을 내 마음속에서 억눌러 버렸다. 나는 무엇이었는가? 내가 마셨던 눈물은 내 안에서 숭고한 도취감을 잉태했고, 나는 이 여인의 고통을 함께 나누는 것이 행복했다. 전에는 밀수꾼이 벌금을 물듯이 백작의 사악함을 참았다. 이제는 앙리에트 곁에 있기 위해 폭군의 구타에 몸을 자발적으로 맡겼다. 백작부인은 내 마음을 읽었고, 그녀의 곁에 자리 잡고 함께 고난을 공유하도록 허락함으로써 보답해 주었다. 마치 예전에 참회하는 배교자가 형제들과 함께 하늘나라에 오르기를 간절히 원하여 원형 경기장 안에서 박해와 죽임을 당하는 은총을 얻었던 것처럼.

"당신이 없었다면 나는 더 이상 살 수 없었을 거예요." 백작이 무더운 날의 파리처럼 평소보다 더욱 신랄하고, 모질고, 변덕스러웠던 어느 날 저녁 앙리에트가 내게 말했다.

백작은 이미 잠자리에 들었었다. 우리, 앙리에트와 나는 저녁에 한동안 아카시아 밑에 있었다. 아이들은 우리 주위에서 황혼의 빛을 받으며 놀고 있었다. 순전히 감탄의 표현으로만 이루어진 뜸한 대화는 우리가 서로 교감을 나누고 있음을 드러냈다. 우리는 그렇게 공유된 아픔을 달래고 있었다. 말이 부족할 때에는 침묵이 우리의 마음을 성실하게 전했다. 우리 두 마음은 입맞춤을 통하지 않고도 장애물 없이 서로를 침투했다. 사색적이고 나른한 쾌감을 음미하며, 두 마음은 동일한 몽상의 굴곡을 따라가다가 강물 속에 함께 뛰어들어 다시 활기를 띤 두 요정처럼, 아무리 강한 독점욕이라도 만족할 만큼 완전하게 결합된 채, 그러나 지상에서는 아무런 연줄 없이 다시 나오곤 했다. 우리는 바닥이 보이지 않는 심연 속으로 갔다가 빈손으로 다시 위로 떠올라 눈빛으로 서로에게 물었다. "이 수많은 날들 중에 우리를 위한 단 하루가 있을까?" 쾌락이 뿌리 없이 자라난 꽃들을 따다 줄 때 육체는 왜 속삭이는가? 난간의 벽돌을 너무나 고요하고 순수한 오렌지빛으로 물들이는 저녁의 나른한 시정(詩情)에도 불구하고, 아이들의 소리를 누그러뜨려서 들려주고, 우리의 평화를 지켜 주는 종교적인 분위기에도 불구하고 욕망은 불꽃놀이의 도화선처럼 내 핏줄 속에 꾸불꾸불 스며들었다. 석 달이 지나자 나는 내 몫에 불만을 느끼기 시작했고, 나를 달구는 짙은 육감(肉感)을 전달하고자 앙리에트의 손을 부드럽게 애무했다. 앙리에트는 다시 모르소프 부인이 되어 손을 뺐다. 내 눈에 눈물이 맺힌 것을 보고 그녀는 내 입술에 손을 대며 온화한 표정으로 나를 바라보았다. 그리고 말했다.

"이것이 내게 얼마나 많은 눈물을 흘리게 하는지 알아줘요. 이렇게 큰 특혜를 바라는 우정은 참 위험하네요."

나는 불만을 터뜨렸다. 비난을 퍼부으며 내 번민과, 그것을 견디기 위해 내가 바라는 작은 보상에 대해 이야기했다. 내 나이에는 감각이 정신에 예속되더라도 정신 역시 성별(性別)이 있다고, 죽더라도 입 다물고 죽진 않겠다고 감히 이야기했다. 그녀는 카시크의 "내 자리는 장미꽃잎으로 된 침상처럼 편안한 줄 아시오?"* 라고 말하는 듯한 고고한 눈빛으로 내 말문을 틀어막았다. 그러나 내 상상이 틀렸는지도 모른다. 프라펠의 문 앞에서 백작의 죽음이 우리의 소망을 이루어 주리라는 생각을 그녀도 한다는 추측이 착각이었음을 알게 된 이후로 그녀가 과격한 열정으로 얼룩진 바람을 품었다고 상상함으로써 그녀의 영혼을 더럽힐 때마다 부끄러웠다. 그녀는 말을 하기 시작했다. 그리고 자신이 내게 모든 것을 다 줄 수는 없음을 나도 잘 알지 않느냐고 상냥하게 말했다. 그녀가 이런 설교를 하는 중에 나는, 만일 내가 거기에 순종하면, 우리 사이에 구렁을 파는 셈이라는 것을 깨달았다. 나는 고개를 숙였다. 그녀는 말을 계속했다. 하느님과 사람들에게 욕된 모습을 보이지 않으면서 한 형제를 사랑할 수 있다는 종교적인 확신이 있었노라고. 생 마르탱에 의하면 세상의 이치인 하느님의 사랑을 본받은 사랑에는 감미로움이 따랐지만, 내가 만일 그녀에게 늙은 고해신부와 같은 존재, 즉 연인보다는 못하지만 형제 이상인 존재가 될 수 없다면 우리는 다시 만나지 말아야 한다고. 그리고 자신에게 가중된 이 격렬한 고통을 눈물을 흘리며 하느님께 바치면서 죽을 용기가 있다고. 그러면서 끝마치기를, "나는 허락된 한도보다 더 많은 것을 주었어요. 그래서 벌써 이렇게 벌을 받고 있나 봐요."

다시는 그녀를 괴롭히지 않고 노부모가 어린 막내를 사랑하듯이 사랑하겠다고 약속하며 그녀를 진정시켜야 했다.

그 다음날 나는 일찍 갔다. 회색 거실의 화병에 꽃이 없었다. 나는 들과 포도밭으로 달려가서 두 개의 꽃다발을 만들기 위해 꽃을 찾아다녔다. 하나하나 뿌리 가까이에서 꺾으며, 그 아름다움에 감탄하면서, 색과 잎이 매혹적인 조화와 서정(抒情)을 지녔다는 생각을 했다. 그것은 서로 사랑하는 마음들의 가장 깊은 곳에서부터 수많은 추억을 환기하는 음악의 선율과 같았다. 색이 분화된 빛이라면, 공기의 배합에 각각 의미가 있듯이, 색도 나름대로의 의미를 지니지 않았을까? 자크와 마들렌과 함께, 우리의 우상에게 뜻밖의 선물을 마련하는 즐거운 음모를 꾸몄다. 꽃들을 현관 앞 층계 위에 모아 두고, 거기서 아이들의 도움을 받으며 두 개의 꽃다발을 만들었다. 그 꽃다발 속에 감정을 묘사하려 애썼다. 두 개의 화병에서 꽃이 샘처럼 거품을 일으키며 나와서, 술 모양의 파도로 떨어지고, 그 가운데서 내 소원이 흰 장미와 은색 백합에 실려 솟아나오는 그림을 상상해 보라. 이런 시원한 바탕 위에 수레국화, 물망초, 지치과 등 푸른색 꽃들이 빛을 발하는데, 하늘처럼 다양한 뉘앙스들은 흰색과 너무도 잘 어울린다. 두 종류의 순수함이 아니겠는가? 하나는 아무것도 모르고, 다른 하나는 모든 것을 다 아는 순수함, 즉 아이의 상념과 순교자의 상념이다. 사랑에도 문장(紋章)이 있다. 백작부인은 몰래 그것을 해독했다. 그녀는 상처 부위를 맞은 병자의 비명처럼 날카로운 눈빛을 내게 던졌다. 그녀는 수치심과 기쁨을 동시에 느꼈던 것이다. 그 눈빛은 내게 충분한 보상이었다. 그녀를 행복하게 해 주고, 그녀의 마음에 생기를 불어넣어 주었다는 사실은 내게 큰 격려였다. 나는 카스텔 신부*의 이론을 사랑에 적용하여, 서양에서는 잊혀진 기술을 그녀를 위해 부활시켰다. 동양에서는 꽃의 색과 향기가 글을 대신한다. 사랑의 빛을 받고 피어난 꽃들의 자매들, 태양의 딸들로써 감정을 표현한다는 것이 너무나 설레었다. 훗날 그랑리외에서 만난 어떤 사람이 벌들과 의사소통을 하듯이 나는 곧 들꽃들과 의사소통을 했다.

그때부터 프라펠을 떠나는 날까지 나는 일주일에 두 번씩 이런 시를 짓는 긴 작업을 되풀이했다. 그러기 위해서는 화본과(科) 식물의 모든 종(種)들이 필요했다. 나는 그것들에 대해 깊이 연구하였는데, 식물학자의 자세보다는 시인의 자세로 임했다. 꽃들의 형태보다는 그 기질을 관찰하였다. 나는 꽃이 핀 곳을 찾기 위해 물가, 또는 바위 꼭대기, 작은 계곡, 광야 한복판 등 멀리까지 갔고, 숲과 히드꽃 사이에서 팬지를 수집했다. 그러면서 사색에 빠져 사는 학자도, 특산물을 재배하는 농민도, 도시에 뿌리박힌 장인도, 계산대에 붙어 있는 상인도 모르는, 몇몇의 삼림 관리인, 나무꾼들, 몽상가들만이 아는 재미에 입문했다. 자연에는 무한한 의미를 지닌, 가장 위대한 사상에 미치는 현상들이 있다. 예를 들어, 이슬에 젖어 다이아몬드로 뒤덮인 듯 햇빛에 반짝이는 히드꽃은 순간을 잘 포착할 줄 아는 눈에게 무한한 공간이다. 또는 쓰러져 가는 바위로 둘러싸인, 흰꼬리수리가 울고 이끼 낀 모래가 깔리고 노간주 나무로 채워진 숲 속 한 귀퉁이의 야생적이고, 거칠고, 공포스런 분위기는 사람을 현혹시킨다. 아니면 식물이 나지 않는, 경사가 가파르고, 지평선이 사막의 그것과 흡사한, 돌 투성이의 광야에서 금색 수술을 드러내기 위해 보랏빛 비단 꽃잎을 펼친 도도하고 고독한 아네모네는 골짜기에 홀로 핀 희고 순결한 내 우상의 분신이었다! 또는 널찍한 늪에는 자연이 식물과 동물의 중간 단계인 초록 얼룩을 금세 칠하고 잡초와 벌레들이 창공에서처럼 떠다니는 등 생명이 며칠 새 피어난다. 또는 마당에 양배추 밭과 포도나무와 작은 말뚝, 그리고 웅덩이가 있고, 빈약한 호밀 밭으로 둘러싸인 초가집은 수많은 단출한 생활의 표상이다. 또는 교회의 중앙 홀과 같은 숲 속의 긴 오솔길에 기둥처럼 나무들이 늘어섰고, 나뭇가지가 천장의 아치처럼 뻗었으며, 저 멀리 끝에는 공터에 교차하는 명암과 황혼의 붉은빛이 나뭇잎을 뚫고 들어와 새들로 구성된 성가대 위에 알록달록한 스테인드글라스를 드리운다. 그리고 신선하고 울창한 숲이 끝나는 곳에 백악질의 휴경지가 있어 밟을 때 소리 나는 빽빽한 이끼 위에 포식한 뱀들이 우아하고 가느다란 머리를 들면서 소굴로 들어간다. 이런 그림에 영양을 듬뿍 실은 파도처럼 흘러넘치는 태양의 빛줄기나, 노인의 이마에 주름처럼 줄지은 회색 구름의 뭉치나, 엷은 푸른색의 줄무늬가 쳐진 약한 오렌지빛 하늘의 차가운 색조를 더해 보라. 그리고 들어 보라. 깊은 침묵의 한가운데에서 형언할 수 없는 화음들이 들릴 것이다. 9월과 10월에는 시인처럼 감미로운 감상에 빠져들며 인생의 대조적인 국면들에 비유되는 알레고리에 감탄하면서 하나의 꽃다발을 만드는 데 적어도 세 시간이 걸렸다. 내 기억은 아직도 그 장엄한 광경들 속을 헤맨다. 오늘날에도 나는 빈번히 그 위대한 장면들을 기억할 때 자연에 만연하던 정신도 함께 떠올린다. 잡목들 사이에 산책하던 여왕의 굽이치던 하얀 드레스가 아직도 눈에 선하다. 그녀의 상념은, 약속된 열매처럼, 사랑에 빠진 수술이 가득한 꽃받침마다 피어올랐다.

어떤 사랑의 고백도, 어떤 무분별한 열정의 증거도 그런 꽃의 교향곡만큼 강한 전염성을 지니지 못할 것이다. 억눌린 욕망은 베토벤의 음악과 같은 힘을 발휘하게 했다. 자기 내면 깊숙한 곳으로의 심오한 몰두, 하늘을 향한 경이로운 도약. 그 꽃다발들을 보면 모르소프 부인은 앙리에트일 뿐이었다. 그녀는 수없이 그것들을 쳐다보고 양식으로 삼았다. "세상에, 저렇게 아름다울 수가!"라고 하며 태피스트리에서 눈을 들어 그 속에 내가 쏟았던 모든 생각들을 되찾곤 했다. 시의 한 구절로 사디*를 이해할 수 있듯이 꽃다발의 일부분으로서 이처럼 황홀한 교감을 이해할 수 있을 것이다. 5월의 들판에서 모든 이들에게 생식의 도취감을 전달하는 향기를 느껴 본 적이 있는가? 그 향기에 이끌려 당신은 배를 타면서 물 속에 손을 담그고, 머리카락을 바람에 맡기고, 생각은 작은 수풀처럼 회춘한다. 향기로운 작은 풀이 이런 은밀한 화음의 가장 강력한 주동자이다. 그렇기 때문에 곁에 머무는 사람은 누구나 그 영향을 받게 된다. 흰색 끈과 초록색 끈이 달린 드레스처럼 반짝거리는 줄무늬의 뾰족한 줄기를 꽃다발에 넣으면, 그 무궁무진한 향이 마음 깊숙이 수치심으로 짓눌린 장미 봉오리를 깨울 것이다. 사기 화병의 넓은 입구 주위에 투렌 지방의 포도밭에서 나는 꿩의비름의 하얀 뭉치가 두텁게 둘러져 있다고 상상해 보라. 그것은 순종하는 여자 노예처럼 웅크리고 있어, 욕망하는 여인의 자태를 어렴풋이 닮았다. 이런 바탕 위에 하얀 방울이 달린 메꽃의 나선형 줄기와 분홍색 콩과(科) 관목의 잔가지, 고사리 몇 줄기, 잎사귀가 눈부신 색채와 광택을 띤 참나무의 어린 가지들이 나와, 모두 버드나무처럼 엎드려서, 겸허하게, 기도하듯이, 수줍어하며, 애절하게 앞으로 나온다. 항상 들떠 있는 자줏빛 은방울꽃의 작은 줄기와 풍성하게 흘러나오는, 노란색에 가까운 꽃밥, 들과 물에서 나는 포아풀의 하얀 각뿔, 열매가 없는 참새귀리의 초록색 머리카락, 바람의 이삭이라 불리는 시무늬밤나방의 가느다란 얼룩무늬, 첫 꿈들을 밝혀 주는 이 보랏빛 희망은 햇빛을 받은 옅은 회색 바탕 위에 돋보인다. 더 높이 올라가면 들꽃의 무질서한 레이스 사이에 듬성듬성한 뱅골의 장미 몇 송이와, 타래예자풀의 깃털, 흰꽃 조팝나무의 노란색 털, 야생 파슬리의 소산형화서, 열매 맺은 클레마티스의 금발 머릿결, 우윳빛 용담의 귀여운 십자무늬, 서양가새풀의 산방화서, 분홍색과 검정색의 꽃을 가진 서양현호색의 흐트러진 줄기, 포도나무의 덩굴손, 인동덩굴의 꼬부라진 잎, 말하자면 이 순진한 창조물들의 가장 흐트러지고 불규칙한 부분, 불꽃 모양, 또는 3중 창 모양의 잎, 창끝 모양의 잎, 잘게 찢긴 잎, 마음 깊숙이 휘감긴 욕망처럼 구불구불한 줄기들이 보일 것이다. 이 넘치는 사랑의 급류의 중심에서 눈부신 양귀비 두 송이가 피기 직전의 봉오리와 함께 솟아오른다. 양귀비의 불꽃 밑으로는 별 모양의 재스민이 받치고 있고, 수천 개의 꽃가루 입자가 태양을 반사시켜 공기 중에 반짝거리며 그치지 않는 비처럼 떨어진다. 어떤 여인이 풀에서 나는 최음제의 향에 도취된 채 이런 수많은 순종의 결심들과, 길들여지지 않는 충동에 의해 혼탁해지는 순결한 사랑과, 억제되었지만 지칠 줄 모르는 영원한 열정의 끊임없는 갈등 속에서도 끝내 허락되지 않은 행복을 요구하는 사랑의 붉은 욕망을 해독하지 못하겠는가? 이런 담론을 유리창 앞에, 들어오는 빛 아래 놓아 보라. 그러면 여왕의 눈에 신선한 세부, 그 은은한 대조, 아라베스크 무늬가 보일 것이고, 그녀가 더욱 활짝 핀 꽃에서 떨어지는 눈물을 보고 감격하여 몸을 허락하는 지경이 되어, 천사나 아이의 목소리가 벼랑 끝에서 그녀를 붙들어야 할 것이다. 하느님께 무엇을 바치는가? 향, 빛과 노래, 즉 자연의 가장 순화된 표현들을 바친다. 이 모든 것이 사랑을 위해 봉헌되지 않았던가? 한없이 가슴에 노래를 읊조리며 그 속에 숨겨진 관능과 은밀한 희망, 그리고 더운 밤에 거미줄처럼 타올랐다가 꺼지는 환상들을 어루만지는 환한 꽃들의 시(詩) 속에 담겨 있지 않은가?

이런 무해한 즐거움은, 사랑하는 사람을 길게 응시하고, 외양을 꿰뚫어 그 내면까지 들여다보며 느끼는 쾌락으로 자극된 본능을 속이는 데 큰 도움이 되었다. 그것은, 그녀에게 그랬으리라고 감히 말하지 않겠지만, 적어도 내게는, 무너뜨릴 수 없는 댐에서 물이 솟아나오는 틈과 같았다. 그런 틈은 최소한의 욕구를 충족시켜줌으로써 가끔 재앙을 방지한다. 금욕은 치명적으로 한계에 부딪힐 때가 있는데, 하늘이 단에서 사하라까지 여행자에게 양식을 내려준 것처럼* 부스러기를 하나씩 떨어뜨리며 그런 사태를 예방한다. 하지만 앙리에트가 이 꽃다발을 보면서 팔을 늘어뜨린 채, 혼란스런 몽상에 빠진 장면을 나는 가끔 목격했다. 그럴 때면 상념이 그녀의 가슴을 부풀리고, 이마에 생기를 넣어 파도처럼 밀려와서 거품을 일으키며 분출되고, 무기력만을 남긴다. 그 이후로 나는 누구를 위해서도 꽃다발을 만들지 않았다. 우리만의 언어를 마련하고 우리는 주인을 속이는 노예와 같은 기쁨을 느꼈다.

그 달의 남은 날들 동안, 내가 정원을 가로질러 달려올 때면, 유리창에 밀착된 그녀의 얼굴이 보이곤 했다. 그러다가 내가 거실에 들어가면 그녀는 태피스트리에 수를 놓고 있었다. 우리의 암묵적인 약속 시간보다 조금 늦을 때는, 가끔 그녀의 하얀 자태가 테라스 위에 서성였다. 내가 불시에 나타나면 그녀는 말하곤 했다. "마중 나왔어요. 마지막 아이를 위해서 약간의 교태를 부려야 하지 않겠어요?"

　백작과 나 사이의 잔인한 주사위 놀이는 중단되었다. 최근에 구매한 토지들로 인해 그는 쉴 새 없이 출장을 다녀야 했고, 수많은 증서를 작성해야 했으며, 수많은 검증, 경계 획정, 측량을 해야만 했다. 그는 내려야 할 지시와, 주인이 직접 감독하고 결정해야 하는 농사일로 바빴다. 백작부인과 나는 두 아이들을 데리고 새로운 영지로 그를 보러 자주 갔다. 아이들은 가는 길에 벌레, 연, 또는 재봉새를 뒤쫓았고, 꽃다발, 아니 꽃뭉치를 만들었다. 사랑하는 여인과 팔짱을 끼고 산책을 하며 그녀의 길잡이가 되는 행복이란! 이런 무한한 기쁨은 한평생을 누리기에도 충분하다. 우리는 허물없는 대화를 나누었다. 우리끼리만 갔다가, 장군과 함께 돌아왔다. 장군이란, 백작이 기분 좋을 때 악의 없는 장난으로 우리가 그에게 붙인 별명이었다. 이렇게 왕래하면서 우리는 색다른 즐거움을 경험했다. 그 비밀을 뜻대로 결합할 수 없는 가슴들만이 안다. 돌아오는 길에는 눈빛 하나를 주고받거나, 손을 한번 꼭 쥘 때의 희열이 불안감과 섞였다. 가는 길에 자유로웠던 대화가 숨은 의미를 내포하게 된다. 우리 둘 중 한 명이 속뜻이 있는 질문에 조금 뜸을 들여 대답을 하거나, 여인들이 기발하게 잘 지어내는, 프랑스어가 잘 허락하는 수수께끼와 같은 표현들로 대화가 오가곤 했다. 영혼들이 군중들로부터 떨어져서 범속한 규칙들을 어기며 미지의 영역에서 결합하듯이 이처럼 교감하는 기쁨을 느껴 본 적이 없는 사람이 있을까? 어느 날, 나는 금방 사라진 터무니없는 희망을 품었다. 우리가 무슨 이야기를 하는지 묻는 백작에게 앙리에트는 이중적인 의미의 문장으로 대답했다. 백작은 이에 만족했지만, 이 천진한 장난이 마들렌을 웃게 했다. 그녀의 어머니는 곧 얼굴을 붉히며 내게 엄한 시선을 던졌다. 그 시선은 흠 없는 아내로 남겠다고, 예전에 손을 뺏었듯이 마음도 내게서 도로 빼앗을 수 있다고 말을 하고 있었다. 그러나 이처럼 순전히 정신적인 결속은 너무나 매혹적이어서, 그 다음날 우리는 재개했다.

시간과 나날들, 주들은 이렇게 매순간 되살아나는 희열로 가득한 채 흘러갔다. 드디어 투렌의 축제인 포도 수확의 계절이 다가왔다. 9월 말 즈음이면 햇빛이 곡식 수확기보다는 수그러들어서 피부가 타거나 몸이 지칠 염려 없이 밭에 머물 수 있게 된다. 밀을 자르는 것보다 포도송이를 따는 것이 수월하다. 과일은 모두 익었고, 곡식 수확은 끝나서 빵의 가격이 내린다. 이런 풍요로움이 삶을 행복하게 만든다. 그리고 돈과 땀을 많이 들인 농사일로 인한 근심이, 가득한 곳간과 곧 채워질 포도주 저장실 앞에서 사라진다. 포도 수확은 만찬의 즐거운 후식과도 같다. 가을에 날씨가 좋은 투렌에서는 그 무렵 하늘이 항상 화창하다. 이 지역에서는 인심 또한 후하여 수확하는 일꾼들에게 집에서 식사를 대접한다. 그 식사는 일년 중 이 빈곤한 사람들이 영양가 있고 잘 차려진 음식을 먹는 유일한 기회이기 때문에, 마치 검소한 집안의 아이들이 생일잔치를 기다리듯이 기다린다. 그래서 그들은 떼를 지어 집으로 몰려오고, 주인들은 그들을 아무런 인색함 없이 대한다. 포도 압착기는 항상 열려 있다. 통 제조공, 수레에 탄 쾌활한 여공들, 다른 때보다 더 높은 보수를 받아서 툭하면 노래를 부르는 이 사람들로 인해 모든 것이 활기를 띠는 듯하다. 모두가 뒤섞여서 더욱 즐겁다. 여인들, 아이들, 주인과 하인, 모두가 신성한 수확에 참여한다. 이런 여러 가지 상황들로 인해 웃음이 나이를 막론하고 전해져서, 이 아름다운 계절에 퍼져 나간다. 이런 추억이 라블레*로 하여금 바쿠스적인 형식을 빌려 위대한 명작을 쓰게 했다. 자크와 마들렌은 여태껏 항상 아팠기 때문에 포도 수확에 참여한 적이 없었다. 그들도 나처럼 이런 광경은 처음이었고, 감격을 공유할 사람이 있어서 기뻐했다. 그들의 어머니는 우리와 동행할 것을 약속했다. 우리는 이 지방의 바구니가 만들어지는 빌렌에 가서 매우 예쁜 것으로 주문했다. 우리를 위해 남겨진 작은 구역을 넷이서 수확하기로 했었다. 그러나 포도를 너무 많이 먹지 않기로 약속했다. 투렌산(産) 카오르 포도는 포도밭에서 너무나 맛있어 보여서 식탁 위에 놓인 가장 먹음직스런 송이들을 외면할 정도이다. 자크는 다른 포도밭은 가지 않고 클로슈구르드에만 충성하라고 내게 맹세하게 했다. 평소에는 병으로 고생하는 이 두 꼬마들이 이날 아침처럼 생생하고, 혈색 좋고, 활기차고 수선스러웠던 적은 없었다. 이들은 수다를 떨기 위해서 수다를 떨었고, 이유 없이 뛰면서 오갔다. 이들은 다른 아이들처럼 생명력이 넘치는 듯 보였다. 모르소프 부부는 자녀들이 그렇게 움직이는 것을 본 적이 없었다. 나도 그들처럼 아이가 되었다. 아니, 그들보다도 더 어린아이가 되었는지도 모른다. 나도 내 수확을 기대했던 것이다. 우리는 가장 화창한 날에 포도밭에 가서 그곳에서 반나절을 지냈다. 서로 누가 가장 잘 익은 송이를 찾는지, 누가 바구니를 가장 빨리 채우는지 경쟁을 했다. 우리는 포도나무와 어머니 사이를 끊임없이 왔다갔다하며, 따는 송이마다 그녀에게 보여 주었다. 내가 마들렌을 뒤따르가, 그녀처럼 "제 건 어때요, 엄마?"라고 묻자, 그녀는 젊고 소탈한 웃음을 터뜨렸다. 그리고 대답하기를, "사랑하는 아가야, 너무 무리하지 말거라!" 차례대로 내 목과 머리를 손으로 쓰다듬고, 볼을 가볍게 다독거리며 덧붙였다. "넌 지금 땀에 흠뻑 젖었구나!" 그녀의 목소리에서 그런 부드러움과 연인에게 쓰는 반말을 듣기는 처음이자 마지막이었다. 나는 붉은 열매, 아가위, 산딸기로 덮인 울타리를 바라보고, 아이들의 소리를 들으며, 포도를 수확하는 아낙들과, 포도 통이 가득 실린 수레와 채롱을 진 남자들을 주시했다. 아, 나는 모든 것을 내 기억 속에 새기고 있었다. 그녀가 홍조를 띠고 싱싱한 웃음을 머금은 채, 양산을 펴고 밑에 서 있던 어린 아몬드나무까지도. 그리고 나는 포도송이를 따서 내 바구니를 채우고, 그것을 통 속에 비우곤 했다. 이 모든 동작을 조용하고 꾸준한 육체적인 열의를 가지고 수행했다. 느리고 규칙적인 움직임은 내 영혼을 자유롭게 했다. 기계적인 동작이 없었더라면 모든 것을 불태웠을 열정의 수위를 조절함으로써 삶을 지탱하는 외적인 노동의 기막힌 즐거움을 맛보았다. 나는 단조로운 노동이 얼마나 많은 지혜를 담고 있는지 알게 되었고, 수도원의 생활 수칙을 이해했다.

　오랜만에 백작은 침울하지도, 모질지도 않았다. 앞으로 르농쿠르 모르소프 공작이 될 자크는 포도물을 온몸에 묻힌 채, 뽀얀 피부 위에 화색이 돌아, 너무나 건강해 보여서 그를 기쁘게 했다. 그날이 수확의 마지막 날이었으므로, 장군은 부르봉 왕가의 복귀를 축하하기 위해 클로슈구르드 앞뜰에서 무도회를 열겠다고 약속했다. 그리하여 모든 이를 위해 완전한 축제가 되었다. 돌아오는 길에 백작부인은 나와 팔짱을 꼈다. 그녀는 내 가슴이 자기 가슴의 무게를 느끼도록 내게 기대었다. 그것은 자신의 기쁨을 전달하려는 어머니의 몸짓이었다. 그리고 그녀는 내게 말했다. "당신은 우리에게 행복을 가져다주는군요!"

　물론, 그녀의 잠을 설친 밤들, 불안, 그리고 하느님의 도움을 받고도 힘겹고 잔인했던 그 이전의 삶에 대해 알았기에 그녀의 아름다운 목소리가 그런 말을 들려주었을 때 나는 굉장한 쾌감을 느꼈다. 그 이후에 어떤 여성도 내게 그런 쾌감을 선사한 적이 없다.

　"내 삶의 한결같았던 불행은 이제 끝났어요. 인생이 희망으로 아름다워지고 있습니다." 그녀는 잠시 후 다시 말했다. "나를 떠나지 말아요! 내 순진한 미신을 저버리지 말고요! 형제들에게 구원을 주는 맏형이 되어 줘요!"

　나탈리, 여기 허구는 전혀 없다. 심오한 감정들의 무한함을 알기 위해서는 젊었을 때 느낀 감정의 호수 속에 수심측량기를 던져봤어야 한다. 많은 사람들에게 열정이란 메마른 땅 사이로 흘러간 용암의 격류였다면, 극복할 수 없는 장애물로 인해 맑은 물로 채워진 분화구와 같은 영혼들이 있지 않겠는가?

그와 비슷한 축제가 또 있었다. 모르소프 부인은 아이들에게 세상일을 익히고 돈을 벌기 위한 고된 노동에 대해 알려 주려 했다. 그들에게 농산물의 수확량에 따라 좌우되는 소득을 마련해 주었다. 자크에게는 호두나무의 소득이, 마들렌에게는 밤나무의 소득이 주어졌다. 곧 밤과 호두를 거두어들일 때가 왔다. 마들렌의 밤나무를 장대로 떨었을 때 밤송이가 터지면서 그 열매가 거친 벨벳 같은 메마른 땅 위에 톡톡 튕겨지는 소리, 어린 소녀가 한없이 기뻐하며 밤 더미의 가치를 가늠하기 위해 그것을 주시하는 진지한 표정, 아이들을 돌보는 일을 홀로 거드는 가정부 마네트의 칭찬, 기후 변화로 인해 불안정한 소득을 조금이라도 올리기 위해서 들여야 하는 수고가 주는 교훈, 이것은 유년기의 순진한 기쁨이 가을의 엄숙한 색채 가운데에서 매혹적으로 돋보이는 장면이었다. 마들렌은 자기만의 곳간이 있었다. 나는 그곳에서 그녀가 갈색 재산을 보관하는 것을 보며 기꺼이 함께 기쁨을 나누었다. 채롱에 담겼던 밤알들이 흙이 섞인 누르스름한 양털 위에 대량으로 굴러 떨어지는 소리가 떠오를 때마다 아직도 나는 소스라친다. 백작은 집안을 위해서 얼마를 사들였다. 하인들, 관리인들, 클로슈구르드 근처의 모든 사람들은 '귀염둥이 아가씨' 한테 구매자를 찾아 주었다. '귀염둥이 아가씨'란 이 지방에서 흔한 애칭으로, 농부들이 이방인 여성에게도 잘 붙이지만, 마들렌만을 위한 명칭인 듯했다.

며칠 동안 비가 왔기 때문에 자크는 호두나무의 수확으로 재미를 덜 봤다. 나는 그에게 호두를 두었다가 조금 후에 팔라고 충고

하면서 위로했다. 셰셀 씨가 브르에몽, 앙부아즈 지역, 그리고 부브레 지역의 호두나무가 거의 열매를 맺지 못한다고 내게 알려줬었다. 호두 기름이 투렌에서는 애용품이다. 각각의 호두나무는 자크에게 적어도 40수*를 벌어다 줄 수 있었고, 그가 가진 200그루를 곱하면 액수가 상당해진다. 자크는 말을 타기 위한 장비를 사려 했다. 그런 그의 바람은 가족회의에 부쳐졌다. 그의 아버지는 소득이 불안정하기 때문에 그것을 일정한 수준으로 유지하기 위해서는 호두가 적게 열리는 해를 대비해 저장해 두어야 하지 않겠느냐고 타일렀다. 나는 백작부인의 침묵으로 그녀가 사주한 일임을 눈치 챘다. 그녀는 아버지의 말에 귀를 기울이는 자크와 그녀가 준비한 위대한 연극 덕분에 결여된 권위를 되찾는 아버지를 보며 행복해졌다. 나는 이 여인의 용모와 천재성을 묘사하는 데 지상의 언어가 부족하다고 이미 말하지 않았던가! 이런 장면들이 펼쳐지면, 영혼은 그것들을 분석하지 않고 그저 그 진미를 만끽한다. 하지만 그것은 훗날 복잡한 삶의 어두운 바탕 위에 얼마나 생생하게 두드러지는가! 그것은 지나간 행복의 추억들과 그리움들을 함께 녹여서 만든 사유의 합금 속에 세팅된 다이아몬드처럼 빛난다. 모르소프 부부가 그 당시 구입하여 신경을 쏟았던 영지들의 이름, 즉 라 카신, 그리고 라 레토리에르가 왜 성지나 그리스의 드높은 이름들보다 나를 더 감동시키는가? "사랑하는 자는 사랑한다고 말을 한다"라고 라 퐁텐은 말했다. 귀신을 불러내는 주문에 흔히 쓰이는 구절들처럼 이름들은 신기한 힘을 가졌다. 거기에는 마술이 있다. 잠들었던 형체들을 깨워서, 즉시 되살아나 내게 속삭이도록 하고, 나를 그리운 계곡으로 다시 데려가 주고, 그 하늘과 풍경을 재창조한다. 하지만 초혼(招魂)은 항상 영적인 세계에서 일어나지 않았던가? 내가 너무나 일상적인 광경에 대해 이야기한다고 놀라워하지 말길. 내가 거의 공유했던 소박한 삶의 작은 세부조차 백작부인과 나를 엮었던, 겉으로는 취약해 보이나 실제로는 강한 연줄이었다.

아이들의 이해관계는 백작부인에게 그들의 건강만큼이나 근심거리였다. 나는 집안일에 있어 자신의 비밀스런 역할에 대해 그녀가 했던 말의 진의를 곧 실감했다. 나는 정치인이 나라에 대해 알아야 하는 정보들을 배움으로써 그런 일들에 조금씩 입문했다. 10년을 노력한 끝에 모르소프 부인은 농토의 경작 방식을 완전히 바꿔 놓았다. 윤작을 실행했던 것인데, 그것은 매년 토지가 수확물을 내도록 경작자들이 밀을 4년에 한 번씩만 심는 새로운 방식을 말한다. 농민들의 고집을 꺾기 위해서 임대 계약 몇 개를 해지해야 했고, 토지를 네 개의 큰 소작지로 분할하고, 투렌과 그 근방 특유의 방식대로 반타작해야 했다. 지주는 열의가 있는 소작인에게 주거용 건물과 경작용 건물, 그리고 씨앗을 제공하고, 그들과 농사 비용을 분담하고 수확물을 나눠 갖는다. 이와 같은 분배는 지주의 절반 몫을 챙기는 임무를 맡은 관리인에 의해 감시된다. 이런 체제는 비용이 많이 들고 회계가 분배의 방법에 따라 달라져서 복잡하다. 백작부인은 백작으로 하여금 클로슈구르드 근처의 토지들로 구성된 또 하나의 농지를 경작하도록 하였다. 그것은 그에게 소일거리를 주는 동시에, 반타작 소작농들에게 새로운 방식이 얼마나 효과가 좋은지를 사실로써 입증하기 위해서였다. 농사의 지휘권을 쥔 그녀는 천천히, 여성다운 끈기를 가지고 소작지 두 군데를 아르투아와 플랑드르 지방의 농지를 본받아서 개조했다. 반타작 임대 계약이 만료된 후에, 부인은 네 개의 소작지를 두 개의 큰 농지로 재구성하여 부지런하고 총명한 사람들에게 돈을 받고 임대하려는 계획이었다. 그렇게 해서 클로슈구르드의 회계를 간소화하려는 의도였다. 자신이 먼저 죽는 상황을 염려하여, 백작이 소득을 손쉽게 거두고 아이들의 재산이 그의 미숙함이나 무능으로 인해 위험에 처하지 않도록 하기 위해서였다. 그 당시에 10년 전에 심은 과수는 한참 소득을 올리고 있었다. 앞으로 일어날 수 있는 모든 논쟁으로부터 영지를 보호할 울타리들은 다 자랐다. 포플러와 느릅나무는 잘 컸다. 새로 구입한 토지와 새로운 경작 방식을 감안했을 때, 아직 짓지 않은 두 개의 농장을 포함해서 네 개의 큰 농장으로 분할된 클로슈구르드의 영지는 농장마다 은화 4천 프랑, 총 1만 6천 프랑의 수입을 올릴 잠재성이 있었다. 이 외에도 포도밭, 인접한 200에이커의 숲, 표본 농장이 있었다. 네 개의 농장으로 들어가는 길은 클로슈구르드에서 시농 가는 길로 통하는 큰 직진 도로와 연결될 수 있었다. 이 큰 길과 투르 사이의 거리는 40리밖에 안 되어서, 소작인을 구하는 것은 어렵지 않을 전망이었다. 특히 당시에는 백작의 개선책, 토지 개량과 그로 인한 성과가 소문난 터였다. 부인은 구입한 두 토지에 각각 1만 5천 프랑을 투자해서 주인의 집을 두 개의 큰 농가로 전환시키려 했다. 그러면 1, 2년 경작한 후에 보다 수월하게 임대할 수 있을 것이라 판단했기 때문이다. 관리인으로는 분배 감독 중에 가장 유능하고 정직한 사람인 마르티노를 파견할 계획이었다. 네 개의 소작지의 반타작 임대 계약은 만기가 가까워져서, 두 개의 농장으로 합쳐 돈을 받고 임대할 때가 다가와 그는 일거리가 없어진 참이었다. 이와 같이 간단하지만 약 3만 프랑을 지불해야 하기 때문에 복잡해지는 이 구상은 요즈음 그녀와 백작 사이의 긴 토의의 주제였다. 이런 지긋지긋한 논쟁에서 그녀를 지탱하는 것은 두 아이들의 이익뿐이었다. '내가 내일 죽으면 어떡하나'라는 불안은 그녀를 떨게 했다. 화를 낼 줄 모르고, 자신들의 내적인 평화를 주위에 전하고자 하는 온화하고 조용한 영혼들만이 이런 싸움에 얼마나 많은 힘이 필요한지, 전투에 나아가기 전에 얼마나 많은 피가 파도를 지어 심장으로 몰리는지, 싸운 후 아무것도 얻지 못했을 때 얼마나 지치는지를 안다. 아이들이 덜 허약하고, 덜 야위고, 더 민첩해진 시기에, 힘을 북돋우고 가슴에 생기를 넣어 주는 기쁨을 느끼며 그들의 놀이를 눈물 맺힌 눈으로 지켜보는 이때, 이 불쌍한 여인은 자신의 뜻에 반대하는 백작으로부터 모욕적인 트집과 끈질긴 공격을 당해야 했다. 이런 변화를 두려워하는 백작은 굳은 고집으로 그 장점과 가능성을 부인했다. 명백한 논리에 맞서서 그는 여름철 태양의 영향에 대해 의혹을 제기하는 어린아이와 같은 이의를 제기했다. 백작부인이 이겼다. 어리석음에 대한 이성의 승리가 그녀의 상처를 달래 주었고, 아픔을 잊게 했다. 그날, 건설 계획을 세우기 위해 라 카신과 라 레토리에르로 산책하러 갔다. 백작은 앞에 홀로 가고 있었고, 아이들은 중간에 있었으며, 우리 둘은 천천히 뒤따랐다. 그녀는 고운 모래 위에 바다가 속삭이는 잔물결과 같은 부드럽고 낮은 목소리로 내게 말했다. 그녀의 말에 의하면, 성공이 확실했다. 투르에서 시농까지의 운송에는 경쟁이 붙을 텐데, 마네트의 사촌인 부지런한 사람이 맡을 예정이었다. 그는 마침 길가에 큰 농장을 얻으려 하고 있었다. 식구가 많아서, 큰아들이 마차를 몰 것이고, 둘째가 운송업을 하고, 아버지는 중앙에 위치한 임대 농장인 라 라블레에서 말의 교체를 감독하면서, 마구간에서 나오는 퇴비로 땅을 개량하며 농사를 지으려 했다. 그리고 클로슈구르드와 가까운 두 번째 농가 라 보드는 네 명의 소작농 중 한 명으로, 새로운 경작법의 장점을 이해한 정직하고 영리한 사람이 이미 임대 계약을 맺겠다고 자청했다. 라 카신과 라 레토리에르는 이 지역의 가장 비옥한 땅이어서, 농가를 짓고 농사가 궤도에 오르면 투르에 내놓기만 하면 될 것이다. 2년 후에는 클로슈구르드는 약 2만 4천 프랑의 연 소득을 올릴 것이다. 모르소프 백작이 돌려받은 멘 지방의 농장은 7천 프랑에 9년 계약으로 임대했고, 사령관 직위의 연금은 4천 프랑이었다. 이 수입들이 아직은 큰 재산에 미치지는 못하지만 매우 넉넉한 생활을 보장했다. 훗날 상황이 더욱 개선되어 어쩌면 2년 후에 자크의 교육을 위해 파리로 갈 수 있을지도 모를 일이었다. 그러기 위해서는 추정 상속인의 건강이 호전되어야 했다.

그녀가 '파리'라는 단어를 발음할 때 목소리가 얼마나 떨렸던 가! 내가 그 계획의 기저에 자리하고 있었으니, 그것은 가능하면 형제와 헤어지지 않으려는 그녀의 소망이 투영된 발상이었다. 그 말을 듣고 나는 뜨겁게 달아올랐다. 그녀에게 내 마음을 아직 모른다고, 자크의 가정교사가 되기 위해서 밤낮으로 공부하면서 내 학업을 완성시키려는 계획을 그녀 모르게 세우고 있었다고, 그리고 그것은 그녀의 집에 젊은 남자가 드나드는 것을 내가 용납할 수가 없기 때문이라고 말했다. 그 말을 듣고 그녀는 진지해졌다.

"아니요, 펠릭스." 그녀는 말했다. "그것은 당신이 사제가 되는 것만큼이나 말이 안 돼요. 지금 당신의 한마디는 내 모성의 깊은 곳까지 감동시켰지만 여성으로서는 당신이 나에 대한 애정 때문에 미래를 망치도록 내버려 둘 수 없어요. 그러기에는 당신을 너무나 사랑하니까요. 당신은 그런 헌신의 대가로 돌이킬 수 없이 평판이 나빠질 것이고, 그때는 나도 도움을 줄 수 없을 거예요. 나는 당신께 어떤 식으로든 치명적인 걸림돌이 되고 싶지 않아요! 방드네스 자작인 당신을 가정교사로? '매수당하지 않으리!' 가 가훈인 당신을! 아무리 리슐리외라도 그렇게 하면 평생 앞날이 가로막혀요. 당신의 가족에게 가장 큰 안타까움을 안겨 줄 거고요. 친구여, 내 어머니 같은 사람의 자상한 척하는 시선 속에 얼마나 많은 오만함이 실릴 수 있고, 한마디 안에 얼마나 뼈아픈 모욕이 담길 수 있으며, 인사 속에 얼마나 가혹한 멸시가 섞일 수 있는지 당신은 아직 모릅니다."

"부인께서 저를 사랑하신다면, 그것이 다 제게 무슨 상관이겠습니까?"

그녀는 못 들은 척하고 말을 계속했다. "내 아버지는 아주 좋으신 분이고, 내가 청하는 것은 들어주려 하시지만, 당신이 사회에 첫발을 잘못 디딘 것은 용서하지 않으실 거예요. 그러면 당신을 후원하려 하지 않으시겠죠. 당신이 황태자의 가정교사가 된다 해도, 나는 찬성할 수 없어요! 사회를 있는 대로 받아들이고, 실수를 하지 말아요. 당신의 제안은 무모한……."

"사랑입니다." 나는 목소리를 낮추며 말했다.

"아니요, 자비입니다." 그녀는 눈물을 참으며 대꾸했다. "그런 어리석은 생각은 당신의 성격을 드러내는군요. 다정(多情)이 당신에게 병이 될 거예요. 이 순간부터 나는 당신에게 여러 가지에 대해 가르쳐 줄 권리를 행사하겠어요. 가끔 여자의 눈으로 세상을 당신 대신에 보도록 허락해 줘요. 그래요, 외진 클로슈구르드에서 나는 조용히 희열을 느끼며 당신의 출세를 지켜보겠어요. 가정교사에 대해서는 염려 말아요. 예수회 학자 출신 중에서 마음씨 좋은 노사제를 구할 수 있을 것이고, 아버지는 자기 이름을 물려받을 아이의 교육을 위해 어느 정도 선심을 쓰시겠지요. 자크는 내 자랑거리입니다." 잠시 후에 덧붙였다. "그는 열한 살이나 되었어요. 하지만 당신과 비슷해요. 당신을 처음 봤을 때 열세 살인 줄 알았어요."

우리는 라 카신에 도착했다. 자크, 마들렌과 나는 새끼들이 어미를 따라다니듯이 그녀를 따라다녔다. 그러나 우리가 그녀에게 방해가 된다는 것을 알고 잠깐 포도밭에 가 있었다. 그곳에서 마르티노 형제, 즉 보관인 형과 관리인 동생은 나무를 베어야 하는지를 살피고 있었다. 그들이 마치 자신들의 토지인 양 진지하게 토론하는 것을 보고 백작부인이 얼마나 사랑받는지를 실감했다.

나는 삽 위에 발을 얹고, 그 자루에 팔꿈치를 기댄 채 두 과수 원예학 도사들의 논의를 듣고 있던 가난한 날품팔이꾼에게 이런 생각을 전했다.

"암, 그럼요, 선생님." 그는 대답했다. "좋은 분이세요. 우리에게 도랑 2미터를 파는 데 한 푼을 더 주느니 우리를 모두 개처럼 돼지게 내버려 둘 아제 마을의 그 암원숭이들처럼 거만하지도 않고요. 그분이 이 지역을 떠나시는 날에는, 성모님께서 눈물을 흘리실 거고, 우리 역시 눈물을 흘릴 겁니다. 마님께서는 마땅히 받아야 할 몫을 잘 아시지만, 우리의 노고에 대해서도 배려가 많으십니다."

나는 기꺼이 이 사람한테 내가 가지고 있던 돈을 모두 주었다.

며칠 후에 자크를 위한 조랑말이 배달되었다. 말을 아주 잘 타는 그의 아버지는 그를 서서히 승마에 몸을 단련시키려는 의도였다. 호두 수입금으로 예쁜 승마복을 아이에게 사 주었다. 아버지와 함께 자크가 첫 수업을 받던 날, 마들렌은 자크가 말을 타고 달리는 잔디 위를 뛰어다니며 탄성을 질렀고, 백작부인은 처음으로 어머니로서 큰 기쁨을 맛보았다. 자크는 어머니가 수를 놓은 깃과, 에나멜 입힌 가죽 벨트로 묶은 하늘색 프록코트, 주름진 백바지를 입었고, 잿빛 머리카락의 굵은 컬은 스코틀랜드풍의 챙 없는 모자에서 빠져나왔다. 그의 모습은 너무나 귀여웠다. 집안의 모든 하인들 또한 이런 가족적인 행복을 함께 나누며 몰려들었다. 젊은 상속자는 말을 타고 지나가면서 어머니에게 미소를 지어 보였고, 전혀 두려워하는 기색이 없었다. 죽음을 항상 달고 다니는 이 아이의 첫 남자다운 행동, 너무나 잘생기고, 예쁘고, 상쾌한 모습으로 마친 야외 놀이는 찬란한 미래를 약속하는 듯했다. 얼마나 큰 보상이었겠는가! 회춘하여 오랜만에 미소짓는 아버지의 기쁨, 집안 하인들의 눈에 비친 행복, 투르에서 돌아오다가 아이가 굴레를 잡는 폼을 본 르농쿠르의 늙은 조마사(調馬師)의 외침, "브라보, 자작님!" 모르소프 부인은 이 모든 것을 감당하지 못하고 울음을 터뜨렸다. 고통 속에서도 태연했던 그녀가 모래 위에서 말을 타는 아이를 보는 기쁨 앞에서 약해졌던 것이다. 그 뜰은 그에게 햇빛을 쐬기 위해 산책시키며 그녀가 자주 울었던 바로 그곳이었다. 그녀는 아무런 죄책감 없이 내 팔에 기대며 말했다. "고통스러웠던 적이 없었던 것 같아요. 오늘 우리와 함께 있어요."

수업이 끝난 후 자크는 어머니의 품으로 뛰어들었다. 그녀는 너무나 큰 기쁨의 힘으로 그를 안고 한없이 그에게 입을 맞추며 쓰다듬었다. 나는 마들렌과 함께 우리의 기수(騎手)를 축하하기 위해 식탁을 장식할 꽃을 따러 갔다. 우리가 거실로 돌아왔을 때 백작부인은 내게 말했다. "10월 15일은 여러 모로 기념할 만한 날이에요! 자크는 첫 승마 수업을 받았고, 나는 내 태피스트리의 마지막 수를 놓았어요."

"그렇다면, 블랑슈, 내가 사 주겠소." 백작이 웃으며 말했다.

그는 그녀와 팔짱을 끼고 앞마당으로 데려갔다. 그곳에는 그녀의 아버지가 선물하는 사륜마차가 있었다. 그것을 위해 백작은 영국에서 말 두 마리를 샀고, 르농쿠르 공작이 주는 말 두 마리와 함께 와 있었다. 늙은 조마사는 승마 수업 동안 앞마당에 모든 것을 준비해 놓았다. 우리는 클로슈구르드에서 시농으로 가는 직진 도로와 연결될 길을 그어놓은 자리를 보러 갈 겸 마차를 시승했다. 새로 구입한 토지를 통과하는 길을 만들 수 있게 되었다. 돌아오면서 백작부인은 우울한 표정으로 말했다. "너무 행복해요. 내게는 행복은 병과 같아서 나를 짓누르죠. 그것이 꿈처럼 사라질까 봐 두려워요."

　너무도 열렬히 그녀를 사랑했던 나로서는 그녀의 그런 행복에 질투를 느끼지 않을 수 없었다. 나는 그녀에게 아무것도 줄 수가 없었다. 그 생각 때문에 너무나 괴로워서 그녀를 위해 죽을 방법을 찾고 있었다. 그녀는 어떤 상념이 내 눈빛을 흐리는지 물었다. 솔직하게 이야기를 하자 그녀는 다른 어떤 선물 앞에서보다 더 감격했다. 층계로 나를 끌고 가서 귓속말로 "숙모가 나를 사랑했듯이 사랑해 주세요. 그것은 내게 새로운 삶을 주는 것이나 마찬가지니까요. 그러면 나는 매순간 당신에게 빚지는 셈이 아닌가요?"라고 하며 내 마음을 달랬다.

　"태피스트리를 시기적절하게 끝마쳤네요." 그녀는 거실로 들어가면서 말했다. 그곳에서 나의 다짐을 확인시켜 주려 그녀의 손에 입을 맞추었다. "펠릭스, 내가 왜 이 기나긴 노역을 스스로에게 부과했는지 모르죠? 남자들은 일을 하면서 슬픔을 진정시킬 수 있어요. 사업의 기복이 그들의 관심을 다른 곳으로 돌리죠. 하지만 우리 여자들은 괴로움을 이겨낼 방책이 없답니다. 우울한 심상에 사로잡혀 있을 때도 아이들과 남편에게 웃는 얼굴을 보이기 위해 나는 육체적인 노동으로써 고통을 통제할 필요를 느꼈답니다. 그렇게 나는 기력의 소모나 일시적인 흥분 후에 오는 무기력을 방지할 수가 있었어요. 규칙적으로 팔을 들었다 내리는 동작은 내 생각을 가라앉히고 내 감정을 조절하면서 천둥이 으르렁거리는 내 마음에 조수간만의 평온을 가져다주었어요. 매 수마다 내 비밀들을 고백했다면 이해하겠어요? 그런데 가장 최근에 의자보를 만드는 동안 나는 당신 생각을 너무 많이 했답니다. 그래요! 너무나 많이. 당신이 꽃다발에 담는 것을 나는 자수 도안에 담았어요."

저녁식사는 유쾌했다. 자크는, 자기에게 정성을 쏟는다고 느끼는 모든 아이들처럼, 내가 화환 대신에 따다 준 꽃들을 보고 내 목을 끌어안았다. 그의 어머니는 내가 외도했다며 토라지는 척했다. 사랑스런 아이는 너무나 애교스럽게 어머니에게 그 꽃다발을 양보했다. 저녁에는 주사위 놀이를 한 판 했다. 나 혼자서 모르소프 부부를 상대했는데, 백작은 매우 상냥했다. 그리고 해질 무렵에 그들은 프라펠로 가는 길까지 나를 배웅했다. 그런 평화롭고 조화로운 저녁의 풍경 속에서 감정은 차분해진 만큼 깊어진다. 이날은 이 가엾은 여인의 삶에서 둘도 없는 하루였고, 그 후로도 어려운 순간에 그녀의 기억이 어루만지곤 하는 빛나는 점이 되었다. 승마 수업은 곧 불화의 원인이 되었다. 부인은 백작이 아들에게 가하는 호된 꾸지람에 대해 마땅히 걱정했다. 자크는 벌써 야위었고, 그의 예쁜 푸른 눈 주위가 검게 물들었다. 그는 어머니에게 염려를 끼치지 않기 위해 조용히 괴로움을 견뎠다. 나는 그에게 백작이 화를 낼 때마다 피곤하다고 말하라는 충고를 했다. 하지만 그런 임시방편으로는 부족했다. 결국 아버지를 늙은 조마사로 대체해야 했는데, 백작은 순순히 학생을 빼앗기지는 않았다. 잔소리와 시비가 돌아왔다. 백작은 여성들이 배은망덕하다며 그것을 끊임없는 불평의 구실로 삼았다. 마차와 말, 그리고 하인들의 제복에 대해 하루에도 스무 번씩 아내에게 들먹거렸다. 드디어 이런 유형의 성격과 이런 유의 병을 가진 사람들이 즐길 만한 사건이 터졌다. 라 카신과 라 레토리에르의 부실한 벽과 마루가 무너져서 예상했던 비용의 반이 더 들었다. 일꾼이 눈치 없이 이 소식을 부인에게 알리는 대신 백작에게 전했다. 이것은 말다툼의 발단이 되었는데, 조용히 시작되었으나 점점 격화되어, 며칠 전부터 진정되었던 심기증이 재발한 백작은 불쌍한 앙리에트에게 자신의 정기 지급액을 요구했다.

그날 나는 클로슈구르드에서 마들렌과 함께 꽃다발을 만들기 위해 식사 후 열 시 반쯤 프라펠을 떠났다. 아이는 테라스의 계단 위에 두 개의 화병을 갖다놓았다. 나는 정원과 그 근방을 오가며 매우 아름답지만 그만큼 희귀한 가을꽃을 찾아다녔다. 한번은 돌아왔을 때 분홍 벨트를 매고 레이스 달린 망토를 두른 내 어린 보좌관은 보이지 않았고, 클로슈구르드에서 고함소리가 들려왔다.

"장군이 어머니를 꾸짖고 있어요. 빨리 가서 어머니 편을 들어주세요." 마들렌이 울면서 말했다. 그녀에게 '장군'이라는 호칭은 아버지에 대한 증오의 표현이었다.

나는 계단을 뛰어올라 거실에 도착했다. 백작과 부인은 내가 오는 것을 보지 못했다. 나는 미친 사람의 고함을 듣고 모든 문을 닫고 돌아왔다. 자신이 입은 드레스만큼 창백해진 앙리에트를 보았기 때문이다.

"결혼하지 말게, 펠릭스." 백작이 말했다. "여자란 악마의 충고를 따른다네. 그중 가장 덕성스러운 여자도 만약 악이 존재하지 않는다면 그것을 발명하기라도 할 것이야. 모두가 야수 같다네."

나는 두서도 끝도 없는 논리를 들어야만 했다. 이전에 자신이 표명했던 부정적인 입장에 기대며 새로운 경작 방식을 거부하는 농부들의 어리석은 말들을 그대로 옮겼다. 만일 그가 클로슈구르드를 관리했다면 지금보다 두 배는 더 부유해졌을 것이라고 주장했다. 이런 불경스런 언사를 난폭하고 모욕적인 말투로 내뱉으며 그는 욕설을 퍼부었고, 가구를 전전하며 그것들을 하나씩 건드리거나 주먹으로 쳤다. 그러다가 하던 말을 중단하고 골수가 따갑다거나 뇌가 자신의 돈처럼 밖으로 쏟아져 나가는 것 같다고 불평했다. 아내가 자신을 파산시키고 있다고 우겼다. 불쌍한 사람 같으니, 그가 지금 가진 연금 3만여 리브르 중에 그녀가 가져다준 것은 2만이 넘었다. 자크가 상속할 공작 부부의 재산은 연금 5만 리브르가 넘었다. 백작부인은 눈부신 미소를 지으며 하늘을 보고 있었다.

"그래" 그는 소리쳤다. "블랑슈, 당신은 내 학대자요. 나를 살해하고 있다고. 내가 당신에게 짐이 되어서 당신은 나를 제거하려 하는 거야. 당신은 흉측한 위선자야. 저 여자가 지금 웃고 있어! 펠릭스, 그녀가 왜 웃는지 아나?"

나는 침묵을 지키며 고개를 숙였다.

"저 여자는," 그는 자신의 질문에 직접 답을 하며 말을 이었다.

"내 모든 행복을 박탈하고 있어. 남편인 나를 자네와 똑같이 대하면서 내 아내 행세를 하고 있어! 그녀는 내 이름을 달고 신과 인간이 정한 의무를 하나도 이행하지 않고 사람들과 하느님한테 거짓말을 한다네. 내가 자기를 홀로 내버려 두도록 잦은 심부름으로 나를 지치게 하지. 난 그녀의 마음에 들지 않아. 그래서 날 증오하고, 젊은 처녀로 남기 위해 온갖 술수를 다 쓰지. 내게 금욕을 강요해서 날 미치게 하고 있어. 왜냐하면 모든 것이 내 불쌍한 머리로 올라오니까. 나를 서서히 괴롭히며 죽이고 있으면서, 자기가 무슨 성녀나 되는 줄 안다네. 그러고서도 매달 영성체를 한다니."

백작부인은 이 사람의 졸렬함에 수치심을 느껴 이제는 뜨거운 눈물을 흘리고 있었다. 그에게, "여보! 여보! 여보!"라고 대꾸할 뿐이었다.

백작의 말을 들으며 나는 그와 앙리에트를 위해 부끄러웠지만, 내 가슴은 격렬하게 동요되었다. 왜냐하면 그 말들은 첫사랑의 기반이 되는 순결과 배려의 감정과 상응했기 때문이다.

"그녀는 나를 희생시키며 처녀로 남았어." 백작은 말했다.

그 말에 부인은 외쳤다. "여보!"

"그 강압적인 '여보'는 또 뭐요?" 그가 말했다. "내가 여기서 주인이 아니오? 당신한테 그걸 이제야 가르쳐 줘야 하겠소?"

그는 몹시 흥해진 하얀 늑대와 같은 얼굴을 들이밀며 그녀에게로 다가갔다. 그의 노란색 눈은 실제로 숲에서 나오는 굶주린 야수와 같은 빛을 발했다. 앙리에트는 주먹이 날아올 것 같아 의자에서 바닥으로 미끄러졌다. 주먹은 오지 않았다. 그녀는 기진맥진

하여 기절하면서 마루판 위에 쓰러졌다. 백작은 피해자의 피가 자신의 얼굴로 튀는 것을 느낀 살인자처럼 얼빠져서 서 있었다. 나는 이 가엾은 여인을 안았다. 백작은 마치 자신이 안을 자격이 없다고 자각한 듯이 그러도록 내버려 두고는, 앞장 서서 거실과 인접한 침실의 문을 열어 주었다. 그곳은 내가 들어간 적이 없었던 신성한 침실이었다. 나는 부인을 잠깐 세워서 한쪽 팔로 지탱하고, 다른 팔로는 그녀의 허리를 감쌌다. 그동안 모르소프 백작은 덮개, 털이불, 홑이불 등을 벗겼다. 그런 다음 우리는 그녀를 들고 옷을 입은 채로 눕혔다. 정신을 차리자 앙리에트는 벨트를 풀어 달라고 애원하는 손짓을 했다. 모르소프 백작은 가위를 찾아내어 모든 것을 잘라 버렸다. 내가 각성제를 흡입시키자, 그녀는 눈을 떴다. 백작은 상심하기보다는 창피해서 가 버렸다. 두 시간이 깊은 침묵 속에 흘러갔다. 앙리에트는 내 손을 잡고 있었고, 아무 말도 못하고 꼭 쥐곤 했다. 가끔 그녀는 눈을 들고 가만히, 조용히 있고 싶다는 눈빛을 보냈다. 그리고 잠시 움직이지 않고 있다가 팔꿈치를 짚고 몸을 약간 들어 내 귀에 대고 말했다. "불쌍한 사람! 당신은 모르죠……."

그리고 다시 머리를 베개 위에 놓았다. 지나간 고통의 기억이 지금의 괴로움에 더해지면서 내가 사랑의 마력으로 진정시켰던 신경성 경련이 재발했다. 그런 사랑의 효력에 대해서 나는 모르고 있었다. 그저 본능적으로 발산했을 뿐이다. 나는 다정하고 부드러운 힘으로 그녀를 붙잡았다. 이 마지막 경련 동안, 나를 보는 그녀의 눈빛은 나를 울렸다. 신경증적인 움직임이 멈추자, 나는 흐트러진 머릿결을 정돈해 주었는데, 그녀의 머릿결을 만진 것이 그때가 처음이자 마지막이었다. 그리고 그녀의 손을 다시 잡고, 갈색과 회색이 교차하는 이 침실을 오랫동안 감상했다. 페르시아 융단으로 된 커튼이 달린 침대, 옛날 식으로 장식된 화장대, 누빈 매트리스가 덮인 좁은 소파. 얼마나 시적인 장소였던가! 자신을 위해서는 얼마나 사치를 단념했던가! 그녀의 사치는 가장 빈틈없는 청결이었다. 신성한 체념으로 가득 찬, 결혼한 수녀의 고귀한 방이었다. 유일한 장식은 침대 위에 걸린 십자가다. 그 위에 숙모의 초상화가 있었고, 성수반의 양쪽에 그녀가 연필로 그린 두 아이들의 초상화와, 그들의 어렸을 때의 머리카락이 있었다. 상류 사교계에 나타난다면 그곳에서 최고의 미인들조차 빛바래게 할 이 여인이 이렇게 은둔하다니! 여기가 바로 자신을 위로했을 사랑을 거부하며 명문가의 딸이 매일 우는 곳이었다. 은밀하고도 돌이킬 수 없는 불행이여! 가해자를 위해 피해자가 눈물을 흘렸고, 피해자를 위해 가해자가 눈물을 흘렸다. 아이들과 하녀가 들어왔을 때, 나는 나갔다. 백작은 나를 기다리고 있었는데, 그는 이미 나를 아내와 자신 사이의 매개자로 받아들이고 있었다. 내 손을 잡고 외쳤다. "있어 주게, 펠릭스, 있어 주게!"

"유감이군요." 나는 말했다. "셰셀 씨가 오늘 손님을 맞이하는데, 손님들이 제가 자리를 비운 이유를 묻는다면 곤란하지 않겠습니까. 하지만 저녁식사 후에 다시 들르겠습니다."

그는 나와 함께 나와, 아무 말 없이 아래의 문까지 배웅했다. 그리고 무의식 중에 프라펠까지 나와 동행했다. 결국 거기에 이르러서 나는 말했다. "제발, 백작님, 부인 마음대로 당신의 집안을 지휘하도록 내버려 두시고, 더 이상 부인을 괴롭히지 마세요!"

"나는 살 날이 얼마 남지 않았어." 그는 진지하게 말했다. "아내는 나로 인해 오래 고통받지 않을 거야. 내 머리가 터지는 것 같아."

이렇게 그는 이기심이 반사적으로 발동하여 가 버렸다. 저녁식사 후에 나는 모르소프 부인의 상태를 묻기 위해 다시 갔다. 그녀는 벌써 회복되었다. 그녀에게 결혼 생활의 즐거움이 이런 것이라면, 이와 같은 사건들이 자주 발생한다면 어떻게 살겠는가? 이것은 처벌할 수 없는 느린 살인이었다. 이날 저녁 내내, 나는 백작이 아내에게 얼마나 극심한 고문을 가하는지 알게 되었다. 어떤 법정에 이런 소송을 제기할 수 있겠는가? 이런 생각들로 나는 맥이 빠져서, 앙리에트에게 아무 말도 못했다. 그러나 밤새도록 그녀에게 편지를 썼다. 내가 쓴 서너 개의 편지 중에 역시 만족스럽지 않았던 서문 하나만 남았다. 이 글은 비록 내게는 아무것도 제대로 표현하지 못하는 것처럼 느껴졌으나, 아니, 그녀만을 생각해야 하는 순간에 내 이야기만 너무 많이 늘어놓은 것처럼 느껴졌으나, 내 심정이 어떠했는지 잘 반영한다.

"모르소프 부인께:

저는 가는 도중에 여러 가지 생각을 했고, 부인께 할 말이 많았는데, 부인을 보자 모든 것을 잊고 말았습니다. 그래요, 사랑하는 앙리에트, 당신만 보면, 당신의 아름다움을 드높이는 당신 마음의 빛과 어울릴 말들이 떠오르지 않아요. 그리고 저는 당신 곁에서 무한한 행복을 느끼기 때문에 현재의 감정이 지나간 삶의 감정들을 모두 지워 버립니다. 매번 저는 더 넓은 삶으로 다시 태어나고, 높은 바위에 오르며 발걸음마다 새로운 지평선을 발견하는 나그네와 같습니다. 당신과 대화를 나눌 때마다 제 거대한 보물에 또 다른 보물을 보탭니다. 여기에 영원한 애착의 비밀이 있는 듯합니다. 저는 당신과 멀리 떨어져 있을 때만 당신에 관한 이야기를 할 수 있습니다. 당신 곁에 있을 때는 너무나 눈이 부셔서 제대로 볼 수가 없고, 너무 행복해서 제 행복을 의심할 수 없고, 당신이 제 속에 충만하여 제가 제 자신일 수가 없고, 당신에게 너무 감동되어 말을 할 수 없고, 현재의 순간을 붙잡는 데 너무 열중하여 과거를 기억할 수가 없습니다. 제가 이렇게 항상 도취되어 있다는 것을 알아주시면 그 때문에 저지르는 실수 또한 용서하겠죠. 당신 곁에 있을 때 저는 느낄 수밖에 없습니다. 그렇지만, 사랑하는 앙리에트, 저는 감히 당신에게 말을 하겠습니다. 당신이 제게 안겨준 수많은 기쁨 중에 저는 어제와 같은 희열을 느낀 적이 없었습니다. 극심한 폭풍 속에서 초인적인 용기로 홀로 악에 대항한 후에 당신이 침실의 미광 속에서 저만의 소유가 되었기 때문입니다. 이 불행한 사태로 인해 저는 처음으로 당신의 침실에 발을 들여놓았는데, 한 여인이 죽음의 문턱에서 삶의 문턱까지 왔을 때, 그리고 회생의 여명이 그녀의 이마를 미묘하게 비출 때 얼마나 찬란하게 빛날 수 있는지를 보았습니다. 당신의 목소리가 얼마나 아름답던지요!

단어들이, 당신의 입에서 나온 단어들조차도, 얼마나 하찮게 들리던지요! 당신의 사랑스런 목소리에 지나간 고통의 희미하고 애틋한 추억이 신성한 위로와 뒤섞인 채 담겨 있었습니다. 정신이 들면서 우선 떠오른 생각을 제게 전하면서 당신은 그런 위로의 말들로 저를 안심시켰습니다. 제가 여태껏 본 당신은 이 지상의 모든 광채로 빛났지만, 어제는 하느님께서 허락하신다면 제 것이 될 수 있는 새로운 앙리에트를 엿보았습니다. 어제 저는 타오르는 영혼의 불을 방해하는 육체의 굴레에서 벗어난 어떤 존재를 엿보았어요. 그대는 낙담 속에서도 너무나 아름다웠고, 무기력 속에서도 너무나 위엄이 있었습니다. 어제 저는 그대의 아름다움보다 더 아름답고, 그대의 목소리보다 더욱 감미로운 것을 찾아내었습니다. 그것은 그대의 눈빛보다도 더 찬란한 빛이고, 형언할 수 없는 향기입니다. 어제 그대의 영혼을 보고 만질 수 있었어요. 아, 저는 그대에게 제 가슴을 열고 그 안에서 그대를 소생시키지 못해서 얼마나 괴로웠는지! 그리고 어제, 그대에 대한 경외심을 털어 버렸습니다. 그대의 실신으로 우리가 더욱 가까워지지 않았나요? 그리하여 저는 그대가 진정되어 공기를 들이마실 수 있게 되었을 때 그대와 함께 숨을 쉬면서 호흡한다는 것이 무엇인지 비로소 알게 되었습니다. 한순간에 얼마나 많은 기도를 하늘을 향해 올렸는지! 제가 하느님께 그대를 제게 더 맡겨 달라고 애원하기 위해 광활한 공간을 횡단하면서도 숨지지 않았으니, 사람이 기쁨이나 슬픔으로 죽는 일은 없나 봅니다. 그 순간은 떠올릴 때마다 눈물을 흘리게 할 추억을 제 마음속 깊이 남겼습니다. 각각의 즐거움이 그 고랑을 넓힐 것이고, 각각의 고통이 그것을 더 깊게 팔 것입니다. 제 삶의 사랑스럽고 영원한 심상(心想)이여, 어제 제 마음을 흔들었던 근심들은 제가 앞으로 겪게 될 고난의 잣대가 될 것이고, 그대가 제게 베푼 행복은 하느님께서 자비로이 제게 주실 그 어떤 기쁨보다 항상 더 높이 있을 것입니다. 그대는 제게 신성한 사랑을, 굳건하고 영원하기 때문에 의심도 질투도 없는 사랑을 알게 해 주었습니다."

깊은 우울이 내 영혼을 파고들었다. 그런 내면적인 삶의 광경은 젊고, 사회적인 충격에 익숙하지 않은 내 가슴을 매우 아프게 했다. 세상에 입문하자마자 끝이 보이지 않는 심연, 사해(死海)를 발견하다니! 이처럼 가혹한 불행의 중첩은 내 안에 무한한 상념을 불러일으켰다. 사회 생활에 첫발을 내딛자마자 다른 사건들이 그것과 비교되었을 때 작게 보일 수밖에 없는, 아주 높은 기준을 습득하게 되었다. 내 슬픔을 보고 세셀 부부는 사랑에 진전이 없다고 추정했으므로, 다행히 내 열정이 나의 위대한 앙리에트에게 어떤 피해도 입히지 않았다.

그 다음날, 내가 거실에 들어섰을 때 그녀는 혼자 있었다. 내게 손을 내밀며 한참 동안 나를 응시하고는, 내게 말했다. "친구가 항상 그렇게 지나치게 다정할 건가요?" 그녀의 눈이 젖었다. 일어서서 내게 필사적으로 애원하듯 말했다. "내게 다시는 그런 편지를 쓰지 말아요!"

모르소프 백작은 세심하게 배려를 했다. 부인은 용기를 되찾았고 그녀의 이마는 다시 평온해져 있었다. 그러나 진정되었지만 사라지지 않은 전날의 고통이 안색에서 나타났다. 저녁에 발밑에서 바스락거리는 낙엽 위로 산책을 하며 그녀는 내게 말했다. "고통은 무한하고, 기쁨은 유한하죠." 이 말은 그녀가 누렸던 행복의 덧없음과 비교되는 현재의 괴로움을 드러냈다.

"삶을 비난하지 말아요." 나는 말했다. "부인은 아직 사랑을 모릅니다. 사랑의 쾌락은 하늘에까지 빛이 난답니다."

"조용히 하세요!" 그녀가 말했다. "알고 싶지 않아요. 그린란드 사람은 이탈리아에 가서 살아남지 못합니다. 나는 당신 곁에서 평화롭고 행복합니다. 당신에게 내 모든 생각을 말할 수 있으니까요. 내 신뢰를 무너뜨리지 말아요. 왜 당신은 사제의 덕성과 자유로운 사람의 매력을 동시에 유지할 수 없는 건가요?"

"부인이 바라신다면 저는 독배라도 마시겠어요!" 나는 고동치는 내 심장에 그녀의 손을 대면서 말했다.

"또!" 그녀는 강렬한 통증을 느낀 것처럼 손을 빼면서 외쳤다. "친구의 손이 내 상처의 피를 닦아 줄 때 내가 느끼는 서글픈 행복을 빼앗으려 합니까? 내 고통을 가중시키지 말아요. 당신은 그것에 대해 다 알지 못합니다. 가장 은밀한 고통이 가장 삭이기 힘들답니다. 상대방은 잘못을 보상해 준답시고 특별히 정성을 다하겠지만 실제로는 그것으로 전혀 위로받지 못할 때 고매한 영혼이 느끼는 환멸 섞인 우울을 당신이 여자라면 이해했을 것입니다. 며칠 동안 상대방은 내 비위를 맞추며 자기의 과실을 용서받으려 하겠죠. 그러면 나는 가장 불합리한 바람들에 대해서도 동의를 얻어낼 수 있을 거예요. 상대방은 내가 다 잊었다고 생각하는 날 그런 비굴한 아첨을 그만둘 것이고 나는 모욕감을 느끼겠죠. 남편의 호의도 그의 허물의 대가로 받아야 하다니……."

"그의 죄의 대가죠." 나는 격한 어조로 말했다.

"고약한 삶의 조건 아닌가요?" 그녀는 슬픈 미소를 지으며 말했다. "게다가 나는 이런 일시적인 영향력을 이용할 줄 모릅니다. 요즈음 나는 쓰러진 적수를 치지 않는 기사와 같아요. 자신이 공경해야 하는 사람이 땅에 떨어진 것을 보고, 그에게서 또다시 얻어맞기 위해 그를 일으켜 세우고, 본인보다 그의 추락을 더 고통스러워하고, 이로운 명분으로라도 일시적인 영향력을 행사하는 것을 수치로 여겨야 하다니! 저속한 싸움으로 기력을 소모하고, 영혼의 보물들을 낭비하고, 오직 치명적인 상처를 입었을 때만 군림하다니! 차라리 죽는 편이 나을 겁니다. 아이들이 없었다면 이 삶의 흐름에 몸을 맡기겠어요. 하지만 내 불가사의한 용기가 없으면 그들은 어떻게 될까요? 삶이 아무리 괴로워도 나는 그들을 위해서 살아야 해요. 그런 내게 당신은 사랑을 이야기합니까? …… 만일 나약한 사람들이 그렇듯이 무자비한 그이에게 나를 멸시할 빌미를 제공한다면 내가 어떤 지옥에 떨어지게 될지 생각해 보았나요? 나는 의심 하나도 용납할 수 없어요! 내 지조가 곧 내 힘이랍니다. 사랑하는 이, 절개란 사람을 씻어 주고 하느님의 사랑으로 회생시켜 주는 성수와 같은 것이죠!"

"제 말 좀 들어 보세요, 앙리에트. 제가 이곳에 머물 시간이 일주일 밖에 남지 않았어요."

"아, 우리 곁을 떠나는군요……." 그녀는 내 말을 끊었다.

"아버지가 저에 대해 어떤 결정을 내리실지 알아야 하지 않겠습니까? 곧 있으면 벌써 석 달이……."

"날을 세지 않았네요." 마음이 동요된 여자들의 방심하는 태도로 그녀는 대답했다. 그리고 그녀는 생각에 잠기더니 말했다. "가요, 프라펠로 함께 걸어갑시다."

그녀는 백작과 아이들을 부르고, 하인에게 숄을 청했다. 모든 것이 준비되자, 평소에 그토록 느리고 침착한 그녀가 파리의 여인과 같은 분주함을 보였다. 비록 백작부인이 도리상으로 프라펠을 방문할 필요가 없었음에도 우리는 다 함께 그곳으로 떠났다. 백작부인은 셰셀 부인에게 의식적으로 말을 걸었다. 셰셀 부인은 다행히 장황하게 대꾸했다. 백작과 셰셀 씨는 각자의 일에 대해 대화를 나누었다. 나는 모르소프 백작이 새로운 마차와 말을 자랑할까봐 염려했지만, 그는 세련된 매너를 지켰다. 셰셀 씨는 그에게 라 카신과 라 레토리에르에서 진행되는 공사에 대해 물었다. 그 질문을 듣자 나는 백작이 그토록 자신에게 쓰라리고 뼈아픈 기억과 연관된 화제를 피할 것이라 생각하면서 그를 바라보았다. 그러나 그는 지역의 농업 형편을 개선하고 튼실하고 위생적인 농가를 짓는 것이 얼마나 시급한지를 설득력 있게 피력했다. 즉, 그는 아내의 의견을 자신의 것인 양 버젓하게 떠들었다. 나는 얼굴을 붉히면서 부인을 쳐다보았다. 상황에 따라 너무나 염치를 잘 차리는 이 사람의 파렴치함, 자신이 휘두른 살인적인 폭력에 대한 망각, 그렇게 사납게 반대했던 입장으로의 선회, 그의 자신감이 나를 아연실 색케 했다.

셰셀 씨가 그에게 "본전을 찾을 수 있을 것 같습니까?"라고 물었을 때, 그는 긍정의 손짓을 하며 "그 이상이요!"라고 대답했다.

이런 증세는 '정신착란'이라는 말로밖에 설명되지 않는다. 천사와 같은 앙리에트는 행복에 겨웠다. 백작이 이성적인 사람, 훌륭한 경영자이며 뛰어난 농학자처럼 보였던가? 그녀는 흡족하여 자크의 머리를 쓰다듬었다. 아들을 생각해서 더욱 기뻤던 것이다. 이는 신랄한 희곡이요, 풍자극이었다! 어처구니가 없었다. 그 후, 내 앞에 사회라는 무대의 막이 올라갔을 때 나는 얼마나 많은 모르소프를 보지 않았던가? 그것도 이 사람에게서 가끔 나타나는 의리와, 그의 신앙심도 갖추지 않은 자들을. 어느 기이하고 매서운 권능이 항상 미친 사람에게 천사를, 진실되고 시적인 사랑을 할 줄 아는 사람에게는 악녀를, 보잘것없는 이에겐 위대한 여자를, 못난이한테는 눈부시게 아름다운 여자를 선사하는가? 당신이 보르도에서 이야기를 들었겠지만, 고귀한 후안나에게 디아르 대위를, 또는 보세앙 부인에게 아주다를, 에글르몽 부인에게는 그녀의 남편을, 에스파르 후작에게는 그의 아내를 만나게 한 것은 어떤 기이한 인연인가?* 고백하건대, 나는 오랫동안 이 수수께끼의 해답을 찾았다. 온갖 불가사의를 탐색했고, 다양한 자연 법칙의 이유와 신성한 암호의 의미를 발견했지만 그것만은 모르겠다. 나는 아직도 그것을 브라만 사제들만이 해독할 줄 아는 상징적인 조합을 지닌 인디언 퍼즐처럼 연구하고 있다. 여기에는 악령의 손길이 너무나 확연히 드러나서, 감히 하느님을 탓할 수가 없다. 대책 없는 불행이여, 누가 너희를 즐겨 창조하는가? 앙리에트와 그녀가 받드는 미지의 철학자가 옳은 것일까? 그들의 신지학이 인간성의 포괄적인 의미를 담고 있는 것일까?*

이 지방에서 내가 보낸 마지막 나날들은 낙엽이 지는 가을이었다. 투렌의 하늘은 이 아름다운 계절에 항상 맑고 따뜻하지만, 가끔은 구름에 가려져 어두워진다. 내가 떠나기 전날, 모르소프 부인은 나를 저녁식사 전에 테라스 위로 데리고 갔다.

"사랑하는 펠릭스," 벌거벗은 나무들 아래로 말 없이 한 바퀴를 돌고는 그녀가 내게 말했다. "당신은 사회에 발을 들여놓을 것이고, 나는 생각으로 당신과 동행하고 싶어요. 많은 고통을 당한 사람들은 많은 경험을 한 셈입니다. 고독한 영혼들은 세상에 대해 아무것도 모를 거라고 생각하지 말아요. 그런 영혼들도 세상을 판단한답니다. 내가 벗을 통해 다른 삶을 사는 것이 허락된다면, 나는 그의 가슴속에서도, 양심 속에서도 거북한 존재가 되고 싶지 않아요. 전투가 한참 벌어지고 있을 때에는 모든 규칙을 기억하기란 매우 어렵죠. 그러니 어머니가 아들에게 하는 충고 몇 마디를 하게 해 주세요. 사랑하는 아들! 당신이 떠나는 날, 장문의 편지를 주겠어요. 그 안에는 세상과 사람들에 대해, 그리고 그 거대한 이해관계의 움직임 속에서 난관들을 헤쳐 나가는 방식에 대해, 여성으로서 내가 가진 생각들이 담겨 있는 편지를요. 파리에 도착한 이후에만 읽겠다고 약속해 줄 수 있죠? 이런 나의 간청은 우리 여성들만의 비밀인 별난 감정의 표현입니다. 이해하기란 불가능하지 않겠지만 남자들이 이해한다면 오히려 우리는 섭섭하게 여길지도 몰라요. 여자가 홀로 산책하기를 좋아하는 이 작은 오솔길을 그대로 놔두세요."

"약속합니다." 나는 그녀의 두 손에 입을 맞추면서 말했다.

"아! 당신에게 또 하나의 맹세를 받아야겠군요." 그녀가 말했다. "그런데 미리 맹세하겠다고 해 줘요."

"오, 그러고 말고요!" 나는 정절에 관한 것이리라 믿고 말했다.

"나와 관련된 것은 아니에요." 그녀는 쓰디쓴 미소를 지으며 이어갔다. "어떤 살롱에서도 노름은 하지 말아요. 그 누구의 살롱도 예외가 아니에요."

"결단코 노름은 하지 않겠습니다." 나는 대답했다.

"좋아요." 그녀가 말했다. "노름에 빼앗길 시간을 더 유용하게 보낼 방법을 생각해 놓았어요. 두고 보세요. 다른 사람들이 언젠가는 지게 되어 있는 반면에 당신은 항상 이길 테니까요."

"어떻게?"

"편지가 말해 줄 거예요." 그녀는 명랑하게 대답했다. 할아버지 할머니들이 충고를 할 때와 같은 진지함 따위는 전혀 없었다.

백작부인은 한 시간 가량 내게 이야기를 했다. 나는 그녀의 애정의 깊이를 가늠했다. 근 3개월 동안 나를 얼마나 유심히 관찰했는지, 그녀는 자신의 마음에 빗대며 내 마음의 가장 숨겨진 주름 속까지 파고 들어갔다. 그녀의 말투에는 변화와 설득력이 있었다. 그녀의 말들은 모성에서 우러나왔고, 그 내용만큼이나 어조에서 얼마나 많은 끈들이 우리 사이를 이어 주고 있는지를 알 수 있었다. 그녀는 끝으로 말했다.

"내가 얼마나 가슴 조이며 당신의 행보를 뒤따를 것인지, 당신이 곧은 길로 가면 얼마나 기뻐할 것이고, 모서리에 부딪히면 얼마나 눈물을 흘릴 것인지 아나요? 나를 믿어요, 나의 애정은 그 무엇과도 비교할 수가 없어요. 그것은 본의가 아니면서도 선택에 의한 것이에요. 아, 나는 당신이 행복하고, 권세 있고, 존경받기를 원해요. 당신은 내게 살아 있는 꿈과 같을 테니까요."

나는 눈물을 흘렸다. 그녀는 다정하면서도 가혹했다. 그녀의 감정은 쾌락에 목말라 하는 젊은이에게 일말의 희망을 주기에는 너무나 대담하게 노출되었고, 너무나 순수했다. 그녀의 가슴속에 짓찢긴 채로 버려진 내 육체에 대한 보상으로 그녀는 영혼만을 만족시키는 신성한 사랑의 무한하고 청결한 빛을 부어 주었다. 그녀의 어깨에 탐욕스레 달려들게 했던 열정의 얼룩진 날개로는 도달할 수 없는 높이까지 그녀는 올라가 있었다. 그녀에게 이르기 위해서는, 천사의 하얀 날개를 얻어야 했다. 나는 말했다.

"모든 일에 있어서 나는 '나의 앙리에트는 어떻게 생각할까?'라고 자문하겠습니다."

"좋아요, 나는 별이자 성소(聖所)가 되겠어요." 그녀는 내 어린 시절의 꿈을 상기시키며 말했다. 그녀는 그 꿈을 실현시켜 줌으로써 내 욕망을 잠재우려 했다.

"당신은 내 종교이자 나의 빛이 될 것입니다." 나는 외쳤다.

"아니요," 그녀는 대답했다. "나는 당신의 쾌락의 원천이 될 수는 없습니다."

그녀는 한숨을 쉬며 숨은 고통이 깃든, 한순간 반항하는 노예의 미소를 지었다. 그날 이후로, 그녀는 사랑하는 여인이 아니라, 가장 사랑하는 여인이 되었다. 그녀는 내 가슴속에 자리를 차지하기를 원하는, 헌신이나 벅찬 쾌락에 의해 새겨지는 여인이 아니었다. 아니, 그녀는 가슴 전체를 차지했으며, 근육 운동에 필요한 존재가 되었다. 단테의 베아트리체, 페트라르카의 라우라처럼, 위대한 사유의 어머니요, 구원을 가져다주는 결심의 신비한 근원, 미래의 지주(支柱), 어두운 잎들 사이의 백합처럼 어둠 속에서 반짝이는 빛이 되었다. 그렇다. 그녀는 희생시켜야 할 것을 과감히 정하고 위험에 처한 것을 구제하는 중요한 결단력을 가르쳐 주었고, 승자를 제압하고, 패배에서 다시 일어나, 가장 강한 적수들을 꺾기 위한 콜리니와 같은 인내심을 불어넣어 주었다.

다음날, 나는 프라펠에서 아침을 먹은 후, 세셸 부부한테 작별인사를 했다. 그들은 그동안 사랑으로 인한 내 이기적인 태도를 관대하게 봐 주었다. 그리고 클로슈구르드로 갔다. 모르소프 부부는 나를 투르까지 태워다 주기로 했다. 투르에서 나는 밤에 파리로 떠날 예정이었다. 가는 동안 백작부인은 다정한 침묵으로 일관했다. 그녀는 먼저 두통을 호소했다가, 거짓말이 부끄러워 얼굴을 붉히면서, 그것을 만회하기 위해 갑작스레 내가 떠나서 섭섭하다고 말했다. 백작은 세셸 씨가 없을 때 앵드르 골짜기가 보고 싶어지면 자기 집에 오라고 초대했다. 우리는 용감하게, 겉으로는 눈물 없이 헤어졌다. 그러나 병적인 아이답게, 자크는 감성적으로 몇 방울의 눈물을 쏟았다. 벌써 숙녀가 된 마들렌은 어머니의 손을 꼭 쥐고 있었다.

"사랑스런 아이!" 백작부인은 자크에게 열정적으로 입을 맞추며 말했다.

투르에 혼자 남겨진 후 저녁식사를 마치자, 나는 젊었을 때나 경험하는, 설명할 수 없는 격분에 사로잡혔다. 나는 말을 빌려서 한 시간 15분 만에 투르와 퐁드뢰앙 사이의 거리를 달려갔다. 그리고 내 광기를 들키는 것이 낯뜨거워 길 위를 발로 뛰었다. 나는 간첩마냥 살금살금 테라스 밑에 다다랐다. 백작부인은 그곳에 없었다. 나는 그녀가 편찮다고 생각했다. 작은 문의 열쇠를 아직 가지고 있어서 따고 들어갔다. 그녀는 마침 해질녘 풍경을 물들이는 온화한 우울을 들이마시기 위해 두 아이들과 함께 천천히, 쓸쓸하게 계단을 내려오고 있었다.

"어머니, 펠릭스가 오네요." 마들렌이 말했다.

"예, 나예요." 나는 그녀의 귀에 속삭였다. "아직 당신을 쉽게 볼 수가 있는데 왜 내가 투르에 가만히 있어야 하는지 모르겠더군요. 일주일 후면 실현이 불가능해질 소망을 왜 지금 이루지 않겠습니까?"

"이제 우리를 떠나지 않을 거죠, 어머니?" 자크는 펄쩍펄쩍 뛰면서 말했다.

"조용히 해. 장군님께서 오시겠어." 마들렌이 말했다.

"경솔한 짓이에요." 앙리에트가 말했다. "어리석긴!"

눈물 섞인 그녀의 목소리의 음조를 듣고 나는 내 사랑을 이율(利律)까지 쳐서 소위 사랑의 이율에 보상받는 기분이었다.

"이 열쇠를 돌려주는 것을 잊었습니다." 나는 미소를 지으며 말했다.

"이제 다시는 안 올 건가요?" 그녀가 물었다.

"우리가 어디 헤어지는 건가요?" 내 눈빛을 보고 그녀는 무언의 답변을 숨기기 위해 눈을 내리깔았다.

흥분이 멈추고 황홀경이 시작되는 경지에 이른 영혼들이 빠지는 혼미한 상태 속에 얼마간을 보낸 뒤 나는 떠났다. 나는 느린 걸음으로, 수없이 뒤를 돌아보며 갔다. 고원의 정상에서 마지막으로 계곡을 굽어보았을 때, 내가 처음 왔을 때의 광경과 너무나 대조되어 충격을 받았다. 그 당시에는 마치 울긋불긋하고 푸르른 내 욕망과 희망들처럼 울긋불긋하고 푸르지 않았던가? 한 가족의 음침하고 처량한 비밀에 입문하고, 크리스트교 니오베*의 번민을 공유하며, 그녀처럼 슬퍼하며, 영혼이 어두워진 내게 계곡은 내 상념과 같은 색채를 띠고 있는 듯이 보였다. 밭은 헐벗었고, 포플러 나뭇잎은 떨어졌으며, 아직 붙어 있는 것들은 녹이 슨 것처럼 적갈색이었다. 숲의 꼭대기는 옛 왕들이 적색의 권력을 갈색의 슬픔으로 덮기 위해 두르던 의복의 색깔인 엄숙한 구릿빛으로 물들어 있었다. 내 상념과 조화를 이루어, 따뜻한 햇살의 노란 광선이 죽어 가는 골짜기는 내 마음의 생생한 그림이었다. 사랑하는 여인을 떠나는 것은 성격에 따라 끔찍하거나 단순한 상황이다. 나는 갑자기 언어를 모르는 외국에 와 있는 듯한 느낌이 들었다. 더 이상 애착이 느껴지지 않는 사물들을 보며 나는 아무것도 기댈 수가 없었다. 그리하여 내 사랑은 있는 대로 펼쳐져, 나의 사랑하는 앙리에트는 사막 속에서 높이 떠올랐다. 나는 오직 그녀에 대한 기억으로만 그 사막에서 살아남을 수 있었다. 그녀를 종교적으로, 너무나 숭배한 나머지, 나는 내가 은밀히 섬기는 여신 앞에 오점 하나 없는 채로 남겠다고 결심하여, 상상 속에서 성직자들의 하얀 옷을 입었다. 그것은 노베스의 라우라 앞에 나타날 때 언제나 흰 옷만을 입었다는 페트라르카를 모방한 것이었다. 편지를 읽기 위해 아버지 집에 돌아온 첫날밤을 얼마나 안절부절 못하며 기다렸던가! 구두쇠가 몸에 지닐 수밖에 없는 지폐 뭉치를 손으로 더듬듯이 나는 여행 내내 그 편지를 만지작거렸다. 밤 동안에 나는 앙리에트가 자신의 희망을 적은 종이에 입을 맞추었다. 그 종이에서 나는 그녀의 손에서 나온 신비로운 향기들을 맡고, 그녀의 목소리의 억양을 명상하며 새겼다. 나는 항상 그녀의 편지들을 첫 편지를 읽었을 때와 똑같은 자세로, 즉 잠자리에 들어, 절대적인 침묵 속에서 읽었다. 사랑하는 사람이 쓴 편지를 달리 어떻게 읽으랴. 하지만 그런 편지를 읽으면서 동시에 낮의 일들을 처리하고, 잠시 중단했다가 가증스러울 정도로 태연하게 다시 계속해서 읽는, 사랑받을 자격이 없는 사람들도 있다. 나탈리, 이것이 밤의 침묵 속에서 문득 울린 사랑스런 음성이며, 내가 도달한 사거리에서 손가락으로 참된 길을 가리켜 주기 위해 우뚝 솟은, 위대한 자태이다.

"친구여, 당신이 사회의 위험을 능숙하게 헤쳐 나가도록 당신에게 전해 줄 내 경험의 파편들을 모으는 것은 행복한 일입니다. 나는 당신을 위해 며칠 밤 동안 이 일에 전념하면서 모성의 무구한 즐거움을 느꼈답니다. 이 글을 한 문장, 한 문장 쓰는 동안, 당신이 영위하게 될 삶을 미리 상상하면서, 나는 이따금 창가로 갔습니다. 거기에서 달빛에 비춰진 프라펠의 탑들을 바라보면서 생각하곤 했습니다. '그는 자고 있겠지. 그리고 나는 그를 지키고 있어!' 젖을 먹이기 위해 자크가 깨어나기를 기다리면서, 요람 안에 잠든 그 아이를 바라볼 때 느꼈던 내 인생 최초의 행복을 떠올리게 하는, 황홀한 기분이었습니다. 당신은 몇 가지의 가르침으로 정신적으로 무장해야 하는 아이와 같은 어른이 아닌가요? 당신이 그토록 고통을 당한 기숙학교에서는 그런 가르침의 양분을 받지 못했지만, 우리 여성들은 그것을 줄 특권을 가지고 있지요. 이런 사소한 가르침들은 당신들의 성공을 준비하고 그 기반을 탄탄하게 다짐으로써 그것에 이바지합니다. 한 남자가 살아가면서 취하게 될 행동들이 속하는 체계를 탄생시키는 것이야말로 정신적인 어머니로서 해야 할 일이 아니겠습니까? 게다가 아이는 그런 정신적인 어머니를 잘 이해하고 있고요. 사랑하는 펠릭스, 내가 몇 가지 실수를 범할지라도, 우리 사이의 애정이 거룩해질 수 있도록 모든 개인적인 욕심은 버릴 수 있게 해 주세요. 당신을 사회에 넘기는 것은, 곧 당신을 포기하는 것이 아니겠어요? 하지만 당신의 찬란한 미래를 위해 내 행복을 희생할 만큼 당신을 사랑합니다. 이상하게도, 거의 4개월 동안 당신 때문에 나는 우리 시대를 지배하는 규범과 풍습에 대해 생각하게 되었습니다. 숙모 댁에서 나누었던 대화들—그 의미들은 이제 그녀를 대신하는 당신의 것입니다!—, 모르소프 백작이 직접 이야기해 준 그의 삶의 사건들, 궁정을 잘 아는 아버지의 말씀, 크고 작은 상황들이 모두 내 기억 속에 떠올랐습니다. 거의 홀로 사람들 사이에 뛰어들려고 하는 내 양아들을 위해서. 그는 지금 어떤 이들은 자신의 장점을 경솔하게 발휘해서 패하고, 다른 이들은 자신의 단점을 적절하게 이용해서 성공하는 나라로 향하려 하니까요.

무엇보다 명심할 것은, 총체적으로 바라본 사회에 대한 내 간결한 의견입니다. 당신에게는 많은 말이 필요 없으니까요. 사회가 신에 의해 창조되었는지, 아니면 인간의 창조물인지는 모르겠어요. 그것이 어느 방향으로 진화하는지도 역시 모릅니다. 다만 내게 확실한 것은, 사회가 존재한다는 거예요. 떨어져서 따로 살지 않고 그것을 구성하는 조건들을 받아들이기로 한 이상, 당신은 그 조건들에 대해 불만을 품으면 안 됩니다. 앞으로 그 조건들과 당신 사이에는, 계약 같은 것이 체결될 것입니다. 오늘날의 사회는 사람에게 유용하기보다 오히려 사람을 이용할까요? 그렇다고 생각됩니다. 하지만 사람에게 이득보다 의무가 더 많은, 그가 얻는 이익에 대해 너무 비싼 대가를 지불하든, 이런 문제는 개인이 아니라 입법자들이 상관할 일입니다. 내 생각으로는, 그것이 당신에게 유리하든 말든, 당신은 일반적인 법칙에 전적으로 순응해야 합니다. 이 원리가 매우 단순해 보이지만 실천은 어렵답니다. 그것은 마치 모든 실뿌리로 스며들어 나무에 생기를 주고, 그 푸르름을 간직해 주고, 꽃을 피우게 하고, 사람들이 경탄할 만한 훌륭한 열매를 맺게 하는 수액과 같습니다. 사랑하는 이, 법칙이란 모두 책에 쓰여 있지 않아요. 풍습도 법칙을 만들어 내고, 가장 중요한 법칙들은 가장 덜 알려진 것들입니다. 당신의 행동, 말, 대외적인 삶, 사회에 진출하는 방식, 또는 행운을 맞이하는 방식 등을 규제하는 이런 법을 그 어떤 교사도, 이론서도, 학교도 가르쳐 주지 않아요. 이런 숨겨진 법칙들을 어긴다면, 사회를 지배하는 대신 그 밑바닥에 머물게 될 것입니다. 이 편지의 내용이 당신의 생각과 많은 부분 겹치더라도, 여성으로서의 내 전략을 들어 줘요.

개인적인 행복이란 다른 사람들에게 손해를 입히며 교묘하게 얻어 내는 것이라고 사회를 설명하는 이론이 있습니다. 그런 위험한 학설의 가혹한 논리에 의하면 법도, 사회도, 개인도 정도에 흠집이 났다는 것을 눈치 채지 못하게 몰래 취하는 모든 이득은 바람직하고 정당하게 얻었다고 믿죠. 이런 헌장에 의하면, 능란한 도둑은 사면되고, 남이 모르게 정절을 버리는 여성은 행복하고 현명합니다. 아무런 법적 증거를 남기지 않고 사람을 죽여서 맥베스처럼 왕관이라도 타낸다면, 잘한 짓입니다. 중요한 것은, 당신과 당신의 욕망 사이에 풍습과 규범이 가로놓는 장애물을 증인도 증거도 없이 피해 가는 것입니다. 사회를 이런 식으로 보는 자에게는, 출세란 이기면 막대한 부를 얻고, 지면 감옥에 가는, 또는 이기면 정치적인 권력을 얻고, 지면 치욕을 당하는 게임으로 환원됩니다. 그것도, 도박판이 모든 도박꾼들을 수용하기에 너무 비좁아서, 일을 실제로 꾸며 보기 위해서도 그 나름의 재주가 필요합니다. 나는 지금 당신에게 종교적인 신앙심이라든가 감정에 대해서 이야기하는 것이 아닙니다. 이것은 금과 강철로 만들어진 기계의 톱니바퀴, 그리고 사람들이 신경을 곤두세우는 그 직접적인 결과에 대한 것입니다. 사랑하는 내 마음의 아들이여, 당신도 이런 범죄자들의 이론에 대해 나만큼 혐오감을 느낀다면, 당신의 눈에는, 건전한 이해력을 가진 사람들에게 그러하듯이, 사회가 책임감의 이론으로 설명될 것입니다. 그래요, 사람들은 다양한 형태로 서로에게 의무가 있습니다. 내 생각에는, 의원직에 있는 공작은 빈곤한 사람들과 수공업자들에게, 이들이 그에게 진 의무보다 더 많은 의무를 지고 있습니다. 상업에서나 정치에서나 적용되는, 책임의 무게가 이윤과 비례한다는 원칙에 따라, 의무는 사회가 부여하는 이익에 따라 증가하는 것입니다. 각자는 자신의 방식으로 빚을 갚는 것이죠. 라 레토리에르의 불쌍한 일꾼이 노동으로 지쳐서 잠자리에 들 때, 그가 자신의 의무를 이행하지 않았다고 생각할까요? 그는 물론 높은 지위에 있는 많은 사람들보다 자신의 의무를 더 충실히 이행했어요. 당신의 지성과 재능에 부합하는 위치를 구하게 될 사회를 이렇게 파악하고 다음과 같은 원칙을 근본 원리로 삼아야 합니다. 사적인 양심이나 공적인 양심과 상반되는 행동은 절대 하지 않기를. 내가 지나치게 강조하는 것처럼 들릴지 모르지만, 당신에게 간절히 부탁합니다. 예, 당신의 앙리에트가 이 두 마디의 의미를 숙고해 달라고 간절히 부탁합니다. 겉으로는 단순하게 들리지만, 정직, 신의, 의리와 예절이 출세의 가장 확실하고 신속한 도구라는 뜻입니다. 이 이기적인 세상에는, 수많은 사람들이 감정을 가지고 살아갈 수 없다고, 도덕적인 원리를 너무 존중하면 앞으로 나아가는 데 방해된다고 당신에게 말할 것입니다. 자기에게 아무런 도움이 되지 않는다는 이유로, 어린이에게 상처를 주고, 노파를 불손하게 대하고, 자상한 노인과 잠깐 동안 시간을 보내는 것을 지루하다며 거부하는 사람들을 보게 될 것입니다. 무례하고 상스럽거나, 미래를 내다볼 능력이 없는 이들이 훗날 미리 갈아 놓지 않은 가시에 매달려서, 사소한 일 때문에 행운을 놓치는 모습을 발견할 것입니다. 반면 책임감 이론에 일찍이 익숙해진 사람은 장애를 만나지 않을 것입니다. 아마도 그는 보다 더디게 출세하겠지만, 그의 출세는 탄탄할 것이고, 남들이 무너질 때 보호받을 것입니다.

이런 이론을 적용시키는 가장 중요한 조건은 예의범절이라고 당신에게 말을 한다면 당신은 내 법률학에 르농쿠르 가문에서 받은 교육과 궁정의 냄새가 조금 배어 있다고 생각하겠죠. 사랑하는 친구여! 너무나 하찮게 보이는 이 지침이 내게는 가장 중요합니다. 상류 사회의 습관들은 당신이 갖춘 폭넓고 다양한 지식만큼이나 필요한 것입니다. 그것들은 지식을 보완하기도 합니다. 실제로는 무식하지만 선천적인 재치가 있어서 생각을 조리 있게 제시할 줄 아는 사람들이 그들보다 더 자격을 갖춘 이들보다 높은 지위에 오르기도 합니다. 펠릭스, 당신이 기숙학교에서 받은 공동 교육이 조금이라도 당신을 망쳐 놓았는지 알아보기 위해 나는 당신을 유심히 관찰했어요. 당신에게 다소 부족한 부분을 습득할 능력을 발견하고 얼마나 기뻐했는지요! 전통적인 교육을 받은 많은 사람들이 지키는 예절은 순전히 표면적입니다. 세련된 예절과 아름다운 매너는 마음속에서, 개인적인 자존심에서 우러나는 것이니까요.

그래서 좋은 교육을 받았음에도 불구하고 어떤 귀족들은 기품이 없고, 부르주아 출신의 어떤 사람들은 본래 품위가 있어서, 수업만 좀 받으면 서툴게 모방하는 인상 없이 훌륭한 예절을 갖추게 됩니다. 골짜기를 결코 벗어나지 않을 이 가엾은 여인을 믿어요. 의젓한 어투, 말과 행동 속에 녹아든 우아한 진솔함은 엄청난 매력을 발산하는 육체적인 시심(詩心)과 같아요. 그 원천이 가슴속에 있다면 얼마나 강력한 것이겠어요? 사랑하는 이여, 예절이란 다른 사람들을 위해 스스로를 희생하는 듯이 보이게 하는 미덕입니다. 많은 사람들에게 있어서, 그것은 사회적인 가면인데, 개인적인 욕심이 상처를 입어서 끝부분이 조금 삐져나올 때 그 가면은 즉시 벗겨집니다. 그러면 고상했던 사람이 비열해집니다. 하지만 진정한 예절은 그리스도교적인 정신을 내포합니다. 그리고 나는 당신이 그러기를 원해요, 펠릭스. 예절은 진정한 자비처럼, 실제로 자신을 희생하는 데 있습니다. 앙리에트를 기억해서라도, 물 없는 우물이 되지 말고 정신과 형식을 동시에 갖춰 줘요! 이런 사회적인 덕목 때문에 자주 속게 될까 봐 두려워하지 말아요. 바람결에 버린 것으로 생각되었던 씨앗의 열매를 언젠가는 거두게 될 테니까요. 엉성한 예절의 가장 모욕적인 형태는 약속을 남발하는 버릇이라고 예전에 아버지께서 말씀하시더군요. 당신이 들어줄 수 없는 부탁은 헛된 희망을 전혀 주지 말고 단호하게 거절해요. 그리고 들어주려 할 때에는 즉시 승낙을 해요. 그렇게 하면 당신은 품위 있게 거절할 줄 알고, 품위 있게 친절을 베풀 줄 아는 자질을 구비하게 될 것입니다. 이런 양면적인 공정함은 사람의 성격을 굉장히 돋보이게 하죠. 친절에 대해 감사하는 마음보다 헛된 희망을 품게 한 것에 대한 원한이 더 큰지도 모르겠습니다. 친구여, 절대 자신만만해서도 안 되고, 진부해서도 안 되고, 너무 열성적이어서도 안 됩니다! 이것이 세 가지 위험인데, 이런 작은 것들은 바로 내가 잘 아는 영역이기 때문에 많은 이야기를 할 수 있어요. 너무 자신만만하면 존경을 받지 못하고, 진부하면 멸시를 당하고, 열의가 지나치면 이용당하기 십상입니다. 게다가, 사랑하는 아들이여, 인생 동안 친구를 두 명, 혹은 세 명 이상 두지 못합니다. 당신의 전적인 신의는 그들의 몫입니다. 여러 사람들에게 나눠 준다면 그것은 곧 그들에 대한 배반이 아닙니까? 만약 당신이 개중에 더 친근한 관계를 맺는 사람들이 있으면 스스로의 속내를 너무 많이 보이지 말아요. 언젠가 그들이 경쟁자, 또는 반대자, 혹은 적이 될 수도 있다는 점을 감안하여 항상 신중해야 합니다. 운명이 그렇게 결정할지도 모릅니다. 차갑지도, 다정하지도 않은 태도로 일관하고, 어디에도 연루되지 않는 중간선을 찾아서 견지하도록 해요. 신사란 필랭트의 비굴한 아첨과도, 알세스트*의 메마른 덕성과도 거리가 멀다는 것을 알아 둬요. 희곡 작가의 천재성은 고상한 관객들이 파악하도록 진정한 중용을 제시하는 데서 빛을 발합니다. 물론, 그런 관객들은 모두 이기적인 친절 뒤에 숨은 극단적인 멸시보다는 덕성의 우스꽝스러움 쪽으로 기울겠지만, 그들은 양쪽 모두를 경계할 줄 압니다. 진부함에 관해서 이야기하자면, 어떤 바보들은 진부하게 보인 당신을 품성이 참 좋은 사람이라고 할지 몰라도, 인간의 깊이를 재고, 능력을 평가하는 데 노련한 이들은 그런 결점을 발견하여, 당신은 곧 평판이 나빠질 것입니다. 진부함이란 나약한 사람들의 방편이기 때문이죠. 그런데 불행히도 각각의 인원들을 부품으로만 여기는 사회는 나약한 사람들을 무시합니다. 어쩌면 그것이 옳을지도 몰라요. 자연은 불완전한 존재에게는 죽음을 선고하니까요. 그래서 여성의 감동적인 보호 본능은 맹목적인 힘에 대항하고 정신의 지혜로 물질의 야박함을 이기는 데서 느끼는 희열에서 연유한 것일지도 모릅니다. 하지만 사회는 어머니라기보다는 계모이기 때문에, 자기의 허영심을 만족시켜 주는 자식들을 편애합니다. 지나친 열의에 관해서는, 그것은 힘을 발휘하는 데서 진정한 즐거움을 느끼는 청춘의 위대한 첫 실수입니다. 그럼으로써 다른 사람들에게 속기 전에 자기 스스로에게 속게 됩니다. 그것은 공유되는 감정을 위해 아껴두세요. 이를테면 여자와 하느님을 위해. 세계의 무질서와 정치적 이해타산에 보물을 가져다 바치지 말아요. 그 보답으로 유리 장신구를 받을 뿐일 테니까요. 당신은 모든 일에 있어서 의젓하라고 명령하는 목소리에 복종해야 합니다. 그 목소리는 또한 쓸데없이 헌신하지 말라고 당신에게 간청합니다. 왜냐하면, 불행히도 사람들은 당신의 능력에 아랑곳하지 않고 유용성에 따라 당신을 평가하기 때문이에요. 당신의 시적인 마음속에 새겨질 만한 비유를 하나 들자면, 숫자가 엄청나게 크든, 금으로 그려졌든, 연필로 쓰여졌든, 그것은 어쨌든 숫자에 불과해요. 이 시대의 어떤 사람이 말했듯이, '열의는 금물입니다!' 열의는 사기와 맞닿아 있고, 실망을 안겨 줍니다. 당신의 열정과 상응하는 열정을 결코 찾지 못할 것입니다. 군주와 여자들은 남이 자신을 위해 희생하는 것이 당연하다고 여깁니다. 이런 원리는 참 애석하지만 진실입니다. 그렇다고 영혼마저 시들게 하지는 않아요. 당신의 순수한 감정들을 접근할 수 없는 곳에 두어, 그 꽃들이 열광적인 찬사를 받고, 그것을 본 예술가가 거의 사랑을 품고 걸작을 꿈꾸도록 해요. 벗이여, 의무란 감정이 아닙니다. 해야 할 일을 하는 것과 하고 싶은 일을 하는 것은 별개입니다. 남자는 조국을 위해서 냉정하게 죽으러 가야 하고, 여인에게 기꺼이 삶을 바칠 수도 있습니다. 예의범절의 가장 중요한 규칙 중의 하나는, 자기 자신에 대해 절대 이야기하지 않는 것입니다. 어느 날, 그냥 알고 지내는 사람들에게 자기 이야기를 늘어놓는 가소로운 태도를 보여 봐요. 그들에게 당신의 고통, 즐거움, 사사로운 일들에 대해 들려줘요. 그들은 관심 있는 척하다가 곧 냉담해질 거예요. 지루함이 밀려올 때 즈음, 안주인이 예의바르게 당신의 말을 중단시키지 않으면, 각자가 교묘한 핑계로 떨어져 나가겠죠. 반대로, 모든 이의 호감을 사고, 붙임성과 재치가 있고, 의리도 있는 사람으로 인정받고 싶은가요? 그들 자신에 대한 이야기를 해 보아요. 그들과 관계가 없는 듯이 보이는 문제들을 들추면서까지 그들을 돋보이게 할 방법을 찾아 봐요. 그들의 이마는 환해질 것이고, 입술은 미소를 지을 것이며, 당신이 떠난 다음에는 모두 당신을 칭찬할 겁니다. 당신의 양심과 마음의 목소리가 비굴한 아첨과 세련된 대화 사이의 경계를 가르쳐 줄 것입니다. 벗이여, 젊은이는 성급한 판단을 내리는 경향이 있는데, 비록 기특하긴 하지만, 그에게는 오히려 해가 됩니다. 그래서 옛날의 교육은 젊은이들에게 침묵을 지키라고 가르치죠. 이들은 그 당시에 인생 공부를 하기 위해 상류 사회의 명사들 곁에서 실습을 했어요. 예전에는, 귀족 신분에도 예술계처럼 도제가 있었고, 자신을 부양하는 스승을 받드는 시동들이 있었습니다. 오늘날의 젊은이들이 온실에서 배운 처세술은 잔인합니다. 따라서 그들은 모든 행위, 생각, 글들에 대해 엄격한 논평을 가하며, 아직 사용한 적이 없는 새 칼날로 결단을 내립니다. 그런 나쁜 버릇을 익히지 말아요. 당신의 판결은 비난이 되어 주위의 많은 사람들을 다치게 할 텐데, 어쩌면 공적인 과실보다는 은밀한 상처가 용서받기 더 힘들 수도 있습니다. 젊은이들은 인생과 그 어려움에 대해 아직 아무것도 모르기 때문에 관용을 베풀 줄 모릅니다. 노(老) 평론가는 자비롭고 온화한 반면, 젊은 평론가는 무정합니다. 이 사람은 아무 것도 모르고, 저 사람은 모든 것을 다 알기 때문이죠. 게다가, 인간의 모든 행위의 기저에는 일련의 결정적인 이유들이 미궁처럼 복잡하게 얽혀 있는데, 하느님만이 거기에 대해 최종 심판을 내릴 권리가 있으십니다. 자기 자신에 대해서만 엄격해야 돼요. 당신은 출세할 가능성이 얼마든지 있지만, 이 세상에 그 누구도 도움 없이는 출세하지 못해요. 당신이 내 아버지 댁에 출입할 수 있도록 말씀드려 놓았으니 자주 왕래해요. 그곳에서 맺을 친분이 많은 경우에 유용할 거예요. 하지만 내 어머니에게 한 치도 양보하지 말아요. 그분은 지는 자를 짓밟고 자기에게 저항하는 자의 자존심에 감탄합니다. 그녀는 쇠와 같은 분이세요. 쇠는 두들겨서 단련되었을 때는 쇠와 합쳐지지만, 그것보다 경도가 약한 물질은 모두 부수죠. 어머니를 잘 사귀어 봐요. 어머니가 만약 당신이 잘되기를 원하시면, 당신을 여러 살롱으로 안내하실 거예요. 거기서 당신은 사교계의 필수적인 처세술, 즉 듣고, 말하고, 대답하고, 자기 소개를 하고, 물러가는 기술과 정확한 언사를 배우게 될 것입니다. 정확한 언사는, 옷이 천재를 나타내지 않듯이, 탁월함의 표지가 될 수는 없지만, 그것이 없으면 가장 훌륭한 재능을 가진 사람도 절대로 인정받을 수 없는 그 무엇입니다. 당신이 내가 바라는 대로 될 것이라는 예감이 헛된 환상이 아님을 확신할 만큼 나는 당신을 충분히 잘 알아요. 꾸밈없고, 말투는 온화하며, 거만하지 않으면서 자존심이 강하고, 노인들을 공경하고, 졸렬하지 않으면서 친절하고, 무엇보다 신중한, 그런 사람 말입니다. 재치를 발휘하되, 다른 사람들의 광대 노릇은 하지 말아요. 만약 당신의 우월함이 보잘것없는 사람을 언짢게 한다면, 그는 조용히 있다가 당신에 대해서 '참 재미있는 사람이군!' 이라 하면서 경멸을 표시하겠죠. 당신의 우월함은 항상 사자와 같아야 합니다. 사람들의 비위를 맞추려 하지도 말아요. 타인과의 관계에서, 거의 건방지다고 할 정도로 냉정함을 지키도록 해요. 사람들은 그런 종류의 건방짐을 노여워하지 않습니다. 모두 자신을 경시하는 사람을 존경하게 되어 있지요. 그러면 여성들도 당신에게 호감을 느낄 테고, 당신이 다른 사람들의 눈치를 보지 않기 때문에 당신에게 점수를 줄 것입니다. 평판이 나쁜 사람들과 어울리지 말아요. 비록 그런 평판이 부당할지라도, 사회는 우리가 느끼는 호감과 반감에 대한 해명을 요구합니다. 이것에 관한 한, 당신의 의견은 신중하고 오랜 심사숙고의 결과로, 확고부동한 것이어야 합니다. 당신이 냉대한 사람들이 냉대받을 만하다는 것이 판명이 나면, 사람들은 당신에게 인정받으려 할 것입니다. 그리하여 당신은 암묵적인 경의의 대상이 되어 사람들 사이에서 돋보일 것입니다. 당신은 이렇게 호감을 주는 젊음과 매력적인 우아함, 좋은 관계를 유지하는 지혜로 무장했습니다. 내가 이야기한 모든 것은 '지위가 높으면 덕도 높아야 한다'는 옛말로 요약이 됩니다.

이제는 이와 같은 원칙들을 정치와 사업에 적용시켜 봅시다. 여러 사람들은 교활함이 성공의 조건이라고, 군중 사이를 뚫고 지나가기 위해서는 사람들을 이간시켜서 그 사이에 자신이 설 자리를 마련해야 한다고 할 것입니다. 벗이여, 이런 원칙은 중세에나 통하는 것들이었습니다. 그때의 군주들은 경쟁 세력들이 서로 파괴하도록 유도해야 했으니까요. 하지만 오늘날에는 모든 것이 대낮에 드러나서, 이런 방식은 오히려 당신에게 해로울 거예요. 상대는 의리 있고 정직한 사람이거나, 매도, 모함, 사기를 수단으로 이용할 비열한 적수입니다. 그렇다면 후자만큼 당신에게 강력한 보조자는 없습니다. 그 사람의 적은 바로 자기 자신입니다. 정당한 방법으로 그와 맞서도 충분하죠. 그는 언젠가 멸시를 받을 테니까요. 전자는 당신의 솔직함을 보고 당신을 존경하게 될 것입니다. 두 사람의 이해가 조정되면 (결국 모든 것이 잘 풀릴 테니까) 그는 당신에게 도움이 될 거예요. 적을 만드는 것을 두려워하지 말아요. 당신이 가는 그 세계에서 적이 없는 사람은 불쌍한 인간입니다. 하지만 웃음거리가 되거나 평판이 나빠지는 일은 가능한 한 없도록 해요. '가능한 한'이라고 말한 것은, 파리에서는 사람이 항상 자기 마음대로 하지 못하고 불가피한 상황에 휘둘리기 때문이죠. 그곳에서 당신은 배수로의 구정물도, 떨어지는 기와도 피할 수 없어요. 윤리에도 배수로가 있는데, 명예를 잃은 사람들은 자신들이 허우적거리는 흙탕물을 가장 고귀한 사람들에게 튀기려고 합니다. 그러나 모든 영역에서나 최종 결정에 대해 단호함을 보인다면, 당신은 언제나 존경받을 것입니다. 야망들의 대립 속에서, 얽히고설킨 난관들 가운데서, 곧장 본론으로 들어가고, 문제의 핵심을 향해 과감하게 돌진하되, 한 가지에만 온 힘을 쏟아야 합니다. 모르소프 백작이 나폴레옹을 얼마나 증오하는지 당신도 잘 알 겁니다. 그에게 저주를 퍼붓고, 정의가 범죄자를 감시하듯이 그를 감시했으며, 매일 저녁 앙지앵 공작의 죽음에 대해 원망했지요. 앙지앵 공작의 죽음은 그에게 눈물을 흘리게 한 유일한 불행, 유일한 죽음이었으니까요. 그런데 그는 나폴레옹을 가장 용맹한 장수(將帥)로서 존경했습니다. 내게 그의 전략을 자주 설명했어요. 그 전략이 이해관계의 전쟁에도 적용되지 않겠습니까? 전투에서 사람과 공간을 절약하게 해 주듯이, 여기서는 시간을 벌게 해 주겠죠. 잘 생각해 봐요. 여자는 이런 것들을 직감과 감정으로 판단하기 때문에 흔히 착각에 빠집니다. 나는 한 가지만은 강조할 수 있어요. 어떤 술책이나 속임수는 반드시 탄로가 나서 결국 해를 끼칩니다. 반면 사람이 정직함을 견지하면 어떠한 상황도 보다 안전해집니다. 내 경우를 예로 들자면, 클로슈구르드에서는 모르소프 백작의 성격 때문에 나는 어떠한 분쟁도 피하기 위해서 항의가 들어오면 즉시 조정하도록 할 수밖에 없습니다. 그런 항의들에 모르소프 백작 본인이 걸려들면 병이 될 테니까요. 그래서 나는 항상 단번에 매듭을 들고 상대에게, '풀거나 자릅시다!' 라고 말하며 모든 일을 직접 해결했어요. 당신이 다른 사람에게 유용한 일을 하고, 그들에게 도움을 주는 일이 빈번하겠죠. 하지만 거기에 대해 별로 보상받지는 못할 것입니다. 그렇다 하더라도 사람들에 대해 불평하고 모두 배은망덕하다고 으쓱대는 이들을 모방하지 말아요. 그것은 곧 자화자찬이 아니고 무엇이겠습니까? 그리고 세상에 대한 무지를 그렇게 드러낸다면 조금 어리석지 않습니까? 당신은 마치 고리대금업자가 돈을 빌려 주듯이 선을 베풀 작정은 아니겠죠? 선은 선 그 자체를 위해 행해야 하지 않나요? '지위가 높으면 덕도 높아야 한다!' 그러나 사람들이 도저히 갚을 수 없는 덕을 베풀지는 말아요. 그런 사람들은 당신과 화해할 수 없는 적이 될 겁니다. 파산이 야기하는 절망감이 있듯이, 너무 무거운 은혜도 절망감을 낳는데, 이것은 막대한 힘을 발휘할 수 있게 해 줍니다. 당신은 가능한 한 다른 사람들로부터 무엇을 받지 말아요. 누구에게도 종속되지 말고, 자기 자신의 주인이 되어요. 벗이여, 나는 당신에게 삶의 작은 일들에 대해서만 내 의견을 말하는 것입니다. 정치계에서는, 모든 것이 양상이 달라지고, 당신은 개인적으로 따르는 원칙들을 보다 높은 사람의 이익 앞에 굽힐 수밖에 없습니다. 하지만 높은 사람들이 활동하는 단계까지 이르면 당신은 마치 하느님처럼 스스로 내린 결정의 유일한 심판자가 될 것입니다. 그렇게 되면 당신은 더 이상 평범한 인간이 아니라 법 그 자체가 될 것이며, 개인이 아니라 국가의 화신이 될 것입니다. 하지만 당신이 심판을 내리는 대가로 심판을 또한 받겠죠. 훗날 당신은 세월의 심판대 앞에 출두할 것입니다. 당신도 역사에 대해 충분히 배웠으니 진정으로 위대한 감정과 행위들을 구별할 줄 알겠죠.

이제 나는 가장 심각한 문제, 여자들과의 관계에 대해 이야기하겠습니다. 당신이 출입할 살롱에서 여기저기 치근거리며 헤프게 행동하지 않는 것을 원칙으로 삼아요. 지난 세기에 가장 인기가 좋았던 사람들 중의 한 명은 하루저녁에 한 여자에게만 전념하고, 아무도 거들떠보지 않는 것처럼 보이는 여성들을 선택하곤 했답니다. 사랑하는 이여, 그 사람이 자신의 시대를 지배했습니다. 그는, 얼마 후에는 모든 사람들이 자신의 칭찬을 줄기차게 하리라고 현명하게 계산했던 것입니다. 대부분의 젊은 사람들은 가장 소중한 재산, 즉 인간관계를 맺는 데 필요한 시간을 제대로 활용하지 못합니다. 그 인간관계란 사회 생활의 절반이죠. 그들은 있는 그대로 매력적이기 때문에, 조금만 잘하면 다른 사람들을 자기의 편으로 만들 수 있어요. 하지만 인생의 봄은 빨리 지나가니까, 잘 활용하도록 해요. 영향력 있는 여자들과 두터운 친분을 쌓아야 합니다. 영향력 있는 여자들은 나이가 지긋한 부인들입니다. 가문들 간의 혼인 관계, 모든 집안들의 비밀, 그리고 목표를 신속하게 달성할 수 있는 지름길을 당신에게 가르쳐 줄 겁니다. 그녀들은 당신을 마음으로 위할 것입니다. 독실한 기독교 신자가 아닌 경우에는 젊은이를 후원하는 것이 그녀들의 마지막 사랑입니다. 당신을 여기저기에 추천하고, 당신을 더욱 매력적으로 보이게 하는 등,

훌륭하게 뒷받침할 거예요. 젊은 여자들을 경계하길! 내가 사심을 품고 하는 말이라고 생각하지 말아요. 쉰 살의 여성은 당신을 위해 모든 것을 해 주지만, 스무 살의 여성은 아무것도 해 주지 않습니다. 이 여자는 당신의 삶의 모두를 요구하고, 저 여자는 단지 잠깐 동안의 배려로 만족합니다. 젊은 여자들을 비웃고 하찮게 여겨도 됩니다. 그녀들은 진지한 생각을 할 능력이 없으니까요. 벗이여, 젊은 여자들은 이기적이고, 편협하며, 진정한 우정을 품지 못하고, 자기 자신만을 사랑하고, 다른 남자들의 눈길을 끌기 위해서 당신을 희생시킬 수도 있어요. 게다가 그녀들은 당신이 헌신하기를 바랄 텐데, 당신은 남의 헌신을 필요로 하는 상황에 놓여 있어서, 이 두 요구는 서로 상반됩니다. 그녀들 중 아무도 당신의 이익을 이해하지 못하고, 모두 당신을 생각하기보다는 자기 자신을 생각하며, 당신에게 그녀들의 애정이 도움이 되기보다는 그 이면의 허영심이 해가 될 뿐입니다. 아무런 거리낌 없이 당신의 시간을 잡아먹으면서, 당신의 출세를 가로막고 아주 기꺼이 당신을 파괴할 것입니다. 만약 당신이 불평을 하면, 그중에 가장 바보스런 여자라도 자신의 장갑이 전 세계만큼 중요하고, 자신을 시중드는 것 이상으로 영광스런 일이 없음을 당신에게 증명해 보일 겁니다. 모두 자신이 행복하게 해 준다면서 당신의 찬란한 미래를 잊게 하겠지만, 그녀들이 준다는 행복은 변하기 쉬운 반면 당신의 성공은 탄탄한 것입니다. 자신들의 욕망을 충족시키기 위해, 일시적인 취향을 지상에서 시작되고 천상에서 계속되는 사랑으로 둔갑시키는 데 얼마나 간사한 꾀를 부리는지 당신은 잘 모릅니다.

당신을 버리고 떠나는 날, 그녀들은 마치 '사랑해요'가 자신의 사랑을 변명했듯이, '당신을 더 이상 사랑하지 않아요'라는 말로 이별이 정당화된다고, 그리고 사랑은 의지와 상관없는 것이라고 하겠죠. 이것은 터무니없는 이론이에요! 이것만은 믿어요. 진정한 사랑은 영원하고, 무한하며, 한결같답니다. 그것은 고르고 순수하며, 격렬하게 시위하지 않습니다. 백발의 모습을 하고 있지만 마음은 젊죠. 이런 것들이 사교계의 여자들에게는 없습니다. 그녀들은 모두 연극을 할 뿐이에요. 예를 들어, 한 여자는 신세타령을 함으로써 당신의 관심을 끌고, 가장 온화하고 원만한 여자로 비춰질 것입니다. 그러나 당신이 그녀를 필요로 하게 된 다음에는, 당신을 점점 지배하려 들고, 당신을 자신이 원하는 대로 움직이려 할 것입니다. 당신이 외교관이 되고자 오가면서 사람들과, 그들의 이해관계, 국가들에 대해서 연구하려 한다고요? 아니, 당신은 파리, 또는 그녀의 영지에 있어야만 합니다. 그녀는 심술궂게 당신을 자신의 치마폭에 박으려 할 테니까요. 당신이 헌신하면 할수록 그녀는 배은망덕해집니다. 또 다른 여자는 당신에게 복종함으로써 당신의 환심을 사려고 하겠죠. 그녀는 당신의 시동이 되어, 소설 속에서처럼 당신을 세상 끝까지 따라가고, 당신을 곁에 두기 위해 자신의 평판을 일부러 위태롭게 할 텐데, 그런 여자는 당신의 목에 걸린 돌과 같은 존재입니다. 당신은 언젠가는 익사하겠지만, 여자는 표면에 떠오를 것입니다. 가장 어리숙한 여자에게도 무한히 많은 술수들이 있답니다. 가장 바보스러운 여자는 경계심을 불러일으키지 않는 틈을 타서 승리를 거둡니다. 이유도 모르고 당신을 사랑하다가, 까닭 없이 당신을 떠나고는, 허영심 때문에 당신에게 돌아올, 바람기 있는 여자가 차라리 덜 위험해요. 그러나 모두가 현재, 또는 미래에 당신에게 해로울 뿐입니다. 사교계를 드나들며, 쾌락에 빠지고 자만심을 충족시키면서 사는 젊은 여성은 당신을 타락시킬, 반쯤 타락한 여성입니다. 그런 곳에는 당신이 영원히 군림할 마음의 주인인, 정숙하고 사색적인 여인이 존재하지 않아요. 아, 당신을 사랑할 여인은 고독할 것입니다. 그녀에게 가장 화려한 축제는 당신의 시선일 것이고, 또 그녀는 당신의 말들을 생명의 양식으로 삼겠죠. 그 여인은 당신에게 세상 전체가 되어야 합니다. 왜냐하면 당신이 그녀의 모든 것일 테니까요. 그녀를 많이 사랑해 줘요. 그녀에게 슬픔도, 연적(戀敵)도 없도록 하고, 질투심도 유발하지 말아요. 사랑받는 것, 이해를 받는 것은 가장 큰 행복이니, 당신이 그것을 누릴 수 있기를 빌어요. 하지만 순결한 마음을 더럽히지 않으려면, 당신이 사랑할 사람에 대한 확신이 있어야 합니다. 그 여인은 자신을 완전히 희생할 줄 알고, 결코 자기 생각을 하는 법이 없어야 하며, 오직 당신 생각만을 해야 합니다. 그녀는 당신과 다투지 않고, 자신의 이익을 따지지 않으며, 당신이 못 보는 위험을 당신 대신 예감할 줄 알고, 그러면서도 자신에게 닥친 위험을 잊지요. 그리고 아파도, 신음 소리 하나 없이 아파하고, 자신을 위해 멋을 부리지는 않지만, 당신의 사랑에 대한 존중과 보답으로 멋을 부립니다. 그 사랑을 능가하는 사랑으로 그녀에게 보답해요. 만약 당신이 불쌍한 벗인 내게 항상 결여된 것, 상호간에 똑같이 느끼고 주는 사랑을 만나는 행운을 누린다면, 그 사랑이 아무리 완벽해도 한 골짜기에는 당신에게 어머니와 같은 존재가 있다는 것을 항상 기억해 줘요. 그녀의 마음은 당신이 채워 넣은 감정으로 하도 파여서 바닥을 찾을 수가 없을 정도입니다. 그래요, 당신에 대한 나의 애정의 깊이를 당신은 도저히 헤아리지 못합니다. 그것을 있는 그대로 보기 위해서는, 당신의 총명함을 버려야만 했을 텐데, 그러면 당신은 나의 헌신이 어디까지 갈 수 있는지 몰랐을 겁니다. 내가 젊은 여자들은 모두 어느 정도 가식적이고, 장난스럽고, 허영심이 많으며, 경박하고 낭비가 심하다고, 그녀들을 피하라고 하는 것이 수상한가요? 영향력 있는 여인들, 죽은 남편의 재산을 상속받은 위엄 있는 부인들, 내 숙모처럼 지혜롭고, 은밀한 모함을 잠재움으로써 당신을 보호하고, 당신에 대해서 본인이 직접 하지 못하는 말들을 하는 등 당신에게 많은 도움을 줄 그녀들에게 애착을 가지라고 하는 것도 수상한가요? 오히려 가장 순결한 영혼을 가진 천사만을 숭배하라고 명령하는 것은 대범하지 않은가요? '지위가 높으면 덕도 높아야 한다'는 말이 내가 처음에 했던 충고들의 대부분을 포괄한다면, 여자와의 관계에 대한 내 생각들은 이 기사도적인 격언 속에 담겨 있습니다. '모두를 섬기고, 한 명만 사랑하라.'

당신은 방대한 지식을 갖추었고, 가슴은 고통에 의해 잘 보존되어 때가 묻지 않았어요. 당신의 모든 것이 아름답고 훌륭합니다. 그러니, '뜻을 품어요!' 당신의 미래는 이제 이 한마디 속에 있습니다. 이것이 바로 위인들의 한마디죠. 내 아들, 당신의 앙리에트의 말에 복종할 거죠? 그녀가 당신에 대해서, 당신과 세계의 관계에 대해서 생각하는 바를 말하는 것을 허락할 거죠? 내 마음속에 내 아이들과 마찬가지로 당신의 미래를 보는 눈이 있어요. 이런 능력을 당신을 위해서 발휘할 수 있게 해 줘요. 내 조용한 삶이 가져다준 이런 신비한 재능은 약해지지 않고 오히려 고독과 침묵 속에서 유지됩니다. 그 대신 내게 큰 행복을 안겨달라는 청을 하겠어요. 나는 당신이 사람들 사이에서 성장하는 것을 보고 싶어요. 당신이 거두는 성공 중에 어느 하나라도 내 이마에 주름 잡히게 하는 일 없이 말이에요. 하루빨리 당신의 가문에 걸맞는 출세를 하고, 내가 당신의 성취에 실제로 기여했다고 말해 줄 수 있기를 원해요. 이 비밀스런 협조는 내게 허락된 유일한 기쁨이죠. 기다릴게요. 당신에게 작별인사를 하지 않겠어요. 우리는 헤어졌고, 당신이 내 손에 입술을 맞출 수는 없지만, 당신은 누구의 마음속에 얼마나 큰 자리를 차지하고 있는지를 알 터입니다. 그것은 바로

　'당신의 앙리에트.'"

　이 편지를 다 읽었을 때, 아직도 차갑게 맞이한 어머니의 태도에 아직 얼어붙어 있던 차에, 나는 내 손가락 밑에서 모성으로 가득한 심장이 고동치는 것을 느꼈다. 백작부인이 이 편지를 투렌을 떠나기 전에 읽지 못하게 한 이유를 알았다. 아마도 그녀는 내가 자신의 발치에 엎드려서 눈물을 흘릴까 봐 두려웠던 것이다.

　나는 드디어 형 샤를을 좀 더 잘 알게 되었다. 그때까지 그는 내게 낯선 사람이나 다름없었다. 그러나 나를 대할 때마다 그에게서 엿보이는 거만함은 우리 사이의 거리를 두어서 서로에 대한 형제

애를 키울 수는 없었다. 따뜻한 감정은 모두 영혼의 평등 위에 싹
트는데, 우리들 사이에는 아무런 공통점이 없었다. 그는 유식한
체하며 정신 또는 마음이 그냥 알아차릴 수 있는, 하찮은 것들을
내게 가르쳐 주었다. 걸핏하면 나를 불신하는 태도를 보였다. 내
사랑에 의지하지 않았더라면, 나를 아무것도 모르는 사람으로 취
급하는 그의 영향으로 실제로 서툴고 멍청한 사람이 되었을 것이
다. 그래도 그는 사교계에 나를 소개했는데, 그곳에서 나의 어리
석음과 비교되어 자신의 능란함을 돋보이게 하려는 의도였을 것
이다. 어린 시절의 시련이 없었더라면, 나를 보호해 주는 척하는
그의 거만함을 형제애로 착각했을지도 모른다. 하지만 정신적인
고독은 물리적인 고독과 같은 효과를 낳는다. 침묵은 가장 작은
울림까지도 감별할 수 있게 해 주고, 자기 자신 안으로 도피하는
습관은 자기를 향한 감정들의 미묘한 차이들을 발견할 수 있는 감
수성을 길러 준다. 모르소프 백작부인을 알기 전까지 차가운 눈길
에 상처를 입었고, 거친 말투에 마음이 찢겼을 뿐이다. 나는 그런
것들로 인해 신음했지만 다정함에 대해서는 전혀 몰랐다. 그러나
클로슈구르드에서 돌아온 이후에는, 비교를 할 대상이 생겨서 조
숙했던 분별력이 더욱 예리해졌다. 불행한 경험에서만 나온 관찰
력은 불완전하다. 행복 또한 조명의 역할을 해 준다. 나는 샤를에
게 속지 않았기에 그가 장자의 우월감으로 나를 짓누르도록 기꺼
이 내버려 두었다.

　나는 르농쿠르 공작부인의 댁을 홀로 방문했다. 그곳에서 앙리
에트에 대한 이야기는 듣지 못했다. 아무도, 소박함 그 자체인 공

작조차도 그녀에 대해 말을 꺼내지 않았다. 하지만 공작이 나를 접대하는 태도로 보아 딸이 비밀리에 부탁했음을 알아차렸다. 상류층 사교계에 입문하는 사람이 사로잡히게 마련인 얼떨떨함에서 벗어날 때쯤, 야심만만한 자들에게 사교계가 제공하는 자원들을 터득하면서 그곳에서 즐기는 법을 엿보기 시작할 무렵, 앙리에트의 충고들이 얼마나 심오한 진리를 담고 있는지를 확인하며 그것들을 유쾌히 적용해 가던 무렵, 3월 20일에 엘바 섬에서 탈출한 나폴레옹이 튈르리 궁에 입성했다. 형은 겐트*로 도피하는 왕실을 따라갔다. 나는 백작부인의 충고에 따라 — 우리는 계속 서신을 교환하고 있었는데, 내 쪽에서만 활발했다 — 르농쿠르 공작과 그곳에 동행했다. 내가 가슴으로, 머리에서 발끝까지 부르봉 왕조에 충성한다는 것을 본 공작은, 평상시에도 상냥하게 대해 주었지만, 나를 진심으로 후원해 주었고, 직접 국왕 폐하께 소개시켜 주었다. 곤경에 처한 왕의 주위에는 신하가 별로 없었다. 젊었을 때는 순진한 존경심과 계산이 없는 충성심을 품기도 한다. 폐하께서는 사람을 평가하는 안목이 있었고, 튈르리 궁에서는 전혀 눈길을 끌지 못했던 나는 겐트에서 주목받았다. 다행히도 루이 18세의 환심을 샀다. 방데 군*의 밀사가 공문과 함께 아버지에게 보내는 모르소프 부인의 편지를 가져왔다. 거기에는 내게 전하라는 내용도 있어서 자크가 아프다는 소식을 접했다. 아들의 악화된 건강, 왕실의 망명, 그리고 따라나서지 못하는 자신의 처지로 절망에 빠진 모르소프 백작은 몇 자를 덧붙였다. 그것으로써 내가 사랑하는 여인이 처한 상황을 짐작했다. 자크의 머리맡에서 밤낮으로 쉴 새 없이 모든 시간을 보내는 와중에 틀림없이 그에게 시달림을 당하고 있으리라고. 짓궂은 말들에는 초연했겠지만, 온 신경을 아이의 병간호에 쏟아서, 그것들에 대처할 힘은 없으리라고. 이런 때에 앙리에트는 삶의 무게를 덜어 주었던 애정이 필요했을 것이다. 그 애정을 모르소프 백작의 관심을 다른 데로 돌리는 데 이용할 뿐일지라도. 이미 여러 번 나는 백작이 그녀를 괴롭히려 할 때 그를 밖으로 데려가곤 했었다. 그런 순진한 술수가 성공을 거둘 때마다 모르소프 부인은 내게 진한 감사의 눈길을 보냈다. 내 사랑은 그런 눈길에서 희망을 얻곤 했다. 빈 회의*에 파견된 샤를과 같은 외교관의 길을 가고픈 조급한 마음이 있었음에도 불구하고, 형의 그늘에서 벗어나 앙리에트의 예상을 실현시키기 위해 목숨이라도 바칠 준비가 되었음에도 불구하고, 나의 야심, 독립하고자 하는 욕망, 폐하 곁에 있음으로써 얻는 이득, 이 모든 것들이 모르소프 부인의 아파하는 모습 앞에서 희미해졌다. 나는 진정한 여왕을 섬기러 가기 위해 겐트의 궁정을 떠나기로 결심했다. 하느님은 내게 상을 내리셨다. 방데 군이 보낸 밀사가 프랑스로 돌아갈 수 없었으므로, 폐하께서는 당신의 명령을 전달하러 갈 헌신적인 사람이 필요했다. 르농쿠르 공작은 왕이 이런 위험천만한 임무를 수행할 자를 잊지 않으리라는 것을 알고 있었다. 그는 내게 묻기도 전에 나를 추천했고, 나는 대의를 섬기는 동시에 클로슈구르드로 돌아갈 수 있어서 기쁜 마음으로 승낙했다.

스물한 살의 나이에 왕과 면담을 한 후, 나는 프랑스로 돌아와,

파리와 방데에서 폐하의 분부를 즐겁게 거행했다. 5월 말 즈음에 나는 나폴레옹의 경찰에 신고되어 쫓기기 시작했다. 그래서 귀향하는 사람으로 위장해서 영지와 숲을 전전하며, 방데의 북방, 보카주와 푸아투를 가로질러, 그때그때의 사정에 따라 행로를 변경하면서 도망다녀야 했다. 나는 소뮈르에 달하여, 소뮈르에서 다시 시농으로 갔고, 시농에서 하룻밤 사이에 뉘에유 숲에 도달했다. 그곳에서 평지에서 말을 타고 있는 백작을 만났다. 그는 나를 태우고, 나를 알아볼 만한 사람은 한 명도 만나지 않고 자신의 집으로 데려갔다.

"자크는 많이 좋아졌네." 이것이 그의 첫마디였다.

내가 외교 임무를 맡은 보병으로서 맹수처럼 추격당하고 있다는 상황을 밝히자 백작은 왕에 대한 충성심으로 무장하여 셰셀 씨 대신에 위험을 무릅쓰고 나를 자기 집에 묵게 하려 했다. 클로슈구르드가 시야에 들어오자, 지난 8개월이 꿈결처럼 느껴졌다. 백작이 앞장 서며 부인에게, "누구를 데려오는지 알아맞춰 보오…… 펠릭스"라고 했을 때, 그녀는 "그럴 리가!" 하며 팔을 떨어뜨리고 아연실색했다.

내가 모습을 드러내자 우리는 둘 다 잠시 꼼짝 않고 있었다. 그녀는 의자 위에 못 박힌 듯이, 나는 문간에 서서, 하나의 눈길로 잃어버린 시간을 모두 보상받으려는 연인들처럼 서로를 뚫어지게 응시했다. 그러나 그녀는 얼떨결에 자신의 마음의 베일을 벗겨 버린 것이 부끄러워 곧 일어섰다. 나는 다가갔다.

"당신을 위해 참 기도를 많이 했답니다." 키스하라고 내게 손을 내민 후 그녀는 내게 말했다.

아버지의 소식을 물었다. 그리고 내가 몹시 피곤하리라는 것을 짐작하고 내 잠자리를 준비하러 갔고, 그동안 백작은 나의 식사 준비를 시켰다. 나는 매우 굶주린 상태였다. 내 침실은 그녀의 침실 바로 위에 있는, 숙모가 쓰던 침실이었다. 그녀는 층계의 첫 단위에 발을 올려놓으면서 직접 나를 그곳으로 안내할 것인지 속으로 고심하는 것 같았다. 결국 백작으로 하여금 나를 데려다 주게 했다. 내가 그녀를 향해 돌아서자, 얼굴을 붉히며 잘 자라고 한 후 재빨리 들어갔다. 내가 저녁 먹으러 다시 내려갔을 때, 워털루의 패배와 나폴레옹의 도주, 파리를 향한 동맹국 군대들의 행군, 그리고 부르봉 왕조가 아마도 재위할 것이라는 소식을 들었다. 이런 사건들이 백작에게는 전부였지만, 우리에게는 아무것도 아니었다. 아이들을 쓰다듬은 후에 내가 접한 가장 큰 소식은 무엇이었던가? 창백해지고 야윈 백작부인을 보면서 들었던 근심에 대해 이야기하지 않겠다. 나의 놀란 기색이 그녀에게 얼마나 상처가 될지 알고 있었기에 그녀 앞에서는 기쁨만을 내비쳤다. 우리에게 큰 소식은 "얼음이 있습니다!"였다. 다른 음료를 마시지 않는 나는 얼음물을 좋아했는데, 작년에 나를 위해 충분히 차가운 물이 없어서 그녀는 자주 한탄하곤 했었다. 지하 얼음 창고를 짓기 위해 얼마나 노고가 컸을까! 사랑은 말 한마디, 눈길 하나, 말투의 변화, 겉으로는 사소해 보이는 배려로 충분히 전달된다는 사실을 당신은 그 누구보다도 잘 알 것이다. 저절로 증명된다는 점이 사랑의 가장 값진 특권이다. 마치 예전에 주사위 놀이에서 나의 태도로 그녀에게 모든 감정을 말해 주었듯이, 그녀의 말, 눈길, 기쁨이 그녀의 감정의 깊이를 드러내고 있었다. 그 뒤로도 애정의 순수한 증표들은 넘쳤다. 내가 온 지 7일이 지나자 그녀는 다시 활기를 되찾고 건강과 환희와 젊음으로 빛났다. 나의 사랑스런 백합은 더욱 아름답게, 더욱 활짝 피었고, 동시에 마음의 보물은 더욱 풍부해졌다. 서로 떨어져 있으면 감정이 약해지고, 마음의 흔적들이 지워지며, 사랑하는 사람의 아름다움이 희미해지는 현상은 천박하고 저속한 사람들의 경우가 아니겠는가? 뜨거운 상상력을 가진 사람들에게, 그리고 열정이 피 속에 들끓거나 얼굴의 홍조로 나타나는 일편단심을 가진 사람들에게 이별은 마치 초기 기독교인들에게 신앙심을 더욱 굳건하게 해 주고, 하느님을 볼 수 있게 해 주었던 고문과 같은 효과를 낳지 않겠는가? 사랑으로 가득 찬 마음속에는 무한한 소망들이 있어, 욕망의 대상은 몽상의 빛으로 물들어서 더욱 탐스럽게 느껴지지 않는가? 초조함에 의해 자극된 상상력이 사랑하는 사람의 모습을 이상적인 아름다움으로 치장하지 않는가? 추억 하나하나를 되새김질해서 살아나는 과거는 더욱 커지고, 미래는 희망으로 가득 차게 된다. 전류가 흐르는 구름을 다량 담고 있는 두 심장 사이에 오랜만의 재회는 번개처럼 갑작스런 빛을 발하며 땅을 재생시키고 비옥하게 하는 자비로운 폭풍우와 같다. 이런 생각과 느낌들이 나만의 것이 아님을 확인하고 나는 얼마나 황홀한 기분을 맛보았겠는가! 앙리에트가 점점 행복해지는 모습을 보며 얼마나 기뻤던가! 어쩌면 사랑하는 사람의 눈길을 받고 활기를 되찾는 여인이 의심으로 죽어 가거나, 시드는 꽃처럼 수액이 모자라 메말라 가는 여인보다 더 큰 사랑을 보여 준다고 할 수 있을 것이다. 그 둘 중에 누가 더 감동적인지 모르겠다. 모르소프 부인은 5월에 들판이 되살아나듯이, 햇살과 물을 받고 처졌던 꽃들이 회생하듯이 자연스럽게 거듭났다. 우리의 사랑의 골짜기처럼, 앙리에트는 겨울을 지낸 후 봄을 맞아 부활했다. 저녁식사 전에, 우리는 우리의 소중한 테라스로 내려갔다. 아이는 아직 병을 앓고 있는 것처럼 말이 없었고, 어머니의 옆구리에 붙어서 걸었다. 그곳에서 그녀는 예전보다 더 허약해진 아이의 머리를 쓰다듬으며, 아픈 아이의 머리맡에서 보낸 밤들에 대해 이야기해 주었다. ―3개월 동안 그녀는 완전히 내적인 삶을 살았던 것이다. 어두컴컴한 궁전에서 그녀에게는 금지된 잔치들이 벌어지는 호화롭고 불빛이 반짝거리는 방 안으로 들어가기를 두려워하며 지냈다. 문턱에 서서, 한쪽 눈으로는 아이를 지켜보고, 다른 한쪽 눈으로는 희미한 형체를 응시하고, 한쪽 귀로는 고통의 신음소리를 듣고, 다른 쪽 귀로는 하나의 목소리를 들었다. 그녀는 고독에서 얻은 영감으로, 어떤 시인도 일찍이 지어낸 적이 없는 시들을 내 앞에서 읊고 있었다. 그러나 거기에 사랑의 파편이나, 관능의 흔적이나, 프란지스탕의 장미*처럼 감미로운 동양의 시심(詩心)이 조금이라도 서려 있으리라는 의심은 전혀 못한 채 이 모든 이야기를 순진하게 해 주었다. 백작이 우리와 합류했을 때에도, 그녀는 남편을 떳떳하게 바라볼 수 있고 아들의 이마 위에 부끄러움 없이 입을 맞출 수 있는 당당한 여인답게, 같은 어조로 계속했다. 기도를 많이 했다고, 그리고 자크가 죽지 않기를 간청하면서 모은 두 손 밑으로 그를 안고 며칠 밤을 샜다고.

"나는 자크에게 생명을 달라고 하느님께 간청하기 위해 신전의
문 앞까지 갔다왔어요." 그녀는 말했다. 자신이 본 환영을 내게 이
야기해 주었다. "내가 잠들었을 때 내 마음은 지키고 있었어요!"
그러나 천사의 목소리로 이런 신비로운 말을 했을 때, 백작이 그
녀의 말을 끊었다.

"그러니까 당신은 거의 미쳤었다는 거군."

그녀는 극심한 아픔을 느끼며 입을 다물었다. 마치 그것이 첫
번째로 입은 상처인 듯이, 마치 13년 동안 이 사람이 그녀의 가슴
에 화살을 꽂을 기회를 놓치지 않았다는 것을 잊은 듯이. 비행 중
에 조잡한 납덩어리를 맞은 숭고한 새처럼, 그녀는 망연자실했다.

"뭐라고요, 제가 하는 말 중에 한마디라도 당신의 엄중한 평가
를 무사히 통과하는 법이 없나요? 당신은 나의 나약함에 대해 관
대해질 수는 없나요? 또 여성적인 사고에 대해 전혀 이해할 수 없
는 건가요?"

그녀는 멈추었다. 이미 이 천사 같은 여인은 불평의 소리를 낸
것을 후회하고 있었다. 그녀의 눈은 자신의 과거와 미래를 가늠하
고 있었다. 백작이 자신을 이해할 수는 있을까? 그의 입에서 독기
있는 폭언이 튀어나오지 않을지? 그녀의 파란 핏줄은 관자놀이
안에서 격렬하게 요동쳤다. 눈물은 흘리지 않았지만 그녀의 초록
색 눈은 흐려졌다. 내 눈 속에서 안타까움을 읽지 않으려고 시선
을 땅으로 떨구었다. 그녀는 내가 자기의 감정을 모두 헤아리고
자기의 마음을 내 마음으로 애무하고 있음을, 그리고 충직한 개처

럼 여주인에게 상처를 입히는 사람을 힘과 지위에 상관없이 덮칠 태세로 동정적인 분노를 느끼고 있음을 알고 있었기에 보려 하지 않았던 것이다. 이런 잔인한 순간에 백작이 취하는 거만한 표정이 가관이었다. 그는 아내를 이겼다고 생각하는 듯, 똑같은 도끼 소리를 내듯 똑같은 말을 되풀이하며 그녀에게 퍼부었다.

"여전하시네요." 조마사(調馬師)가 백작을 불러서 그가 어쩔 수 없이 우리를 떠났을 때 나는 말했다.

"여전하세요." 자크가 대답했다.

"여전히 좋은 분이시지, 얘야." 그녀는 자크에게 말했다. 이렇게 모르소프 백작에게 자녀들의 심판을 면하게 해 주려 했다. "너는 현재만을 보고 과거는 모르잖니. 아버지를 부당하게 비판하지 말거라. 하지만 아버지의 잘못을 목격하는 불행한 일이 벌어진다면, 가문의 명예를 위해서 그런 비밀은 가장 깊숙한 침묵 속에 묻어 두는 거란다."

"개조한 라 카신과 라 레토리에르에서의 일은 어떻게 돼 가나요?" 쓸쓸한 상념에서 그녀를 끌어내기 위해 내가 물었다.

"기대 이상이에요. 건물이 완공된 후 두 명의 훌륭한 농장 관리인을 구했답니다. 이들은 각각의 농장을 세금까지 포함해서 4,500프랑, 그리고 5천 프랑에 빌렸고, 계약 기간은 15년이에요. 우리는 이미 두 개의 새로운 농장에 나무를 3천 피에*나 심었어요. 마네트의 친척이 라블레 농장을 얻어서 매우 흡족해하고 있고, 마르티노가 보드 농장을 경영하고 있지요. 네 명의 농장주들의 재산은 들판과 숲으로 이루어져 있어요. 몇몇 비양심적인 이들이 하는 것처럼 우리의 경작지를 위한 퇴비를 포함시키는 일도 없고요. 그래서 **우리의** 노력은 가장 만족스런 성공을 거두었어요. 클로슈구르드만 해도, 소위 성의 직속 농장이라고 부르는 저장고를 제외하고, 숲과 포도밭을 제외하고 1만 9천 프랑의 수입을 올리고 있고, 나무에서도 적당한 연금이 나올 거예요. 우리의 관리인인 마르티노의 몫으로 두었던 땅을 그에게 넘기자고 백작을 설득하는 중입니다. 이제는 그의 아들이 그를 대신할 수도 있으니까요. 만약 모르소프 백작이 코망드리에 농장을 하나 지어 준다면 3천 프랑을 지불하겠다고 하더군요. 그러면 우리는 클로슈구르드 주변을 트고, 시농으로 가는 도로까지 달하는 길을 계획대로 완성할 수 있고, 우리의 포도밭과 숲만 돌보면 될 거예요. 폐하께서 돌아오시면, **우리는** 연금을 다시 받게 될 겁니다. 그러면 **우리는** 상식과 **우리의** 아내에 맞서서 며칠 싸운 뒤에 마르티노의 제안을 받아들이게 되겠지요. 자크의 재산은 매우 견고해질 거예요. 이런 성과를 얻은 후에, 백작께서 마들렌을 위해 돈을 모으게 해야지요. 어쨌든 관행대로 폐하께서 아이의 지참금을 마련해 주실 겁니다. 이제 내가 할 일을 수행했으니 마음이 편하네요. 당신은요?" 그녀는 물었다.

나는 그녀에게 내 임무에 대해서 설명하면서, 그녀의 충고가 얼마나 유익하고 현명했는지 보여 주었다. 그녀는 천리안이 있어서 이렇게 앞날을 예견할 수 있었던가?

"당신에게 편지로 쓰지 않았던가요?" 그녀는 대답했다. "당신만을 위해서 나는 놀라운 능력을 발휘할 수 있어요. 그것에 대해서는 내 고해신부인 베르즈 신부에게만 이야기를 했는데, 그는 신의 은총이라고 하더군요. 가끔은, 내 아이들의 상태에 대한 염려로 깊은 사색을 한 후에, 내 눈은 이승의 것들에 대해서는 감기고, 다른 곳을 보게 되어요. 그곳에서 자크와 마들렌이 광채를 띠고 있으면 그들이 얼마간 건강이 좋고, 안개로 둘러싸여 있으면 곧 앓아누웠답니다. 당신은 항상 광채를 띠고 있을 뿐만 아니라, 당신이 해야 하는 바를 가르쳐 주는 부드러운 목소리가 들립니다. 그것도 말 없이, 정신적인 교감으로써 말이에요. 오직 내 아이들과 당신을 위해서만 이런 초능력이 생기는 것은 무슨 이치일까요?" 그녀는 이렇게 물으며 몽상에 빠졌다. "하느님께서 그들의 아버지가 되려 하셨던 걸까요?" 잠시 후에 혼자 말했다. 나는 대답했다.

"단지 당신에게만 복종한다고 믿게 해 주세요!"

그녀는 너무나 우아한 미소를 지었다. 그런 미소 앞에서 황홀해진 나는 치명적인 구타도 느끼지 못했을 것이다. 그녀는 말을 이었다.

"폐하께서 파리에 가시자마자 그곳으로 가요. 클로슈구르드를 떠나요. 직위와 환심을 구걸하는 것이 품위를 떨어뜨리는 행위지만 그것들을 받을 수 없는 위치에 머무는 것 역시 어리석어요. 큰 변화가 일어날 거예요. 폐하께서는 능력 있고 신뢰할 만한 사람을 필요로 하실 텐데, 열심히 도와드려요. 당신은 젊은 나이에 정계에 입문하게 될 것이고, 그것이 당신에게 좋아요. 정치인은 배우와 마찬가지로, 천재적인 두뇌만으로는 알 수 없는 요령들을 경험으로 터득해야 하죠. 슈아젤 공작이 아버지께 이런 점을 가르치셨어요." 잠시 후에 그녀는 말했다. "내 생각 좀 해요. 내게 완전히 충실한 영혼이 출세하는 것을 보고 우쭐해질 수 있게 해 줘요. 당신은 내 아들이잖아요?"

"당신의 아들?" 나는 토라지듯이 물었다. 그녀는 나를 놀리며 대답했다.

"내 아들일 뿐이에요. 그것도 내 가슴속에 큰 자리를 차지하는 것 아닌가요?"

저녁식사를 알리는 종이 울렸다. 그녀는 내 팔을 잡고 자연스럽게 거기에 기댔다.

"당신은 컸군요." 계단을 오르며 내게 말했다. 현관 앞에 달했을 때, 그녀는, 마치 내 눈빛이 너무 격렬하다는 듯이 내 팔을 흔들었다. 눈이 아래로 향하고 있었지만 내가 자기만을 바라보고 있다는 것을 잘 알고 있었다. 그래서 너무나 우아하고 사랑스런 표정으로, 화난 척하며 말했다. "우리의 골짜기 좀 보세요!" 그녀는 돌아서서, 자크를 자기 몸에 밀착시키며 흰색 비단 양산을 우리의 머리 위로 기울였다. 앵드르 강과 조각배, 그리고 들판을 가리키는 그녀의 고갯짓을 보고, 나는 우리가 함께 이곳을 산책한 이후로 그녀가 이 희미한 지평선의 안개 낀 곡선들과 교감을 나누었다는 사실을 알았다. 자연은 그녀의 상념들을 숨기는 겉옷이었다. 그녀는 이제 나이팅게일이 밤에 뭐라고 타령하는지, 그 반복적이고 구슬픈 음조가 어떤 의미를 담고 있는지 알아들을 수 있었다.

저녁 여덟 시에 나는 매우 감동적인 장면을 목격했다. 그때까지는 그런 예식이 아이들이 잠자리에 들기 전에, 내가 모르소프 백작과 주사위 놀이를 하는 동안 식당에서 거행되었기 때문에 한 번도 본 적이 없었다. 종소리가 두 번 울리자 집안의 모든 하인들이 모였다.

"당신은 손님이니까 우리 수녀원의 규칙에 따르시지요?" 진정한 신앙심을 가진 여성들만이 취할 수 있는 익살스러우면서도 순진한 얼굴로 내 손을 끌면서 이야기했다.

백작은 우리를 따라왔다. 주인, 아이들, 그리고 하인들은 모두 모자를 벗고, 자기의 자리로 가서 무릎을 꿇었다. 마들렌이 기도할 차례였다. 귀여운 소녀는 어린아이의 목소리로 기도를 올렸다. 그 순수한 울림은 시골의 감미로운 침묵 속에서 청량하게 퍼졌고, 기도문은 더욱 숭고한 순결, 천사다운 우아함을 지니게 되었다. 내가 듣던 중에 가장 감동적인 기도였다. 자연은, 가벼운 오르간 반주처럼, 저녁의 수많은 속삭임으로 아이의 말에 대답을 보냈다. 마들렌은 백작부인의 오른쪽에 있었고, 자크는 왼쪽에 있었다. 두 아이의 어여쁜 머리카락과 그 사이에 솟은 어머니의 땋은 머리, 그리고 그 위로 모르소프 백작의 백발과 벗겨진 누런 두상은 하나의 그림을 이루었다. 그런데 그 그림의 색채는 기도문의 선율이 마음속에 일으킨 상념들과 일치하는 듯했다. 식당을 물들이는 붉은 석양빛도 거룩한 명상에 잠긴 이 모임을 감싸면서 숭고미를 자아내도록 일체감을 부여하고 있었다. 시적인 영혼, 또는 미신을 잘 믿는 영혼들은 천상의 빛이 이렇게 직위의 구분 없이, 교회가 명한 평등 속에 무릎을 꿇은 하느님의 독실한 봉사자들을 비춰 주고 있다고 믿었을 것이다. 예전의 족장 생활의 시대를 상상하던 내게 소박함으로 인해 이미 위대한 장면이 더욱 위대하게 보였다. 아이들은 아버지께 저녁 인사를 하고, 하인들도 우리에게 인사를 한 후, 백작부인은 아이들의 손을 잡고 들어갔다. 나는 백작과 함께 거실로 갔다.

"저기서는 자네에게 구원을 얻어 주고, 여기서는 지옥으로 데려가 주겠네." 그는 주사위 놀이판을 보여 주며 말했다.

백작부인은 약 30분 후에 우리와 합류하여 놀이판 옆으로 자수틀을 가져왔다. 바탕천을 펴며 말했다.

"이건 당신을 위한 거예요. 그런데 석 달 전부터 진도를 별로 나가지 못했어요. 이 붉은색 카네이션과 장미 사이에 가엾은 내 아들이 아팠죠."

"자, 자, 그 이야기는 그만합시다." 모르소프 백작이 말했다. "6-5가 나왔네요, 왕의 특사님."

잠자리에 들면서, 나는 그녀가 자신의 방에서 왔다갔다하는 소리에 귀를 기울였다. 그녀는 태연하고 순결한 마음으로 쉬고 있을 테지만, 나는 참을 수 없는 욕망이 불러일으키는 미친 생각들에 사로잡혔다. 나는 속으로 생각했다. '왜 그녀는 내 소유가 될수 없는 건가? 어쩌면 그녀도 나처럼 관능의 소용돌이 속에 빠져 있을지도 모르지.' 밤 한 시에 나는 내려갔다. 소리 없이 그녀의 문 앞까지 걸어가, 누워서 귀를 틈새에 댔다. 어린아이처럼 규칙적이고 차분한 그녀의 숨소리가 들렸다. 추위가 나를 엄습하자 다시 올라가서, 침대에 들어 아침까지 평온한 잠을 잤다. 내게 무슨 숙명이 있길래, 어떤 본성이 있길래, 낭떠러지의 끝까지 가서 악의 구렁텅이를 재 보고, 그 밑바닥을 헤아리며 냉기를 느끼고는, 감정이 북받쳐 물러서는 행동을 즐기는 것일까? 그 다음날, 그녀는 내가 자신의 정절을 짓밟다가도 존경하며, 저주하다가도 숭배하며 흘린 눈물과 퍼부은 키스 위로 걸어 나왔다는 것을 전혀 몰랐다. 내가 격분의 눈물을 흘리며 보낸 밤중의 한 시간, 그 시간을 어떤 사람들은 어리석다고 여길 것이다. 그것은 화약통 위에서 담배를 피우던 장 바르*처럼 확률의 깊은 심연 위에 걸터앉아 운이 좋을지를 실험해 보기 위해 군인들이 빗발치는 총탄을 피할 수 있을까 하고 포병 중대 앞으로 몸을 던질 때의 불가사의한 감정과 유사한 것이다. 그 다음날, 나는 두 개의 꽃다발을 만들었다. "스페인에서 감옥을 짓는다"*는 샹스네*의 말이 그를 위해 만들어졌다고 할 수 있을 정도로 그런 것에 무감각한 백작조차도 감탄했다.

나는 클로슈구르드에서 며칠을 보내는 동안 프라펠은 짧게 방문하는 데 그쳤다. 그래도 그곳에서 세 번의 저녁식사를 했다. 드디어 프랑스 군대가 투르를 점령했다. 내가 명백히 자신의 활력소였음에도 불구하고 모르소프 부인은 샤토루로 떠나라고 간청했다. 그곳에서 이수뎅과 오를레앙을 통해 파리로 재빨리 돌아가라는 것이었다. 나는 그 말을 거역하려 했으나 그녀는 또 영감을 얻었다며 단호하게 명을 내렸다. 나는 그것을 따를 수밖에 없었다. 이번에 우리는 눈물로 작별인사를 했다. 그녀는 내가 곧 처하게 될 사교계의 유혹에 대해 우려했다. 이익과 정념과 쾌락의 소용돌이 속으로 실제로 들어가야 할 순간이 오지 않았던가. 그래서 파리는 사랑의 절개나 양심의 순수함을 지키고자 하는 사람들에게 위험한 바다이다. 매일 저녁 그날의 사건과 생각들, 가장 사소한 것들까지 그녀에게 편지로 보고하겠다고 약속했다. 그렇게 약속하자 그녀는 머리를 내 어깨 위에 나른하게 기대면서 말했다. "아무것도 빠뜨리지 말아요, 당신에게 일어나는 모든 일에 관심이 있으니까."

그녀는 내게 공작과 공작부인에게 전달할 편지를 주었다. 나는 도착한 둘째 날 그들을 방문했다.

"자네는 행운아일세. 여기서 저녁식사를 하게." 공작이 내게 말했다. "오늘 저녁 나와 함께 왕궁에 가세. 자네의 출세는 보장됐네. 폐하께서 오늘 아침 자네 이야기를 하시면서, '그는 젊고, 능력 있고, 충실하지!' 라고 하셨어. 그리고 폐하께서 자네가 임무를 그리도 훌륭하게 수행한 이후에 죽었는지 살았는지, 어디에 있는지 모르는 것을 유감으로 여기셨다네."

그날 저녁 나는 국무회의의 심리관(審理官)이 되었다. 그것은 루이 18세의 재위 기간 내내 맡을 비밀 직무였으며, 두드러진 특권은 없지만 총애를 잃을 염려도 없는, 신뢰에 기반을 둔 자리로서, 나를 정부의 핵심으로 진출하게 해 주었고, 내 출세의 발판이 되었다. 모르소프 부인의 판단이 옳았다. 나는 그녀에게 모든 것을 빚지고 있었다. 권력과 부, 행복과 지식. 그녀는 나를 인도하고 격려했으며, 내 마음을 정화시켜 주고 내 의지가 일관성을 지니도록 해 주었다. 이런 일관성이 없으면 젊음의 활력이 실속 없이 낭비되기 십상이다. 이후에 내게 동료가 생겼다. 우리는 번갈아가며 6개월씩 근무했고, 필요할 경우에는 서로를 대체할 수 있었다. 궁전에 묵었고, 개인 마차도 있었으며, 멀리 파견 나갈 때에는 여행 경비로 두둑한 급료를 받았다. 참 기이한 상황이었다! 적들도 인정한 탁월한 정치가인 왕의 숨은 제자로서, 폐하께서 대내외적으로 만사에 대해 내리시는 판단을 직접 듣고, 표면적으로는 아무런 영향력이 없었지만 때로 왕의 자문 요청에 응하기도 했다. 노련한 폐하께서는 몰리에르가 라포레*에게 자문을 구했듯이, 어떤 결정에 대해 주저하실 때, 젊은 양심에 기대어 그 결정에 대한 확신을 얻고자 하셨다. 우리의 앞날은 보장되어, 야심을 충족시킬 만했다. 국무회의 예산에서 지급되는 심리관의 급료 이외에, 폐하께서 개인 재산에서 한 달에 1천 프랑씩 주셨고, 빈번히 특별 수당을 직접 하사하시곤 했다. 비록 폐하께서는 스물세 살의 청년이 과중한 업무를 오래 감당할 수 없으리라는 것을 짐작하셨지만, 내 동료는 1817년 8월이 되어서야 선별되었다. 그는 오늘날 귀족원 의원이 되었다. 우리가 맡은 임무가 너무나 많은 자질을 요구했기에 사람을 선택하기란 어려웠고, 폐하께서는 결정을 내리기 전에 한참을 망설이셨다. 황송스럽게도, 폐하께서는 저울질하시는 여러 젊은이들 중에 나와 가장 사이 좋게 지낼 만한 사람이 누구냐고 내게 물어보셨다. 그들 중에는 르피트르 기숙학교 동창이 있었지만, 나는 그를 지목하지 않았다. 폐하께서는 왜냐고 물으셨다. 나는 대답했다.

"폐하께서는 충성심은 같으나 능력이 서로 다른 사람들을 선택하셨습니다. 저는 가장 재능 있다고 생각되는 사람을 지명하였습니다. 그와 항상 잘 어울릴 수 있을 거라고 확신하기 때문입니다."

내 판단은 폐하의 판단과 일치했다. 폐하께서는 항상 내가 양보한 것에 대해 고마워하셨다. 그리고 이 시점에서 말씀하셨다. "자네가 제1심리관이 되는 걸세." 내 동료에게 내가 그를 지지했다고 알려 주셨고, 그는 거기에 대한 보답으로 내게 우정을 표시했다. 르농쿠르 공작은 나를 존중하며 대했는데, 거기에 맞춰 사교계에서도 나는 대접을 받았다. "국왕 폐하께서는 이 청년에게 깊은 관심을 가지셨다네. 이 청년은 유망하지. 폐하께서 마음에 들어 하시니까." 이런 말들은 내 재능에 대한 찬사였지만, 그 덕에 나는 젊은이들이 평소에 받는 환대에, 사람들이 권력에 대해 보이는 경의까지 받았다. 르농쿠르 공작의 댁과, 그 무렵에 내가 생루이 섬에서 방문했던 노숙모의 아들인 사촌 리스토메르 후작과 결혼한 내 누이의 집에서, 나는 생제르맹 지구의 가장 영향력 있는 사람들을 소개받았다.

곧 앙리에트는 블라몽-쇼브리 대공 부인을 통해 나를 '작은 왕궁'*이라 불리는 모임에 진출하게 했다. 앙리에트는 대공 부인의 시종손녀였다. 그녀가 나를 격찬하는 편지를 보내어 대공 부인은 즉시 나를 초대하였다. 나는 그녀를 잘 사귀어, 환심을 샀다. 그녀는 내게 후원자가 아닌 어머니와 같은 친구가 되었다. 대공 부인은 나를 딸 에스파르 부인, 랑제 공작부인, 보세앙 자작부인, 모프리뉴즈 공작부인들과 친분을 맺게 해 주는 데 신경을 많이 썼다. 이들은 차례대로 사교계의 여왕으로서 유행을 주도했던 여인들인

데, 내가 별다른 의도 없이 그녀들을 대하고, 항상 비위를 맞추어 주었기 때문에 내게 친절했다. 형 샤를은 나를 배척하지 않고 오히려 내게 기대었다. 그러나 이런 빠른 출세가 속으로는 그의 시기심을 자극하여 그것 때문에 나는 훗날 피해를 입었다. 아버지와 어머니는, 이런 예상치 못했던 출세가 의아하면서도 허영심이 충족되어 그제서야 당신들의 아들로 받아들이셨다. 그러나 그들의 감정은 부자연스럽고, 심지어 가식적이었기 때문에 상처받은 가슴을 달래지 못했다. 게다가 이기심으로 얼룩진 애정은 별로 공감을 사지 못한다. 사랑은 어떠한 종류의 계산이나 이익을 몹시 싫어한다.

나는 사랑하는 앙리에트에게 열심히 편지를 썼다. 그녀는 한 달에 답장을 한두 번 보냈다. 그렇게 그녀의 영혼은 내 위에 떠 있었고, 그녀의 생각은 거리를 뛰어넘어 내 주위에 순결한 공기를 감돌게 했다. 어떤 여자도 나를 사로잡을 수 없었다. 폐하께서는 나의 정숙함에 대해 알게 되셨다. 여성에 관한 한 루이 15세*의 풍속을 따르는 왕은 웃으면서 나를 방드네스 양(孃)이라 불렀지만, 다른 한편으로는 내 신중한 태도는 매우 기특하게 여기셨다. 어린 시절에, 그리고 클로슈구르드에 있으면서 내 몸에 밴 인내심이 폐하의 환심을 사는 데 큰 도움이 되었을 줄로 믿는다. 폐하께서는 항상 내게 잘 대해 주셨다. 내가 처녀처럼 사는 이유에 대해 곧 알아차린 것으로 보아 아마도 재미삼아 내 편지를 읽어 보신 듯하다. 공작의 근무일이던 어느 날, 내가 폐하께서 불러 주시는 대로 받아쓰고 있었다. 르농쿠르 공작이 들어오자, 폐하께서는 우리를 장난기 어린 눈으로 바라보셨다.

"거 참, 모르소프, 그 양반은 아직 살아 있나?" 폐하께서는 신랄한 말을 잘 전달하는 은빛의 고운 목소리로 말씀하셨다.

"여전합니다." 공작이 대답했다. 왕은 말을 이었다.

"모르소프 백작부인은 천사 같은 여자요. 파리에서 볼 기회가 있으면 좋으련만, 내 역량으로 그것이 불가능하다면, 내 서기관이 나보다 운이 좋을 걸세." 나를 돌아보며 말씀하셨다. "6개월의 휴가를 주겠네. 어제 자네에게 이야기했던 그 청년이 대신할 걸세. 클로슈구르드에 가서 재미있게 놀고 오게, 카토* 씨!" 폐하께서 웃음을 머금고 나를 집무실 밖으로 내보내셨다.

나는 제비처럼 투렌으로 날았다. 처음으로 나는 내가 사랑하는 여인 앞에서, 전보다 좀 더 영리해졌을 뿐만 아니라, 가장 격식을 차리는 살롱에서 예절을 배우고, 가장 고상한 여성들로부터 교육을 받은 세련된 청년의 모습으로 나타날 수 있었다. 나는 드디어 그녀의 고통의 열매를 받아먹고, 하늘로부터 어린아이를 떠맡은 가장 아름다운 천사의 가르침을 실천에 옮긴 것이다. 예전에 프라펠에 처음으로 머물 때 내가 어떤 차림이었던가. 그 후 방데에서 임무를 수행하고 클로슈구르드에 왔을 때 나는 사냥꾼의 복장을 하고 있었다. 그 당시 나는 붉은빛이 도는 흰색 단추가 달린 초록색 저고리에, 줄무늬 바지를 입고, 가죽 양말과 구두를 신고 있었다. 울창한 숲 속을 오래 걸어서 너무나 볼품이 없어졌기 때문에 백작이 속옷을 빌려줘야 했다. 이번에 나는 완전히 변신한 모습이었다. 파리에서 보낸 2년, 폐하와 늘상 대면하는 습관, 출세한 사람의 태도, 완성된 발육, 나를 비춰 주는 클로슈구르드의 순결한 영혼과의 일체가 주는 평온, 그것으로 인해 신비로운 빛을 발하는 젊은 표정. 나는 거만하지 않으면서도 자신감이 있었고, 젊은 나이에 높은 공직에 오른 것에 대해 내적인 자부심을 느꼈다. 게다가 이승에서 가장 사랑스런 여성의 은밀한 버팀목이자 숨은 희망이라는 확신이 내게 있었다. 시농으로 가는 도로에서 클로슈구르드까지 뻗은 새로운 길 위로 마부들의 채찍소리가 울리고 최근에 지은 원형의 울타리 중간에 예전에 못 보던 창살문이 열렸을 때 어쩌면 나는 약간의 허영심을 느꼈는지도 모른다. 백작부인을 놀라게 하기 위해 그녀에게 내가 온다는 것을 알리지 않았다. 그것은 이중의 잘못이었다. 우선, 그녀는 충격을 받았다. 오랫동안 원했으나 불가능하다고 믿었던 기쁨으로 인한 충격이었다. 그런 그녀를 보고는 계획적으로 사람을 놀라게 하는 일은 좋지 않은 취미라고 여기게 되었다.

아이였던 내가 청년이 된 것을 보고 앙리에트는 비장하리만치 느리게 땅으로 시선을 떨구었다. 자신의 손에 키스하도록 내버려 두는 동안 그녀는 기쁨을 내색하지 않았다. 하지만 그녀의 떨림으로 나는 그 감정을 느낄 수 있었다. 그녀가 다시 나를 쳐다보기 위해 얼굴을 들었을 때 여전히 창백했다.

"아, 자네는 옛 친구들을 잊지 않는군!" 전혀 변하지도 않고, 늙지도 않은 모르소프 백작이 말했다.

두 아이들은 내 품 안으로 뛰어들었다. 문 옆에 자크의 가정교사인 도미니스 사제의 엄숙한 얼굴이 보였다. 나는 백작에게 대답했다.

"예, 저는 이제부터 1년에 6개월의 휴가를 누릴 수가 있습니다. 그 6개월은 항상 이곳에서 보내겠습니다."

"자, 어디가 불편하세요?" 나는 그녀의 가족이 보는 앞에서 백작부인의 허리에 팔을 두르고 지탱해 주며 말했다. 그녀는 소스라쳤다.

"내버려 두세요, 아무것도 아니에요."

나는 그녀의 속내를 읽고, 거기에 대답하였다. "당신의 가장 충실한 노예를 못 알아보시겠습니까?"

그녀는 내 팔을 잡고, 나를 이끌고 잔디밭을 돌아, 백작과 아이들, 사제, 달려온 하인들을 멀리 따돌렸다. 그래도 그들의 시야를 벗어나지는 않았다. 그녀의 목소리가 그들에게 들리지 않는 거리에 왔을 때, 그녀는 말했다. "펠릭스, 벗이여, 단 하나의 실타래만을 가지고 지하 미로 속에서 길을 찾아 헤매는 사람이 느낄 수 있는 두려움을 용서하세요. 그 실이 끊어질까 봐 떨기 때문이죠. 내가 항상 당신의 앙리에트라고, 나를 버리지 않겠다고, 나보다 중요한 것은 없을 거라고, 내게 항상 헌신적인 친구로 남을 거라고 말해 줘요. 나는 갑자기 미래를 엿보았어요. 당신은 전처럼 빛나는 얼굴로 나를 바라보고 있지 않았어요. 내게 등을 돌리고 있더군요."

"앙리에트, 하느님보다 더 숭배하는 우상이여, 내 삶의 백합이여, 당신은 내 정신 그 자체이고, 당신의 마음과 나는 하나일 뿐이오. 그런데 어찌하여 당신은 내가 파리에 있어도 영혼만큼은 이곳에 있다는 사실을 모른단 말이오? 내가 열일곱 시간 만에 달려왔다고, 마차의 바퀴가 한 번 돌아갈 때마다 수많은 상념과 바람들이 몰려와, 그 모든 것이 당신을 보자마자 폭풍우처럼 터졌다고, 말을 해야 합니까?"

"말해 줘요, 말해 줘요! 나는 스스로에 대한 확신이 있으니 아무런 죄 없이 당신의 말을 들을 수가 있어요. 하느님께서는 내가 죽기를 원하지 않으신가 보네요. 그분께서 창조물 위에 숨결을 나누어 주고, 메마른 땅 위에 빗물을 뿌리듯이 당신을 내게 보내 주시네요. 말해 줘요, 말해 줘요! 나를 거룩하게 사랑하나요?"

"거룩하고말고요."

"영원히?"

"영원히."

"베일과 하얀 왕관 밑에 숨어 있어야 하는 성모 마리아처럼?"

"보이는 성모 마리아처럼."

"누이처럼?"

"너무나 사랑스런 누이처럼."

"어머니처럼?"

"은밀하게 욕망하는 어머니처럼."

"기사처럼, 희망 없이?"

"기사처럼, 하지만 희망을 가지고."

"마치 스무 살에 무도회에서 볼품없는 파란색 옷을 입었을 때처럼?"

"아, 그때보다 더 사랑하죠. 나는 이렇게 당신을 사랑합니다. 마치……" 그녀는 걱정스런 눈으로 나를 쳐다보았다. "마치 당신의 숙모가 당신을 사랑했듯이."

"당신이 내 근심을 사라지게 했으니 이제 행복해요." 그녀는 가족들에게로 돌아가면서 말했다. 모두 우리의 밀담에 놀란 눈치였다. "하지만 이곳에선 항상 아이 노릇을 해야 돼요. 당신은 아직 아이니까요. 폐하를 알현할 때는 어른스럽게 행동하는 것이 전략인 반면, 이곳에서는 아이로 남아야 해요. 그래야 당신이 사랑받을 수 있지요. 나는 항상 남자의 힘에는 저항할 테지만, 아이에게는 무엇을 거절할 수 있겠어요? 아무것도 거절할 수가 없답니다. 그가 바라기만 하면 나는 들어 줄 수밖에 없어요. ─이제 비밀을 다 나누었어요." 그녀는 장난기 어린 표정으로 백작을 보며 말했다. 그런 표정 속에는 처녀 때의 원래 성격이 살아 있었다. "잠깐 계세요. 옷 갈아입고 올게요."

그녀의 목소리에 이토록 행복이 가득히 스며든 것은 3년 만에 처음이었다. 앞서서 묘사했던 사랑스런 제비의 지저귐, 어리광이 깃든 어조를 처음으로 들어 보았다. 나는 자크에게 사냥 장비를, 마들렌에게는 바느질 상자를 선물했다. 바느질 상자는 그녀의 어머니가 항상 사용했다. 내가 당했던 어머니의 인색함을 이렇게 보상받으려 했던 것이다. 서로에게 선물을 자랑하는 두 아이의 기쁨은 백작의 심기를 불편하게 하는 듯했다. 사람들이 자기에게 관심을 보이지 않으면 토라지는 습성이 여전했다. 나는 마들렌에게 손짓으로 신호를 보내고 나와 둘이 이야기하기를 바라는 백작을 따라나섰다. 그는 나를 테라스로 데려갔다. 하지만 우리는 그가 심각한 화제를 꺼낼 때마다 계단 위에서 걸음을 멈추었다.

"가엾은 펠릭스." 그가 내게 말했다. "다들 행복하고 건강해 보이지. 나만 옥에 티일세. 내가 그들의 고통을 다 지고 있어. 그리고 내게 그 짐을 지우신 하느님께 감사하네. 예전에는 내가 어디가 아픈지 몰랐지만 이제는 알았어. 유문(幽門)이 상해서 아무것도 소화시킬 수가 없다네."

"어째서 의과대학 교수처럼 유식해지셨습니까?" 나는 미소를 지으며 물었다. "백작님의 주치의가 경솔하게 그런 말을……."

"의사는 절대 상대 안하네." 대부분의 상상병 환자들이 그러듯이 그는 의사에 대한 강한 거부감을 표출했다.

나는 이치에 닿지 않는 넋두리를 들어야 했다. 그는 내게 가정사의 비밀을 털어놓는답시고, 아내에 대해, 하인들, 아이들, 인생 전반에 대해 너무나 터무니없는 불평을 쏟아냈다. 자신이 매일 똑같이 되풀이하는 불평을 처음 듣는 친구가 의아해 하면서, 예의상 주의 깊게 들어 줄 수밖에 없는 상황을 즐기는 듯했다. 그 기이한 성격을 이해하기 위해, 그리고 아내가 내게 말도 못하고 당하는 새로운 고문을 파악하기 위해 그의 이야기에 유심히 귀를 기울였기 때문에 그는 흡족했을 것이다. 앙리에트가 계단 위에 나타났을 때 백작의 독백이 그쳤다. 백작은 내게 말했다. "펠릭스, 자네는 내 말에 귀를 기울이지만, 여기서는 아무도 나를 불쌍히 여기지 않네."

그는 마치 나와 앙리에트의 대화에 자신이 방해가 된다는 것을 아는 듯이, 또는 그녀에 대한 기사도적인 배려로, 우리를 단둘이 있게 해 주면 그녀가 기뻐할 거라고 짐작했는지 우리를 떠났다. 그의 성격을 종잡을 수 없었다. 그는 나약한 사람들이 그런 것처럼 질투심이 많으면서도, 아내의 절개에 대해서는 무한한 믿음이 있었다. 어쩌면 아이들이 교사나 어머니에게 대들듯이, 그는 부인의 높은 덕성에 대한 열등감 때문에 그녀의 뜻에 항상 반발했는지도 모른다. 자크는 수업을 받고 있었고, 마들렌은 씻고 있었다. 그리하여 약 한 시간 동안 백작부인과 함께 테라스 위에서 산책을 할 수가 있었다.

"자, 나의 천사, 쇠사슬이 무거워지고, 모래는 더욱 뜨거워지고, 가시는 많아졌죠?" 내가 물었다.

"조용히 하세요. 당신이 여기 있으니 모든 것을 잊었어요! 나는 고통스럽지도 않고, 고통을 받은 적도 없어요." 그녀는 내가 백작과 면담을 한 후에 떠오른 생각들을 꿰뚫어 보며 말했다.

그리고 흰색 드레스에 공기를 통하게 하려는 듯, 하얀 레이스 장식과, 헐렁한 소매, 산뜻한 리본, 케이프와 세비네* 풍으로 빗은 머리의 유연한 컬을 남풍에 날리려는 듯, 가볍게 몇 발걸음을 옮겼다. 원래 명랑하고, 아이처럼 장난기가 넘치는 그녀의 처녀 때의 모습을 나는 처음으로 보았다. 그리고 사랑하는 여인에게 기쁨을 주었을 때 남자가 흘리는 행복과 환희의 눈물을 흘렸다.

"내 정신이 애무하고, 영혼이 입맞추는 아름다운 꽃이여! 나의 백합이여! 언제나 변함없이 줄기가 곧고, 언제나 희고, 자존심이 강하고, 향기롭고 고독한 백합이여!"

"그만하세요." 그녀는 웃으며 말했다. "당신에 대한 이야기나

좀 해 봐요. 전부 다요."

  가볍게 흔들리는 나뭇잎 아래서 우리는 긴 대화를 나누었다. 화제를 수없이 벗어났다가, 중간에 긴 여담으로 빠졌다가, 다시 화제로 돌아오면서 나는 그녀에게 내 생활과 일에 대해서 이야기했다. 모든 것을 알기를 원하는 그녀에게 파리에서의 내 아파트를 묘사해 주었다. 그녀에게 숨길 것은 아무것도 없었다. 그 당시에는 그런 행복의 진가를 다 알지 못했다. 이렇게 그녀는 내 마음과, 막중한 업무로 가득 찬 생활의 세세한 부분까지 알게 되었다. 내 직위가 엄격한 성실성을 갖춘 사람이 아니라면 너무나 쉽게 남을 속이고, 부를 축적할 수 있는 중요한 자리지만, 정직하게 일에 전념하는 나를 폐하께서 "방드네스 양"이라고 부르신다고 말했을 때 그녀는 내 손을 잡고, 그 위에 입을 맞추며 기쁨의 눈물을 떨어뜨렸다. 그녀와 나의 역할을 뒤바꾼 이런 동작은 내게 굉장한 찬사였다. 그리고 '당신이 바로 내가 꿈꾸던 주인입니다!' 라는 생각을 순식간에 표현했지만 나는 더욱 순식간에 그것을 이해했다. 스스로를 낮추면서 더욱 숭고해지는 그녀의 이런 동작 속에 수많은 고백들과, 감각으로는 느낄 수 없는 사랑이 담겨 있었고, 천상의 것들이 폭풍처럼 휘몰아쳤다. 그 모든 것은 내 가슴을 짓눌렀다. 내 자신이 너무나 작게 느껴졌고, 그 순간 나는 그녀의 발치에서 죽어도 좋았다. 나는 말했다.

  "아, 당신은 언제나 어느 경우에서나 나를 능가하는군요. 어떻게 당신이 나를 불신할 수 있습니까? 앙리에트, 당신은 좀 전에 나를 불신했잖소?"

"현재로서가 아니에요." 그녀는 형언할 수 없이 부드럽게 나를 바라보면서 말했다. 그 부드러움은 나에게만은 그녀의 눈빛을 가렸다. "그토록 근사해진 당신을 보면서 나는 생각했지요. '당신의 마음속에 숨겨진 보물들을 알아보고 당신을 사랑할 여성이 나타나, 마들렌을 위한 내 계획에 훼방을 놓겠지. 그녀는 우리의 펠릭스를 훔쳐가고, 여기는 모든 것이 파탄날 거야.'"

"또 마들렌 타령이군요!" 나는 놀라면서 말했지만, 그녀는 그렇다고 그다지 상심하는 것 같지는 않았다. "제가 마들렌을 위해 정조를 지킵니까?"

우리 사이에 침묵이 흘렀다. 공교롭게도 모르소프 백작이 와서 그 침묵을 깨뜨렸다. 가슴이 터질 지경인 나는 매우 어려운 대화를 해야 했다. 폐하께서 표방하시는 정치에 대한 나의 솔직한 답변들이 백작의 신념과 상반된 것이어서, 나는 그에게 폐하의 의도를 설명할 수밖에 없었다. 내가 그에게 말에 대해, 농업에 대해 물어도, 다섯 개의 농장에 대해 만족하느냐고, 오래된 길가에 있는 나무들을 자를 거냐고 물어도 그는 노처녀처럼 짓궂게, 어린아이처럼 고집스럽게 정치 이야기로 돌아왔다. 그와 같은 정신 상태를 가진 사람들은 빛이 나는 곳에 일부러 부딪히고, 아무것도 꿰뚫지 못하면서 윙윙거리며 항상 돌아오는 벌레와 같다. 왕파리들이 유리창에 붙어서 소리를 내며 귀를 피로하게 하듯이 그들은 마음을 피곤하게 한다. 앙리에트는 아무 말도 하지 않았다. 내 젊은 혈기에 걸핏하면 불을 붙일 수 있는 이런 대화를 끝내기 위해서 나는 동의하는 듯한 단음절로써 답변을 했다. 불필요한 언쟁을 피하려

했던 것이다. 하지만 눈치 빠른 모르소프 백작이 나의 예의바른 태도가 실제로 얼마나 모욕적인 것인지 모를 리가 없었다. 내가 계속 백작의 말이 옳다고 하자, 그는 끝내 격분하여, 눈썹과 이마의 주름이 움직였고, 노란 눈이 빛을 발했으며, 코의 혈색이 더욱 짙어졌다. 마치 내가 처음으로 그의 광적인 발작을 목격한 그날처럼. 앙리에트는 내게 애원하는 듯한 눈길을 보냈다. 아이들을 방어하거나 그들의 행동을 정당화할 때 그녀가 발휘하는 영향력이 이런 상황에서는 아무런 소용이 없다는 의미였다. 그래서 나는 백작의 까다로운 성미를 능란하게 요리하면서 그의 말에 진지하게 대답하기 시작했다.

"가없은 아이! 가없은 아이!" 그녀가 여러 번 속삭인 이 두 단어는 미풍처럼 내 귀에 들어왔다. 그리고 성공적으로 개입할 수 있다고 판단했을 때, 그녀는 멈춰 서서 말했다. "여보세요, 당신들이 지금 얼마나 따분한지 아시나요?"

이 질문에 백작은 여성들에 대한 기사도적인 순종으로 돌아와 정치 이야기를 중단했다. 이번에는 우리가 사소한 이야기를 하면서 그를 따분하게 했다. 그는 계속해서 같은 공간을 걸어다녀서 현기증이 난다고 하며 우리를 산책하도록 내버려 두었다.

나의 어두운 추측은 옳았다. 평온한 풍경과 온화한 기후, 아름다운 하늘, 그리고 이 골짜기의 황홀한 시심이 15년 동안 이 환자의 끈질긴 몽상들을 진정시켰지만 이젠 더 이상 효력이 없었다. 대체로 거칠었던 성격이 부드러워지고, 모난 성미가 무디어지는 나이에 노귀족의 성격은 예전보다 오히려 더 공격적이 되었다. 몇 달 전부터, 그는 이유 없이, 자신의 의견을 정당화하지도 못하면서 반박하기 위한 반박을 일삼았다. 모든 것에 대해 이유를 따졌고, 조금 늦어진 일이나, 또는 작은 용무에 대해서 걱정했으며, 안살림에 수시로 간섭했고, 아내나 하인들을 지치게 할 정도로, 그들에게 자유로운 판단의 여지를 주지 않고 살림의 사소한 부분까지 보고받기를 원했다. 전에는 그럴싸한 동기 없이는 노여워하지 않았으나, 이제 그는 항상 화를 냈다. 어쩌면 그동안 재산 관리, 농업 경영으로 인한 활동적인 생활이 그에게 다른 근심거리를 가져다주고 정신을 사로잡음으로써 우울한 성질을 달랬을 것이다. 그리고 더 이상 할 일이 없어져서 그는 자신의 병과 홀로 대면해야 했다. 그것이 밖에서 해소되지 못해서 강박관념으로 나타났다. 즉, 정신적인 자아가 육체적인 자아를 지배하게 된 것이다. 그는 자기 자신의 의사가 되었다. 그는 의학 서적을 탐독하면서, 거기서 읽는 증상들을 동반하는 병들에 걸렸다고 믿곤 했다. 그러면 건강을 위해 도가 지나치고 변덕스러워서 예상할 수도, 만족시킬 수도 없는 주의를 기울였다. 때로는 소음을 내지 말라고 명령하고는, 부인이 그의 주변에 완전한 정적을 조성하면 무덤 속에 갇힌 것 같다고 불평하며, 소음을 내지 않는 것과 트라피스트 수도원의 절대 정적 사이에는 중간이 있다고 했다. 가끔은 지상의 것들에 대해 전적으로 무관심한 척할 때에는 집안 전체가 숨을 쉬었다. 아이들은 마음 놓고 놀 수 있었고, 집안 살림은 아무런 불평 없이 행해졌다. 그런데 그런 활동들이 내는 소음들을 듣다가 그는 갑자기 처절하게 외치곤 했다. "나를 죽이려고 하오!", "여보, 당신 아이들이 맞는다면, 애들이 어디가 불편한지 알아야 할 것 아니오?"
그런 부당한 말을 신랄하고 냉랭한 어조로 내뱉었다. 그는 기온의
가장 미세한 변화까지 관찰하면서 시도 때도 없이 옷을 입었다 벗
었다 했다. 매사에 기압계를 보고 움직였다. 아내가 모성적으로
신경을 썼지만 어떤 음식도 입맛에 맞지 않았다. 그는 위가 상해
서 소화시키는 것이 고통스러워 항상 불면증에 시달린다고 주장
했다. 그러면서도 그는 가장 유능한 의사도 감탄했을 정도로 잘
먹고, 잘 마시고, 소화도 잘 시키고 잘 잤다. 그의 변덕스러움은
집안의 하인들을 지치게 했다. 그들은, 하인들이 다 그렇듯이 습
관에 젖어 있어서 서로 모순되게 수시로 변하는 명령 체계에 적응
할 능력이 없었다. 이를테면, 자신의 건강을 위해 바깥바람이 필
요하다면서 창문을 열어놓으라고 지시한 다음, 며칠 후에 바깥바
람이 너무 습기 차거나 더워서 견딜 수 없다고 투덜댔다. 그럴 때
면 그는 야단을 치며 싸움을 걸고, 자신이 옳다고 하기 위해 그 이
전의 지시를 부인했다. 이런 기억력 부족으로, 또는 거짓말로 무
장하여 아내가 그의 모순을 보여 주려 하는 모든 언쟁에서 이겼
다. 클로슈구르드에서의 생활이 너무나 지긋지긋해져서, 매우 교
양 있는 도미니스 사제마저 어떤 학문적인 문제의 해답을 찾으려
홀로 깊이 몰두하는 척했다. 백작부인은 이제 더 이상, 예전처럼
그런 광적인 발작을 가족의 테두리 안에 숨기려 하지 않았다. 이
미 하인들은 이 조로증 환자의 이유 없는 격노가 도를 지나친 장
면들을 목격했었다. 그들은 부인에게 충성스러워서 밖으로는 새
어 나가지 않았지만 부인은 인간에 대한 예의가 더 이상 억누르지

못하는 광기가 대외적으로 표출될까 봐 날마다 두려워했다. 후에 나는 백작이 아내에게 얼마나 끔찍하게 굴었는지 상세하게 알게 되었다. 그녀를 위로하는 대신 불길한 예언을 퍼부었고, 그가 처 방하는 엉뚱한 약들을 아이들에게 주기를 거부한다는 이유로 그 녀에게 앞으로 닥칠 불행들의 책임을 뒤집어씌웠다. 부인이 자크 와 마들렌을 데리고 산책을 하면 그는 하늘이 맑아도 폭풍우를 예 보했다. 우연히 그것이 맞아떨어지면, 자존심이 충족된 그는 아이 들의 아픔에 무감각해졌다. 그들 중 한 명이 몸이 불편하면, 백작 은 그 원인을 아내의 치료 방법에서 찾기 위해 온 정신을 쏟았다. 그는 가장 세세한 부분까지도 비판하고는, 항상 살인적인 결론을 토했다. "당신의 아이들이 다시 병이 나면, 그건 당신 탓이오." 집 안일의 모든 세부 사항에 대해서도 마찬가지로 가장 나쁜 측면만 을 보려고 했다. 늙은 마부의 표현에 의하면, 그는 매사에 '악마의 변호인'이 된 듯했다. 백작부인은 자크와 마들렌이 그와 다른 시 간에 식사를 하도록 했다. 백작의 병적인 증상들로부터 그들을 보 호하기 위해서 자신이 모든 매를 맞았다. 마들렌과 자크는 아버지 를 거의 보지 못했다. 이기적인 사람들이 대부분 착각 속에서 사 는 것처럼, 백작은 자신이 사람들을 얼마나 괴롭히는지 조금도 짐 작하지 못했다. 우리가 나눈 대화에서 그는 주로 자신이 식구들에 게 너무 관대하다고 불평했다. 그는 원숭이처럼 도리깨를 휘두르 며 주위 모든 것을 때려 부수고, 표적을 다치게 한 다음 건드리지 도 않았다고 주장했다. 백작부인을 보자마자 눈에 띄었던, 이마에 면도칼로 새긴 듯한 주름들이 왜 생겼는지 알게 되었다. 고귀한 사람들은 자신의 고통을 내색하는 것을 부끄럽게 여겨서, 사랑하는 사람들에게 그것이 얼마나 심한지를 자비롭게 숨긴다. 그리하여 내가 캐물었음에도 불구하고 앙리에트는 그런 고백을 단번에 하지 않았다. 그녀는 내게 근심을 줄까 봐 걱정했던 것이다. 몇 가지 사실을 이야기하다가도 얼굴을 갑자기 붉히며 입을 다물곤 했지만, 나는 할 일이 없어진 백작이 클로슈구르드에서의 일상을 더욱 힘겹게 만들고 있음을 곧 눈치 챘다. 며칠 후 나는 그녀의 가중된 고통의 정도를 헤아렸다는 것을 보여 주기 위해서 말했다.

"앙리에트, 백작이 할 일이 없어졌을 정도로 토지 경영을 너무 잘하는 것이 오히려 폐가 되지 않았나요?" 그녀는 미소를 지으며 대답했다.

"내가 처한 상황은 나의 온 신경을 쏟을 정도로 심각하죠. 이미 모든 방법을 동원해 보았지만 다 소용이 없어요. 골칫거리는 더욱 늘어만 갔지요. 백작님께서 항상 나와 함께 계시기 때문에, 여러 군데 분산시킨다고 해서 그것이 줄어들지는 않아요. 오히려 나에게는 다 똑같이 괴롭겠죠. 클로슈구르드에 투렌의 옛 산업의 흔적으로 뽕나무가 몇 그루 있으니 모르소프 백작에게 소일거리를 드리기 위해 양잠장을 세워 보자고 건의할 생각도 했어요. 하지만 그래도 집에서 횡포가 덜해지지 않을 뿐더러 내게는 그런 사업으로 인한 수많은 근심이 더해질 것 같더군요. 관찰자님, 이것 하나 알아 두세요. 젊은 사람은 자신의 나쁜 본성을 세상의 이목 때문에 참고, 여러 가지 정념의 작용으로 자제하고, 인간에 대한 예의 때문에 억누르죠. 후에, 나이가 들고 고독해지면 성격상의 작은 결점들이 오랫동안 억눌렸던 만큼 더욱 지독하게 드러납니다. 인간의 약점이란 근본적으로 간사한 것이라 휴전이 없지요. 어제 양보한 것을 오늘도 요구하고, 내일도, 항상 요구합니다. 다른 사람들의 양보 속에 자리잡고, 점점 더 많은 양보를 하게 하죠. 강한 사람은 너그럽고 명백한 사실에 굴복하며, 공정하고 평온합니다. 반면 나약함이 낳는 정념들은 무정한 법이에요. 마치 집에서 식사 시간에 먹을 수 있는 과일보다 몰래 훔친 것들을 더 좋아하는 아이들처럼 행동할 수 있을 때 만족한답니다. 그래서 백작님은 나를 놀리는 데 진정한 희열을 느껴요. 그 누구도 속이지 않을 그이가 나를 기꺼이 속인답니다. 술수가 탄로나지만 않으면 말이에요."

내가 온 지 약 한 달 후에, 어느 날 아침, 식사를 하자마자 백작부인은 내 팔을 잡고 창살문을 통해 포도밭으로 나를 급히 데려갔다.

"그이는 나를 죽이고 말 거예요. 하지만 나는 아이들을 위해서라도 살고 싶은 걸요! 어쩌면 하루도 쉴 수가 없는지! 항상 가시덤불 속을 걸으며, 매순간 넘어질 뻔하다가 균형을 유지하기 위해 힘을 모아야 하는지. 어떤 생물도 이렇게 힘들게 살 수는 없을 거예요. 내가 어느 곳에 힘을 집중시켜야 하는지 잘 알고 있다면, 어느 부분을 방어해야 하는지 정해져 있다면 거기에 대처를 하겠어요. 하지만, 날마다 공격의 성격이 달라져서 나는 아무런 방어 없이 당하게 돼요. 내 고통은 하나가 아니라 여럿이에요. 펠릭스, 펠릭스, 그의 횡포가 얼마나 끔찍한 형태를 띠었는지, 의학 서적들을 읽고 얼마나 야만적인 요구를 하는지, 당신은 상상할 수도 없을 거예요. 아, 벗이여……." 그녀는 말을 끝내지 않고 머리를 내 어깨 위에 기댔다. "이제 앞으로 어떻게 되는 거죠? 어떻게 해야 되죠?" 표현하지 못한 생각들과 싸우며 다시 말을 이었다. "어떻게 저항해야 하는지? 그는 나를 죽일 거예요. 아니, 내가 내 자신을 죽여야겠어요. 하지만 그건 죄악이죠? 도망가면 어떨까요? 아이들은! 이혼한다면? 그러나 15년간의 결혼 생활 후에 아버지에게 더 이상 모르소프 백작과 함께 살 수 없다고 말을 할 수 있겠어요? 게다가 그는 내 아버지, 어머니가 오시면 침착하고, 점잖고, 예의 바르고 재치 넘치는 모습만을 보일 텐데. 하긴, 유부녀들에게 아버지, 어머니가 있나요? 몸과 재산이 모두 남편의 소유죠. 나는 평온하게, 거의 행복하게 살고 있었고, 솔직히 말하자면 고독 속에서 정조를 지키며 사는 데서 힘을 얻었지요. 하지만 이런 소극적인 행복마저 박탈당한다면 나도 미쳐 버리고 말 거예요. 내 저항력은 개인적이지 않은 강력한 이유에서 나온답니다. 계속 아파야 할 운명에 처한 불쌍한 아이들을 낳은 것이 죄가 아닌가요? 그래도 앞으로 내가 취해야 할 행동에는 심각한 문제들이 걸려 있기 때문에 혼자서 결정할 수가 없어요. 나는 동시에 재판관이자 소송 당사자인 셈이죠. 나는 내일 투르에 가서 내 새로운 고해신부인 비로토 신부와 면담을 하겠어요. 덕이 높았던 베르즈 신부는 돌아가셨어요." 그녀는 말을 잠시 멈추었다. "그는 비록 엄했지만 그의 사도다운 힘이 그리워질 거예요. 그의 후계자는 천사처럼 온화해서 고해자를 질책하는 대신 오히려 동정해요. 어쨌든, 종교 안에서 다시 용기를 얻지 않을 사람이 어디 있겠어요? 성령의 목소리를 듣고 어떤 이성이 굳건해지지 않겠어요? — 하느님." 그녀는 눈물을 닦고 눈을 하늘로 올리며 물었다. "왜 제게 벌을 내리십니까? 그래도 이건 믿어야 해요." 내 팔을 손가락으로 누르면서 말했다. "펠릭스, 믿어요. 거룩하고 완전한 채로 천상에 도달하기 위해서는 붉은 도가니 속을 거쳐야 해요. 내가 입을 다물어야 합니까? 하느님, 벗의 품 안에서 울부짖는 것을 금하시겠습니까? 제가 그를 지나치게 사랑합니까?" 그녀는 나를 잃을까 봐 두려운 듯 나를 힘 있게 안았다. "누가 이런 의문에 답해 줄까요? 내 양심은 결백합니다. 별들은 위에서 사람들을 비춰 주지요. 인간의 별인 영혼이 벗을 빛으로 감싸지 못할 이유가 있을까요? 순결한 생각만이 그 벗을 향하는데?"

나는 이 소름끼치는 절규를 조용히 듣고 있었다. 이 여인의 축축한 손을 잡고 있는 내 손은 더욱 축축했다. 나는 그 손을 힘 있게 쥐고 있었는데, 앙리에트도 그만큼 힘 있게 내 손을 쥐었다.

"여기들 있소?" 백작이 모자 없이 우리 쪽으로 오면서 소리쳤다.

내가 돌아온 이후로, 그는 끈질기게 우리의 대화에 끼어들려 했다. 거기에서 무슨 재미라도 얻을 것 같아서인지, 부인이 내게 괴로운 일들을 이야기하고 내 품 안에서 하소연을 한다고 믿어서인지, 자신이 제외된 즐거움에 대해 질투를 느껴서인지 항상 개입하려 했다.

"내 뒤를 따라다니는 것 좀 봐요!" 그녀는 절망적인 어조로 말했다. "과수원을 보러 갑시다. 그러면 피할 수 있을 거예요. 그가 우리를 보지 못하게 울타리 뒤에 몸을 숙이고 있어요."

무성한 울타리를 벽으로 삼아서 과수원으로 뛰어갔다. 곧 백작으로부터 멀리 떨어져, 아몬드 나무가 심어진 오솔길에 달했다. 나는 그녀의 팔을 내 가슴 위에 누르며 고통스러워하는 그녀를 쳐다보기 위해 멈추었다.

"사랑하는 앙리에트, 당신은 사교계의 위태로운 길을 헤쳐 나갈 수 있도록 노련하게 나를 지도해 주셨어요. 당신은 증인이 없는 이 결투에서 동등한 무기로 싸우지 않기 때문에 반드시 쓰러지게 될 테니, 이번에는 내가 당신에게 몇 가지 조언을 할 수 있게 해 줘요. 더 이상 미친 사람과 겨루지 말아요……."

"쉿!" 그녀는 글썽이는 눈물을 참으며 말했다.

"내 말을 들어 봐요! 당신에 대한 사랑 때문에 인내하면서 백작과의 대화를 한 시간 정도 나누고 나면 내 생각은 오염이 되고 머리가 무거워져요. 백작은 내 이성을 의심하게 만들죠. 그리고 반복해서 듣는 고정관념들이 나도 모르게 내 뇌리에 새겨집니다. 증상이 뚜렷한 편집증은 전염되지 않지만 광기가 사물을 바라보는 관점 속에 있을 때, 끊임없는 논쟁 속에 숨어 있을 때, 그것은 주위 사람들에게 큰 피해를 입힐 수 있어요. 당신의 인내심은 훌륭하지만 당신을 바보로 만들고 있지 않습니까? 그러니까, 당신을 위해서, 아이들을 위해서 백작을 대하는 태도를 바꾸세요. 당신의 가상한 배려는 그의 이기심을 키웠어요. 마치 아이의 버릇을 버리는 어머니가 대하듯이 그를 대했어요. 하지만 이제 당신이 살고 싶다면…… 그런데," 그녀를 바라보면서 말했다. "당신은 정말 살고 싶잖아요! 그렇다면 그에 대한 영향력을 발휘하세요! 당신도 알다시피, 그는 당신을 사랑하고 두려워합니다. 당신을 더더욱 두려워하도록 만드세요. 그러기 위해서 그의 막연한 의지에 당신의 분명한 의지로 맞서요. 그가 당신이 양보하는 범위를 넓혔듯이 당신의 영향력을 넓히면서, 미친 사람들을 독방에 가두듯이 그의 병을 정신적인 영역에 가두어 버리세요."

"사랑하는 이," 그녀는 쓰디쓴 미소를 지으며 말했다. "매정한 여자만이 그런 역할을 맡을 수 있어요. 나는 아이를 둔 어머니로서 사람을 학대할 줄 모릅니다. 고통을 견딜 줄은 알지만, 다른 사람에게 고통을 주는 일은 절대 할 수 없어요! 명예롭거나 위대한 결과를 얻기 위해서라도. 게다가 내 본심을 속이고, 목소리를 변조하고, 이마에는 인위적인 표정을 짓고, 행동은 거짓으로 꾸며야 하겠지요. 그런 연극을 내게 요구하지 말아요. 나는 백작님과 아이들 사이에 서서 대신 맞을 수 있어요. 그것이 여러 가지 상반되는 이해관계를 고루 충족시키기 위해서 내가 할 수 있는 전부예요."

"당신을 숭배하도록 허락해 줘요, 성녀여!" 나는 무릎을 꿇고 그녀의 드레스에 입을 맞추며 눈에 맺히는 눈물을 그것으로 닦으며 말했다. "그런데 만약 그가 당신을 죽인다면?"

그녀는 창백해지며 하늘을 바라보며 말했다. "하느님의 뜻이 이루어지는 거죠!"

"폐하께서 당신의 아버지께 뭐라고 했는지 아세요? '모르소프, 그 양반은 아직 살아 있나?' 라고 했답니다."

"폐하의 입에서는 농담일지 몰라도, 여기서는 죄악이에요." 그녀는 대답했다.

우리가 그렇게 숨었음에도 불구하고 백작은 우리를 따라잡았다. 백작부인은 내게 그 엄숙한 말을 하려고 호두나무 밑에 멈춰 서 있었는데, 그는 땀에 흠뻑 젖어 그곳에 다다랐다. 그를 보자마자, 나는 포도 수확에 대해 이야기하기 시작했다. 그는 부당한 의심이 들었을까? 그것은 분명하지 않지만, 그는 아무 말도 하지 않고, 호두나무 그늘의 시원함을 못 느낀 듯, 우리를 유심히 살펴보았다. 사소한 말 몇 마디, 그리고 그 사이사이에 의미심장한 침묵으로 얼마 동안 시간을 보낸 후, 백작은 심장과 머리가 아프다고 했다. 그는 우리의 동정을 구하지 않고, 고통의 과장된 묘사 없이, 조용히 불평했다. 우리는 거기에 전혀 신경을 쓰지 않았다. 집에 와서는 몸이 더욱 불편해졌다며 잠자리에 들어야겠다고 하며, 평소와는 달리 자연스럽게, 더 말썽을 피우지 않고 자러 갔다. 우리는 그의 심기증(心氣症)이 우리에게 주는 휴식을 맘껏 누리기 위해 마들렌을 데리고 정든 테라스로 내려갔다. 몇 바퀴 돌다가 백작부인이 말했다.

　"물 위에 산책하러 나갑시다. 관리인이 우리를 위해 낚시를 하는데, 구경하러 가요."

　우리는 작은 문으로 나가서, 거룻배에 이르러, 그 안에 타고 천천히 앵드르 강을 거슬러 올라갔다. 그리고 작은 것에도 재미를 느끼는 어린아이들처럼, 강가의 풀과 파란색, 초록색 잠자리를 바라보았다. 백작부인은 가슴을 에는 듯한 아픔 중에도 이토록 평온한 기쁨을 맛볼 수 있다는 것을 놀라워했다. 우리의 갈등과는 무관하게 돌아가는 자연의 고요함은 우리를 위로하지 않는가? 억압된 욕망으로 가득 차서 요동치는 사랑이 요동치는 물과 조화를 이루고, 인간의 손길이 더럽히지 않은 꽃들은 가장 내밀한 소망을 표현하며, 노 젓는 배의 관능적인 흔들림은 마음속에 떠다니는 생각들을 희미하게 모방한다. 이런 시적인 배경은 우리를 나른하게 했다. 말소리는 자연에 맞춰 조율된 듯 신비로운 마력을 발산하고, 눈빛은 이글거리는 들판에 태양이 쏟아내는 빛과 합쳐져서 더욱 반짝거렸다. 강은 오솔길과 같았고, 우리는 그 위를 날았다. 걸어다닐 때처럼 동작에 신경을 쓰지 않아도 되었기 때문에, 우리의 정신은 자연을 온전하게 향유할 수 있었다. 몸놀림이 귀엽고 말투가 애교스러운 소녀가 자유를 만끽할 때 소란스럽게 분출시키는 환희가 바로 플라톤의 환상적이고 이상적인 존재*를 이루기 위해 결합한 자유로운 두 영혼의 생생한 상징이 아니겠는가? 젊은 시절에 행복한 사랑을 경험한 사람이라면 그 존재에 대해서 잘 알 것이다. 그 순간을, 형언할 수 없는 세부 사항을 생략하고 전체적으로 묘사를 하자면 이렇다. 우리는 우리를 둘러싸는 모든 생물과 모든 사물들 안에서 사랑했다. 두 사람 모두 바라는 행복이 우리 밖에서 느껴졌다. 그것은 너무나 강렬하게 우리 안에 스며들어서 백작부인은 장갑을 벗고, 마치 숨은 열정을 식히려는 듯이 아름다운 손을 물속에 담갔다. 그녀의 눈은 말을 하고 있었지만, 공기 중에 장미가 피어나듯이 조금씩 열리는 그녀의 입에서는 결코 욕정이 새어나오지 못했을 것이다. 고음과 완벽하게 조화되는 저음의 선율을 들어본 적이 있는지? 그것은 항상 내게 그 순간 우리 두 영혼이 이루던 화음을 떠올리게 했다. 그런 정신적인 화음을 두 번 다시 이루지는 못했지만.

"당신의 영지 안의 강가에서만 고기를 잡을 수 있다면 그게 대체 어디죠?" 나는 물었다.

"뤼앙 다리 근처요." 그녀는 대답했다. "아, 이제 뤼앙에서 클로슈구르드까지의 강은 우리 것이랍니다. 2년간의 저축과 미불된 연금을 가지고 백작님이 최근에 40에이커를 사셨어요. 놀라운가요?"

"나는 이 골짜기 전체가 당신의 것이라면 좋겠소!" 나는 외쳤다.

그녀는 미소로 답을 대신했다. 우리는 뤼앙 다리 밑에 도달했다. 그곳에서는 앵드르 강이 넓어져 낚시를 할 수 있었다.

"마르티노, 잘 돼가요?" 그녀가 물었다.

"마님, 운이 별로 없습니다. 방앗간에서부터 여기까지 올라온 세 시간 동안 아무것도 잡지 못했습니다."

마지막으로 몇 번 더 그물 던지는 것을 보기 위해 배를 대고 일종의 포플러 나무 그늘 밑에 셋이 자리를 잡았다. 나무껍질이 하얀 이 나무는 도나우 강, 루아르 강, 그리고 아마도 모든 큰 강가에서 자라는데, 봄에는 꽃을 감싸는 부드러운 흰색 솜털을 뿌린다. 부인은 본래의 근엄한 평정을 되찾았다. 그녀는 내게 자신의 고통에 대해 털어놓으며, 막달레나처럼 우는 대신 욥처럼 절규한 것을 후회하는 듯했다. 그녀는 사랑도 없고, 축제도 없고, 유혹도 없지만 향기와 아름다움을 지닌 막달레나였다. 그녀의 발치에 끌어올려진 어망은 물고기로 가득했다. 돌잉어새끼, 곤돌매기, 농어, 그리고 풀 위에 펄떡거리는 큰 잉어 한 마리도 있었다.

"예정됐던 일 같군요." 관리인이 말했다.

일꾼들은 눈을 휘둥그렇게 뜨고 요술 막대기로 어망을 건드린 요정과 같은 이 여인을 보며 감탄하고 있었다. 그때 조마사가 말을 타고 들판을 가로질러 전속력으로 달려왔다. 부인은 심하게 소스라쳤다. 자크는 우리와 함께 없었고, 베르길리우스*가 시적으로 잘 표현했듯이 어머니들은 작은 일에도 반사적으로 제 자식을 품에 껴안으려 하는 법이다.

"자크!" 그녀는 외쳤다. "자크는 어디 있지? 내 아들한테 무슨 일 있었어요?"

그녀는 나를 사랑하지 않았다! 만일 나를 사랑했다면 그녀는 내 고통 앞에서도 이렇게 포효하는 암사자의 표정을 지었을 것이다.

"마님, 백작님께서 많이 편찮으십니다."

그녀는 안도의 한숨을 쉬며 나와 뒤따라오는 마들렌과 함께 달려갔다.

"천천히 와요." 그녀는 내게 말했다. "이 아이가 더위를 타지 않게. 당신도 보았다시피, 그이가 이렇게 더운 날씨에 뛰어서 땀을 흘리고, 호두나무 밑에 잠시 있었던 것이 불행의 근원이 된 것 같네요."

정신없는 와중에 던진 이 말은 그녀의 마음이 얼마나 순수한지를 드러냈다. 백작의 죽음이 불행이라고! 그녀는 재빨리 클로슈구르드에 이르러 벽의 틈새를 통과하여 과수원을 가로질렀다. 그녀가 지시한 대로 나는 천천히 돌아왔다. 앙리에트의 표현은 내게 상황을 제대로 조명해 주었지만, 그 조명은 곳간에 쌓인 곡식을 태워 버리는 번개와 같은 것이었다. 물 위에서 산책하는 동안, 나는 총애를 받는 줄 믿었다. 그러나 그녀의 말이 진심이라는 것을 뼈저리게 실감했다. 전부가 아닌 연인은 아무것도 아니다. 나는 혼자서 사랑하고 있었다. 스스로 무엇을 원하는지 너무나 잘 알고, 애무를 바라면서 상상 속에서만 즐기고, 미래를 기약하며 정신적인 쾌락으로 만족하는, 그런 사랑의 욕정에 사로잡혀 있었다. 앙리에트가 나를 사랑한다고 할지라도, 그녀는 사랑의 기쁨, 또는 사랑의 폭풍에 대해서 아무것도 몰랐다. 그녀는 마치 성녀가 하느님을 품고 살듯이 그런 감정 자체만을 품고 살았다. 벌떼가 꽃핀 나뭇가지에 들러붙듯이, 나는 그녀의 상념과 잠자던 감정들이 들러붙은 대상에 불과했다. 그러나 나는 삶의 원리가 아니라 우연한 요소에 불과했고, 그녀에게 삶의 전부는 아니었다. 폐위 군주처럼 나는 누가 내 왕국을 돌려줄 수 있을지 스스로에게 질문하였다. 격한 질투심에 사로잡혀, 과감하게 행동하지 못한 것을, 그녀를 소유함으로써 그녀와 나의 사이를 실제적인 사슬로 엮지 않은 것을 후회했다.

호두나무 그늘의 추위 때문인 것으로 추정되던 백작의 병세는 몇 시간 만에 악화되었다. 나는 유명한 의사인 오리제 선생을 부르러 투르에 갔지만, 저녁이 되어서야 데리고 올 수 있었다. 그는 클로슈구르드에 밤새도록, 그리고 그 다음날까지 머물렀다. 조마사를 시켜서 거머리를 많이 구해 오라고 지시하면서도, 자락(刺絡)하는 것이 위급하다고 판단했다. 그러나 종두 칼이 없었다. 그래서 나는 지독한 날씨를 무릅쓰고 아제까지 달려가서 외과의사인 델랑드를 깨워, 새처럼 신속하게 와달라고 강요하다시피 했다. 10분만 늦었어도 백작은 살아남지 못했을 것이다. 자락이 그를 살렸다. 첫 번째 요법이 성공했음에도 불구하고 의사는 가장 유독한 염증성 열병이라고 진단했다. 그것은 20년 동안 건강했던 사람들이 걸리는 병 중에 하나이다. 백작부인은 아연실색하여 남편이 이처럼 위독하게 앓아누운 원인이 자기한테 있다고 믿었다. 내 수고에 대해 감사의 말을 할 힘도 없어서 내게 여러 번 미소를 보일 뿐이었지만, 그것은 내 손에 입을 맞추었을 때와 같은 의미를 담고 있었다. 나는 그 속에서 불륜에 대한 죄책감을 읽기를 원했지만, 그것은 회개의 행위인 동시에, 자신이 고귀하다고 여기는 사람에 대한 존경과 애정의 표현이었다. 저지르지도 않은 죄에 대해 자기 자신만을 탓하고 있었던 것이다. 그토록 순결한 영혼을 가진 사람에게서 그런 표정을 보자니 마음이 아팠다. 분명히 그녀는 프란체스카 다 리미니가 시동생 파올로를 사랑했듯이* 나를 사랑하는 것이 아니라, 노베스의 라우라가 페트라르카*를 사랑했듯이 사랑했다. 이 두 종류의 사랑이 결합되기를 바라던 나는 이런 사실을 깨닫고 상심했다. 멧돼지 우리와 같은 이 방에서 백작부인은 더러운 의자 위에 몸이 내려앉은 채, 두 팔을 늘어뜨리고 쓰러져 있었다. 그 다음날 저녁, 가기 전에 의사는 밤을 샌 부인에게 간병인을 두라고 했다. 병의 완치가 오래 걸릴 전망이었다. 그녀는 대답했다.

"간병인이요? 안 돼요, 안 돼요." 나를 바라보며 외쳤다. "우리가 간병할 겁니다. 우린 그이를 살릴 의무가 있어요!"

그런 외침을 듣고 의사는 놀라며 우리를 잠깐 응시했다. 그녀의 말은 우리가 죄를 저지르려다 실패한 것처럼 들릴 만했다. 의사는 일주일에 두어 번 오겠다고 약속하고, 델랑드에게 치료 방침을 지시한 다음, 어떤 위험한 증상이 나타나면 자기를 불러야 하는지 설명했다. 부인이 이틀 중에 하룻밤은 잘 수 있도록 나는 그녀와 교대로 백작 곁을 지키겠다고 제안했다. 그리하여, 셋째 날 밤은 가서 자라고 그녀를 어렵게 설득했다. 집안이 고요해졌을 때, 백작이 잠든 사이, 앙리에트의 방에서 처절한 신음이 들렸다. 너무나 걱정되어 가 보았다. 기도대 앞에 무릎을 꿇고 눈물을 흘리며 자책하고 있었다. "주님, 이것이 제가 한번 불평한 대가라면, 다시는 불평하지 않겠습니다." 그녀는 외치고 있었다.

"그의 곁을 떠났군요!" 나를 보더니 그녀가 말했다.

"당신이 울고 신음하는 소리가 들려서 걱정했어요."

"나는 괜찮아요!"

그녀는 백작이 잠든 것을 확인하려 했다. 우리는 함께 내려가서, 등잔불 밑에서 그를 쳐다보았다. 백작은 잠들었다기보다는 피를 다량으로 뽑아낸 후유증으로 약해져 있었다. 떨리는 손으로 이불을 끌어올리려 했다.

"이런 것이 죽어 가는 사람들의 몸짓이라죠." 그녀가 말했다. "아, 우리 때문에 걸린 이 병으로 그가 사망한다면, 나는 맹세코 재혼하지 않겠어요." 그녀는 엄숙하게 백작의 머리 위로 손을 뻗으면서 덧붙였다.

"나는 백작님을 살리기 위해 최선을 다했습니다." 나는 말했다.

"당신은, 당신은 자비로운 사람이에요. 내가 큰 죄인이죠."

그녀는 벗겨진 이마 위로 몸을 숙이고, 자신의 머리카락으로 땀을 닦아 주고는 경건하게 입을 맞추었다. 그러나 이런 동작이 속죄하는 자세로 행해졌음을 보고 나는 내심 기뻤다.

"블랑슈, 마실 것 좀 줘." 백작이 쉰 목소리로 말했다.

"이것 봐요, 나밖에 모르잖아요." 그녀가 물컵을 가져오면서 말했다.

말투와 다정한 태도로써 그녀는 우리를 결속시키는 감정들을 훼손시키고, 환자에게 희생시키려 했다.

"앙리에트." 내가 말했다. "가서 쉬어요, 제발."

"앙리에트는 더 이상 없어요." 그녀는 성급히 내 말을 끊으며 명령조로 말했다.

"병 나지 않도록 좀 자요. 당신의 아이들과 백작님조차도 당신께 자신의 몸을 돌보라고 요구할 겁니다. 이런 경우에는 이기심이 숭고한 미덕이죠."

"네." 그녀는 말했다.

내게 남편을 잘 부탁하면서 갔다. 절실한 회개의 위력과 어린아이와 같은 귀염성이 섞이지 않았다면 그녀의 몸짓은 곧 정신착란을 일으킬 전조로 보였을 것이다. 이 순수한 영혼의 일상적인 평정과 비교하며 나는 오싹해졌다. 그녀가 정신적으로 흥분 상태에 빠질까 봐 두려웠다. 의사가 다시 왔을 때, 나는 놀란 흰담비와 같은 내 순결한 앙리에트를 옥죄는 자책감에 대해 털어놓았다. 조심스럽게 말을 했지만 이런 고백이 오리제가 품었던 의혹을 말끔히

씻었다. 그는 어찌됐든 백작은 언젠가 이런 발작을 일으켰을 거라고, 그리고 호두나무 밑에서 바람을 쐰 것이 병을 규명할 수 있는 계기가 되어서 해로웠다기보다 오히려 유익했다고 말함으로써 아름다운 영혼의 혼란을 진정시켰다.

52일 동안 백작은 삶과 죽음 사이를 오갔다. 앙리에트와 나는 교대로 각각 스물여섯 밤을 새웠다. 오리제의 지시를 세심하게 실천한 우리의 정성스런 병간호 덕분에 모르소프 백작은 살아났다. 철학자 기질이 다분한 이 의사는 예리하게 관찰한 결과, 위대한 행동이 의무의 비밀스런 이행일 뿐임을 눈치 챘다. 그리하여 그는 나와 부인 사이에 일어나고 있는 비장한 결투를 목격하면서도 무의식적으로 우리를 탐색하는 듯한 눈초리로 응시하곤 했다. 우리를 보고 감탄하는 자신이 잘못 알고 그럴까 봐 두려웠던 것이다. 세 번째로 방문했을 때 그는 내게 말했다.

"이런 질병에서는 정신적인 요인이 죽음을 재촉할 수 있습니다. 백작님처럼 정신이 많이 손상된 경우에 특히 그러하죠. 의사, 간병인, 환자 주위의 모든 사람들이 그의 목숨을 쥐고 있습니다. 왜냐하면 말 한마디, 강한 근심을 표출하는 몸짓 하나가 독극물처럼 작용할 수 있으니까요."

그런 말을 하면서 오리제는 내 얼굴과 태도를 살폈다. 그러나 그는 내 눈 속에서 순수한 영혼의 맑은 빛을 보았다. 실제로 이 혹독한 질병이 진행되는 동안 내 머릿속에는 가장 순수한 양심조차 파고드는 사악한 생각들이 전혀 떠오르지 않았다. 자연을 폭넓게 감상하는 사람에게는 모든 것이 동화되어 하나를 이룬다. 정신세계도 유사한 원리를 따르는 듯하다. 순수한 영역 안에 있는 모든 것은 순수하다. 앙리에트의 곁에만 있으면, 천상의 향기를 맡을 수 있었고, 그릇된 욕정을 품으면 그녀로부터 영원히 멀어질 것 같았다. 그렇게 그녀는 행복의 화신이었으며, 또한 정절 그 자체였다. 우리의 한결같은 주의와 정성을 보고 의사는 경건하고 감동된 듯한 말과 행동을 취했다. 그는 속으로 '이들이 진정한 환자들일세. 상처를 숨기고 그것을 잊고 있으니 말이야!' 라고 생각하는 것 같았다. 모르소프 백작은 아픔을 잘 참고, 순종했으며, 전혀 불평도 하지 않고 너무나 고분고분해졌다. 건강할 때에는 가장 간단한 일에도 수많은 이의를 제기하던 사람이라고는 믿기 어려울 정도였다. 이 훌륭한 의사에 의하면, 이런 성격의 일시적인 변화는 건강이 많이 나빠진 환자들에게서 흔히 볼 수 있는 현상이라고 했다. 예전에는 불신하던 의학에 순종하는 이유는 죽음에 대한 숨은 두려움 때문이었다. 그것은 그토록 굳센 용기를 지닌 사람에게서 또 하나의 큰 변화였다! 그런 두려움이 그가 앓아누운 이후로 성격이 이상하게 변한 이유였는지도 모른다.

나탈리, 당신에게 고백한다면 믿을지? 그 50일간, 그리고 그 다음 한 달간은 내 생애 가장 아름다운 순간들이었다. 사랑은 영혼의 무한한 공간 속에 있지 않은가? 그것은 빗물, 시냇물, 급류들이 모이고, 나뭇잎과 꽃, 가장자리의 자갈들, 높은 곳에 있는 바위 덩어리들이 떨어지는, 아름다운 골짜기 속에 흐르는 큰 강과 같다. 그 강은 폭풍우뿐만 아니라 맑은 시냇물의 느린 유입으로도 점점 불어난다. 사랑할 때는 모든 것이 사랑으로 흘러 들어온다.

위급한 시기가 지나자 백작부인과 나는 병세에 익숙해졌다. 백작에게 쏟아야 하는 세심한 주위가 집안을 끊임없이 어수선하게 만들었지만, 어지럽혀져 있던 백작의 침실은 깨끗해지고 예쁘게 꾸며졌다. 곧 우리는 무인도에 떨어진 두 사람처럼 되었다. 왜냐하면 불행은 타인으로부터 고립시키고, 게다가 편협한 사회 규범으로부터 벗어날 수 있게 해 주기 때문이다. 그리고 환자를 치료하기 위해서 우리는 많은 접촉을 할 수가 있었다. 다른 이유였다면 절대로 허용되지 않았을 것이다. 그토록 수줍었던 우리의 손이 백작을 시중들면서 수도 없이 서로 마주쳤다. 내게 앙리에트를 뒷받침하고, 도와줘야 할 의무가 있지 않았던가! 용감한 군인처럼 긴급한 상태에 정신을 빼앗겨서 그녀는 제대로 먹지도 못했는데, 그러면 나는 그녀에게 간단한 식사를 차려 주곤 했다. 가끔은 그녀의 무릎 위에 차려 주기도 했고, 그럴 때면 내가 세심하게 신경을 써줘야 했다. 반쯤 열린 묘 앞에서 소꿉장난하는 격이었다. 백작의 고통을 덜어 주기 위한 준비들을 내게 맡겼고, 작은 일들을 수없이 시켰다. 병세가 위급했던 초기에는, 전투 시처럼, 평상시의 체면을 차릴 상황이 아니었다. 그녀는 가장 소박한 여인이라 할지라도 외부인이나 가족들 앞에서 지키는 말투, 눈빛, 그리고 태도를 어쩔 수 없이 벗어던졌다. 실내복을 입었을 때는 그런 예절이더 이상 필요가 없기 때문이다. 그녀는 새벽에 새가 울기 시작할때 아침 복장으로 나와 교대하러 오지 않았던가? 어리석은 희망에 사로잡혀 나는 언뜻 보이는 눈부신 자태를 내 것이라고 생각하곤 했다. 여전히 위엄 있고 당당했지만 그녀는 격식을 내던질 수밖에 없었다. 하긴 처음 며칠 동안은 환자의 상태가 위독했기 때문에 우리의 친밀한 접촉에는 연애 감정이라고는 조금도 없어서, 그녀는 경계를 하지 않았다. 그리고 생각할 여유가 생겼을 때는, 부인은 아마도 태도를 바꾸는 것이 자신에게나 나에게나 모욕적이라고 여긴 듯했다. 우리는 조금씩 서로에게 길들여지고, 반쯤은 부부처럼 되었다. 그녀는 대범하게 자기 자신과 나를 믿었다. 그리하여 나는 그녀의 가슴속에 더 깊숙이 들어갈 수 있었다. 백작 부인은 다시금 앙리에트, 나의 앙리에트가 되어 자기의 분신이 되려고 애쓰는 사람을 더욱 사랑할 수밖에 없었다. 곧 그녀의 손은 항상 유혹하듯 방치되어 있어서 나는 그것을 보고 싶을 때 기다릴 필요가 없어졌다. 환자의 잠을 지켜보는 기나긴 시간 동안 나는 가만히 있는 그 손의 고운 윤곽을 주시하며 황홀경에 빠질 수 있었다. 우리가 스스로에게 허락하던 미미한 쾌락들, 즉 감동어린 눈길, 백작을 깨우지 않기 위한 속삭임, 나누고 또 나누는 근심과 희망들, 이를테면 오랫동안 떨어져 있던 두 영혼이 하나가 되었을 때 일어나는 수많은 사건들은 현실이 드리우는 어두운 그림자와 대조적이었다. 우리는 서로의 마음을 깊이 들여다볼 수 있었다. 아무리 격렬한 사랑도 이런 시험을 이겨내지 못하는 경우가 많다. 매순간 서로를 속속들이 보는 것을 견디지 못하고, 항상 붙어 있으면 삶이 너무 무거워져서, 혹은 너무 가벼워져서 끝내는 헤어지고 만다. 가장이 앓아누우면 집안 일이 얼마나 황폐해지는지, 여러 사업들이 중단되고, 시간에 쫓기게 된다는 것을 잘 알 것이다. 그가 생명이 위태로워지면 식구와 하인의 원만한 생활이 불가능해진다. 비록 백작부인이 대부분의 일을 처리했지만 백작은 아직 바깥일을 많이 맡았었다. 소작인들과 의논했고, 사업가들을 방문했으며 자금을 받았다. 그녀가 두뇌라면, 그는 수족이었다. 그녀가 백작을 보살피는 동안 바깥일이 파탄나지 않도록 나는 그녀의 집사 노릇을 했다. 그녀는 모든 것을 허물없이, 감사하다는 말도 없이 받아들였다. 집안일을 함께 나누고, 그녀의 지시를 전달하면서 그녀와 나 사이에 또 하나의 정다운 결속력이 싹텄다. 나는 저녁에 그녀의 침실에서 그녀의 이해관계와 자녀들에 대해서 의견을 나누곤 했다. 이런 대화들은 우리의 짧은 결혼생활을 더욱 그럴듯하게 만들었다. 앙리에트는 즐거운 마음으로 내게 남편의 역할을 맡겨, 식탁에서 나를 그의 자리에 앉히고, 관리인과 만나러 보냈다. 그녀는 순수한 마음뿐이었지만, 그래도 내심 기쁨도 있었을 것이다. 세상에서 가장 덕성스런 여성도 규범의 엄수와 은밀한 욕정의 충족을 조화시킬 수 있는 교묘한 방법을 찾았을 때 그런 기쁨을 느낀다. 병으로 쇠약해진 백작은 부인과 집안사람들을 괴롭히지 않았다. 그래서 백작부인은 본심으로 돌아와서 나를 돌보고, 내게 수많은 배려를 베풀 수 있는 여유가 생겼다. 그녀는 내게 자신의 진가를 드러내고, 자신을 이해하는 사람 앞에서 어떻게 변신할 수 있는지를 일부러 보여 주려 했는지도 모른다. 그런 무의식적인 의도는 너무나 사랑스럽게 표출되었고, 그것을 간파한 나는 큰 환희를 느꼈다. 가정의 차가운 대기 속에 계속 닫혀 있던 꽃은 내 눈 앞에서, 나만을 위해서 활짝 피었다. 내가 호기심에 찬 사랑의 눈길을 보내면서 느꼈던 희열을 그녀도 피어나면서 똑같이 느꼈다. 그녀는 일상의 모든 사소한 일들 속에서 나를 얼마나 마음에 두고 있는지를 확인시켜 주었다. 내가 환자의 머리맡에서 밤을 샌 후 늦게까지 잠을 자는 날에, 앙리에트는 아침에 다른 사람들보다 일찍 일어나서 내 주위가 완전히 조용하도록 조치를 했다. 이유를 모르는 채, 자크와 마들렌은 저 멀리 가서 놀았다. 부인은 내 상을 직접 차려 주기 위해서 수많은 술수를 부렸다. 그리고 기쁨에 들떠서, 제비처럼 자유롭고 섬세한 몸놀림으로, 스라소니처럼 날렵하게 나의 식사를 차렸다. 그럴 때면, 그녀의 볼은 불그레해지고 목소리는 떨렸다. 이런 마음의 분출을 말로 묘사할 수 있겠는가? 그녀는 자주 피로에 짓눌려 있었다. 하지만 그렇게 지쳐 있을 때조차도 나를 위해서나, 자식들을 위해서라면 새로운 힘을 얻어서 민첩하고 생기 있게, 기쁨에 차서 다시 일어났다. 그녀는 자신의 사랑을 광선처럼 대기 중에 뿌리는 것을 얼마나 즐겼던가! 아, 나탈리, 어떤 여성들은 이승에서 천사들의 특권을 누리고 있어서, 천사들처럼 빛을 내뿜는다. 미지의 철학자인 생 마르탱은 이 총명한 빛이 아름다운 선율을 들려주고, 향기롭다고 했다. 내 신중함을 믿었던 앙리에트는 우리의 미래를 가리던 무거운 장막을 즐겁게 들어올리며 자기 안에 있는 두 명의 여성을 보여 주었다. 내게 가혹하게 대했음에도 불구하고 나를 매혹시킨 갇힌 여성과, 다정한 배려로 내 사랑을 영원하게 만드는 자유로운 여성이 공존했다. 둘 사이에는 너무나 큰 차이가 있었다! 그녀는 추운 유럽으로 운송된 홍작새였다. 그 새는 막대기 위에 비참하게 앉아서, 박물학자가 보관하는 새장 속에서 소리 없이 죽어 가고 있었다. 앙리에트는 갠지스 강가의 수풀 속에서 동양의 시를 읊는 새였고, 항상 꽃이 핀 거대한 마편초[*]의 가지 사이로 살아 있는 보석처럼 날아다녔다. 그녀는 더욱 아름다워지고, 정신도 민첩해졌다. 끊임없이 터지는 환희의 불꽃은 우리 둘 사이의 비밀이었다. 왜냐하면 앙리에트에게 세상을 대변하는 도미니스 사제의 시선은 모르소프 백작보다 더 두려웠기 때문이다. 그러나 그녀는 자신의 생각을 기발하게 둔갑하는 술수를 나만큼 즐겼다. 자신의 기쁨을 농담 속에 숨기고, 애정 표현에 감사의 화려한 옷을 입혔다.

"펠릭스, 우리는 당신의 우정을 고된 시험에 들게 했어요! 신부님, 자크에게 허용하는 만큼 펠릭스에게도 허용해도 되겠죠?"그녀는 식사 시간에 말하곤 했다.

엄숙한 사제는 친절한 미소로 대답을 했다. 그 경건한 사람은 우리의 마음속을 꿰뚫어보고 순결하다는 것을 확인했던 것이다. 그는 백작부인에게 천사를 대하듯, 존경과 숭배의 태도를 보였다. 50일 동안 백작부인은 단 두 번 우리의 애정이 지키는 도를 지나치는 것 같았다. 하지만 그 두 사건들조차도 최후의 고백 시에나 걷힌 베일에 가려 있었다. 백작의 병 초기에, 어느 날 아침, 그녀가 고결한 사랑을 바치는 내게 허락했던 순수한 특권을 다시 빼앗으며 내게 모질게 대했던 것을 후회하기 시작할 무렵이었다. 나는 교대해 줄 그녀를 기다리고 있었다. 너무 피곤해서 벽에 기대어 잠들었다. 내 이마 위에 장미처럼 시원한 감촉이 느껴져 갑자기 깨어났다. 눈을 떠보니 곁에 백작부인이 있었다. "내가 왔어요!"라고 그녀는 말했다. 나는 가면서 인사를 하며 손을 잡았다. 그 손은 축축하고 떨렸다.

"어디가 불편하세요?" 나는 물었다.

"왜 묻죠?" 그녀가 되물었다.

나는 얼굴을 붉히며, 당황하여 그녀를 바라보았다. 나는 말했다. "꿈을 꿨어요."

어느 날 저녁은, 오리제가 백작이 회복기에 들어섰다고 단언한 후 마지막으로 몇 번 더 방문했던 무렵, 나는 자크와 마들렌과 함께 집 앞의 계단 위에 누워서 밀짚 막대기와 핀이 달린 고리로 밀짚낚기 놀이에 열중하고 있었다. 모르소프 백작은 잠들어 있었고, 의사는 말을 매는 동안 부인과 거실에서 낮은 목소리로 이야기를 나누고 있었다. 오리제는 내가 모르는 사이에 떠났다. 그를 배웅한 다음, 앙리에트는 창가에 기대어 우리가 눈치 채지 못하게 우리를 얼마간 바라보았다. 하늘이 구릿빛으로 물들고, 시골은 수천 개의 희미한 메아리들을 보내는 더운 저녁이었다. 태양의 마지막 광선들이 지붕 위에서 사라져 가고 있었고, 정원의 꽃들은 향기를 퍼뜨렸다. 외양간으로 들어가는 짐승들의 방울 소리가 멀리서 울렸다. 우리는 그 온화한 순간과 조화를 이루어, 백작을 깨우지 않기 위해 목소리를 높이지 않았다. 갑자기, 나는 치맛자락이 굽이치는 소리 뒤에 누군가의 목에서 경련이 일어나는 소리를 들었다. 한숨을 격하게 삼켰을 때 나는 소리였다. 거실로 달려가니 부인이 얼굴에 손수건을 대고 창가에 앉아 있었다. 그녀는 내 발자국 소리를 알아듣고는 홀로 내버려 두라고 명령하는 손짓을 했으나 나는 두려움에 사로잡혀 다가가서 손수건을 강제로 떼어내려 했다.

그녀의 얼굴은 눈물로 젖어 있었다. 그녀는 방으로 도망가서 기도 시간에야 나왔다. 50일 만에 처음으로 그녀를 테라스로 데려가서 좀 전에 왜 그렇게 감정이 격해졌는지 물었다. 그러나 그녀는 매우 명랑한 척하며 오리제가 전해 준 좋은 소식 때문에 기쁘다고 했다.

"앙리에트, 당신이 울고 있을 때 이미 그 소식을 알고 있었어요. 우리 사이에 거짓말은 있을 수 없잖아요. 왜 내가 그 눈물을 닦아 주지 못하게 했나요? 나를 위한 눈물이었나요?" 나는 말했다.

"그 병으로 내게는 고통이 잠시 멈추었었다는 생각이 들었어요. 이제 백작님 때문에 더 이상 걱정을 하지 않아도 되니 내 자신이 걱정되는군요." 그녀가 말했다.

그녀의 말이 옳았다. 백작이 건강을 회복하면서 그의 변덕스런 성미도 되살아났다. 그는 부인도, 나도, 의사도 자신을 치료하는 방법을 모르고 있으며, 자신의 병세와 체질, 자신의 고통과 적합한 약에 대해 무지하다고 말하기 시작했다. 오리제는 유문만 진찰하는 대신에, 무슨 알 수 없는 이론에 심취하여 자신의 기질이 악화되었다는 헛소리를 한다고 주장했다. 어느 날 백작은 마치 우리를 감시했거나 속마음을 알아차린 것처럼 심술궂게 우리를 쳐다보며 아내에게 말했다. "여보, 내가 죽었다면 당신은 아마도 나를 애도했겠지만 솔직히 체념하지 않았겠소?"

"저는 분홍과 검정색으로, 궁정의 상복을 입었을 거예요." 그녀는 남편의 입을 막기 위해 웃으며 대답했다.

그러나 무엇보다도 그는 식사에 관해서 불평이 많았으며 난폭해지기까지 했다. 오리제가 현명하게 식단을 정해 주고, 회복기 환자가 맘껏 먹는 것은 좋지 않다고 판단했다. 백작의 성미가 한동안 잠들어 있었던 만큼, 예전보다 비교도 할 수 없을 정도로 광포해졌다. 의사의 처방과, 하인들의 복종을 무기로 삼아 부인은 대담하게 저항했다. 또한 나도 이 싸움을 그녀가 남편을 제압할 수 있는 기회로 여기고 그녀를 지지했다. 그가 아무리 광기를 부리고 고함을 쳐도 태연하게 대처했고, 그를 어린아이 취급하며 모욕적인 언사에 익숙해졌다. 다행스럽게도, 드디어 그녀가 이 병든 정신을 통제하게 되었다. 백작은 소리를 질렀지만, 결국은 순종을 했다. 특히 소리를 많이 지른 후에 말을 더욱 잘 들었다. 이런 괄목할 만한 성과를 내고도, 앙리에트는 야위고, 허약해지고, 떨어지기 직전의 나뭇잎보다도 이마가 더 누런, 눈빛은 흐리고 손이 떨리는 이 노인을 보면서 가끔 울었다. 그녀는 자신이 너무 모질다며 반성했고, 때로는 그의 식단을 조절하면서 의사의 지시를 어기고 조금 더 후하게 차리곤 했다. 백작의 눈에 비치는 기쁨을 보기 위해서였다. 게다가 그녀는 내게 하듯이 상냥하고 다정하게 백작을 대했다. 하지만 차이가 존재하는 것을 보고 나는 무한한 희열을 느꼈다. 그녀는 가끔 지쳤기 때문에, 백작의 변덕과 불평이 너무 심해지면 하인들을 대신 시키기도 했다.

백작부인은 백작을 살려 주신 하느님께 감사드리기 위해 미사를 봉헌했다. 교회에 갈 때 내 팔짱을 끼고 가기를 원했다. 나는 거기까지 동행했지만, 미사 동안에 셰셀 부부를 방문했다. 돌아오는 길에 그녀는 나를 꾸짖으려 했다. 나는 말했다.

"앙리에트, 나는 위선자가 아닙니다. 나는 익사할 위험에 처한 적을 구하기 위해 물 속에 뛰어들 수 있고, 그의 몸을 덥히기 위해 내 옷을 벗어 주고, 그를 용서할 수도 있지만, 그가 가한 모욕은 잊어 버리지 않습니다."

그녀는 아무 말도 없이 내 팔을 자기 가슴 위에 눌렀다. 나는 계속 말했다.

"당신은 천사여서, 감사의 노래를 진심으로 불렀을 겁니다. 평화의 왕자*의 어머니는 그녀를 살해하려 하던 격분한 민중으로부터 살아남았다죠. 왕비가 그녀에게 당시 무엇을 하고 있었냐고 물었더니 그녀는 그들을 위해서 기도하고 있었다고 대답했답니다. 여성은 그렇죠. 나는 남자이고, 그래서 불완전한 존재입니다."

"스스로를 매도하지 말아요." 그녀는 내 팔을 거세게 흔들면서 말했다. "어쩌면 당신은 나보다 나은 걸요."

"네," 나는 대꾸했다. "왜냐하면 나는 단 하루의 행복을 위해서 영원을 바치겠지만, 당신은……!"

"나는요?" 그녀는 나를 똑바로 바라보면서 물었다.

나는 입을 다물고 그녀의 강렬한 눈빛을 피하기 위해 시선을 떨구었다.

"나요?" 그녀는 다시 말했다. "어떤 '나' 말이에요? 내 안에 수많은 '나'가 있답니다. 이 두 아이들도 ─ 마들렌과 자크를 가리켰다 ─ '나'죠, 펠릭스." 그녀의 말투는 애절해졌다. "내가 이기적이라고 생각하나요? 내게 자신의 삶을 희생하는 사람에게 보답하기 위해 나도 영원을 희생할 수 있다고 믿나요? 그런 생각은 추악해요. 그것은 종교적인 신념들을 돌이킬 수 없이 구겨 버리지요. 그렇게 타락한 여인이 다시 일어설 수 있을까요? 그런 대가를 치러서 얻은 행복이 그녀를 용서할 수 있을까요? 당신 덕분에 나는 곧 이런 질문들에 대해 결정을 내릴 수 있게 될 거예요! …… 그래요, 이제 내 양심의 비밀을 당신에게 고백할게요. 그런 생각이 자주 내 가슴을 스쳤지만 가혹한 고행으로써 속죄했어요. 그래서, 당신이 그제 그 이유에 대해서 물었지만, 눈물도 많이 흘렸어요……."

"저속한 여자들이 귀하게 여기는 것들을 당신이 너무 중요시하는 것은 아닙니까? 당신은 그것들을 덜……" 그녀는 내 말을 끊었다.

"어머나, 당신에게는 덜 중요한가요?"

그런 논리는 내 항변을 무력화시켰다.

"그렇다면, 이것을 알아둬요." 그녀는 계속했다. "나는 그에게 생명과도 같은데, 그런 내가 그 불쌍한 노인을 버릴 만큼 비겁해질 수는 있어요. 하지만, 우리 앞에 가는 저 두 명의 나약한 아이들, 마들렌과 자크는 아버지와 함께 남지 않겠어요? 당신에게 물어보건대, 이들이 그 몰상식한 사람에게 맡겨지면 3개월이나 살아남을까요? 내 의무를 저버려서 나만 피해를 본다면야……." 그녀는 눈부신 미소를 지었다. "하지만 그것은 내 두 자식들을 죽이는 것과 마찬가지예요. 그들은 분명히 죽게 될 테니까요. 하느님!" 그녀는 외쳤다. "왜 우리가 이런 이야기를 하고 있죠? 결혼해요, 그리고 나를 죽게 내버려 둬요!"

그녀의 말투가 너무나 씁쓸하고 심오해서 내 열정이 일으킨 반란을 잠재웠다.

"당신은 저기서, 호두나무 아래서 절규했지요. 나도 지금 이 오리나무 밑에서 절규했습니다. 그게 전부죠. 이제는 더 이상 말을 꺼내지 않겠습니다."

"당신은 너무 너그러워서 탈이에요." 그녀는 하늘을 보면서 말했다.

우리는 테라스 위에 이르렀다. 백작은 안락의자에 앉아 햇빛을 쬐고 있었다. 약한 미소로 겨우 생기를 띤 저 흐릿한 얼굴을 보자, 재에서 다시 살아났던 불꽃이 꺼졌다. 나는 난간에 기대어, 항상 허약한 두 아이와, 수많은 밤을 새서 창백해진 아내 사이에 앉아 있는 병자가 이루는 그림을 감상했다. 부인은 과도한 노동과 불안, 그리고 어쩌면 두 달 동안 끔찍했던 와중에도 누렸을 행복 때문에 야위었지만 좀전의 언쟁으로 평소보다 혈색이 돌았다. 구름 낀 가을 하늘의 회색빛이 떨리는 나뭇잎 사이를 통과하고 있었다. 그 나뭇잎으로 둘러싸인 이 고통받는 가족을 보며 나는 내 안에서 정신과 육체를 연결시키는 고리가 끊어지는 것을 느꼈다. 처음으로 나는 염세적이 되었다. 일설에 의하면, 이런 차가운 광기를 가장 튼튼한 용사들도 싸움 중에 느낀다는데, 그것은 매우 용감한 사람도 비겁하게 만들고, 무신론자를 독신자로 만들고, 인간을 모든 것에 대해, 가장 기본적인 감정들에 대해서도, 명예, 사랑에 대해서도 무관심하게 만든다. 왜냐하면 회의는 우리로 하여금 우리 자신조차 알아보지 못하게 하고, 삶에 대해 싫증나게 하기 때문이다. 풍부한 감수성 때문에 어떤 미지의 악령에 무방비로 노출되는, 신경이 예민한 불쌍한 존재들이여, 누가 너희들과 공감할 것이며, 누가 너희를 심판할 것인가? 유능한 외교관이자 용맹스런 대위였던 한 대담한 젊은이가, 이미 총사령관의 지휘봉을 손에 쥐었던 그가 오늘날 어떻게 본의 아니게 살인자가 되었는지 이해했다. 내 욕정도, 지금은 고상하게 장미 화관을 쓰고 있지만, 그런 종말을 초래할 수 있을까? 원인과 결과가 똑같이 나를 두려움에 떨게 했다. 불경한 사람처럼 신이 어디에 있냐고 속으로 질문하며 내 볼에 두 줄기의 눈물이 흘러내리는 것을 막을 수가 없었다.

"펠릭스 아저씨, 왜 그러세요?" 마들렌이 귀여운 목소리로 물었다.

앙리에트가 보낸 배려의 눈길은 내 마음속을 태양처럼 밝히고 검은 연기와 어둠을 완전히 쫓아 버렸다. 그때, 늙은 조마사는 투르에서 내게 온 편지를 가져왔다. 그 편지를 보고 나는 놀라움의 탄성을 질렀고, 백작부인은 소스라쳤다. 나는 집무실의 인장을 알아보았다. 폐하께서 나를 부르셨다. 내가 보여 준 편지를 그녀는 한눈에 읽었다.

"가야 되나 보군." 백작이 말했다.

"그럼 나는 어떡하죠?" 그녀는 처음으로 태양이 없는 자신의 사막을 엿보고 내게 말했다.

우리 모두는 정신이 혼미해진 상태로 얼마간 있었다. 서로가 서로에게 필요하다는 것을 그토록 실감한 적이 없었던 것이다. 백작부인의 목소리는, 전혀 무관한 이야기를 할 때에도, 몇 가닥

현은 끊어지고 나머지 현들마저 늘어나 버린 악기 소리와 같았다. 그녀의 동작은 무기력했고 눈빛은 어두웠다. 나는 자기 생각을 털어놓으라고 그녀에게 말했다.

"내가 생각을 할 수 있겠어요?" 그녀가 대답했다.

그녀는 나를 자기 방으로 데리고 가서 소파 위에 앉히고는, 화장대의 서랍을 뒤진 다음 내 앞에 무릎을 꿇으며 말했다. "1년 전부터 떨어진 내 머리카락이에요. 가져요, 당신 거예요. 어떻게 된 일인지, 왜 그런지 언젠가는 알게 될 거예요."

나는 그녀의 이마를 향해 천천히 몸을 숙였다. 그녀는 피하지 않았고, 나는 경건하게, 불순한 도취감이나 간지러운 쾌락 없이, 엄숙한 감동을 품고 입술을 그녀의 이마에 맞추었다. 그녀는 모든 것을 희생할 작정인가? 아니면 내가 그랬듯이, 단지 낭떠러지의 가장자리까지만 가 보는 것인가? 만약 자신을 사랑에 맡기려 했다면, 그녀는 이토록 침착하게, 성스러운 눈빛으로 나를 보며, 맑은 목소리로 말하지는 않았을 것이다. "이제 나에 대한 원망이 풀렸나요?"

나는 날이 어두워질 무렵에 떠났다. 그녀는 프라펠로 가는 길까지 나를 배웅하려 했다. 우리는 호두나무 아래에서 멈추었다. 나는 그것을 가리키면서, 4년 전에 그곳에 서서 그녀를 보았다고 이야기했다. "골짜기는 너무나 아름다웠죠!"

"지금은요?" 그녀는 대뜸 물었다.

"지금은 당신이 호두나무 밑에 있고, 골짜기는 우리의 것입니다!"

그녀는 머리를 숙였고, 우리는 작별 인사를 했다. 그녀는 마들렌과 함께 마차에 올라탔고, 나는 홀로 내 마차에 탔다. 파리로 돌아와서 나는 다행히 급한 업무에 몰두해야 했다. 그래서 정신을 다른 데로 돌릴 수가 있었고, 사교계를 피할 수 있었다. 그리하여 사교계는 나의 존재를 잊었다. 나는 모르소프 부인과 서신을 주고받았으며 매주 그녀에게 내 일기장을 보냈고, 그녀는 한 달에 두 번 답장을 썼다. 내 생활은 고독했지만 알찼다. 나는 클로슈구르드에서의 마지막 두 주 동안 꽃으로 새로운 시를 창작하기 위해 숲 속을 거닐었는데, 그때 외지고 손길이 닿지 않은 곳에서, 나무가 울창하고 꽃이 핀 장소를 발견하고 감탄했었다. 내 생활은 바로 그런 장소들과 비슷했다.

사랑하는 사람들이여! 그렇게, 고상한 의무를 스스로에게 부과하고, 교회가 신자들에게 날마다 생활 수칙을 정해 주었듯이 규칙을 세워 놓으라! 로마의 기독교가 정립한 엄격한 계율에는 위대한 사상이 담겨 있다. 그 계율들은 특정한 의식의 반복을 통해서 희망과 두려움을 항상 품게 하고 마음속에 의무의 도랑을 더욱 깊이 판다. 감정들은 그렇게 패인 도랑 속에 항상 줄기차게 흐르고, 도랑은 그 물을 고이게 하여 정화시켜서, 그것으로 끊임없이 심장을 재생시키며, 숨은 신앙심의 풍부한 보물로써 삶을 더욱 비옥하게 만든다. 신앙심은 단 하나의 사랑에 대한 단 하나의 마음이 증폭되는 신성한 원천이다.

어떻게 된 일인지,[*] 중세의 기사도를 연상시키는 내 사랑은 세상에 알려졌다. 어쩌면 왕과 르농쿠르 공작이 이야기를 했을지도 모른다. 분명히 이런 높은 곳에서부터, 외롭지만 위대하고, 정절을 지키는 아름다운 여인을 경건하게 숭배하는 젊은이의 낭만적이고 소박한 이야기가 생제르맹 지구의 한복판까지 퍼졌을 것이다. 살롱에서 나는 거북한 관심의 대상이 되었다. 조용한 생활이 제공하는 편의에 익숙해진 사람은 항상 주목 받는 것을 견디지 못한다. 부드러운 색채만을 보던 눈이 대낮에 자극을 받듯이, 강렬한 대조를 몹시 싫어하는 사람들이 있는데, 그 당시에 내가 그랬다. 오늘날 당신은 의아해 할지 모르겠지만, 조금만 기다리면 지금의 방드네스의 기이한 성격이 설명될 것이다. 그래서 여성들은 내게 친절했고, 사교계는 나를 아주 잘 대해 주었다. 베리 공작의 결혼식 이후에 궁정은 다시금 화려해지고, 예전에 프랑스에서 열리던 축제들이 다시 열리기 시작했다. 외세의 침입이 그쳤고, 다시 호황이 찾아와 삶이 즐거워졌다. 직위가 높거나 재산이 많기로 유명한 사람들이 유럽 전역에서 지성의 중심지로 몰려왔다. 그곳에는 다른 나라에도 존재하는 쾌락과 방탕함이 프랑스적인 정신으로 심화된 채로 존재한다. 클로슈구르드를 떠난 지 다섯 달이 지난 어느 겨울날에, 나의 수호천사는 아들이 많이 아팠다는 내용의 애처로운 편지를 보냈다. 일단 고비는 넘겼지만, 앞날에 대한 우려가 남았다. 의사는 폐가 위태로울 수 있으니 조심해야 한다고 했다. 그런 의학적인 진단은 어머니의 삶을 검게 물들이는 끔찍한 것이다. 자크의 상태가 호전되어 앙리에트가 한숨 돌리자마자, 그의 누이가 문제를 일으켰다. 어머니의 보살핌에 따라 잘 자라 주는 예쁜 나무 같은 마들렌이 일으킨 발작은 예상된 것이었으나 그런 허약한 체질에는 치명적이었다. 자크의 긴 투병으로 인한 과로로 지친 부인은 또다시 닥친 역경을 이겨낼 용기가 더 이상 없었다. 사랑하는 자식들이 고통스러워하는 광경 앞에 그녀는 더욱 괴팍해진 남편의 성격에도 무감각해졌다. 폭풍우로 점점 혼탁해지고 자갈을 많이 실은 매서운 파도가 그녀의 가슴 깊이 심어진 희망들을 뿌리째 흔들고 있었다. 그녀는 이미 싸우다 지쳐서 백작의 횡포에 항복했었다. 그리하여 백작은 잃어버렸던 자기 영역을 되찾았다. 그녀는 편지에 이렇게 쓰고 있었다.

"내 모든 힘을 자식들에게 쏟을 때 백작님께 저항할 기력이 남았겠어요? 죽음에 대항하면서 그이의 공격을 막아 낼 수 있었겠어요? 두 명의 가엾은 아이들 사이에서 쇠약해진 채 홀로 걸어가는 이 순간 도저히 막을 수 없는 삶에 대한 환멸이 밀려옵니다. 테라스 위에 꼼짝 않고 있는 자크를 보며 내가 개인적인 아픔을 느낄 수가 있겠어요? 누구의 애정에 보답할 수 있겠어요? 자크의 아름다운 두 눈만이 그가 살아 있음을 나타내고 있습니다. 그 애는 말라서 눈이 커지고 노인처럼 쑥 들어갔어요. 그리고 불길한 징조인데, 그 눈의 총명한 빛은 허약한 육체와 대조를 이룹니다. 그렇게 생기발랄하고, 다정하고, 혈색이 좋았던 예쁜 마들렌은 지금 송장처럼 창백해지고, 머리카락과 눈빛까지도 옅어진 듯해요. 그녀는 내게 이별을 고하려는 듯이 나를 기운 없이 쳐다보곤 하지요. 식욕도 없고, 그녀가 어쩌다가 원하는 음식은 너무나 이상한 것이어서 불안해 죽겠어요. 내 품에서 자란 그 순진한 아이는 내게 그런 것이 먹고 싶다고 고백하면서 부끄러워합니다. 아무리 노력해도 내 아이들을 즐겁게 할 수가 없어요. 그들은 내게 미소를 보이지만, 그 미소는 재롱을 부리는 내게 억지로 짓는 것이지 마음에서 나오는 것은 아니에요. 그들은 내 애정 표현에 보답을 할 수 없어서 울기도 한답니다. 고통은 그들의 마음속에 모든 것을, 우리를 이어주는 끈도 느슨하게 했어요. 그러니 클로슈구르드가 얼마나 우울한지 짐작하겠죠. 모르소프 백작은 장애물 없이 군림하고 있습니다. 오, 나의 벗이여! 내 자랑!" 편지의 뒤로 가서 그녀가 쓰기를, "무기력해지고, 배은망덕하고, 고통으로 얼어붙은 나를 아직도 사랑한다면, 당신의 사랑은 정말 지극한 것입니다!"

나는 내 창자 속까지 통렬한 아픔을 느꼈다. 한동안 그녀의 마음속에서만 살았고, 그 마음에 아침바람의 산뜻함과 불그스름한 저녁의 희망을 불어넣으려 애썼다. 그 무렵 나는 엘리제 부르봉*의 살롱에서 거의 여왕이나 다름없는 영국 귀부인을 만났다. 재산도 막대하고, 영국의 정복 이래로 신분이 낮은 집안과 결혼을 맺은 적이 없는 가문 출신에다, 매우 직위가 높은 노귀족 의원의 아내였다. 하지만 이 모든 점들은 그녀의 아름다움, 우아함, 기품, 재치 등을 더욱 돋보이게 하는 부속품에 불과했다. 그녀가 내뿜는 광채는 매혹시키기 이전에 눈을 부시게 했다. 그녀는 그 당시 사교계의 우상이 되었다. 그녀는 성공에 필요한 자질, 즉 베르나도트*가 말하던 벨벳 장갑 속에 강철 손을 가진 덕분에 파리 사회를 능란하게 지배했다. 당신은 영국 사람들의 기묘한 기질을 알 것이다. 그들은 자신과 자신에게 소개되지 않은 사람들 사이에 건널 수 없는 거만한 영국 해협*을, 차가운 세인트조지 해협*만큼의 거리를 둔다. 그들은 인류 전체를 개미집처럼 취급하여 짓밟는다. 자신들이 받아들이는 사람만 상대하고, 나머지는 안중에도 없다. 앞에서 입술이 움직이고, 눈이 떠 있어도, 그 말소리도 시선도 그들에게 가 닿지 않는다. 그들에게 그런 사람들은 존재하지도 않는다. 영국인들은 이렇게 그들이 사는 섬과 닮았다. 그곳에서는 법이 모든 것을 규제하고, 각각의 영역에서 모든 것이 획일적이며, 덕을 실천하는 것은 마치 일정한 시간에 작동하는 톱니바퀴의 장치와 같다. 호화로운 사료통과 물통, 막대기, 그리고 훌륭한 먹이를 갖추고, 연마된 강철로 쌓은 성벽 안에 갇혀서 금줄로 묶인 영국 여인은 거부할 수 없이 매력적이다. 기혼 여성을 끊임없이 죽음과 사회 사이에 처하게 함으로써 그녀의 위선을 이보다 잘 키워 준 민족은 없다. 그녀에게는 수치와 명예 사이에 중간이 없다. 전적으로 죄를 지었거나 죄가 없거나, 둘 중의 하나이다. 전부이거나 아무것도 아니거나, 즉 햄릿의 '사느냐 죽느냐'이다. 이런 이분법적인 사고방식에 몸에 밴 거만한 태도가 합쳐져서 영국 여인은 세상에서 예외적인 존재가 된다. 정절을 강요당하지만 기꺼이 타락하고픈 욕구가 있고, 가슴속에 항상 거짓말을 숨길 운명에 처했으나 외양은 매력적이다. 왜냐하면, 영국 민족은 모든 것을 외양에 걸었기 때문이다. 그 나라 여성들의 독특한 아름다움은 바로 여기에서 나온다. 그녀들이 삶에서 가장 중요시하는 열애에의 몰입, 자기 자신을 돌보는 극진한 정성, 『로미오와 줄리엣』의 그 유명한 발코니 장면에서 아름답게 묘사된 그녀들의 섬세한 사랑. 셰익스피어는 일필(一筆)로써 영국 여인을 천재적으로 잘 표현해 냈다. 당신은 그녀들이 지닌 많은 것을 부러워하고 있으니 피부결이 하얀 그 요부들에 대해서 모르는 것이 없을 것이다. 그녀들은 겉으로 수수께끼 같지만 조금만 알면 꿰뚫어볼 수 있고, 사랑하면 사랑만으로 족하다고 생각하며, 쾌락에 변화를 꾀하지 않고 권태를 그 일부로 만든다. 그녀들의 영혼은 단 한 가지 소리를, 목소리는 단 하나의 음절만을 낸다. 그녀들의 대양 같은 사랑 안에 헤엄을 쳐 보지 않은 자는, 마치 바다를 보지 못한 사람이 시적 영감이 부족하듯이, 육감(肉感)이 자아내는 시(詩)를 영원히 모를 것이다. 당신은 내가 왜 이런 말을 하는지 알 것이다. 나와 더들리 후작부인의 연애에 대한 염문은 자자했다. 관능의 포로가 되기 쉬운 나이에, 열정이 그토록 강하게 억압되었던 나였지만, 클로슈구르드에서 수난을 감내하고 있는 성녀의 심상이 내 안에 너무나 밝게 빛났기에 유혹에 저항할 수 있었다. 그런 절개가 레이디 아라벨의 관심을 끈 후광이었다. 나의 저항이 그녀의 열정을 더욱 자극했다. 대부분의 영국 여인들과 마찬가지로, 그녀가 원하는 것은 물의를 일으키는 것, 비일상적인 것이었다. 영국 사람들이 입맛을 돋우기 위해 매운 조미료를 즐겨 찾듯이, 그녀는 사랑에도 후추와 고춧가루를 뿌리려 했다. 매사의 완벽함과 습관의 기계적인 규칙성으로 침체된 생활 때문에, 그녀들은 낭만적이고 위험한 것을 좋아하게 된다. 나는 그런 성격을 당시에는 헤아리지 못했다. 내가 냉랭한 무관심 속에 갇히면 갇힐수록, 레이디 더들리의 감정은 점점 더 열렬해졌다. 이런 대결은 살롱에 드나드는 사람들의 호기심을 유발했고, 이는 나와의 줄다리기를 자랑스럽게 여기던 그녀에게 첫 기쁨을 안겨주었다. 그녀는 사람들의 눈길을 끈 이상, 반드시 승리를 거둬야겠다고 결심한 듯했다. 아, 만약 자비로운 사람이 그녀가 모르소프 부인과 나에 대해 한 말을 내게 옮겼다면, 나는 유혹을 뿌리칠 수 있었을 텐데!

"한 쌍의 어린 비둘기들처럼 한숨짓는 저들을 보고 있자니 너무나 지겹군요."

나탈리, 내 죄를 정당화하려는 것은 아니지만, 여자가 남자의 구애를 거부하는 것보다 남자가 여자를 뿌리치는 것이 훨씬 어렵다는 것은 엄연한 사실이다. 우리의 풍속은 남성들이 거칠게 저항하는 것을 금하지만, 당신네는 그렇게 하는 것이 미끼가 되고, 게다가 관습적으로 그럴 수밖에 없다. 이해할 수 없는 남성적인 허영심의 잣대로는 소심함이 우스꽝스럽게 여겨진다. 우리는 당신네들에게 정숙하다는 평판을 누릴 특권을 양보하지만, 역할이 바뀌면 남자는 비웃음의 대상이 된다. 내 사랑이 나를 보호하고 있었지만, 나는 허영, 헌신, 그리고 아름다움이라는 삼중의 유혹에 무감각할 수 있는 나이가 아니었다. 레이디 아라벨은 자신이 여왕으로 군림하는 무도회에서 자기가 받은 찬사들을 모두 내 발치에 갖다 바치곤 했다. 자신의 차림이 내 마음에 드는지 내 눈빛을 살피고, 그렇다는 것을 알았을 때 기뻐서 전율할 때, 나는 그녀의 감동에 감동했다. 게다가 나는 그녀를 피할 수가 없었다. 나는 외교계의 인사들이 보내는 몇몇 초대에 응하지 않을 수 없었고, 그녀는 높은 신분으로 인해 모든 살롱을 출입할 자격이 있었다. 그리고 원하는 바를 얻기 위해 여성들이 발휘하는 능란함으로 안주인에게 부탁하여 내 옆에 앉았다. 그리고 내 귀에 속삭였다. "내가 모르소프 부인처럼 사랑받는다면, 당신에게 모든 것을 희생하겠어요." 그녀는 웃으면서 가장 소박한 조건들을 제시했고, 무조건 남의 이목을 조심하겠다고 약속하거나, 단지 나를 사랑할 수 있게만 해 달라고 애원했다. 어느 날 그녀는 소심한 성격과의 타협과 젊은이의 억제할 수 없는 욕정을 동시에 충족시키는 다음과 같은 말을 했다. "항상 당신의 친구로 남을게요. 그리고, 당신이 원할 때 연인이 되어 드리겠어요." 결국 그녀는 내가 의리 때문에 항복할 수밖에 없도록, 내 하수인을 매수하여 일을 꾸몄다. 사교계 모임에 너무나 아름다운 모습으로 나타나 내 욕정을 자극했다고 확신한 어느 날 저녁, 그녀는 내가 집에 들어가는 시간에 그곳에 와 있었다. 이런 대담한 행동이 영국 전역에 떠들썩하게 전해졌고, 영국의 귀족들은 가장 아름다운 천사의 추락을 지켜보는 하늘처럼 아연실색했다. 레이디 더들리는 영국의 최상류층에서 추방되었고, 그녀에게는 막대한 재산만이 남았다. 그녀는 자신이 치르는 희생으로써 이 유명한 재앙의 원인을 제공한 덕성스런 여인을 가리려 했다. 레이디 아라벨은, 성전 위에 앉은 악마처럼,[*] 열기로 가득한 자기의 왕국의 가장 풍요로운 지방들을 보여 주는 것을 즐겼다.

제발 내 이야기를 너그럽게 읽어 주길! 이것은 인생의 가장 흥미로운 문제 중의 하나요, 대부분의 남자들이 겪어야 하는 위기이다. 나는 이런 삶의 장애물에 대해 조금이라도 경종을 울리기 위해 설명하려 한다. 그토록 가늘고, 연약한, 아름다운 귀부인으로, 쉽게 부서질 것 같고, 너무나 온화하고, 황갈색 머리카락이 둘러싸는 다정한 이마를 가진 여인, 잠깐씩 빛을 발하는 듯한 그녀는 실제로 강철 체질이었다. 아무리 혈기왕성한 말도 그녀의 신경질적인 손목에, 여려 보이지만 지칠 줄 모르는 손에 저항하지 못한다. 그녀는 암사슴의 발을 가졌다. 겉으로는 묘사할 수 없이 우아한, 근육질의 마르고 작은 발이다. 그녀는 격투를 두려워하지 않을 정도로 힘이 세다. 어떤 남자도 승마에서 그녀를 따라잡을 수 없을뿐더러, 그녀는 켄타우로스*라도 제치고 일등상을 받을 역량을 지녔다. 그녀는 사슴 사냥에서 말을 멈추지도 않고 활을 쏘고, 그녀의 몸은 땀을 흘리는 일이 결코 없으며, 대기 중의 불을 흡수하기 때문에 반드시 물 속에서 살아야 한다. 그래서 그녀의 열정은 아프리카의 기후를 닮았고, 욕정은 사막의 회오리바람과 같다. 한결같은 하늘과, 별이 빛나는 시원한 밤이 펼쳐지는, 푸른색과 사랑으로 가득한, 불타는 사막의 광활함이 그녀의 눈 속에 비친다. 클로슈구르드와는 너무나 큰 차이였다! 동양과 서양의 차이였다. 하나는 아주 작은 물기까지도 먹이 삼기 위해 빨아들이려하고, 다른 하나는 자신의 마음을 내뿜고 측근들을 빛으로 감싸준다. 한 명은 날렵하고 가늘고, 다른 한 명은 느리고 풍만하다. 영국 풍속의 전반적인 의미에 대해 생각해 본 적이 있는가? 그것은 물질의 신격화, 즉 분명하게 정의되고, 계획되고, 교묘하게 적용되는 쾌락주의가 아닌가? 무엇을 하든, 뭐라고 말하든, 영국인은, 어쩌면 스스로도 모르는 채, 물질주의의 지배를 받는다. 그곳에도 종교와 윤리는 존재하지만, 그 안에는 영성(靈性)이나 기독교적인 정신이 부재하다. 신의 풍부한 은총이란 어떤 훌륭한 연극으로도 가장할 수는 없는 것이다. 영국에서는 물질의 모든 부분을 개량하여, 실내화가 세상에서 가장 편안한 슬리퍼가 되게 하고, 속옷에 황홀한 향을 배게 하고, 서랍장에 삼나무로 한 겹을 입혀 향기롭게 하는 등 생활의 기술이 최고의 수준에 달했다. 뿐만 아니라 시간이 되면 잘 우려낸 그윽한 차를 따라 주고, 그리고 먼지를 없애고, 계단의 아래서부터 집안의 구석까지 양탄자를 잘 고정시키고, 지하실 벽을 닦아 주고, 문의 노커를 문질러 광나게 하며, 마차의 스프링을 부드럽게 한다. 그래서 물질은 풍요롭고 부드러우며, 반짝거리고 깨끗한 과일속이 되어, 정신은 그 쾌락 속에서 파멸되어 간다. 편안함은 끔찍한 단조로움을 낳고, 자연스러움이 전혀 남지 않은, 갈등 없는 삶이 당신을 기계로 만든다. 이런 호사스러운 영국인 가운데서도, 나는 예외적이라고 할 수 있는 여인을 경험하게 되었다. 그녀는 약해지다가도 다시 살아나는 사랑의 올가미로 나를 엮었다. 그 사랑은 나의 금욕과는 반대로 아낌없이 베풀고, 숨 막히게 아름답고, 전율을 느끼게 한다. 반쯤 잠들어 있을 때 상아로 된 문으로 하늘에 들게 하거나, 날개 달린 등 위에 태워서 날아다닌다. 이런 사랑은 지독하게 배은망덕해서 그것이 죽게 한 사람들의 시체 위에 올라타서 웃는다. 기억도 없고, 영국의 정치를 닮은 잔인한 사랑이건만, 거의 모든 남성들은 그 함정에 빠진다. 당신은 이미 문제를 이해했을 것이다. 사람은 물질과 정신으로 이루어져 있다. 동물적인 본성이 그의 안에서 끝나고, 천사의 성질이 그로부터 시작한다. 그래서 우리는 예감되는 미래와 완전히 벗어나지 못하는 과거의 본능의 잔재 사이에서, 즉 육체적인 사랑과 신성한 사랑 사이에서 갈등을 느낀다. 어떤 사람은 하나의 사랑으로 합치고, 다른 사람은 금욕을 한다. 또 어떤 이는 지나간 욕정을 충족시키기 위해 온갖 여성들 사이를 뒤지고, 다른 이는 단 한 명의 여성을 이상화시켜서 그녀 안에 우주 전체를 담는다. 어떤 이들은 물질적인 쾌락과 정신적인 쾌락 사이에 우유부단하게 떠 있고, 다른 이들은 육체에 정신성을 부여하여 그것이 줄 수 없는 것을 요구한다. 사랑의 이러한 종합적인 특징을 염두에 두고, 다양한 체질과 성격들이 서로 거부 반응과 친화력을 느끼기도 하고, 그런 차이로 인해 서로 겪어 보지 못한 사람들이 언약을 맺었다가 그것을 깨뜨릴 수도 있다는 사실을 생각해 보라. 게다가 정신, 또는 가슴, 또는 행위로써 살아가는 사람들, 즉 생각을 주로 하거나, 느끼기만 하거나, 행위가 앞서는 사람들이 있어서 이들이 각각 두 개의 기질을 지닌 두 사람의 결합에서 이해받지 못하고 실망할 수 있다는 것도 고려해 보라. 그러면 당신은 사회가 무자비하게 처벌하는 불행에 대해 많이 너그러워질 것이다. 그렇다면, 레이디 아라벨은 인간을 구성하는 섬세한 육체의 본능과 기관, 욕정, 악과 덕을 모두 만족시켰다. 그녀가 육체의 주인이라면 모르소프 부인은 영혼의 배우자였다. 정부(情婦)가 충족시키는 사랑에는 한계가 있다. 물질은 유한하고, 그 특유의 힘은 계산된 것이어서 곧 포화 상태에 이를 수밖에 없다. 파리의 레이디 더들리 곁에 있을 때 나는 공허감을 곧잘 느꼈다. 무한함은 가슴의 영역이다. 클로슈구르드에서는 사랑이 끝이 없었다. 물론 나는 아라벨을 열렬히 사랑했고, 그녀의 동물적인 근성이 특출났지만, 지능 또한 탁월하여 그녀는 짓궂은 말투로 모든 화제를 섭렵했다. 하지만 나는 앙리에트를 숭배했다. 밤에는 행복해서 울고, 아침에는 죄책감으로 울었다. 어떤 노련한 여성들은 질투를 천사 같은 상냥함으로 포장한다. 그런 여성들은 레이디 더들리처럼 서른 살이 넘었다. 그녀들은 직감한 후에 계산하고, 현재의 모든 단물을 빨아먹고 미래를 준비할 줄 안다. 힘찬 각적 소리를 쫓으면서 상처를 느끼지 못하는 사냥꾼의 기상으로 아파도 신음 소리를 참을 줄 안다. 비록 모르소프 부인에 대해 언급하지 않았지만 아라벨은 내 마음속에서 그녀를 지우려 애썼다. 내가 백작부인을 항상 마음에 품고 있음을 알고 오히려 아라벨의 열정은 그런 불굴의 사랑 앞에 식었다가도 다시 뜨거워졌다. 자기가 상대적으로 돋보여서 승리할 수 있도록 그녀는 대부분의 여성들처럼 의심을 보이지도, 까다롭게 굴지도, 호기심을 많이 보이지도 않았다. 하지만 먹이를 주둥이에 물고 동굴에 가져온 암사자처럼 아무것도 자신의 행복을 방해하지 못하도록 지켰고, 복종하지 않는 노획물처럼 나를 감시했다. 나는 그녀가 보는 앞에서 앙리에트에게 편지를 썼다. 그녀는 한 줄도 읽은 적이 없고, 어떤 방법으로든 봉투에 적은 주소를 알려고 하지도 않았다. 나는 자유로웠다. 그녀는 아마도 이런 생각을 했을 것이다. '그를 잃으면, 그건 순전히 내 탓이다.' 그리고 그녀는 헌신적인 사랑을 무기로 삼았다. 내가 원하기만 했으면 주저 없이 생명까지 내놓았을 것이다. 내가 자기를 버리면 즉시 자살할 것이라고 내게 믿게 했다. 그것에 관해, 그녀는 죽은 남편의 화장대 위에 과부를 태우는 인도의 관습을 예찬하곤 했다. "비록 인도에서는 이런 관행이 귀족층에 국한된 특권이어서, 유럽인들이 그것이 얼마나 고결하고 위대한지를 이해 못하지만 오늘날처럼 천박한 풍속이 편재한 시대에 귀족 계급은 위대한 감정을 통해서만 다시 일어설 수 있어요. 부르주아들에게 내 혈관 속의 피가 그들의 피와 다르다는 것을 보여 주려면 그들이 죽는 것과는 다른 방식으로 죽어야 하지 않겠어요? 출신이 비천한 여성들도 다이몬드, 비싼 옷감, 말, 그리고 귀족의 상징인 문장(紋章)까지 돈으로 살 수 있어요. 하지만 당당하게 고개를 들면서 법에 거슬리는 사랑을 하고, 스스로 선택한 우상의 침대보로 수의를 삼고 그를 위해 죽는 것, 하느님의 권능을 박탈하여 한 사람에게 하늘과 땅을 바치는 것, 덕을 위해서도 그를 배신하지 않는 것…… 의무 때문에 그를 거부한다면 그건 **그가** 아닌 대상에 복종하는 셈일 테니까요. 그것이 사람이든 이념이든, 똑같은 배신이죠! 이런 게 저급한 여자들이 도달하지 못하는 위대한 경지랍니다. 그녀들은 두 개의 진부한 길만을 알죠. 정절이라는 큰 길, 그리고 창녀의 질퍽한 오솔길!" 당신도 보다시피, 그녀는 자존심을 세워 주는 수법을 썼다. 나를 신격화함으로써 우쭐하게 하고, 높이 떠받들어서 내 앞에 무릎을 꿇고 살았다. 그녀의 모든 유혹은 노예다운 태도와 전적인 복종에 기인했다. 그녀는 하루 종일 내 발치에서 말없이 나를 바라보며 누워 있기도 했다. 그럴 때 하렘의 애첩처럼 쾌락의 시간을 기다리며, 능란한 교태로 그것을 앞당겼다. 쾌락이 넘치는 사랑의 자극적인 환락에 몸을 맡긴 첫 6개월을 어떤 말로 묘사할까? 그녀는 자신의 경험에 힘입어 다양한 쾌락을 선사하면서도, 그런 능란함은 열정 뒤에 교묘하게 숨겼다. 감각에서 오는 시심(詩心)을 한순간에 발견케 하는 그런 쾌락은 젊은이들이 연상의 여인들에게 목을 매는 강력한 끈이기도 하다. 하지만 이런 끈은 강제노역자의 고리이다. 그것은 마음속에 지울 수 없는 흔적을 남겨, 정교하게 조각되고 반짝이는 보석으로 장식된 금잔에 술을 따를 줄 모르는, 신선하고, 순수하고, 단지 꽃으로만 채워진 사랑에 대해 미리 환멸을 심어 준다. 예전에는 상상만 하면서, 꽃다발로써 표현했던, 정신적인 결합까지 더해지면 천 배는 더 달아오를 쾌락을 실제로 맛보며 그 아름다운 술잔을 기꺼이 들이켜는 나를 내 자신에게 정당화하기 위해 수많은 역설들을 지어냈다. 무한한 피로에 휩싸여서 내 영혼이 육체와 분리되어 지구로부터 멀리 떠다닐 때, 나는 그런 환락이 물질을 멸망시키고 정신이 숭고하게 날아다닐 수 있도록 해 주는 것이라고 생각하곤 했다. 레이디 더들리는 많은 여성들처럼, 행복의 극치가 유발하는 흥분 상태를 이용하여 내게서 맹세를 끌어냈다. 그리고 내가 욕정에 사로잡혀 있는 틈에 클로슈구르드의 천사에 대해 불경한 말을 하게 했다. 일단 배신자가 된 후 나는 위선자가 되었다. 마치 내가 아직도 그녀가 사랑하는, 초라한 파란색 옷을 입은 소년인 것처럼 가장하고 여전히 모르소프 부인에게 편지를 썼다. 그러나 고백하건대, 누가 그녀에게 귀띔이라도 해서 내 희망들이 살아 있는 어여쁜 성에 닥칠 불행을 생각하면, 그녀의 투시력이 두려워졌다. 가끔, 환희를 느끼는 와중에, 갑작스런 고통이 나를 얼어붙게 하곤 했다. 내게는 성서에 나오는 "카인아, 아벨은 어디 있느냐?"*처럼 하늘에서 앙리에트의 이름을 부르는 목소리가 들리는 듯했다. 내 편지에는 답장이 없었다. 나는 엄청난 불안에 사로잡혀 클로슈구르드로 떠나기로 결심했다. 아라벨은 반대하지는 않았지만 자연스럽게 나와 투렌에 동행하겠다고 말했다. 장애물 때문에 더욱 강해진 집착, 뜻밖의 행복이 실현시킨 예감들, 모든 것이 그녀 안에 진정한 사랑을 싹트게 했다. 그녀는 그 사랑을 유일한 것으로 만들려 했다. 여성 특유의 직관을 가지고, 그녀는 이 여행이 모르소프 부인으로부터 나를 완전히 떼어놓을 수 있는 기회라고 생각했다. 나는 두려움으로 눈이 멀었고, 진정한 사랑의 순진한 격정에 휩싸였기 때문에 함정을 보지 못했다. 레이디 더들리는 겸허하게 모든 것을 양보함으로써 내가 제기할 수 있는 모든 이의를 예방했다. 그녀는 투르 근처의 시골에서, 익명으로, 변장하고 지내기로 했다. 낮에는 외출하지 않고 아무도 마주칠 위험이 없는 밤 시간에 만나기로 정했다. 나는 투르에서 클로슈구르드까지 말 타고 갔다. 그런 교통수단을 이용하는 데는 이유가 있었다. 밤에 이동하기 위해서 말이 필요했는데, 내 말은 레이디 헤스터 스탄호프*가 후작부인에게 보낸 아랍 말이었다. 나는 지금도 그녀의 런던 저택의 거실에 걸려 있는 렘브란트의 유명한 그림을 주고 그 말을 받았다. 그 그림도 내가 기이한 방법으로 얻은 것이었다. 나는 6년 전에 걸었던 길로 달려서 호두나무 밑에서 멈추었다. 거기서부터 테라스의 끝자락에 흰색 드레스를 입은 모르소프 부인이 보였다. 즉시 나는 번개처럼 그녀에게로 달려갔다. 몇 분 만에 직선 코스의 시합을 하듯 직선으로 거리를 통과하여 벽 아래에 도달했다. 그녀는 사막에서 온 말이 달려오는 힘찬 소리를 듣고, 내가 테라스 구석에 섰을 때 내게 말했다. "아, 당신이군요!"

이 한마디에 나는 벼락을 맞은 듯했다. 그녀는 내 연애 사건에 대해 알고 있었다. 누구에게 들었던 것일까? 그녀의 어머니의 소행이었다. 그녀는 후에 그 가증스런 편지를 보여 주었다. 예전에는 생기가 넘치던 목소리의 무력함과 냉랭함, 그 희미하고 메마른 소리는 극심한 아픔을 말해 주었고, 꺾인 꽃의 냄새를 풍겼다. 부정(不貞)의 태풍은, 루아르 강이 범람한 땅을 영원히 모래로 채우듯이, 그녀의 마음속에 불어 닥쳐서 비옥하고 푸른 들판을 사막으로 만들었다. 나는 작은 문으로 들어가서 말을 잔디 위에 앉게 했다. 백작부인은 천천히 다가와 외쳤다. "참 훌륭한 말이군요!" 내가 손을 잡지 못하도록 그녀는 팔짱을 끼고 있었다. 나는 그 의도를 짐작했다. "백작님에게 알리고 올게요." 그녀는 집을 향해 갔다.

나는 어리둥절하여 그녀를 붙잡지도 않고, 멍하니 바라보며 서 있었다. 그녀는 여전히 고결했고, 느리고 당당했으며, 전에 봤던 것보다 더욱 희었다. 그러나 그녀의 노란 이마에 쓰디쓴 우울의 자국이 새겨져 있었고, 머리는 물을 너무 많이 머금은 백합처럼 기울어져 있었다.

"앙리에트!" 나는 죽어가는 사람처럼 비통하게 소리쳤다.

그녀는 돌아서지도, 멈추지도 않았다. 자신의 이름을 내게서 회수했다고, 더 이상 그 이름에 대답하지 않겠다는 말조차 하지 않고 계속 걸어갔다. 지금 지구상에 떠도는 수만 개의 민족들이 먼지가 되어 처할 그 끔찍한 골짜기에,* 광대한 빛이 영광스럽게 비추는 그 군중 사이에 내가 있다면, 내 자신이 아주 초라하게 느껴지리라. 하지만 이 하얀 형상 앞에서만큼 납작해지지는 않을 것이다. 그녀는 막을 수 없는 홍수가 도시의 거리를 점점 잠그는 것처럼 규칙적인 걸음으로 클로슈구르드 성으로 올라가고 있었다. 그 성은 이 기독교의 디도*의 영광이자 형벌이었다. 나는 아라벨을 저주하는 한마디를 내뱉었다. 그녀가 그것을 들었다면 충격으로 죽었을지도 모른다. 하느님께 모든 것을 희생하듯이 그녀는 나를 위해서 모든 것을 희생했었다. 사방에서 무한한 고통만을 엿보며 나는 명상에 빠졌다. 그때 모두가 내려오고 있었다. 자크는 그 나이다운 순진한 혈기에 이끌려 달려왔다. 나른한 눈을 가진 영양(羚羊) 같은 마들렌은 어머니 옆에서 걸어왔다. 나는 자크를 내 품에 힘 있게 안으며 그의 어머니가 거부하는 감정과 눈물을 쏟았다. 모르소프 백작은 내게 다가와서, 팔을 뻗어 나를 포옹하고 내 볼에 키스를 하면서 말했다. "펠릭스, 자네 덕에 내가 살았다더군!"

그동안 모르소프 부인은 우리에게 등을 돌리고 있었다. 그녀는 어머니의 그런 행동에 의아해 하는 마들렌에게 말을 보여 주려는 척했다.

"거참, 여자들이 저렇다니까!" 백작이 화내며 말했다. "자네의 말을 보고 있군그래."

마들렌은 돌아서서 내게 왔다. 나는 부인을 쳐다보면서 딸의 손에 입을 맞추었다. 부인은 얼굴이 붉어졌다.

"마들렌이 많이 좋아졌네요." 내가 말했다.

"가엾은 아이!" 부인은 딸의 이마에 입 맞추며 말했다.

"그래, 당분간 모두들 건강하지." 백작이 대꾸했다. "펠릭스, 나만 쓰러지기 직전의 탑처럼 황폐해졌네."

"장군님께서 아직도 근심거리가 있으신가 보군요." 나는 부인을 보면서 말했다.

"우리들은 저마다 블루 데블스(blue devils)를 가지고 있지요." 그녀는 대답했다. "영어로 '우울증'을 그렇게 말하죠?"

과수원을 향해 산책을 하면서 모두가 심각한 변화가 일어났다는 것을 직감했다. 그녀는 나와 단 둘이 있고 싶은 마음이 전혀 없었다. 나는 그녀의 손님이었을 뿐이다.

"그런데, 자네의 말은?" 백작은 우리가 과수원에서 나왔을 때 물었다.

"제가 말에게 신경을 써도 잘못이고, 쓰지 않아도 잘못이군요." 부인이 말했다.

"그럼, 일은 제때에 해야지." 그는 말했다.

"제가 갑니다." 나는 이런 냉랭한 접대를 견딜 수가 없었다. "제가 밖으로 나오게 해서 마구간에 제대로 넣을 수가 있어요. 내 '그룸'*이 시농행 마차로 오고 있으니, 오면 글겅이질을 할 겁니다."

"'그룸'도 영국에서 왔답니까?" 그녀가 물었다.

"진정한 마부는 영국에만 있소." 백작은 아내가 우울해 하는 것을 보며 즐거운 듯 대답했다.

아내가 나를 냉랭하게 대하자 백작은 그녀의 기분을 거슬리기 위해 내게 과장된 친절을 베풀었다. 나는 사랑하는 여인의 남편이 보이는 애정이 얼마나 부담스럽고 성가신 것인지 알게 되었다. 자존심이 있는 사람은 남편으로부터 아내의 사랑을 빼앗았다고 느낄 때 그의 호의를 가장 곤욕스러워하지 않는다. 그 사랑이 자기에게서 멀어질 때 그가 더욱 가증스럽고 지긋지긋해진다. 그러면 여태껏 아내와의 관계를 위해 필요조건이었던 남편과의 친분이 수단이 된다. 그래서 부담스러워지고, 목적에 의해 더 이상 정당화되지 못하는 수단처럼 혐오스러워진다.

"친애하는 펠릭스." 백작은 내 손을 다정하게 꼭 쥐면서 말했다. "부인을 용서하게. 여성들은 원래 변덕스럽다네. 약해서 그러니 이해해 줘야지. 굳건한 우리처럼 기분의 평정을 유지할 능력이 없어. 아내는 자네를 무척 좋아해, 내가 장담하네. 하지만……."

백작이 말하는 동안 부인은 우리 둘만 있도록 조금씩 멀어졌다.

"펠릭스." 그는 두 아이들과 함께 성으로 올라가는 부인을 보면서 말했다. "내 아내가 마음속으로 어떤 생각을 하는지 모르겠지만, 6주 전서부터 성격이 완전히 바뀌었네. 지금까지 그렇게 온화하고 헌신적이던 사람이 굉장히 침울해졌어!"

나중에 마네트는 백작부인이 백작의 투정에도 무감각해질 정도로 의기소침해졌다고 이야기해 주었다. 백작은, 화살을 꽂을 연한 땅이 없어지자, 자기가 괴롭히던 불쌍한 벌레가 더 이상 움직이지 않는 것을 본 아이처럼 걱정하기 시작했다. 사형 집행인이 조수가 필요하듯이 그는 마침 말상대가 필요했다. 그는 잠시 후에 또 말했다.

"모르소프 부인에게 물어봐 주게. 여자는 남편에게 비밀이 있게 마련이지만, 자네한테는 근심을 털어놓을지도 모르지. 아내를 행복하게 해 줄 수만 있다면 내게 남겨진 날들의 절반과 내 재산의 반을 내놓겠네. 아내는 내 삶에서 너무나 필요한 존재니까! 노년기에 내 곁에 그런 천사가 없다면 나는 이 세상에서 가장 불행한 사람이 될 걸세! 나는 편안하게 죽고 싶네. 아내에게 이제 오래 참지 않아도 된다고 전해 주게. 펠릭스, 벗이여, 나는 곧 가네. 그것을 알고 있네. 나는 이런 불행한 사실을 모두에게 숨기고 있을 뿐이네. 그들을 미리 상심하게 할 필요는 없지 않나? 여전히 유문이 문제네! 나는 결국 병의 원인을 찾아냈어. 너무 예민한 감수성이 나를 죽이고 말았네. 우리의 모든 감정은 위장에 영향을 미치지……."

"그렇다면," 나는 웃으며 말했다. "가슴으로 사는 사람들은 위장으로 인해 죽는다는 말씀이십니까?"

"웃지 말게, 펠릭스, 그건 사실이네. 너무 강한 근심은 교감신경의 과도한 운동을 야기하지. 감정이 격해지면 위의 점액선이 계속적인 자극을 받고, 이런 상태가 지속되면 처음에는 약한 소화기 불량을 가져온다네. 분비물이 변질되고, 입맛이 없어지며, 소화가 불규칙적이 되지. 곧 격심한 통증이 나타나서, 날마다 심해지고 빈번해지지. 그리고 마치 음식에 느린 독극물을 탄 것처럼 조직이 완전히 파괴되고야 말아. 점액선이 두꺼워지고, 유문판의 경화가 일어나서 종양이 생기면 죽는 거네. 내가 그 단계에 왔어! 경화가 진행되고 있어. 아무것도 그것을 멈추게 할 수는 없지. 밀짚처럼 누런 내 안색과 메마르고 반짝거리는 내 눈빛, 야윈 모습이 보이지 않나? 나는 바싹 말라붙고 있네. 망명 가서 이 병의 씨앗을 가져왔으니 할 수 없지, 뭐. 나는 그때 고생을 많이 했네! 망명의 아픔을 치유해 줄 수 있던 결혼은, 상처 입은 내 영혼을 진정시키기는커녕 상처를 되살아나게 했어. 내가 여기서 뭘 누렸겠나? 자식들, 집안일, 재산 때문에 쉴 새 없이 걱정하고, 또 절약하기 위해서 궁핍한 생활을 아내에게 강요하면서도 내 자신이 가장 많은 피해를 입었네. 그리고 자네에게만 고백하는 비밀인데, 가장 고통스러운 건 따로 있네. 블랑슈는 비록 천사 같은 여자지만, 나를 이해하지 못한다네. 내 아픔에 대해 아무것도 모르고, 오히려 더 악화시키고 있어. 하지만 나는 그녀를 용서하지. 이런 말은 하기가 몹시 거북하네만, 아내가 덜 정숙했더라면 내가 지금보다는 행복해졌을 거야. 블랑슈는 아이처럼 멍청해서 남자를 즐겁게 하는 법을 모르네. 게다가 내 하인들은 나를 더욱 괴롭히지 않나! 그들은 내가 프랑스어로 말하면 그리스어로 알아듣는 바보들일세. 재산을 겨우 그런대로 일으켜 세우고 보니 이미 늦었지 뭔가. 내 입맛은 이미 오래전에 비정상적이 된 단계에 접어들었네. 그리고 오리제가 엉터리로 치료한 큰 병이 왔지. 말하자면, 난 이제 6개월도 안 남았네……."

백작의 이야기를 듣다 보니 나는 공포에 질렸다. 부인을 보자마자 그녀의 메마른 눈의 광채, 이마의 누런 빛깔이 눈에 띄었었다. 나는 의학적인 궤변과 뒤섞인 백작의 불평을 경청하는 척하면서 그를 집으로 끌고 갔다. 내 머리 속에는 앙리에트에 대한 생각뿐이었다. 그녀를 관찰하고 싶었다. 백작부인은 거실에서 마들렌에게 자수를 가르치면서 도미니스 사제에게 수학 수업 받고 있는 자크를 지켜보고 있었다. 예전 같았으면, 내가 온 날은 내게만 신경을 쓰기 위해서 평상시의 일들을 미루었을 것이다. 그러나 그녀를 진정으로 사랑했기에 나는 과거와 대조되는 현재의 냉랭한 대접에 대한 섭섭함을 억눌렀다. 그녀의 천사와 같은 얼굴에 드리워진 노란빛은 이탈리아의 화가들이 성녀들을 그릴 때 부여하는 천상의 빛과 유사했다. 그런 그녀의 모습을 보고 죽음의 쌀쌀한 기운이 내 몸을 관통했다. 그리고 그녀의 불같은 눈길이 내 눈과 마주쳤을 때 소름이 끼쳤다. 그녀의 눈에는 이제 맑은 물기가 없었다. 그때, 밖에서는 보지 못했던, 슬픔 때문에 생긴 몇 개의 변화들을 알아차렸다. 지난 방문 때 이마 위에 살짝 새겨졌던 가느다란 선들이 더욱 패였다. 푸르스름한 관자놀이는 움푹 들어가 있었고 열을 발하는 듯했다. 눈은 얇아진 눈꺼풀 속으로 함몰되었고, 그 주위는 검게 물들었다. 그녀는 내부의 벌레가 갉아먹어서 일찍이 누렇게 상하는 과일처럼 피폐해져 있었다. 그녀의 마음을 행복으로 채우는 것을 이상으로 삼던 내가 그녀의 삶에 활기를 붓고 용기를 북돋워 주는 샘에 쓰디쓴 물을 타지 않았던가? 나는 그녀의 곁에 앉으며 뉘우치는 목소리로 말했다.

"건강은 좋으신가요?"

"네," 그녀는 내게 강렬한 눈빛을 보내며 대답했다. "내 건강은 여기에 있습니다." 그녀는 자크와 마들렌을 가리켰다.

자연과의 싸움에서 승리한 마들렌은 열다섯 살에 이미 성숙한 여인이었다. 그녀는 키도 컸고, 흑갈색의 볼 위에 장밋빛이 다시 나타났다. 이제는 모든 것을 똑바로 쳐다보는, 철부지 아이는 더 이상 아니었다. 시선을 떨구기 시작했으며, 어머니처럼 동작이 뜸해지고 엄숙해졌다. 허리는 가늘었고, 이미 가슴은 피어나고 있었다. 그녀는 멋을 부려 스페인 여성을 닮은 이마 위에 검고 탐스러운 머리카락을 앞 가르마로 갈라 반들반들하게 폈다. 그녀의 윤곽이 너무나 섬세하고, 형태가 너무나 가늘어서 눈으로 보는 것만으로도 부서질 것 같은 중세의 작고 귀여운 조각상들을 연상시켰다. 하지만 건강은, 많은 노력의 대가로 얻은 과일처럼, 그녀의 볼을 복숭아처럼 보드랍게 해 주었고, 목덜미를 비단결과 같은 솜털로 덮었다. 어머니처럼 그 솜털 위에 빛이 미끄러졌다. 그녀는 이제는 살아날 운명이었다! 가장 아름다운 꽃봉오리여, 신은 그런 표지를 새겨 두었도다! 그대의 눈꺼풀에 달린 긴 눈썹 위에, 어머니처럼 풍만하게 발달할 것을 약속하는 어깨의 곡선 위에! 포플러와 같은 허리를 가진 이 갈색 머리 아가씨는 자크와 대조적이었다. 그는 열일곱 살의 허약한 젊은이로서, 머리만 크고, 이마가 비정상적으로 빨리 넓어졌으며, 뜨겁고 피곤해 보이는 눈은 깊게 울리는 목소리와 조화를 이루었다. 성량은 너무나 풍부했고, 눈은 너무 많은 생각을 담고 있었다. 앙리에트를 닮은 열렬한 지성, 마음, 그리고 가슴이 부실한 신체를 급속히 소진시키고 있었다. 자크는 병 때문에 정해진 시간 안에 목숨을 다하는 영국인 소녀들처럼 우윳빛 피부가 짙게 상기되어 있었다. 건강해 보이는 그의 모습은 기만적이었다! 아이들의 어머니는 마들렌을 보여 주고 나서, 도미니스 사제 앞에서 기하학적인 도형과 수식들을 칠판 위에 그리고 있는 자크를 가리켰다. 나는 꽃다발 뒤에 숨겨진 죽음을 보고 몸서리를 쳤으나, 어머니의 착각을 존중해 주었다.

"아이들을 보면 기쁨이 넘쳐서 다른 슬픔들이 사라진답니다. 아이들이 앓아누워도 나 자신의 슬픔이 침묵하는 것은 마찬가지지만요. 벗이여," 그녀의 눈에는 행복한 모정이 빛났다. "다른 데서 배반을 당해도 여기서 쏟은 정성에 대한 보답을 받고, 의무를 다해서 성과를 거두면 다른 곳에서의 패배가 보상되죠. 자크는 당신처럼 학식과 덕망이 높은 사람이 될 겁니다. 당신처럼 국가가 자랑스러워하는 인재가 되어, 고위직에 오를 당신의 도움으로 정치를 하게 될 수도 있고요. 하지만 그는 첫사랑에 충실하도록 할 거예요. 사랑스런 마들렌은 벌써 마음이 곱고, 알프스 최고봉의 눈처럼 순결하죠. 여성답게 헌신적이며 현명해질 거예요. 자존심도 강해서 르농쿠르의 후손으로서 자격이 충분한 걸요! 예전에는 그토록 불안에 떨던 어머니가 지금은 정말 행복합니다. 네, 한없이, 티끌 없이 행복하답니다. 내 삶은 가득 차 있고, 풍요로워요. 당신도 보다시피, 하느님께서는 허락된 사랑 가운데서 즐거움을 얻게 해 주시고, 위험한 성향에 이끌려 빠져들던 사랑에는 쓰라림을 섞어 주셨어요……."

"잘했어요." 사제는 유쾌하게 소리쳤다. "자작님께서는 이제 제가 아는 만큼 알고 계십니다."

수학적인 증명을 마치면서 자크는 기침을 조금 했다.

"오늘은 이만 하세요, 신부님." 감동받은 백작부인이 말했다. "절대 화학 수업은 하지 마세요. 말을 타도록 하렴." 그녀는 다정하면서도 위엄 있게 자크의 포옹을 받으면서, 마치 내 추억들을 짓밟으려는 듯이 나를 바라보았다. "가거라, 내 아들. 조심하렴."

"그런데," 그녀의 눈이 자크의 뒤를 따라가는 동안 나는 물었다. "내 질문에 아직 대답을 안 하셨습니다. 가끔 고통을 느낍니까?"

"네, 가끔, 배가 아파요. 파리에 있었더라면 요즈음 유행하는 위염을 앓는 영광을 누리겠죠."

"어머니는 자주, 많이 편찮으세요." 마들렌이 내게 말했다.

"어머!" 그녀가 말했다. "내 건강 상태에 관심이 있어요?"

마들렌은 그 말에 담긴 냉소적인 어감에 놀라 우리를 차례대로 쳐다보았다. 나는 거실을 장식하는 회색과 초록색 소파의 쿠션 위에 수놓인 분홍색 꽃들을 세고 있었다.

"이 상황은 더 이상 견딜 수가 없군요." 나는 그녀의 귀에 속삭였다.

"내가 이런 상황을 만들었나요?" 그녀는 내게 물었다. "젊은이," 그녀는 여성들이 더욱 신랄하게 복수하기 위해 꾸미는 명랑한 말투로 말했다. "당신은 근대사를 모르나요? 프랑스와 영국은 숙적이 아니던가요? 마들렌도 그 정도는 알아요. 광활한 바다가 그 사이를 갈라놓는다는 것을요. 차디차고, 비바람이 휘몰아치는 바다가요."

벽난로 위의 꽃병들은 큰 촛대로 대체되었다. 아마도 내가 꽃다발을 만들어 담는 기쁨을 누리지 못하도록 그랬으리라. 이후에 그 꽃병들을 그녀의 침실에서 발견하였다. 내 하인이 도착하자, 몇 가지 지시를 내리기 위해 밖으로 나갔다. 그가 가져온 짐들을 내 방으로 옮기게 하려 했다.

"펠릭스," 백작부인이 말했다. "착각하지 말아요. 숙모님의 침실은 이제 마들렌의 침실이 되었어요. 당신의 방은 백작님의 방 바로 위예요."

나는 비록 죄인이었지만 내게는 예민한 가슴이 있었다. 이런 말들은 모두 나의 가장 아픈 부분을 냉정하게 찌르는 비수와 같았다. 그녀는 그런 부분들을 골라서 찌르는 듯했다. 정신적인 고통에는 절대적인 기준은 없고 마음의 섬세함에 따라 그 강도가 달라지는 법이다. 백작부인은 고통의 모든 단계를 가혹하게 밟았었다. 그런 이유 때문에 가장 상냥한 여자도 오히려 자신이 자비로웠던 만큼 잔인해진다. 내가 그녀를 쳐다보자 그녀는 고개를 숙였다. 나는 내 새로운 침실로 갔다. 흰색과 초록색의 아담한 방이었다. 그곳에서 나는 울음을 터뜨렸다. 앙리에트는 그 소리를 듣고 꽃다발을 들고 왔다.

"앙리에트," 나는 말했다. "당신은 가장 이해할 만한 실수도 용서해 줄 수 없겠소?"

"다시는 나를 앙리에트라고 부르지 말아요. 그 불쌍한 여인은 더 이상 존재하지 않아요. 하지만 모르소프 백작부인은 항상 당신의 이야기에 귀를 기울이고, 당신을 사랑하는 헌신적인 친구로 언제나 남을 거예요. 펠릭스, 우리 나중에 이야기합시다. 나에 대해 아직 약간의 애정이 있다면, 내가 당신을 보는 것이 익숙해질 때까지 내버려 둬 줘요. 단어들이 내 가슴을 덜 괴롭힐 수 있을 때, 내가 조금이라도 용기를 되찾았을 때, 그러면 그때 이야기해요. 그 전에는 안 돼요. 이 골짜기를 보아요." 그녀는 앵드르를 가리키면서 말했다. "볼 때마다 마음이 아파요. 이 골짜기를 여전히 사랑하거든요."

"아, 영국과 모든 영국 여성들이 멸망하기를! 나는 폐하께 사직서를 내고, 여기서 용서받고 죽었으면!"

"아니요, 그 여자를 사랑하세요! 앙리에트는 이제 없어요. 이건 장난이 아니에요. 곧 알게 되겠지만."

그녀는 나갔다. 마지막 말의 어투는 그녀의 상처가 얼마나 깊고 넓은 것인지를 내게 드러내 보였다. 나는 재빨리 그녀를 뒤쫓아 나가서 붙잡으며 말했다. "나를 더 이상 사랑하지 않으시나요?"

"당신 때문에 받은 고통이 다른 사람들에게서 받은 고통을 모두 합한 것보다 더 컸어요. 지금은 덜 고통스러우니, 당신을 덜 사랑한다는 뜻이겠죠. 하지만 영국에서나 '결코'라고도, '항상'이라고도 말하지 말라'고 하죠. 여기서 우리는 '항상'이라고 하죠. 얌전히 있어요. 내 고통을 더하지 말고요. 고통스럽다면 나도 죽지 않고 살아 있다는 사실을 명심해요!"

내가 잡고 있던 그녀의 손은 전혀 움직이지 않았지만 차갑고 축축했다. 그녀는 그 손을 빼고 이 비극적인 대화가 오고간 복도를 쏜살같이 통과했다. 저녁식사 동안, 백작은 내가 상상도 못했던 고문을 준비해 놓고 있었다.

"더들리 후작부인은 지금 파리에 없소?" 그는 내게 물었다.

나는 얼굴이 새빨개지며 대답했다. "아니요."

"그녀는 투르에도 없다는데." 백작은 계속했다.

"이혼하지 않았으니 영국으로 돌아가도 되겠죠. 만약 그녀가 남편에게로 돌아간다면 그는 매우 기뻐할 텐데요." 나는 재빠르게 대답했다.

"자녀는 있나요?" 백작부인이 혼탁해진 목소리로 물었다.

"아들이 둘입니다." 나는 대답했다.

"어디에 있죠?"

"영국에, 아버지와 함께 있습니다."

"펠릭스, 솔직히 말 좀 해 주게. 소문만큼 그렇게 아름다운가?"

"어떻게 그런 질문을 할 수가 있죠? 사랑하는 여인은 항상 가장 아름답지 않은가요?" 부인이 외쳤다.

"그럼요. 항상 그렇죠." 나는 당당하게, 그녀를 바라보며 말했다. 그녀는 내 눈길을 피할 수밖에 없었다.

"자네는 행복하군그래. 행복한 녀석이야. 내가 젊었을 때 그런 미인을 정복했더라면 사랑에 눈이 멀었을 거야……."

"그만하세요." 부인은 아버지에게 눈으로 마들렌을 가리키며 말했다.

"나는 어린애가 아니오." 젊은 시절로 돌아가는 것을 즐기던 백작이 대꾸했다.

식사 후에, 백작부인은 나를 테라스로 데리고 가서 흥분한 어조로 말했다. "아니, 남자를 위해 자식을 희생시키는 여자도 있답니까? 재산, 사회적인 평판, 그리고 영생까지도 그럴 수 있지만, 어쩌면! 하지만 자식들을! 자식들을 버리다니!"

"그래요. 그런 여자들은 그 이상도 희생하기를 원하죠. 모든 것을 바칩니다⋯⋯."

부인에게는 세상이 거꾸로 뒤집혔고, 머릿속의 모든 생각들이 혼란스러워졌다. 이런 거대한 사랑에 압도되어, 그렇게 얻은 행복이 희생을 충분히 보상해 줄지도 모른다는 의심을 품게 되었다. 반항하는 육체의 외침을 들은 듯이, 그녀는 실패한 자신의 삶 앞에 망연자실해졌다. 그렇다. 한순간 끔찍한 회의가 그녀를 스쳤다. 하지만 곧 장엄하고 거룩하게, 머리를 꼿꼿이 세웠다.

"그 여자를 많이 사랑해 줘요, 펠릭스." 그렇게 말하는 그녀의 눈에는 눈물이 맺혀 있었다. "그녀는 행복한 내 자매입니다. 당신이 이곳에서 결코 구할 수 없는 것, 내게서 얻을 수 없는 것을 당신에게 준다면 그녀가 내게 입힌 상처를 용서하겠어요. 당신이 옳아요. 나는 당신을 사랑한다는 말을 한 적도 없고, 세상 사람들이 보통 사랑하듯이 사랑해 준 적도 없어요. 그런데 그녀가 모성애가 없다면, 어떻게 사랑하는 법을 알까요?"

"사랑하는 성녀여," 나는 말했다. "당신이 그녀 위에 한참 높이 떠 있다는 것을, 그녀는 타락한 종족의 딸로서 세속의 여자이고, 당신은 하늘의 딸이며 내가 숭배하는 천사라는 것을 당신께 설명하기에는 나는 지금 감정이 너무나 격해졌습니다. 내 마음은 온통 당신에게 가 있고, 그녀는 오직 내 육체만을 소유한다는 것을 그녀도 알고 있습니다. 그래서 몹시 상심하여 가장 잔혹한 고문을 당하는 대가를 치르더라도 당신과 자리를 바꾸려 할 겁니다. 하지만 아무것도 돌이킬 수 없어요. 내 마음과, 생각과, 순수한 사랑, 젊음과 노년은 모두 당신의 것이고, 욕정과 덧없는 열정의 쾌락은 그녀의 것이요, 내 영원한 기억은 당신의 것이고, 깊은 망각은 그녀의 것입니다."

"그 말을 계속해 줘요. 오, 나의 벗이여!" 그녀는 벤치에 앉아 눈물을 터뜨렸다. "펠릭스, 정절, 성스러운 삶, 모성애, 이런 것들은 헛되지 않았다고요. 오, 내 상처를 어루만져 줘요! 내가 다시 하늘을 날 수 있도록 한마디만 다시 해 줘요. 나는 그 하늘을 당신과 함께 날고 싶었어요. 하나의 눈길, 거룩한 말 한마디로 나를 축복해 줘요. 그러면 내가 두 달 전부터 받은 고통을 용서해 줄게요."

"앙리에트, 당신이 모르는 삶의 신비들이 있습니다. 당신을 처음 만났을 때 나는 감정이 본능적인 욕정을 억누를 수 있는 나이였습니다. 하지만 당신과 나 사이에 있었던 여러 장면들이 그 나이가 지났다는 것을 당신에게 말해 주었을 것입니다. 그 장면들은 내가 죽는 순간에도 내게 온기를 불어넣어 주겠죠. 그런 나이의 달콤한 행복을 연장시킨 것은 당신이 거둔 승리였어요. 소유할 수 없는 사랑은 고조된 욕정 그 자체로써 유지됩니다. 그러다가 남자는 여자와 너무나 달라서, 고통 이외에는 아무것도 느끼지 못하는 지경이 됩니다. 우리에게는 어떤 힘이 있는데, 그 힘을 포기하면 더 이상 남자 구실을 할 수가 없답니다. 가슴이 영양을 공급받지 못해서 스스로를 갉아먹고, 결국 죽음 직전의 피로감 같은 것을 느끼게 됩니다. 자연은 오래 속일 수 없어요. 아주 작은 사고에도 광기와 유사한 힘을 발휘하며 깨어나죠. 아니요, 나는 사랑한 것이 아니라 사막 가운데서 목이 말랐을 뿐입니다."

"사막이라고요!" 그녀는 골짜기를 보여 주며 쌀쌀하게 말했다. 그리고 덧붙였다. "논리가 너무나 정연하고 미묘한 차이를 너무나 잘 표현하는군요. 충신들은 그렇게 말주변이 뛰어나지 않아요."

"앙리에트, 그냥 나온 표현들 때문에 말다툼하지 맙시다. 내 마음은 흔들리지 않았지만, 나는 내 육욕을 다스리지 못했어요. 그여자는 내가 오직 당신만을 사랑한다는 것을 모르지 않아요. 그녀는 내 삶에서 이차적인 역할만을 수행할 뿐이고, 그것을 잘 알고 있으며, 그대로 받아들입니다. 나는 창녀를 버리듯이 아무런 거리낌 없이 그녀를 버릴 수 있어요……."

"만약 그런다면……."

"자살하겠다고 하더군요." 이런 결심이 앙리에트를 놀라게 할 줄 알았다. 그러나 그 대답을 듣고 그녀는 경멸에 찬 미소를 지었다. 그 미소는 그 속에 실제로 담긴 생각들보다 더 많은 것을 이야기하는 듯했다. "내 양심과도 같은 그대여, 내가 얼마나 저항했는지, 나를 유혹에 빠지게 하기 위한 술수들이 얼마나 간사했는지를 안다면, 당신은 이해할 것입니다. 이런 치명적인……."

"그래요, 치명적이죠!" 그녀가 말했다. "나는 당신을 너무 믿었어요! 나는 당신이 사제처럼 정절을 지킬 줄 알았어요……. 모르소프 백작님께서도 그것은 지키시죠." 내용만큼이나 그녀의 목소리도 신랄했다. 잠시 후에 다시 말을 이었다. "다 끝났어요. 나는 당신에게 빚진 게 많아요. 당신은 내 안에서 육체적인 열정을 꺼뜨렸어요. 가장 험한 길을 통과한 지금은 나이가 들어 몸이 쇠약해졌고, 곧 병이 나겠죠. 앞으로는 당신에게 은혜를 베푸는 빛나는 요정이 될 수는 없을 거예요. 레이디 아라벨을 배반하지 말아요. 당신을 위해 잘 기르던 마들렌은 누구에게 주나요? 가엾은 마들렌, 가엾은 마들렌!" 그녀는 구슬픈 후렴구처럼 같은 말을 반복했다. "그 애가 '어머니, 펠릭스 아저씨께 너무 쌀쌀맞게 대하셨어요!'라고 말하는 것을 당신이 들었다면! 사랑스런 아이!"

그녀는 나뭇잎 사이로 미끄러지는 황혼의 따뜻한 빛 아래에서 나를 응시했다. 그리고 우리 사랑의 깨어진 조각들 앞에서 자기연민에 빠진 듯이, 순수했던 과거를 회상하며 명상에 잠겼다. 나도 역시 명상에 잠겼다. 추억을 되새기며, 우리는 골짜기와 과수원 사이를, 클로슈구르드의 창문과 프라펠 사이를 눈으로 왕래했다. 명상은 우리의 향기로운 꽃다발과 이루지 못한 연애소설들로 채워졌다. 이것이 그녀의 마지막 향락이었는데, 그녀는 이 순간을 신앙인의 순결함을 가지고 음미했다. 우리들에게는 장대하게 느껴진 이 장면이 우리를 우수에 젖게 했다. 그녀는 내 말을 믿었다. 내가 자신을 하늘 높이 떠받들고 있다는 것을 알았다.

"벗이여," 그녀가 말했다. "나는 하느님의 뜻을 따르고 있어요. 그분께서 모든 것을 인도하시니까요."

나는 훗날에야 그 말의 심오함을 파악했다. 우리는 테라스로 천천히 올라갔다. 그녀는 내 팔을 잡고 체념한 듯 거기에 기댔다. 그녀의 상처의 피가 아직 마르지는 않았지만, 그 위에 솜을 누른 상태였다. 그녀는 말했다.

"인생이란 그런 거예요. 모르소프 백작은 무슨 죄를 지었길래 그런 운명에 처하게 됐을까요? 그래서 틀림없이 보다 나은 세상이 있는 거죠. 올바른 길을 걸었다고 불평하는 자들에게 화 있으라!"

그녀는 삶에 관해서 논하기 시작하며, 그 다양한 측면들을 심오하게 고찰했다. 이런 냉정한 계산들을 듣고 그녀가 삶에 대해 얼마나 환멸을 느꼈는지를 실감했다. 계단 위에 이르자, 그녀는 내 팔을 놓고 말했다. "하느님께서 우리에게 행복이라는 감정과 그것에 대한 동경을 주셨으니, 이승에서 시련만을 맛본 순수한 영혼들을 돌보셔야 하지 않겠어요? 아니면 하느님은 존재하지 않으시거나, 인생은 가혹한 장난이겠죠."

이 마지막 말을 남기고 그녀는 갑작스레 들어가 버렸다. 내가 뒤따라 들어갔을 때 그녀는, 마치 하느님의 목소리를 듣고 쓰러진 성 바울처럼, 벼락을 맞은 듯이 소파 위에 누워 있었다. 나는 물었다.

"왜 그러시죠?"

"정절이 무엇인지 모르겠어요. 그리고 내 정절의 의미도 모르겠어요."

우리 두 사람은 다 구렁 속에 던진 돌덩이와 같은 이 말의 울림을 들으며 경직된 채로 있었다.

"만약 내가 삶을 잘못 선택했다면, **그녀는** 옳았어!" 모르소프 부인이 또 말했다.

이렇게 그녀의 마지막 쾌락 뒤에 마지막 싸움이 벌어졌다. 백작이 왔을 때 불평하는 법이 없던 그녀가 불평을 했다. 나는 그녀에게 어디가 어떻게 아픈지 정확하게 이야기해 보라고 애원했으나, 설명하기를 거부하고 자러 들어갔다. 나는 후회들이 하나둘씩 밀려왔다. 마들렌은 어머니와 함께 갔다. 부인이 그날의 격렬한 충격으로 인해 구토증에 시달렸다는 것을 그 다음날 마들렌을 통해서 알았다. 이렇게, 그녀를 위해 삶을 바치려는 내가 그녀를 죽이고 있었다. 백작의 성화에 나는 주사위 놀이를 할 수밖에 없었다.

"백작님," 나는 말했다. "부인께서 심각하게 편찮으신 것 같습니다. 아직 살리기에 늦지 않았습니다. 오리제를 불러서, 그의 지시를 따르도록 설득해 보세요……."

"나를 죽일 뻔한 오리제 말이야?" 백작은 내 말을 끊었다. "아니야, 아니야. 카르보노에게 진찰받게 하겠네."

그 일주일, 특히 처음에 며칠은 내게는 고통뿐이었다. 감정에는 마비가 오기 시작했고, 자존심의 상처, 마음의 상처를 입었다. 모든 것, 모든 시선과 한숨들이 향하는 중심이자, 생명의 근원, 그리고 모든 이들에게 빛을 주는 화로 같은 존재가 되어 본 사람만이 공허의 끔찍함을 알 것이다. 모두 그대로였지만 거기에 생명을 불어넣는 정신은 촛불처럼 꺼져 버렸다. 사랑이 지나간 후 연인들이 다시 만나지 말아야 하는 무시무시한 이유를 깨달았다. 자신이 군림하던 자리에서 더 이상 아무 존재도 아니라는 사실! 삶의 영롱한 빛이 반짝이던 곳에서 죽음의 차가운 침묵만을 발견하는 고통! 대조적인 상황들이 나를 짓눌렀다. 행복에 대해 전혀 몰랐던 어두운 어린 시절이 그리워질 정도였다. 나의 깊은 절망감을 보고 백작부인은 연민을 느낀 듯하다. 저녁식사 후에 우리 모두 강가에서 산책을 하던 어느 날, 나는 그녀의 용서를 얻기 위해 최후의 시도를 했다. 자크를 여동생과 함께 앞으로 보내고, 백작은 홀로 가게 내버려 둔 다음, 부인을 거룻배 쪽으로 이끌었다. 나는 말했다. "앙리에트, 제발 한마디만 해 주세요! 그렇지 않으면 나는 앵드르 강에 뛰어들겠어요! 분명히 내가 죄를 지었어요. 하지만 나는 개와 같은 충성심을 보이지 않았습니까? 나는 개처럼 부끄러워하며 돌아왔습니다. 잘못을 했을 때 벌을 받지만 그래도 자기를 때리는 손을 사랑하죠. 나를 산산조각 내 주십시오. 하지만 당신의 마음만은 돌려주세요……"

"가엾은 아이!" 그녀가 말했다. "당신은 여전히 내 아들이 아닌가요?"

그녀는 내 팔을 잡고 자크와 마들렌이 있는 곳으로 갔다. 나를 백작과 함께 있게 하고, 그들과 함께 과수원을 가로질러 클로슈구르드로 돌아갔다. 백작은 이웃 사람들을 화제에 올리면서 정치 이야기를 하기 시작했다.

"들어갑시다." 그에게 말했다. "백작님께서는 모자를 안 쓰고 나오셨는데, 저녁 이슬이 좋지 않을 수도 있습니다."

"자네는 나를 동정하는군, 펠릭스!" 백작은 내 의도를 오해하고 대답했다. "아내는 절대 나를 위로하려 하지 않네. 그렇게 작정했는지도 모르지."

전에는 그녀가 고의적으로 나를 남편과 단 둘이 내버려 둔 적이 없었다. 이제 그녀가 있는 곳에 가기 위해 구실을 찾아야 했다. 그녀는 아이들과 함께 있었고, 자크에게 주사위 놀이의 규칙을 설명하고 있었다.

"이것 보게." 백작은 여전히 그녀가 자식들에게 쏟는 애정을 시기했다. "아이들 때문에 나는 항상 천덕꾸러기 신세야. 펠릭스, 남편들은 항상 뒷전으로 밀려나기 마련이네. 정절을 가장 잘 지키는 여자도 어떤 수단으로든 부부애를 희생시킬 필요를 느낀다네."

그녀는 대꾸하지 않고 계속 아이들에게 몰두했다.

"자크, 이리 오렴!" 그는 말했다.

자크는 좀처럼 가지 않았다.

"아버지가 부르시잖니, 가보렴, 얘야." 어머니가 그의 등을 떠밀면서 말했다.

"얘네들은 나를 의무적으로 사랑하지." 노인은 가끔 자신의 처지를 냉철하게 파악했다.

"여보," 그녀는 「철물제작업자의 아내」*처럼 앞 가르마를 탄 마들렌의 머리카락을 어루만지면서 대답했다. "우리 불쌍한 여자들을 너무 가혹하게 평하지 마세요. 우리들에게 삶이 항상 만만하지는 않답니다. 어쩌면 자식들을 돌보는 것이 여성에게는 정절을 지키는 일인지도 모르죠."

"여보, 그렇다면," 백작은 논리적으로 따져야겠다고 결심한 듯했다. "당신 말에 따르면, 자식이 없다면 여자들은 정절을 안 지키고 남편을 내팽개치겠군."

부인은 문득 일어나서 마들렌을 계단으로 데리고 갔다.

"결혼이란 이런 것일세." 백작이 말했다. "그렇게 나가 버리는 것은 내 말이 틀렸다는 뜻인가?" 그는 아들의 손을 잡고 아내가 있는 계단으로 가면서 소리쳤다. 그녀에게 노기에 찬 시선을 보냈다.

"오히려 그 반대입니다. 저는 지금 겁을 먹었어요. 그 지적은 제 아픈 곳을 정곡으로 찌른 걸요." 그녀는 내게 죄인의 눈길을 던지며 건조한 목소리로 말했다. "정절이 남편과 자식을 위해 스스로를 희생하는 것이 아니라면, 도대체 뭐죠?"

"희-생-하는- 것!" 백작이 띄엄띄엄 끊어서 발설한 각각의 음절들은 부인의 마음에 비수처럼 꽂혔다. "아이들한테 무엇을 희생했다는 말이오? 나한테는 뭘 희생했소? 누구를? 무엇을? 대답 좀 해 보오? 대답할 수는 있소? 이게 다 무슨 일이오? 무슨 말을 하려는 거요?"

"여보," 그녀는 대답했다. "하느님에 대한 경의 때문에 제가 당신을 사랑한다면 만족하시겠어요? 아니면 당신의 아내가 정절 그 자체를 위해 정절을 지킨다면 좋으시겠어요?"

"부인의 말이 옳습니다." 나는 감동받은 목소리로 말했다. 내 목소리는 이 두 사람의 마음속에 반향을 일으켰다. 영원히 잃어버린 내 소망들과, 가장 깊은 고통의 울림은 그들의 마음을 진정시켰고, 사자가 포효할 때 주위가 조용해지듯이, 그 낮은 외침은 말다툼을 그치게 했다. "그렇습니다. 이성이 우리에게 부여한 가장 아름다운 특권은 우리로 인해서 행복해지는 이들에게 덕을 베푸는 일이지요. 그들을 행복하게 하는 이유는 계산이나 의무에 의해서가 아니라 마음에서 우러나오는 무한한 애정이 있기 때문이죠."

288

앙리에트의 눈 속에 눈물이 반짝거렸다.

"백작님, 만약 한 여자가 자기 의지와는 달리, 사회적으로 용인되지 않은 감정에 사로잡힌다면, 그런 감정이 강할수록 그것을 누르고 자식과 남편에게 희생하는 그녀가 덕이 높다고 할 수 있지 않겠습니까? 이런 이론은, 유감스럽게도 그 반대의 예를 보인 제게도, 전혀 관계가 없는 백작님께도 적용되지 않습니다만."

축축하면서도 뜨거운 손이 내 손을 지긋이 눌렀다.

"자네는 아름다운 영혼을 가진 사람이야, 펠릭스." 백작은 우아하게 아내의 허리를 감싸며 살며시 끌어안았다. "여보, 제 몫보다 더 사랑받기를 원하는 가엾은 환자를 용서하오."

"한없이 관대한 사람들이 있죠." 부인은 머리를 백작의 어깨 위에 기대면서 대답했다. 백작은 자신에 대한 이야기라고 생각했다. 이런 오해는 백작부인을 당황케 했다. 그녀의 머리핀이 떨어져서 머리카락이 흘러내렸고, 얼굴은 창백해졌다. 그녀를 지탱하고 있던 남편은 그녀가 쓰러지는 것을 느끼고 포효하다시피 했다. 그는 마치 딸을 들어올리듯이 부인을 들어올려서 거실의 소파 위에 눕혔다. 우리는 그녀를 둘러쌌다. 앙리에트는 내 손을 놓지 않았다. 겉으로는 너무나 예사로워 보이지만, 실제로는 그녀의 마음을 끔찍하게 찢어놓은 이 사건의 비밀을 우리 둘만이 알고 있다는 이야기를 하려는 듯.

"내가 잘못했어요." 백작이 오렌지꽃을 우린 물 한 컵을 청하러 간 사이 그녀가 내게 낮은 목소리로 말했다. "나는 당신에게 천 번 잘못했어요. 내가 당신을 은인으로 맞이했어야 하는데, 그 대신 당신을 절망에 빠뜨리려 했어요. 당신이 얼마나 사랑스럽고 자비로운지는 나만이 잘 압니다. 알아요, 사랑하기 때문에 자비로운 사람들이 있다는 걸요. 사람들은 자비로운 방식이 제각기 다르죠. 어떤 이는 거만해서 자비롭고, 다른 이는 습관적으로, 또 다른 이는 계산에 의해서, 또는 성격이 물러서 자비롭죠. 하지만, 벗이여, 당신은 맹목적인 자비를 보였어요."

"그것이 사실이라면," 나는 말했다. "내 안에 훌륭한 점은 모두 당신이 심어 주었다는 것도 아세요. 내가 당신의 작품인 것을 모르시나요?"

"여자는 그런 말로도 충분히 행복해진답니다." 그녀가 대답하고 있을 때 백작이 돌아왔다. "이제 나아졌어요." 그녀는 일어서면서 말했다. "바람 좀 쐬어야겠어요."

우리는 모두 아직 꽃을 피우고 있는 아카시아의 향이 가득한 테라스로 내려갔다. 그녀는 내 오른쪽 팔짱을 자신의 가슴 위에 끼고 있었다. 그렇게 그녀는 고통스런 상념들을 전달했다. 하지만 그것들은, 그녀의 표현대로라면, 그녀가 좋아하는 그런 유의 고통이었다. 그녀는 아마도 나와 단둘이 있고 싶었지만, 그녀의 상상력은 대개의 여성들이 잘 쓰는 속임수를 생각해 내는 데는 서툴렀기에 남편과 아이들을 따돌릴 핑계거리를 찾지 못했다. 그리하여 우리는 사소한 화제에 대해 이야기를 나누었고, 그동안에 그녀는 자신의 마음을 내 마음속에 옮겨 담을 수 있도록 잠깐의 시간을 마련하기 위해 고심하고 있었다.

"마차를 타고 산책한 지도 참 오래되었네요." 그녀는 저녁의 아름다움을 보며 드디어 입을 열었다. "여보, 내가 한 바퀴 돌고 올 수 있도록 지시를 내려 주세요."

그녀는 기도 시간 전에 사적인 대화가 불가능하리라는 것을 알고 있었고, 백작이 주사위 놀이를 제안할까 봐 염려했다. 남편이 잠자리에 든 후에 이 향기롭고 포근한 테라스에서 나와 재회할 수 있었겠지만 그녀는 어쩌면 감미로운 불빛이 스치는 그늘 밑에 머무는 것이, 그리고 들판에 흐르는 앵드르 강을 한눈에 볼 수 있는 난간을 따라 산책하는 것이 두려웠는지도 모른다. 성당의 어둡고 고요한 천장이 기도를 권하는 것처럼, 달빛 아래의 자극적인 향기를 내뿜고, 봄의 은은한 소리들로 생기를 띤 나뭇잎은 신경을 건드리고 의지를 약화시킨다. 시골은 노인들의 정념을 진정시키지만 젊은 가슴들의 열정은 오히려 깨운다. 우리는 그 사실을 알고 있었다! 두 번의 종소리가 기도 시간을 알렸다. 부인은 소스라쳤다.

"사랑스런 앙리에트, 왜 그러시오?"

"앙리에트는 더 이상 존재하지 않아요." 그녀는 대답했다. "그녀를 다시 부활시키지 말아요. 그녀는 욕심이 많고 변덕스러웠죠. 이제는 그 자리에 하늘이 당신을 통해 들려준 말들 덕분에 정조가 굳건해진, 당신의 평온한 친구가 있습니다. 나중에 다시 이야기합시다. 기도 시간을 엄수해야지요. 오늘은 내가 기도를 올릴 차례거든요."

백작부인이 인생의 역경이 닥치면 보호해 달라고 하느님께 간청했을 때, 그녀의 억양에 놀란 사람은 나뿐만이 아니었다. 그녀는 투시력을 발휘하여 내가 아라벨과 정한 규칙을 잊고 저지른 실수로 인해 자신이 받게 될 끔찍한 고통을 예감이라도 한 듯했다.

"마차를 준비하는 동안 주사위 놀이를 세 판 정도 할 시간이 있겠군." 백작이 나를 거실로 이끌면서 말했다. "그리고 자네는 내 아내와 산책하게. 난 자러 갈 테니까."

매번 그렇듯이, 이번 게임에서도 백작은 기분이 격해졌다. 자신의 방 또는 마들렌의 방에서 백작부인은 남편의 목소리를 들을 수 있었다.

"당신은 손님 접대의 대가를 너무 비싸게 받는군요." 그녀는 거실로 돌아와서 말했다.

나는 당황하면서 그녀를 바라보았다. 그녀의 신랄한 말투에 익숙하지 않았기 때문이다. 예전 같으면 백작의 횡포로부터 나를 구하려 하지 않았을 것이다. 그때는 내가 자신의 고통을 나누며 사랑의 힘으로 인내하는 데서 기쁨을 느끼곤 했었다.

"당신이 내게 다시 '가엾은 사람! 가엾은 사람!'이라고 속삭인다면 내 삶을 바치겠소." 나는 그녀에게 귓속말을 했다.

그녀는 내가 암시하는 시절을 상기하면서 눈을 내리깔았다. 그녀의 시선은 아래로 미끄러지듯 나를 향했고, 내가 다른 사랑의 짙은 쾌락보다도 자신이 순간적으로 드러낸 마음을 더욱 귀하게 여기는 것을 알아차린 여인의 기쁨이 비쳤다. 이에 나는, 그런 상처를 당할 때마다 그랬듯이, 내 심정을 이해하는 그녀를 용서했다. 백작은 계속 지고 있었다. 그는 그만두기 위해 피곤하다는 핑계를 댔다. 우리는 마차를 기다리며 잔디밭 주위를 산책했다. 그가 우리를 떠나자마자, 내 얼굴에 희열의 기색이 너무나 역력하여, 부인은 의아한 표정으로 나를 응시했다.

"앙리에트는 존재합니다." 나는 말했다. "나는 여전히 사랑받고 있습니다. 당신은 분명히 내 마음을 아프게 하려고 의도적으로 내게 상처를 주고 있어요."

"내 안에는 여성의 한 초라한 파편만이 남아 있었어요." 그녀는 두려움에 떨며 이야기했다. "그것을 지금 당신이 가져가 버렸어요. 하느님 감사합니다! 마땅히 받아야 할 고난을 견뎌낼 용기를 제게 주셔서. 그래요, 나는 아직도 당신을 너무도 사랑해요. 유혹에 넘어갈 뻔했지만, 그 영국 여인이 내 앞에 패인 구렁을 비추어 주네요."

그때 우리는 마차에 올라탔고, 마부는 행선지를 물었다.

"가로수길을 통해서 시농행 도로로 가 줘요. 돌아올 때는 샤를마뉴 들판과 사셰 길을 지납시다."

"오늘이 무슨 요일이죠?" 나는 너무 급작스럽게 물었다.

"토요일이요."

"부인, 그쪽으로 가지 마세요. 토요일 저녁에는 도로가 투르로 가는 닭장수들로 붐빕니다. 그들의 수레 사이로 가야 할 겁니다."

"내가 말한 대로 해요." 그녀는 마부를 보며 다시 말했다.

우리는 서로의 목소리를 너무나 잘 알고 있었기 때문에 미세한 감정조차도 숨길 수가 없었다. 앙리에트는 모든 것을 이미 파악하고 있었다.

"당신은 오늘밤을 선택할 때 닭장수 생각은 못했군요." 그녀는

약간 비꼬는 투로 말했다. "레이디 더들리는 투르에 왔겠군요. 거
짓말하지 말아요. 그녀는 이 근처에서 당신을 기다리고 있겠지요.
'오늘이 무슨 요일'이냐구요, '닭장수'와 '수레'라니요!" 그녀는
말을 이었다. "우리가 예전에 산책할 때 그런 이의를 제기한 적이
있던가요?"

"내가 클로슈구르드에만 오면 다 잊는다는 것을 증명할 뿐입니
다." 나는 단순하게 대답했다.

"그녀가 당신을 기다리나요?" 그녀는 다시 물었다.

"그렇습니다."

"몇 시에?"

"11시와 자정 사이요."

"어디서?"

"들판에서."

"나를 속이려 하지 말아요. 호두나무 밑이 아닌가요?"

"들판에서요."

"갑시다." 그녀는 말했다. "내가 그녀를 봐야겠어요."

그 이야기를 듣고 나는 내 인생이 끝나는 것처럼 느꼈다. 그래
서 순간적으로 레이디 더들리와 결혼함으로써 고통스런 갈등에
종지부를 찍어야겠다고 결심했다. 그 때문에 내 감수성은 고갈될
뿐만 아니라 그 반복적인 충격으로 과일의 부드러운 솜털과 같은
나의 섬세함이 벗겨지고 있었다. 나의 고집스런 침묵은 부인을
언짢게 했다. 나는 그녀의 숭고함을 아직 다 헤아리지 못하고 있
었다.

"나한테 화내지 말아요." 그녀는 황금처럼 고상한 목소리로 말했다. "이것이 내가 내리는 벌이에요. 당신은 어디에서도 여기서만큼 사랑받지는 못할 거예요." 그녀는 자신의 심장 위에 손을 얹었다. "당신에게 고백하지 않았던가요? 더들리 후작부인은 나를 구했어요. 나는 그녀에게 남겨질 오점이 부럽지 않아요. 천사들의 찬란한 사랑은 나의 몫이죠! 당신이 온 후로 나는 거대한 영역들을 넘나들었답니다. 나는 삶에 대해 판단을 내렸어요. 마음은 숭고해질수록 상처 입게 마련이죠. 높이 올라갈수록 주위의 친절은 귀해집니다. 골짜기에서 고통스러워하는 대신 공중에서 고통스러워합니다. 어떤 천박한 목동이 날린 화살을 심장에 꽂은 채 하늘을 나는 독수리처럼요. 이제는 하늘과 땅이 조화를 이룰 수 없다는 사실을 알게 되었어요. 그래요, 천상에서 살고자 하는 자는 오직 하느님만을 바라보아야 합니다. 영혼은 모든 지상의 것들로부터 초연해야죠. 친구들을 마치 자식처럼, 자신을 위해서가 아니라 그들을 위하는 마음으로 사랑해야 합니다. 자기 자신이 바로 불행과 괴로움의 원천이죠. 내 마음은 독수리보다 더 높이 날 거예요. 그곳에는 나를 배반하지 않을 사랑이 있어요. 지상에서의 삶은, 우리 안에 있는 천사의 영성(靈性)보다 감각적인 이기심의 지배를 받기 때문에 우리를 끌어내립니다. 정욕이 선사하는 쾌락은 끔찍하게 소란스럽고, 그 대가로 마음의 기력을 파괴하는 성가신 근심들을 동반하죠. 나는 그런 폭풍우가 몰아치는 해변까지 와서 너무나 가까이에서 바라보았어요. 구름은 나를 휘감기도 하고, 폭풍의 칼날이 내 발치에서 깨지지 않을 때는, 나를 거칠게 포옹하여 심장을 서늘하게 했어요. 나는 고지대로 피신해야 해요. 이 거대한 바다 앞에 있다가는 죽을 테니까요. 당신은, 그리고 나를 아프게 한 모든 사람들은 내 정조의 수호자들입니다. 나는 살아가면서 다행히도 내 힘으로 감당할 수 있을 정도의 근심들을 겪었고, 사악한 정념을 물리쳐서 순결을 지키고, 유혹에 넘어가지 않으면서 항상 하느님 앞에 나아갈 준비를 갖추었어요. 우리가 나눈 애정은 스스로의 마음과, 세상 사람들과, 하느님을 동시에 만족시키려는 순진한 두 아이의 어리석은 시도였어요…… 얼마나 무분별한가요, 펠릭스! 아!" 그녀는 잠깐의 침묵 뒤에 물었다. "그 여인은 당신을 뭐라고 부르나요?

"아메데." 나는 대답했다. "펠릭스는 오직 당신에게만 속해 있는, 특별한 존재입니다."

"앙리에트는 쉽게 죽으려 하지 않는군요." 그녀는 경건한 미소를 흘리며 말했다. "하지만," 그녀는 계속했다. "겸허한 신자이며, 자존심 있는 어머니이자 어제는 정조가 흔들렸지만 오늘날 강해진 여성이 조금만 더 노력하면 그녀는 곧 쓰러지고 말 겁니다. 뭐랄까요, 그래요, 내 인생은 가장 사소한 상황에서부터 가장 중대한 사건에까지 일관성이 있어요. 첫 애착이 뿌리를 내렸어야 하는 어머니의 가슴은 내가 스며들 수 있는 틈을 아무리 찾아보아도 굳게 닫혀 있었죠. 나는 세 명의 죽은 아들 뒤에 태어난 딸이었고, 부모님의 가슴속 그 빈 자리를 채우려 노력했지만 헛수고였어요. 가문의 자존심이 입은 상처를 치유할 수 없었나 봅니다. 이와 같은 어두운 어린 시절을 보낸 후에 내 사랑스런 숙모를 알게 되었지만 죽음이 그녀를 내게서 재빨리 빼앗아 가더군요. 그리고 모르소프 백작에게 내 운명을 맡겼는데, 그는 끊임없이 나를 괴롭혔어요. 불쌍한 사람, 자신도 그런 사실을 의식하지 못한 채 말입니다. 그의 사랑은 부모에 대한 자식의 사랑처럼 순진하게 이기적인 것이죠. 그 자신도 내게 어떤 고통을 가하는지를 모르니, 항상 용서할 수밖에요! 내 아이들, 그 애들의 아픔 하나하나까지 내 몸의 일부입니다. 그리고 그 애들의 성격은 전적으로 내 마음에서 나왔으며, 그 순수한 즐거움들까지 내 본성입니다. 내 사랑하는 아이들, 그 애들은 어머니의 가슴속에 얼마나 힘과 인내심이 많은지 시험하기 위해 내게 주어지지 않았던가요? 그래요, 내 아이들은 곧 내 정절이에요! 당신은 내가 그들에 의해, 그들 안에서, 그들 모르게 얼마나 몰매를 맞는지 알고 있겠지요. 어머니가 됨으로써 나는 항상 고통받을 권리를 얻은 셈이었어요. 하가르가 사막에서 외쳤을 때 천사는 주인의 사랑을 너무 많이 받은 이 노예를 위해 깨끗한 샘물을 솟아나게 했지요. 하지만 당신이 나를 인도하려 했던 맑은 샘이 (당신은 기억하나요?) 클로슈구르드 근처에 흐르기 시작했을 때 그것은 내게 쓰디쓴 물줄기만을 따라 주었습니다. 그렇답니다. 당신은 내게 말로 표현할 수 없는 고통만을 안겨 주었어요. 아마도 하느님께서는 고뇌를 통해서만 사랑을 경험한 자를 용서하시겠죠. 하지만, 당신이 내게 가장 큰 괴로움을 안겨 줬다 하더라도, 어쩌면 다 내가 자초한 일인지도 모릅니다. 하느님께서는 불공정하지 않으시니까요. 아, 펠릭스, 이마 위에 살짝 얹은 입맞춤이 죄가 되기도 하죠. 저녁에 산책할 때 아이들, 남편과는 무관한 추억과 상념들을 홀로 곱씹기 위해 그들보다 앞장서서 옮긴 몇 발걸음을 가혹하게 속죄해야 할지도 모릅니다. 더욱이 그 순간 영혼이 다른 영혼과 결합했었다면 말이에요. 마음이 가족에게 포옹의 자리만을 남겨놓고 움츠리고 오그린다면 그것은 가장 흉악한 죄가 됩니다! 여인이 이마의 중립성을 지키기 위해 남편의 입맞춤을 머리카락에 받으려 몸을 낮추는 것도 죄입니다! 누군가의 죽음을 기대하며 미래를 계획하는 것도, 온 가족이 사랑하는 아버지와 함께 노는 예쁜 아이들을 감동어린 시선으로 바라보는, 근심걱정 없는 행복한 어머니가 되는 미래를 그려 보는 것도 죄입니다! 네, 나는 죄를 지었어요. 크나큰 죄를 지었어요! 나는 교회가 명하는 회개에 만족했지만 그것은 나의 잘못을 충분히 속죄하지 못했습니다. 신부님이 아마도 너무 너그러우셨나 봅니다. 그래서 분명히 하느님께서는 그런 실수들의 원인 제공자를 처벌의 도구로 삼으셔서 벌이 죄에서 나오도록 하신 거예요. 내 머리카락을 선물하다니, 그런 행동은 곧 내 자신을 약속하는 격이 아닌가요? 왜 나는 흰색 드레스를 즐겨 입었던가요? 그렇게 하면 내 스스로 당신의 백합이라고 더 잘 믿을 수 있었기 때문이죠. 당신이 나를 처음 봤을 때 흰색 드레스를 입고 있지 않았나요? 나는 내 아이들을 덜 사랑했어요. 강한 애정은 모두 마땅히 애정을 받아야 하는 이들의 몫을 빼앗는 것이니까요. 이제 알겠죠, 펠릭스? 모든 고통에는 다 이유가 있다는 원리를요. 모르소프 백작이나 아이들보다 더 세게, 더 세게 때려 주세요. 그 여자는 하느님 분노의 도구예요. 증오심 없이 그녀를 대하고, 그녀에게 미소를 보내겠어요. 나는 그녀를 사랑해야만 해요. 아니면 나는 기독교 신자도, 아내도, 어머니도 될 자격이 없어요. 만약 당신의 말대로, 내가 당신의 순결한 마음을 오염으로부터 지켜내는 데 도움이 되었다면, 그 영국 여인은 나를 증오할 수는 없을 겁니다. 여성이란 자신이 사랑하는 사람의 어머니를 사랑해야죠. 나는 당신의 어머니잖아요. 내가 당신의 마음속에서 무엇을 바랐나요? 그건 방드네스 부인이 남긴 빈 자리였죠. 그래요, 당신은 항상 내가 너무 차갑다고 불평했어요! 네, 나는 당신의 어머니일 뿐입니다. 그러니 당신이 도착했을 때 내가 본의 아니게 당신에게 했던 모진 말들을 용서해요. 어머니가 아들이 그토록 사랑받는다면 기뻐해야죠……" 그녀는 자신의 머리를 내 가슴에 묻으며 "용서해 줘요! 용서해 줘요!"라고 반복했다. 그때 내 귀에 낯선 억양이 들려왔다. 그것은 젊은 처녀의 발랄한 목소리도 아니었고, 단호하게 끝맺는 숙녀의 목소리도, 고통받는 어머니의 목소리도 아니었다. 새로운 고통을 전하는 새로운, 애절한 목소리였다. "하지만 당신은, 펠릭스," 그녀는 언성을 높이며 다시 말을 이었다. "당신은 아무 잘못도 없는 충실한 친구입니다. 아, 당신에 대한 내 애정은 그대로이니 스스로 비난하지 말고 어떠한 죄책감도 갖지 말아요. 내가 불가능한 미래를 위해 크나큰 쾌락을 포기하라고 당신에게 요구했던 건 극단적인 이기심이었어요. 한 여성은 그런 쾌락들을 위해 자식을 버리고, 지위를 단념하고, 영생을 포기할 정도인데 말이에요. 당신을 나보다 우월하다고 느낀 적이 수도 없이 많답니다. 당신은 위대하고 고귀했지만, 나는 구차한 죄인이었어요! 자, 이제는 분명해졌어요. 나는 당신에게 높이 떠서 반짝이는, 차갑지만 한결같은 빛일 뿐입니다. 그러나, 펠릭스, 내가 선택한 형제를 혼자만 사랑하게 내버려 두지 말아요. 나를 사랑해 주세요! 누이의 사랑에는 나쁜 결말도, 힘든 고비도 없습니다. 당신은 당신의 화려한 삶을 함께 누리며, 당신의 아픔에 함께 아파하고, 당신의 기쁨에 기뻐하고, 당신을 행복하게 하는 여성들을 사랑하고, 당신이 당하는 배신에 노여워할 너그러운 영혼에게 거짓말을 할 필요가 없을 거예요. 나는 이렇게 사랑할 형제가 없었어요. 당신도 대범하게 자존심을 버리고, 이제까지 너무나 불투명하고 말썽이 많았던 우리의 애착을 이런 온화하고 경건한 애정으로 승화시킵시다. 나는 아직도 이렇게 살 수 있어요. 나는 레이디 더들리의 손을 잡으며 먼저 실천해 보이겠어요."

자신의 진심과 고통을 가리던 마지막 베일을 벗김으로써 그녀가 얼마나 강한 유대로 내게 결속되어 있었고, 내가 얼마나 견고한 사슬들을 끊어 버렸는지를 보여 주는 말들을 하면서 그녀는 울지도 않았다! 그녀의 말 속에는 잔인한 지혜가 담겨 있었다. 우리는 감정이 너무나 격앙되어 있어서 비가 쏟아지고 있다는 사실도 알아차리지 못했다.

"마님, 잠깐 저곳에 들어가지 않으시겠습니까?" 마부가 발랑의 가장 큰 여관을 가리키며 물었다.

그녀는 동의의 신호를 보냈고, 우리는 현관의 둥근 천장 밑에 약 30분 가량 있었다. 여관의 직원들은 모르소프 부인이 왜 열한 시에 길에 나와 있는지 몹시 의아하게 생각했다. 그녀는 투르로 가는 길일까? 아니면 그곳에서 돌아오는 것일까? 뇌우가 그치고 비가 가랑비로 바뀌어 달빛이 바람에 빨리 흩어지는 고지대의 안개를 비출 때, 마부가 나와서 다행스럽게도 왔던 길로 돌았다.

"내 명령을 따라요." 백작부인이 부드럽게 외쳤다.

그리하여 우리는 샤를마뉴 들판으로 가는 길로 들어섰다. 그곳에서 다시 비가 내리기 시작했다. 들판의 중간쯤에서, 아라벨이 가장 아끼는 개의 짖는 소리가 들렸다. 말 한 마리가 참나무 그루터기 밑에서 갑자기 뛰어나와, 길을 단번에 가로질러, 도랑 위를 건너뛰었다. 그 도랑들은 황무지에 농사를 지을 수 있다고 믿었던 주인들이 각각 자신들의 토지를 구별짓기 위해서 파놓은 것이었다. 레이디 더들리는 지나가는 마차를 지켜보기 위해 들판 안에서 멈추었다.

"애인을 저렇게 기다리다니 얼마나 행복할까! 그것이 죄가 되지 않는다면." 앙리에트가 말했다.

개의 짖는 소리에 레이디 더들리는 내가 마차 안에 있다는 것을 알았다. 아마도 그녀는 험한 날씨 때문에 내가 자신을 데리러 오는 줄 믿었던 것이다. 우리가 후작부인이 서 있는 곳에 이르렀을 때, 그녀는 특유의 기수다운 날렵함으로 길가로 날아왔다. 앙리에트는 이것을 보고 기적을 보듯 감탄했다. 아라벨은, 내 이름을 부를 때 아양스럽게 마지막 음절만을 영국식으로 발음하곤 했다. 그녀의 입술에서 나오는 그 부름은 주술적인 마력을 지녔다. 그녀는 '마이 디'라고 외치면 나만이 알아듣고 응답하리라는 것을 알고 있었다.

"그가 맞습니다, 부인." 백작부인이 밝은 달빛 아래 그 환상적인 여인을 주시하면서 대답했다. 컬이 풀린 긴 머리카락이 아라벨의 안절부절 못하는 얼굴을 이상하게 감싸고 있었다.

두 여자가 얼마나 빨리 서로를 살펴보는지 당신도 잘 알 것이다. 영국 여인은 연적을 알아보고 영국인답게 도도했다. 그녀는 영국적인 경멸에 찬 눈초리를 우리에게 던지고는 화살처럼 빠르게 히드꽃밭 속으로 사라졌다.

"빨리, 클로슈구르드로!" 백작부인이 외쳤다. 그 매서운 눈초리는 그녀의 가슴에 꽂힌 도끼와 같았다.

마부는 사셰 길보다 나은 시농행 도로로 가기 위해 돌았다. 마차가 다시 들판을 따라 달릴 때, 아라벨의 말이 맹렬하게 질주하는 소리와 개의 발소리가 들렸다. 셋은 히드밭 저편에서 숲을 끼고 달리고 있었다.

"그녀가 가버리네요. 당신은 그녀를 영원히 잃을지도 몰라요." 앙리에트가 내게 말했다.

"그렇다면, 가라고 하죠!" 나는 대답했다. "그녀는 조금의 후회도 없을 걸요."

"불쌍한 여자들이여!" 부인은 동정하듯 경악을 금치 못했다. "하지만 어디를 가는 거죠?"

"그르나디에르예요. 생시르* 근처의 작은 집입니다." 내가 말했다.

"혼자 가네요." 앙리에트의 말투는 여자들은 사랑에 있어서도 연대의식을 느끼며 결코 서로를 저버리지 않는다는 것을 내게 입증하였다.

우리가 클로슈구르드의 가로수길로 들어설 때, 아라벨의 개가 마차 앞으로 뛰어오며 즐겁게 짖었다.

"그녀가 우리보다 먼저 도착했군요." 부인이 말했다. 그리고 잠시 후, "나는 그토록 아름다운 여자를 본 적이 없어요. 그런 손, 그런 허리! 백합보다 하얀 살결, 다이아몬드처럼 반짝이는 눈! 하지만 그녀가 말을 아주 잘 타는 것으로 보아, 힘을 즐겨 사용할 것 같군요. 성격이 활발하고 격렬하겠다는 생각이 들고요. 그리고 내가 보기에는 관습을 너무나 대담하게 무시하는 것 같네요. 규범을 인정하지 않는 여성은 제 멋대로 행동하기 쉽죠. 눈에 띄고, 활동하기를 좋아하는 이들의 마음은 한결같지 못합니다. 사랑이란 보다 고요한 것이라 생각해요. 나는 그것이 거대한 호수라고 상상하곤 하죠. 수심측량기로도 바닥을 닿을 수 없고, 폭풍우가 거세게 몰아칠 때도 간혹 있지만, 넘칠 수 없는 둑 안쪽에 머물러 있는, 그런 호수 말이에요. 두 사람이 세상의 사치와 화려함을 견디지 못해 그로부터 멀리 떨어져, 그 호수 위에 떠 있는 꽃피는 섬에 살고 있죠. 하지만 어쩌면 성격에 따라 제각기 다른 방식으로 사랑할지도 모르죠. 내가 잘못 생각할 수도 있어요. 자연의 섭리가 기후에 따라 다른 형태로 발현되듯이, 사람들의 감정도 그러할 수가 있겠죠. 아마도 총체로서 일반적인 법칙에 따르는 감정이 단지 표현에 있어서만 차이를 보일 뿐이겠죠. 방식은 개인마다 제각각이니까요. 후작부인은 거리를 뛰어넘고 남자와 같은 힘으로 행동하는 강한 여자입니다. 그녀는 연인이 포로로 잡혀 있다면 그를 구출하기 위해 간수, 경비, 그리고 형리를 살해할 것입니다. 반면 다른 여인들은 자신의 온 마음을 다해 사랑할 줄밖에 모르죠. 위험 앞에서 무릎을 꿇고, 기도하면서 죽어 갑니다. 두 종류의 여자 중에서 당신이 어느 쪽을 더 좋아하느냐가 중요한 문제입니다. 분명히, 후작부인은 당신을 사랑하고 있어요. 당신을 위해 많은 것을 희생했잖아요! 당신이 그녀를 더 이상 사랑하지 않을 때조차 어쩌면 그녀는 여전히 당신을 사랑할지도 몰라요!"

"사랑하는 천사여, 당신이 언젠가 내게 한 말을 당신에게 다시 하도록 허락해 주시오. 그런 것들을 어떻게 압니까?"

"모든 고통은 교훈을 수반하기 마련이죠. 나는 너무나 많은 부분에서 고통을 당했기 때문에 지식이 넓답니다."

내 하인은 마부에게 내린 지시를 듣고 우리가 테라스를 통해 돌아오리라고 믿었다. 그는 내 말을 가로수길에 대기시켜 놓고 있었다. 아라벨의 개는 말의 냄새를 맡았고, 여주인은 자연스러운 호기심에 이끌려 숲 속으로 개를 따라와서, 분명히 그곳에 숨어 있었다.

"가서 화해해요." 앙리에트는 슬픔을 내색하지 않고 미소지으며 말했다. "그녀가 내 의도를 얼마나 오해했는지 말해 줘요. 나는 그녀가 받은 보물의 가치를 알려 주고 싶었을 뿐이라고요. 내 마음은 그녀에 대해 좋은 감정만을 가졌고, 절대 분노도, 경멸도 없어요. 나는 그녀의 자매이지, 연적이 아니라고 설명해 줘요."

"가지 않겠습니다." 나는 소리쳤다.

"때로는 배려가 모욕에 가깝다는 것을 당신은 느낀 적이 없나요?" 그녀는 순교자들의 찬란한 자존심이 가득한 말투로 말했다.

304

"가요, 어서."

나는 레이디 더들리가 어떤 기분인지 살피기 위해 그녀를 향해 갔다. '그녀가 화를 내고 나를 떠나기만 한다면!' 나는 생각했다. '나는 클로슈구르드로 돌아올 텐데.' 개는 나를 참나무 아래로 인도했다. 후작부인이 그 밑에서 뛰쳐나오며 "어웨이, 어웨이"*라고 외쳤다. 나는 그녀를 생시르까지 따라갈 수밖에 없었다. 우리는 자정에 그곳에 도착했다.

"부인께서는 건강이 아주 좋으시네." 아라벨이 말에서 내렸을 때 내게 말했다.

그녀를 알았던 사람들만이 거칠게 내뱉은 그런 지적 속에 얼마나 많은 빈정거림이 담겨 있는지 헤아릴 수 있을 것이다. 그녀의 표정은 '나는 벌써 죽었을 텐데!' 라는 말을 하고 있었다.

"당신의 독설이 모르소프 부인을 향하는 것을 허락하지 않겠어." 나는 대답했다.

"각하께 소중한 분의 완벽한 건강 상태를 지적하는 것이 각하의 마음을 상하게 하나요? 사람들 말에 의하면 프랑스 여성들은 연인의 개까지도 증오한다죠. 우리 영국 여인들은 우리의 주인님과 동화되어 살기 때문에 주인님이 사랑하시는 것은 모두 사랑하고, 싫어하시는 것은 모두 싫어한답니다. 그러니 당신이 사랑하는 만큼 저 부인을 사랑하도록 허락해 주십시오. 단지, 내 사랑," 그녀는 비에 젖은 팔로 나를 감싸면서 말했다. "만약 당신이 나를 배신한다면, 나는 서 있지도, 누워 있지도 않을 것이며, 하인이 동반하는 마차 안에도 없을 것이고, 샤를마뉴 들판에도, 어느 세상의 어느 나라의 들판에서도 산책하고 있지 않을 것이고, 내 침대에도, 내 조상들의 지붕 밑에도 없을 거야! 나는 이미 더 이상 이 세상에 존재하지 않을 거니까. 나는 여자들이 사랑 때문에 죽기도 하는 랭카셔에서 태어났어. 당신을 알고 다른 여자에게 양보하다니! 나는 당신을 어떠한 세력에게도, 죽음에게도 양보하지 않아. 왜냐하면 당신과 함께 죽을 테니까."

그녀는 나를 자신의 방으로 데려갔다. 이미 그곳은 안락하게 꾸며져 쾌락을 준비하고 있었다.

"그녀를 사랑해 줘." 나는 열을 올리며 말했다. "그녀는 당신을 사랑해. 빈정거림 없이, 진심으로."

"진심으로, 꼬마야?" 그녀는 자신의 승마복을 풀면서 말했다.

연인의 허영심이 발동하여, 나는 이 오만한 여자에게 앙리에트의 숭고한 성격을 알려 주고자 했다. 프랑스어를 전혀 모르는 하녀가 그녀의 머리를 빗겨 주는 동안 나는 모르소프 부인의 삶을 대략 이야기해 주며 그녀의 성격을 묘사하려 했다. 또한 모든 여자들이 옹졸해지고 악해지는 위기 속에서 그녀가 품게 된 위대한 생각들을 전했다. 아라벨은 내 말에 전혀 주의를 기울이지 않는 듯 보였지만 하나도 놓치지 않고 듣고 있었다. 우리가 단둘이 남게 되자 그녀가 말했다.

"당신이 그런 유의 종교적인 대화에 취미가 있다니 반갑군. 내 영지 중 하나에 설교를 누구보다도 잘하는 보좌신부가 한 명 있는데, 그는 청중의 수준에 맞춰 이야기를 하기 때문에, 농부들도 잘 알아듣지. 당신이 파리에서 그를 만날 수 있도록 나는 내일 아버지께 그 사람을 여객선에 태워 보내 달라고 편지를 쓰겠어. 그의 설교를 한번 들으면 그 말고는 누구의 말도 들으려 하지 않을 거야. 게다가 그도 역시 건강 상태가 아주 좋거든. 그의 훈계는 눈물을 흘릴 정도의 동요를 일으키지 않으면서, 맑은 샘물처럼 폭풍 없이 흘러 달콤한 잠 속으로 빠져들게 하지. 당신이 원한다면, 매일 저녁식사 후에, 소화를 하면서 설교에 대한 취미를 충족시키도록 해. 우리의 칼 제조업, 은제품, 그리고 말이 당신들의 칼과 말보다 우수한 만큼 영국식 도덕은 투렌의 도덕보다 우월하지. 내보좌신부의 설교를 들어보겠다고 약속해 줄래? 내 사랑, 나는 여자일 뿐이야. 나는 사랑할 줄 알고, 당신이 원한다면 당신을 위해서 죽을 수도 있지만 나는 이튼에서도, 옥스퍼드에서도, 에든버러에서도 교육을 받지 못했기에, 박사도 아니고 신부도 아니거든. 그래서 당신을 위해 도덕 강의를 준비할 줄도 모르지. 그러려고 시도한대도 너무나 서툴겠지. 당신의 취미에 대해 나무라지 않아. 더 퇴폐적인 취미가 있다고 해도 그것을 충족시키려 노력하겠어. 당신이 좋아하는 모든 것, 사랑의 기쁨, 식탁의 기쁨, 종교의 기쁨, 좋은 포도주와 그리스도교적인 덕목 등을 내 곁에서 구할 수 있기를 바라니까. 내가 오늘 저녁 고행용 거친 피륙을 입기를 원해? 그 여자는 당신에게 도덕을 들려 줄 수 있다니 얼마나 행복하겠어! 프랑스 여인들은 어느 대학에서 학위를 받는 거지? 불쌍한 나! 내 자신을 바치는 당신의 노예에 불과하니……"

"그렇다면, 둘이 함께 있는 것을 보고 싶었는데 왜 도망간 거요?"

"미쳤어, 마이 디? 나는 하인으로 변장해서 파리에서 로마까지 갈 수 있고, 당신을 위해서 가장 상식에 어긋나는 일도 서슴지 않겠지만, 내가 소개받지도 않고, 삼단 논법으로 된 설교를 하려는 여자와 어떻게 길에서 이야기를 하란 말이야? 나는 농부들과 말을 하겠고, 배가 고프면 일꾼에게 빵을 나눠 달라고 하고, 그 대가로 그에게 금화 몇 닢을 준다면 모든 것이 도리에 맞겠지. 하지만 영국에서 큰 길 도둑들이 하듯이 마차를 세우는 것은 내 행동 강령에 없어. 가엾은 이여, 당신은 사랑할 줄밖에 모르고 아직 사는 법은 모르는군! 그런데 나는 아직 당신을 완전히 닮지는 않았어, 나의 천사! 나는 도덕을 싫어하거든. 하지만 당신의 마음에 들기 위해 최대한의 노력을 기울일게. 자, 이제 그만해, 입문할 테니. 여자 설교사가 되도록 노력하겠어. 곧 나에 비하면 예레미아는 광대에 불과하도록 할게. 모든 애무와 키스마다 성서의 구절을 끼워 넣을게."

그녀는 자신의 능력을 발휘했다. 자신이 마술을 부리기 시작할 때 내 눈빛 속에 나타나는 뜨거운 기운을 보자 그녀는 그것을 남용했다. 그녀는 모든 면에서 승리를 거두었다. 나는 스스로를 희생하는, 미래를 포기하고 사랑을 덕으로 삼는 여성의 위대함을 종교적인 농간들보다 기꺼이 우위에 놓았다.

"그 여자는 당신보다 자기 자신을 더 사랑하는군!" 그녀는 말했다. "당신이 아닌 다른 것을 당신보다 중요하게 여기다니. 어떻게 당신이 부여해 주는 가치 이외에 자신에게 다른 가치를 부여할 수가 있단 말인가? 어떤 여자도, 아무리 훌륭한 도덕학자라고 해도,

남자와 동등할 수는 없어. 우리 여성들을 짓밟고, 죽여. 그리고 우리한테 번거롭게 신경 쓰지 말아. 우리에게는 죽음이 있을 뿐이고, 위대하게, 자부심을 가지고 살아가는 것은 당신들의 몫이야. 당신들이 우리를 향해 단도를 겨누고 있다면, 우리는 당신들에게 사랑과 용서를 베풀 뿐이지. 태양은 빛줄기 속에서 살아가는 작은 파리들을 걱정할까? 파리들은 머물 수 있을 만큼 머물다가, 태양이 사라지면 죽어 버리지……."

"또는 날아가 버리지." 나는 그녀의 말을 끊었다.

"또는 날아가 버리지." 그녀가 방금 남자에게 선사한 특별한 권위를 행사하겠다고 단단히 결심한 사람도 기분이 상했을 정도로 그녀는 무심하게 되받았다. "종교가 사랑과 양립할 수 없음을 납득시키기 위해 남자에게 덕이 발린 토스트를 먹이는 게 여자가 할 만한 일이라고 생각하는지? 내가 부도덕한가? 자기 자신을 허락하거나, 말거나, 둘 중 하나야. 하지만 자신을 허락하지 않고 설교를 늘어놓는 것은 이중의 수고를 하는 셈이지. 이것은 모든 나라의 규범에 어긋나. 이곳에서는 당신의 하녀 아라벨이 직접 차린 맛있는 샌드위치만을 먹을 수 있어. 어떤 남자도 아직 느껴 보지 못한, 천사들에게서 영감을 받은 애무를 베푸는 것이 그녀의 도덕의 전부라네."

나는 영국 여인의 농담처럼 강력한 용매를 알지 못한다. 그녀는 영국인들이 편견으로 가득 찬 자기네 삶의 어리석음을 포장하는 데 쓰는 진지한 능변과 과장된 확신의 표정으로서 그것을 내뱉는다. 프랑스식의 농담은 여성들이 남에게 기쁨을 주거나 말다툼을

걸 때 장식용으로 사용하는 레이스와 같다. 그것은 그녀들의 몸단
장처럼 우아한, 정신적인 장신구이다. 반면 영국식의 농담은 산성
용액과 같아서, 겨냥하는 사람을 부식시켜 매끈한 해골로 만들어
버린다. 재치 넘치는 영국 여인의 혀는, 장난을 치면서 살과 뼈까
지 앗아가는 호랑이의 혀와 닮았다. "고작 그건가?"라고 비웃는
악마의 전능한 무기처럼, 그런 빈정거림은 상처를 계속 벌리며 거
기에 치명적인 독물을 뿌려 둔다. 그날 밤에 아라벨은 자기 솜씨
를 자랑하기 위해 무고한 사람들의 목을 베는 옛 터키 군주처럼
자신의 능력을 과시하려 했다.

"나의 천사여," 그녀는 행복 이외의 것을 모두 망각하는 반수면
상태에 나를 빠뜨렸을 때 말했다. "나도 방금 내 자신과 도덕을 논
했어. 당신을 사랑함으로써 죄를 범하는 것인지, 천륜을 어기는
것인지 스스로에게 물었더니, 그보다 더 신성하고 자연스러운 것
은 없다는 결론만 나오더군. 만약 그들을 숭배하라는 표시가 아니
라면 왜 하느님께서는 다른 이들보다 더 아름다운 사람을 창조하
셨겠어? 당신을 사랑하지 않는 것이 오히려 죄악이야. 당신은 천
사잖아? 그 부인은 당신을 다른 남자들과 혼동하면서 당신을 모
욕하고 있어. 하느님께서 당신을 모든 것 위에 놓으셨으니 도덕적
인 규율은 당신에게 적용이 되지 않아. 당신을 사랑하는 것은 곧
하느님과 가까워지는 것과 마찬가지 아니겠어? 하느님께서 천상
의 것을 갈망하는 여인을 비난하실까? 당신의 드넓고 빛나는 가
슴은 하늘과 너무나 닮아서 나는 마치 잔치의 촛불 속으로 달려들
어 타 버리는 작은 파리들처럼 착각을 일으킨 거야. 그런 실수를

범한 파리들이 처벌받을까? 게다가 그것을 실수라고 할 수 있나, 오히려 빛에 대한 거룩한 숭배가 아닌가? 사랑하는 대상 속으로 뛰어드는 것을 죽음이라고 칭한다면 그것들은 신앙심이 너무나 깊어서 죽은 거야. 그 여자가 자신의 예배당 안에 갇혀 있을 만큼 강하다면 나는 나약해서 당신을 사랑해. 눈살을 찌푸리지 마! 내가 그녀를 원망한다고 생각해? 아니야! 나는 그녀에게 당신을 자유롭게 내버려 두라고 충고하여 내가 당신을 정복하고, 영원히 지킬 수 있도록 한 그녀의 도덕을 매우 좋아해. 왜냐하면 당신은 영원히 내 것이니까, 그렇지?"

"그렇소."

"영원히?"

"그렇소."

"폐하, 제게 성은을 베푸시나이까? 나만이 당신의 가치를 전적으로 알아봤어요! 그녀가 농지를 경작할 줄 안다고? 나는 그런 기술은 농부들에게 맡기고 당신의 마음을 경작하겠어요."

당신에게 그 여인을 제대로 묘사하기 위해, 내가 그녀에 대해 이미 말한 것을 입증하기 위해, 그리고 그럼으로써 당신에게 결말의 비밀을 모두 밝히기 위해 그런 황홀한 수다를 기억해 내려 애를 썼다. 하지만 이런 애교스런 말들과 곁들여진 양념을 어떻게 그릴 수 있겠는가? 그것은 꿈속에서나 보이는 가장 터무니없는 환상에 빗댈 수 있는 미친 짓거리였다. 어떨 때 그 창작물들은 내 꽃다발과 비슷했다. 힘과 결합된 우아함, 화산의 폭발과 같은 열정, 그리고 이와 대비를 이루는 나른하고 느린 애무. 때로는 쾌락의 연주에 음악의 교묘한 단계적 상승을 적용하였다. 또 때로는 서로 뒤엉킨 뱀들의 놀이와도 같았다. 또는, 가장 명랑한 발상으로 장식된 가장 달콤한 말들, 감각의 환희에 더해질 수 있는 정신적인 자원을 모두 동원하였다. 그녀는 벼락과도 같은 자신의 격렬한 사랑으로 앙리에트의 정숙하고 침착한 마음이 내 가슴속에 남긴 여운을 지우려 했다. 후작부인은 모르소프 부인이 자기를 알아본 만큼 백작부인을 잘 알아보았다. 둘은 서로를 잘 파악했던 것이다. 아라벨의 거센 공격은 그녀가 느낀 큰 두려움과 연적에 대한 숨은 존경심을 드러내고 있었다. 아침에, 나는 눈에 눈물이 맺힌 채 한숨도 못 잔 그녀를 발견하였다.

"왜 그래?" 나는 물었다.

"내 지극한 사랑이 내게 해가 될까 봐 두려워." 그녀는 대답했다. "나는 당신에게 모든 것을 다 주었어. 하지만 그 여자는 나보다 능란해서, 당신이 원하는 것을 아직도 간직하고 있잖아. 그녀가 더 좋다면, 더 이상 내 생각은 하지 말아요. 내 고통과 내 죄책감, 내 괴로움을 내세워서 당신을 방해하지 않을게. 나는 생명을 주는 태양 없이 죽어 가는 식물처럼 당신으로부터 멀리 떠나 죽어 버리겠어."

그녀는 내게서 사랑한다는 맹세를 얻어내고 기쁨에 찼다. 아침에 눈물을 흘리는 여인에게 무슨 말을 할 수 있겠는가? 모질게 대하는 것은 야비하다. 그 전날 그녀에게 저항하지 않았다면, 그 다음날 우리는 거짓말을 해야만 하지 않는가? 남성의 예절 규범은 거짓말을 의무화한다.

"그래도 난 너그러워." 그녀는 눈물을 닦으며 말했다. "그녀에게 돌아가. 나는 당신이 자유로운 의지로 내 곁에 머물길 바라지 당신을 내 사랑의 힘으로 붙들기를 원치 않아. 만약 당신이 이곳에 다시 온다면, 내가 당신을 사랑하는 만큼 당신도 나를 사랑한다고 믿겠어. 그것은 항상 내게 불가능해 보였지만."

그녀는 내가 클로슈구르드로 돌아가도록 설득하였다. 그러나 행복을 실컷 누린 후에 나는 곧 처하게 될 상황이 얼마나 난감할지 짐작조차 못했다. 클로슈구르드로 가기를 거부한다면 나는 앙리에트를 저버리고 아라벨이 바라는 대로 해 주는 것이었다. 그러면 아라벨은 나를 파리로 데려갔을 것이다. 하지만 클로슈구르드로 간다면 모르소프 부인을 모욕하는 처사가 아니겠는가? 그렇다면 나는 더욱 분명하게 아라벨에게로 돌아갈 수밖에 없었다. 여자가 자신의 사랑을 모독하는 죄를 용서한 적이 있는가? 하늘에서 내려온 천사가 아닌 다음에는, 하늘로 오르고 있는 정화된 영혼이라고 할지라도, 사랑하는 여인은 연인이 다른 여자로 인해 행복해지는 것보다 그가 죽을 정도의 고통을 당하기를 더 바라기 마련이다. 그녀의 사랑이 깊을수록 상처 역시 깊을 것이다. 그리하여, 두가지 측면에서 보아도, 클로슈구르드에서 나와 그르나디에르로 향하는 순간 내 처지는 우연적인 사랑에 유리해진 만큼 선택된 사랑에 치명적이 되었다. 후작부인은 모든 것을 용의주도한 심오함을 가지고 계산했던 것이다. 후에 그녀는 만약 모르소프 부인이 들판에서 자신을 만나지 않았더라면 클로슈구르드 주위를 배회하면서 나를 곤혹스럽게 할 생각이었다고 털어놓았다.

지독한 불면증에 시달린 사람처럼 창백해지고 쇠약해져 있는 백작부인에게 다가갔을 때, 나는 일반 대중들에게는 사소해 보이지만 숭고한 영혼들의 재판에서는 범죄가 되는 행동들이 야기한 결과를 알아차리는, 재치가 아닌 직감을 발휘하였다. 그런 직감은 아직 젊고 너그러운 영혼들에게만 있는 것이다. 즉시, 꽃을 따고 놀다가 자기도 모르게 깊은 구렁 속으로 내려간 아이가 저 멀리, 넘을 수 없는 거리에 있는 인간의 땅을 바라보며 두려움에 사로잡힌 채 다시 올라갈 수 없으리라는 것을 깨닫고, 야생 동물들이 울부짖는 어두운 밤 속에 홀로 있음을 느끼듯이, 나는 우리의 사이를 한 세계가 가로막고 있음을 알았다. 우리의 두 영혼 속에는 거대한 함성과 음울한 "이제 다 이루었다"*의 울림과 같은 것이 들려왔다. 그것은 성 금요일마다 구세주께서 돌아가신 시간에 교회에서 사람들이 지르는 절규로서, 종교가 첫사랑인 젊은 영혼들을 서늘하게 하는 끔찍한 광경이다. 앙리에트가 품고 있던 환상은 단번에 깨졌고, 그녀의 마음은 수난을 겪었다. 쾌락도 그녀를 존중하여 그 나른한 품 속에 포옹한 적이 없었건만, 그녀가 내게 눈길을 주지 않는 것은 이제 와서 행복한 사랑의 감미로움을 헤아렸기 때문일까? 그녀는 6년 전부터 내 삶을 비추는 빛을 빼앗아 갔다. 눈에서 흘러나오는 광선의 근원지가 영혼이라는 것을, 그리고 눈은 영혼들이 아무런 경계심 없이 서로에게 모든 이야기를 털어놓는 두 여인처럼, 서로 스며들거나 하나로 결합했다가 떨어졌다 하며 노니는 길이라는 것을 그녀는 알고 있었던가? 나는 쾌락을 모르는 이 지붕 밑에 즐거움이 날개를 펼 때 떨어지는 화려한 먼지가 문은 얼굴로 나타나는 것이 얼마나 죄가 되는지 통렬하게 느꼈다. 그 전날, 만약 내가 레이디 더들리를 홀로 가도록 내버려 두었다면, 앙리에트가 나를 기다렸을지도 모르는 클로슈구르드로 내가 돌아왔더라면, 어쩌면 …… 어쩌면 모르소프 부인은 그토록 가혹하게 내 누이가 되겠다고 제안하지는 않았을 것이다. 그녀가 베푸는 모든 친절은 과장되게 호사스러웠다. 그녀는 자신의 역할 속에 들어가 나오지 않을 작정이었다. 점심식사 동안, 그녀는 나를 극진하게 배려했다. 마치 동정하는 환자처럼 나를 돌보는 듯한 그 배려는 모욕적이었다.

"자네는 아침 일찍 산책을 다녀왔지." 백작이 내게 말했다. "그래서 식욕이 왕성하겠군. 위장이 망가지지 않았으니까!"

백작부인의 입술 위에 꾀바른 누이의 미소를 가져오지도 않은 그 말은 내 처지가 얼마나 가소로운지를 내 자신에게 보여 주었다. 낮에 클로슈구르드에 있다가, 밤을 생시르에서 지내는 것은 상식적으로 불가능한 일이다. 아라벨은 나의 신중함과 모르소프 부인의 대범함을 믿었던 것이다. 이 긴 하루 내내, 오랫동안 원하던 여인의 친구가 되는 것이 얼마나 어려운가를 실감했다. 그런 전환은, 중년 이후에는 쉽게 이루어지지만, 젊은 나이에는 병이 된다. 나는 부끄러웠고, 쾌락을 저주하며 모르소프 부인이 내 피를 요구하기를 바랐다. 내게는 그녀의 연적을 실컷 헐뜯을 기회도 없었다. 왜냐하면 부인은 그 화제를 회피했기 때문이다. 그리고 아라벨을 험담하는 것은, 마음의 가장 깊은 곳까지 너그럽고 고귀한 앙리에트의 경멸을 살 만한 파렴치한 짓이었다. 5년 동안 달콤한 친교를 나누었음에도 불구하고, 우리는 할 말이 없어졌다. 말이 우리의 생각과 일치하지 않았다. 고통이 항상 우리의 충실한 매개자였지만 지금은 서로에게 각자의 끔찍한 고통을 숨겼다. 앙리에트는 나와 자신을 위해 행복한 표정으로 위장했지만, 실제로는 슬퍼하고 있었다. 툭하면 내 누이라고 자칭하면서도, 그리고 평소에는 여성답게 어느 상황에서도 화젯거리를 만들었지만 지금 그녀는 대화를 이어갈 주제를 못 찾아서 우리는 대부분 어색한 침묵 속에 머물렀다. 그녀는 자신이 그 영국 부인의 유일한 희생자라고 믿는 척함으로써 내 내면의 고문을 심화시켰다.

"제가 당신보다 더 괴롭답니다." 나는 누이가 여성스럽게 빈정거렸을 때 말했다.

"뭐라고요?" 그녀는 여성들이 누군가가 자신들의 감정을 앞서려고 할 때 취하는 경멸어린 어조로 대답했다.

"하지만 제게 모든 잘못이 있습니다."

한순간 부인은 내게 냉랭하고 무관심한 표정을 보냈다. 나는 매우 상심하여 떠나기로 결심했다. 저녁에, 테라스 위에서, 나는 함께 모인 가족들에게 작별 인사를 했다. 내 말이 잔디밭에서 앞발로 땅을 차고 있었다. 그곳까지 모두 나를 따라 나와서 말에게서 떨어져 섰다. 내가 고삐를 잡았을 때 그녀는 내게 다가왔다.

"우리 둘만 가로수길로 걸어갑시다." 그녀가 말했다.

팔짱을 끼고, 박자가 일치하는 우리의 동작을 음미하듯이 느린 발걸음으로 마당을 통해 나갔다. 그렇게 우리는 바깥쪽 울타리를 둘러싸는 작은 숲에 다다랐다.

"안녕, 친구여." 그녀는 멈춰 서서, 머리를 내 가슴에 묻고, 팔로 내 목을 끌어안으며 말했다. "안녕, 우리는 다시 만날 수 없을 거예요. 하느님께서는 내게 미래를 볼 줄 아는 서글픈 능력을 주셨어요. 어느 날 당신이 그토록 멋지고 젊은 모습으로 돌아왔을 때 나를 사로잡았던 두려움을 기억하지 않나요? 그리고 그르나디에르로 향하기 위해 클로슈구르드를 떠나는 오늘처럼 당신이 내게 등을 돌리는 것을 보았을 때도 그랬지요. 지난 밤에 나는 다시 한번 우리의 운명을 엿볼 수 있었어요. 친구여, 우리는 지금 마지막으로 이야기를 나누는 것이랍니다. 나는 당신에게 겨우 몇 마디를 더 할 수 있을지도 모르지만, 그때 말하는 사람은 더 이상 온전한 내가 아닐 거예요. 죽음이 이미 내 안에 한 부분을 쳤습니다. 당신이 아이들에게 어머니를 빼앗아 갔으니, 그들에게 어머니를 대신해 줘요. 당신은 그렇게 할 수 있어요! 자크와 마들렌은 마치 당신이 그들에게 항상 고통을 안겨준 것처럼 당신을 사랑하니까요."

"죽음이라뇨!" 나는 두려움에 질려서 말했다. 그녀의 반짝이는 눈의 메마른 불빛을 알아보았던 것이다. 그런 눈을 빛바랜 은으로 된 구(球)에 비유하지 않고는 제대로 묘사할 수 없다. 특히 소중한 사람이 그 끔찍한 병으로 고생하는 것을 본 적이 없는 이들에게는. "죽음이라뇨! 앙리에트, 나는 당신에게 살도록 명령하겠소! 예전에 당신은 내게 맹세를 요구했지. 그런데 오늘 내가 당신에게 맹세 한 가지를 바라오. 의사 오리제 선생에게 진찰을 받고 그의 지시를 모두 따르겠다고……."

"하느님의 자비에 훼방을 놓으려는 건가요?" 그녀는 인정받지 못해서 격분한 듯 절망적인 외침으로 내 말을 끊었다.

"당신은 저 하찮은 영국 부인처럼 모든 일에 있어서 내 뜻에 순종할 만큼 나를 사랑하지 않는군요……"

"그래, 당신 마음대로 생각해." 그녀는 질투심에 떠밀려 여태껏 지켰던 거리를 잠시 뛰어넘었다.

"나는 여기 남겠어." 나는 그녀의 눈에 입을 맞추며 말했다.

이런 동의에 스스로 놀라, 그녀는 내 품에서 빠져나가 나무에 기대었다. 그리고 그녀는 황급한 걸음으로, 고개를 돌리지 않고 집으로 향했다. 하지만 나는 그녀를 뒤쫓았다. 그녀는 울면서 기도를 하고 있었다. 잔디밭에 이르러, 나는 그녀의 손을 잡고 정중하게 입을 맞추었다. 예상치 않았던 내 순종적인 태도는 그녀를 감동시켰다.

"그래도 난 당신의 것이야!" 나는 말했다. "나는 당신의 숙모가 당신을 사랑했듯이 당신을 사랑하니까."

그녀는 소스라치며 나의 손을 강렬하게 쥐었다.

"눈길 하나만," 나는 말했다. "우리가 예전에 주고받았던 눈길을 다시 한번만! 자신을 온전히 바치는 여자라도 내가 지금 당신에게서 받은 만큼의 생명과 혼을 주지 못해." 나는 그녀가 내게 던진 눈빛으로 마음이 밝아지는 것을 느끼며 말했다. "앙리에트, 당신은 가장 사랑받는 여인이고, 유일하게 사랑받는 여인이오!"

"살겠어요!" 그녀는 말했다. "하지만 당신도 스스로를 치유하세요."

그 눈길은 아라벨의 빈정거림을 지워 버렸다. 나는 당신에게 앞서 설명했듯이, 양립할 수 없는 두 가지 사랑의 노리개였고, 교대로 그 영향력 아래 놓였다. 나는 천사와 악마를 동시에 사랑했던 것이다. 동등하게 아름다운 두 여인, 한 명은 모든 미덕을 갖추었고 우리가 스스로의 불완전함에 대한 증오 때문에 일부러 멍들게 하는 여인이고, 다름 한 명은 모든 악덕을 지녔지만 우리가 이기심 때문에 신격화하는 여인이다. 이 가로수길을 걸으며 나는 나무에 기대어, 손수건을 흔드는 아이들에 둘러싸인 모르소프 부인을 보기 위해 수시로 돌아보았다. 그때 나는 내 자신이 훌륭한 두 여성의 운명을 결정짓는 존재라는 사실과, 두 명의 특출난 여인들이 각각 다른 이유로 나를 자랑스러워한다는 사실, 그리고 두 명 모두가 내가 없다면 죽을 정도로 나를 열렬히 사랑한다는 것에 대해 속으로 약간의 자긍심을 느꼈다. 이런 일시적인 자만심이 이중으로 벌을 받았다는 것을 믿어 주길! 앙리에트가 절망감에 못 이겨서, 또는 백작이 죽기라도 해서 그녀가 내 품에 안기길 아라벨 곁에서 기다리라고 어떤 악마가 내 귀에 속삭였는지도 모른다. 앙리에트는 나를 여전히 사랑하고 있었다. 그녀의 냉랭함, 눈물, 죄책감, 그리스도교적인 체념은 내 가슴에서만큼이나 그녀의 가슴에서도 지워질 수 없는 감정의 명백한 흔적이었다. 이 아늑한 가로수길을 천천히 걸으면서 이런 상념에 젖은 나는 스물다섯 살이 아니라 쉰 살이었다. 한순간에 서른 살에서 예순 살로 넘어가는 건 여자보다 젊은 남자가 아니겠는가? 단숨에 그런 사악한 생각들을 쫓아 버렸지만, 그것들은 나를 끊임없이 괴롭혔음을 고백한다. 어찌면 그 근원이 튈르리 궁에, 왕의 집무실의 장식판 밑에 있었는지도 모른다. 누가 루이 18세의 퇴폐적인 재치에 저항할 수 있겠는가? 폐하께서는 열정이란 무능력과 섞였을 때 더욱 아름답고 격앙되기 때문에, 그리고 쾌락을 누릴 때마다 마치 도박꾼이 마지막 내기 돈을 거는 심정으로 임하기 때문에, 장년이 되어 진정한 열정을 품을 수 있다고 말씀하시곤 했다. 나는 가로수길의 끝에서 뒤를 돌아, 홀로 아직도 그곳에 서 있는 앙리에트를 보고 눈 깜짝할 사이 다시 길을 건너왔다. 나는 그녀에게 이유를 숨긴 속죄의 눈물을 흘리며 마지막으로 작별인사를 하러 왔다. 영원히 잃어버린 아름다운 사랑과, 순결한 감동, 다시는 피지 않는 인생의 꽃들 앞에서 무의식중에 흘리는 진실한 눈물이었다. 그 이후에, 남자는 더 이상 주지 않고 받기만 한다. 젊은 시절에 자기 안에서 연인을 사랑했던 그는 이제 연인 안에서 자기를 사랑한다. 그리고 우리 남성들은 우리를 사랑하는 여인에게 자신의 취향과, 때로는 악덕까지 심어 준다. 그에 비해 이른 나이에는 우리가 사랑하는 여인이 우리를 자신의 덕목과 섬세함으로 물들인다. 그녀는 미소로써 우리를 아름다움으로 인도하고, 모범을 보임으로써 헌신을 가르쳐 준다. 앙리에트와 같은 여자를 알지 못한 자는 불행하도다! 레이디 더들리와 같은 여성을 만나지 못한 자는 불행하도다! 만약 결혼을 하게 되면, 후자는 아내를 곧 빼앗길 테고, 전자는 아마도 연인으로부터 버림을 받을 것이다. 하지만 두 명을 한 여성 안에 찾아낸 사람은 행복하도다! 나탈리, 당신이 사랑하는 남자는 행복하오!

파리로 돌아온 후, 아라벨과 나는 과거보다 더욱 친밀해졌다. 곧 우리는 조금씩 내가 지키려고 마음을 먹었던 규범들을 무시했다. 그 규범들을 엄격히 지키면 사회는 대개 레이디 더들리가 자초한 난감한 처지 따위를 용서한다. 사회는 외양을 꿰뚫어보는 것을 매우 좋아하지만, 그 속에 숨겨진 비밀을 알게 되는 즉시 그것을 정당화시켜 준다. 상류 사회의 한가운데서 생활할 수밖에 없는 연인들이 사교계의 법규가 세운 울타리를 넘어뜨리려고 한다면, 풍습이 명하는 규범에 성실하게 복종하려 하지 않는다면, 우를 범하는 것이다. 넘어야 하는 거리와, 지켜야 하는 겉모양새, 연기해야 하는 역할, 은폐해야 하는 비밀 등, 행복한 사랑의 이 모든 전략들은 삶을 더욱 풍요롭게 하고, 욕망을 되살아나게 하며, 습관이 가져오는 태만으로부터 마음을 보호한다. 그러나 젊은이들이 그러하듯이, 첫사랑은 낭비하는 습성이 있어서, 삼림을 정비하는 대신 완전히 벌채해 버린다. 아라벨은 그런 부르주아적인 이념들을 신봉하지 않았다. 단지 내 뜻에 따르기 위해서 거기에 순응했을 뿐이다. 먹이에 미리 표시해 놓는 포식자처럼, 그녀는 나를 자신의 '스포소'* 로 만들기 위해 파리의 전체 앞에서 내 평판을 위태롭게 하려 했다. 그리하여 자기 집에 머물도록 나를 꼬드겼다. 그녀는 자신이 일으킨 고상한 추문에 만족하지 못했다. 나와 투렌까지 동행한 그 사건에 대해서는 증거가 없어서 부인들의 부채 뒤에서 속삭임만 무성했다. 자신의 불륜을 만천하에 알리는 무모한 행동을 즐기는 그녀를 보면서, 내가 어찌 그녀의 사랑을 믿지 않았겠는가? 불륜의 감미로움 속에 빠져들자, 사회적인 고정관념들과 앙리에트의 충고들을 거스르는 내 삶을 직시하며 나는 절망감에 사로잡혔다. 그때부터, 나는 죽음을 예감하여 숨소리로 들키지 않으려는 폐병 환자처럼 맹렬하게 살아갔다. 내 가슴속에는 건드릴 때마다 고통스러운 한 부분이 있었다. 복수의 신이 내가 숙고할 용기가 없는 생각들을 끊임없이 불어넣어 주었다. 앙리에트에게 쓰는 편지들은 그런 정신적인 병을 묘사했고, 그녀에게 무한한 슬픔을 안겨 주었다. 그녀가 내게 보낸 단 한 번의 답장에 "그토록 많은 보물들을 잃어버린 대가로 적어도 당신이 행복하길" 바란다고 썼다. 그런데 나는 행복하지 못했다! 사랑하는 나탈리, 행복은 절대적이어서, 비교를 용납하지 않는다. 첫 열정이 지나간 후에, 나는 필연적으로 이 두 여인을 비교했다. 여태껏 둘의 차이를 분석한 적이 없었다. 열정적인 사랑에 빠지면 우리의 성격이 일시적으로 변해, 처음에는 불완전한 부분은 은폐되고 장단점을 이루는 습관의 흔적들이 지워진다. 하지만 시간이 지나면, 서로에게 익숙해진 연인들의 정신적인 면모가 드러나기 마련이다. 이때 둘은 상대방을 평가하는데, 사랑 때문에 억눌렸던 본래의 성격이 돌아오는 동안, 대부분 서로에 대한 반감이 싹터서, 파경을 예고한다. 천박한 사람들은 이런 과정을 보면서 인간의 마음은 변덕스럽다고 주장한다. 그런 시기가 왔다. 유혹에 더 이상 눈이 멀지 않고, 쾌락에 분석적으로 임하게 되자, 나는, 어쩌면 무의식적으로, 레이디 더들리에게 불리한 평가를 내리기 시작했다.

우선 모든 여성들 사이에서 프랑스 여성을 돋보이게 하는 재치가 레이디 더들리에게는 결여되었다. 인생의 우연에 의해 각 나라의 사랑법을 경험한 사람들이 시인하기를, 이런 재치가 프랑스 여성을 가장 사랑스럽게 만든다고 한다. 프랑스 여성이 사랑을 하게 되면, 그녀는 변신한다. 그토록 정평이 난 그녀의 교태는 오직 자신의 사랑을 장식하는 데 쏟는가 하면, 그토록 위험한 그녀의 허영심은 포기하고 모든 허영을 사랑하는 데 집중시킨다. 그녀는 연인의 이해관계, 증오, 우정을 자신의 것으로 받아들이고, 하루 만에 사업가의 노련한 수완들을 배우고, 법전을 익히며, 금융의 원리를 이해하고, 은행가의 금고를 농락한다. 경솔하고 낭비가 심하던 여인도 단 하나의 실수도 하지 않을 것이고, 단 한 푼도 낭비하지 않을 것이다. 그녀는 동시에 어머니이자 가정부, 그리고 의사가 되고, 가장 세심한 부분까지 무한한 사랑이 묻어나도록 이런 모든 역할을 우아하게 수행한다. 그녀는 각 나라의 여성들이 지닌 특유의 덕목들을 두루 갖추었다. 그녀의 재치가 이런 조합에 통일성을 부여하는데, 재치야말로 모든 것에 생명을 불어넣고, 모든 것을 허용하고, 정당화하고, 변화시키며, 단 하나의 동사를 현재형으로만 활용하는 감정의 단조로움을 깨뜨리는 프랑스적인 씨앗이다. 프랑스 여성은 쉬지도 지치지도 않고, 매순간, 공적인 자리에서나 단둘이 있을 때나 한결같이 항상 사랑을 한다. 공적인 자리에서 그녀는 연인의 귀에만 들리는 어조로 이야기하고, 침묵 그 자체로써 감정 표현을 하고, 눈을 내리깐 채 연인을 바라볼 줄 안다. 말을 하거나 눈빛을 보낼 수 없는 상황에서는, 그녀는 모래 위에 발끝으로 속내를 새긴다. 단둘이 있을 때는, 잠자는 동안에도 사랑을 표현한다. 요컨대 그녀는 세상을 자신의 사랑에 맞춘다.

반면 영국 여인은 사랑을 세상에 맞춘다. 교육에 의해 냉랭한 태도, 앞에서 언급한 영국인 특유의 이기적인 자세가 몸에 배어서, 영국산 기계장치처럼 쉽게 마음을 여닫는다. 그녀는 속을 들여다볼 수 없는 가면을 냉정하게 썼다 벗었다 한다. 아무도 쳐다보지 않을 때 이탈리아 여인처럼 열정적이 되었다가, 세상의 이목 앞에서는 차갑게 위엄을 지킨다. 가장 사랑받는 남자도 규방 밖에서의 영국 여인을 특징짓는 무표정한 얼굴, 태연한 목소리와 침착한 태도를 보고 연인의 감정을 의심하게 된다. 이때 그녀는 모든 것을 잊은 듯, 위선이 무관심에 가까워진다. 물론 사랑을 마치 옷처럼 벗어던지는 여인에게서 사랑 역시 갈아입게 될 가능성이 엿보인다. 사랑을 자수처럼 들었다가, 중단했다가, 다시 집어 드는 여인을 보고 상처 입은 자존심이 일으키는 마음의 파도가 얼마나 거센 폭풍으로 치닫는가! 그런 여성들은 온전히 누구의 소유가 되기에는 자신을 너무나 잘 통제할뿐더러, 연인에게 전적으로 순종하기에는 세상의 영향을 너무 많이 받는다. 프랑스 여인이 환자를 하나의 눈길로 위로하고, 귀여운 농담으로써 방문자들에 대한 분노를 드러내는 반면, 영국 여인의 침묵은 절대적이어서, 신경을 거슬리고, 마음을 괴롭힌다. 그런 여자들은 모든 상황에서 항상 당당하기에 대부분 쾌락에 있어서도 사교계의 관습을 전적으로 따른다. 과장되게 신중하면 과장되게 사랑하기 쉽다. 영국 여성이 그러하다. 모든 것을 형식에 의존하는데, 이런 형식에 대한 맹신은 예술성을 자아내지는 못한다. 그녀들이 뭐라 반박을 해도, 프랑스 여성들의 감정이 영국 여인들의 이성적이고 계산적인 사랑보다 우월한 이유는 개신교와 가톨릭 구교의 차이에 있다. 개신교는 믿음에 대해 회의를 품고, 그것을 분석하여 사라지게 한다. 이는 곧 예술과 사랑의 죽음을 의미한다. 사교계가 지배하는 곳에서는 거기에 속한 사람들이 그 규범에 따라야 하지만, 열정적인 사람들은 견딜 수가 없어서 즉시 도망친다. 레이디 더들리가 사교계를 떠나 살 수 없다는 것과, 영국식 변신술에 능란하다는 점을 발견했을 때 내 자존심이 얼마나 충격을 받았는지 짐작이 가리라. 사교계의 규범에 복종함으로써 그녀는 희생을 치르는 것이 아니라, 본래 지닌 정반대의 두 얼굴을 드러냈다. 사랑할 때 그녀는 황홀경에 빠지곤 했다. 어떤 나라의 어느 여자도 그녀와 비교될 수 없었고, 그녀는 후궁의 여러 여인들과 맞먹었다. 그러나 이런 몽환극의 막이 내리면, 그 기억마저도 지워졌다. 그녀는 눈길에도, 미소에도 응답하지 않았다. 그녀는 여주인도, 노예도 아니었으며, 마치 말씨와 태도를 부드럽게 다듬어야 하는 외교관처럼 처신했다. 그녀의 침착성은 사람을 초조하게 했고, 예의바른 몸가짐은 마음을 모욕했다. 그렇게, 사랑을 열정으로써 이상(理想)으로 승격시키는 대신 단지 필요의 수준으로 끌어내렸다. 그녀는 어떤 두려움도, 후회도, 욕망도 드러내지 않다가, 시간만 되면 애정이 급작스레 켜지는 불빛처럼 타올랐고, 좀 전에 견지하던 정숙함을 무색케 했다. 나는 이 두 얼굴 중 어느 쪽을 믿어야 했던가? 그때서야 나는 앙리에트와 아라벨을 구별짓는 무한한 차이를 뼈아프게 실감했다. 모르소프 부인은 내 곁을 잠시 떠날 때조차도 공기로 하여금 내게 자신의 이야기를 하도록 시키는 듯했고, 멀어져 가는 그녀의 치마주름은 내 눈을 사로잡았으며, 돌아올 때는 그 너울거리는 소리가 내 귀에 즐겁게 도달했다. 땅으로 시선을 떨구면서 눈꺼풀을 펴는 모양 속에는 한없는 애정이 담겨져 있었다. 음악 소리를 닮은 그녀의 목소리는 그치지 않는 애무와 같았다. 그녀의 말에는 항상 숙고하는 흔적이 나타났으며, 그녀는 언제나 같은 모습이었다. 자신의 마음을 하나는 뜨겁고, 다른 하나는 냉랭한 두 부분으로 가르지 않았다. 게다가 부인은 재치와 생각의 진수를 아꼈다가 자신의 감정을 표현하는 데 사용하였고, 자녀들과 나를 대할 때 마음씨로써 교태를 부렸다. 이와 반대로, 아라벨의 재치는 생활을 더욱 정답게 만들기 위해 쓰이지 않았고, 나를 위해 발휘되지도 않았다. 그것은 단지 사교계에 의해, 사교계를 위해 존재하였고, 순전히 빈정거림으로 이루어졌다. 그녀는 남을 헐뜯고, 상처 입히기를 즐겼는데, 그것은 나를 재미있게 해 주기 위해서가 아니라 자신의 취향을 만족시키기 위해서였다. 모르소프 부인은 자기의 행복을 모든 시선으로부터 숨기려 했을 것이다. 하지만 레이디 아라벨은 그것을 온 파리 앞에 드러내 보이기를 원했다. 나와 함께 불로뉴 숲에서 으스대면서도, 혐오스러운 가면을 쓰고 적절한 선을 지켰다. 이와 같은 과시와 체면, 사랑과 무심함의 혼합은 순수하고 열정적인 내 마음을 끊임없이 다치게 했고, 이렇게 두 종류의 성질을 넘나들 재주가 없는 나의 기분은 그 영향을 받았다. 사랑으로 내 가슴이 뛸 때 그녀는 관례적인 정숙함의 가면을 다시 쓰곤 했다. 내가 매우 조심스럽게 불평을 하면, 사랑의 허풍과 당신에게 묘사한 영국식 농담이 섞인 독설을 내게 퍼부었다.

나와 의견이 대립하면 내 가슴을 짓밟고 내 마음에 무안을 주는 것을 낙으로 삼으며, 나를 반죽처럼 주물렀다. 모든 일에 중도를 지켜야 한다는 나의 지적에, 그녀는 내 생각을 극단적으로 풍자하며 대꾸했다. 그녀의 태도를 나무라면, 온 파리가 보는 앞에서, 예를 들어 이탈리아 극장에서 내게 키스하기를 바라냐고 물었다. 너무나 진지하게 제안을 했기에, 그녀가 얼마나 화젯거리가 되고 싶어하는지 아는 나는 그런 약속을 정말로 지킬까 봐 떨었다. 비록 진심으로 나를 사랑했지만, 앙리에트처럼 명상적이고, 거룩하고, 심오한 부분이 전혀 없었고, 모래로 된 땅처럼 항상 목말라 했다. 모르소프 부인은 항상 안심했고, 하나의 억양, 눈길 속에서 내 마음을 느꼈으나, 후작부인은 내가 눈빛을 보내도, 그녀의 손을 꼭 쥐어도, 부드러운 말 한마디에도 결코 동요하는 법이 없었다. 이것이 전부가 아니었다! 전날의 행복은 그 다음날 아무것도 아니었다. 어떤 사랑의 증표도 그녀를 놀라게 하지 않았고, 소란, 시끄러움, 화려함에 대한 욕구가 너무나 컸기 때문에 아무것도 그런 열망을 충족시켜 주지 못했다. 그래서 사랑하는 데 그토록 격렬한 노력을 기울였다. 과장된 그녀의 환상은 내가 아니라 자기 자신만의 것이었다. 모르소프 부인의 편지는 여전히 내 삶을 비추는 빛이었고, 내게 일어나는 모든 일에 대한 한결같은 관심, 이해를 나타냄으로써, 가장 정숙한 여성도 어떤 식으로 프랑스 여인의 정신에 따르는지를 보여 주었다. 그 편지를 읽고 앙리에트가 얼마나 주의 깊게 내 물질적인 이익, 정치적인 인간관계, 정신적인 향상을 지켜보고 얼마나 열정적으로 내 생활을 허용되는 선까지 함께 하고 있었는지를 당신도 알았을 것이다. 그런 모든 점에 있어, 레이디 더들리는 나와 그저 아는 사이인 양 무관심을 가장했다. 그녀는 내 개인적인 일들, 재산, 업적, 난관들, 남자로서의 증오와 우정에 대해 물어본 적이 없다. 또 자신을 위해서는 돈을 헤프게 쓰면서도 남에게 인심이 후하지 않았고, 이해관계와 사랑을 너무도 확연하게 구분했다. 반면, 앙리에트는 내게 근심을 면해 주기 위해 자신을 위해서는 찾아보지 않을 방도를 나를 위해 구했으리라는 것을 나는 시험해 보지 않고서도 알고 있었다. 역사가 보여주듯이, 가장 지위가 높고 부자인 남자들에게도 시련이 닥칠 수 있는데, 그런 상황에서 나는 앙리에트에게 조언을 구했겠지만, 레이디 더들리에게는 한마디도 하지 않고 감옥에 끌려갔을 것이다.

지금까지 감정과 관련된 차이만 언급했지만, 모든 일에 있어서 마찬가지였다. 프랑스에서 호사스러움은 사람의 자기 표현이자 자기의 생각, 그리고 특유한 서정성의 반영이다. 그것은 성격을 드러내고 연인들 사이에서는 사랑하는 사람의 취향을 우리 주변에 빛나게 함으로써 작은 정성에도 가치를 부여한다. 하지만 정밀한 기교 때문에 나를 매혹시켰던 영국식 호사스러움은 역시 기계적이었다! 레이디 더들리 자신에게서 나온 것은 아무것도 없었고, 고용된 사람들이 만들어 낸, 돈을 주고 사들인 호사스러움이었다. 클로슈구르드에서 나를 둘러쌌던 수많은 애정어린 배려는 아라벨의 관점에서 보면 하인들의 일이었다. 그들은 각각 자기가 맡은 의무와 영역이 있었다. 가장 솜씨 좋은 하인들을 고르는 것은, 마치 말을 고르는 것처럼, 관리인이 할 일이었다. 이 여인은 아래 사람들에게 애착을 느끼지 않았다. 가장 훌륭한 하인이 죽었다 할지라도 전혀 상심하지 않았을 것이다. 돈만 주면 그만한 하인을 또 구할 수 있을 테니까. 그녀가 타인의 불행에 눈물 한 방울이라도 흘리는 것을 본 적이 없었다. 심지어 그녀의 순진한 이기심 앞에서 웃음밖에 나오지 않았다. 귀부인의 붉은 옷감이 이런 청동 가슴을 감추었다. 저녁에 카펫 위에 미끄러져서, 광기어린 사랑의 방울들을 흔드는 감미로운 알메*가 무심하고 냉정한 영국 여인으로 변신해도 나는 젊었기 때문에 이에 쉽게 적응했다. 그리하여 나는 내 신발창을 닳게 하는 응회암(凝灰巖)을 한 발자국씩 옮기면서 천천히, 한참 후에야 발견했다. 그런 토양 위에는 아무런 열매도 맺히지 못한다. 모르소프 부인은 짧은 만남 동안 단번에 그런 본성을 꿰뚫어 봤다. 나는 그녀의 예언적인 말들을 떠올렸다. 앙리에트의 예측은 모두 옳았다. 곧 아라벨의 사랑이 지긋지긋해졌다. 그 후에도 나는 말을 잘 타는 여자들은 별로 다정하지 않다는 것을 알게 되었다. 아마조네스들처럼, 한쪽 가슴이 모자라서, 그들의 마음의 알 수 없는 어떤 부분이 굳어졌다.

내가 이런 멍에의 무게를 느끼기 시작했을 때, 피로가 몸과 마음을 엄습하고, 진정한 감정이 사랑을 얼마나 거룩하게 만드는지 제대로 이해하게 되었을 때, 그리고 거리를 뛰어넘어 클로슈구르드 장미의 향기와, 테라스의 온기를 맡고, 나이팅게일의 노랫소리를 들으며 추억으로 괴로워할 때, 급류의 말라 버린 물 밑에 돌투성이의 하상을 엿보던 끔찍한 순간에, 오늘날에도 생각할 때마다 내 삶을 흔드는 충격을 받았다. 그것은 지금도 매시간 메아리친다. 나는 왕의 집무실에서 업무를 보고 있었다. 왕은 네 시에 나갈 예정이었고, 르농쿠르 공작이 당직이었다. 그가 들어오자 왕은 백작부인의 안부를 물으셨다. 나는 너무나 의미심장하게 고개를 갑자기 들었다. 왕은 이런 내 몸짓에 기분이 상하시어 그의 특기인 신랄한 말을 하기 전에 보내는 시선을 내게 던지셨다.

"폐하, 내 불쌍한 딸은 죽어 가고 있습니다." 공작이 대답했다.

"폐하께서는 제게 휴가를 내려 주시겠습니까?" 나는 눈물을 머금은 채 터지기 직전인 왕의 분노를 무릅쓰고 말했다.

"빨리 달려가 보십시오, 마이 로드(my lord)." 왕은 각 낱말마다 독설을 끼어얹는 데 재미를 느끼며, 자기의 재치를 발휘한 대가로 꾸짖음을 면해 주셨다.

부성(父性)보다 궁정인의 기질이 더 강했던 공작은 휴가를 청하지 않고 왕을 모시고 마차에 올라탔다. 나는 레이디 더들리에게 작별인사를 하지 않고 떠났다. 다행히도 그녀는 외출중이어서, 왕의 명으로 출장을 간다는 편지만 남겼다. 크르와 드 베르니에 이르러, 나는 베리에르에서 돌아오는 폐하를 만났다. 내가 꽃다발을 올리자 폐하께서는 일단 받으시고 발치에 떨어뜨리셨다. 그리고 너무나도 심오한, 제왕다운 빈정거림이 가득한 시선을 보내셨다. 그 시선은 내게 이야기하는 듯했다. '만약 네가 정치적으로 출세하고 싶다면 돌아오라! 죽은 이들과 상대하지 말고!' 공작은 내게 슬픔이 담긴 손짓을 했다. 각각 여덟 마리의 말이 끄는 두 대의 거창한 마차와, 금색의 장식을 단 대령들, 호위대와 그 먼지의 소용돌이가 "제왕 만세!"의 외침 속에 재빨리 지나갔다. 자연이 인간의 재난에 대해 무심하듯이 궁정이 모르소프 부인의 몸을 밟고 지나간 것처럼 느껴졌다. 공작은 훌륭한 사람이었으나, 폐하께서 잠자리에 드신 후에 폐하의 맏형과 휘스트 게임을 할 것임이 틀림없었다. 공작부인은 레이디 더들리의 이야기를 딸에게 함으로써 오래전에 이미 그녀에게 첫 일격을 가한 장본인이었다.

나의 신속한 여행은 꿈과 같았다. 하지만 그것은 파산한 도박꾼의 꿈이었다. 나는 소식을 받지 못해서 몹시 상심했었다. 고해신부가 나의 클로슈구르드 출입을 금지시키라는 엄격한 지시를 내렸을까? 나는 마들렌, 자크, 도미니스 사제, 그리고 모르소프 백작까지도 원망했다. 투르를 지나서 퐁셰로 가는 포플러 가로수길, 즉 예전에 이름도 모르는 여인을 찾아다닐 때 감탄하며 바라보던 그 길로 진입하기 위해 생소뵈르 다리를 건넜을 때, 나는 오리제 선생을 만났다. 그는 내가 클로슈구르드로 향한다는 것을, 그리고 나는 그가 그곳에서 돌아온다는 것을 알아차렸다. 우리는 서로 소식을 주고받기 위해서 각자 마차를 세우고 내렸다.

"저, 모르소프 부인의 상태는 어떻습니까?" 나는 물었다.

"아마 당신이 도착할 때쯤 부인께서는 살아 있지 않을 겁니다." 그가 대답했다. "끔찍하게 죽어 가십니다. 영양실조로 말이죠. 지난 6월에 나를 불렀을 때 이미 어떤 의술도 부인의 병을 고칠 수 없는 지경이었습니다. 부인께서는 모르소프 백작이 자신이 느끼는 줄로 착각하고 아마도 당신에게 묘사했을 그 끔찍한 증상들을 보이고 있었어요. 신체의 내부적인 투쟁이 야기하는, 의학적으로 관리를 잘하면 호전될 수 있는 일시적인 장애도 아니었고, 진행을 막을 수 있는 초기의 증상들도 아니었어요. 병은 이미 의학이 더 이상 손을 쓸 수 없는 단계에 와 있습니다. 단도에 찔려서 치명적인 상처를 입듯이 깊은 근심이 초래한 불치의 결과지요. 이 질환은 심장만큼이나 중요한 기관의 무력증으로 인한 것입니다. 근심이 단도의 역할을 한 셈이죠. 속지 말아요! 모르소프 부인은 알 수 없는 어떤 슬픔으로 죽어 가고 있습니다."

"알 수 없다고요!" 나는 말했다. "아이들이 아팠던 것은 아닌가요?"

"아닙니다." 그는 의미심장하게 나를 쳐다보면서 대답했다. "그리고 부인이 심각하게 병을 앓은 이후로는 모르소프 백작도 괴롭히지 않았어요. 아제*에서 온 델랑드 선생이 있으니, 나는 이제 남을 필요가 없어요. 어떤 약도 없고, 고통은 끔찍합니다. 돈도 많고, 젊고, 아름다운 여성이 굶주림으로 야위어서, 쇠약해져서 죽다니! 부인은 바로 굶주려서 죽어 갈 것입니다. 40일 전부터 위장이 닫힌 것처럼 모든 음식을 어떠한 형태로 주입을 하든 거부합니다."

그가 정중한 인사의 동작으로 내게 악수를 청하는 듯했다. 그는 내가 내민 손을 쥐었다.

"용기를 내십시오." 그는 하늘을 올려다보며 말했다.

내가 부인의 고통을 똑같이 나눈다고 믿고, 이에 대한 동정심의 표현으로 한 말이었다. 그는 자기가 한 말들이 내 심장을 화살처럼 뚫은 독침임을 알지 못했다. 나는 제시간에 도착하면 마부에게 포상금을 주겠다고 약속하면서 역마차에 황급히 올라탔다.

나는 비록 매우 초조했지만, 내 마음속에 밀려오는 쓰라린 상념들에 빠져서, 몇 분 만에 도착한 것처럼 느꼈다. 아이들이 건강한데 그녀가 슬픔으로 죽어 가고 있다! 그러니까 나 때문에 죽는다! 내 양심은 위협적인 비난을 퍼부었다. 그런 비난들은 사는 동안 내내, 그리고 죽은 이후에도 귓전에 울려 퍼진다. 인간의 정의란 얼마나 나약하고 무력한가! 겉으로 드러나는 행위들만 처벌하다니. 잠자는 동안에 본인도 모르게, 단번에 살해함으로써 영원히 잠들게 하거나, 느닷없이 덮쳐서 고통 없이 죽이는 자비로운 살인범은 왜 사형과 수치를 당해야 하는가? 마음속에 악의를 한 방울 한 방울씩 떨어뜨리고 육체를 좀먹어서 파괴하는 살인범은 어찌하여 행복한 삶과 존경을 누리는가? 처벌받지 않은 살인범들이 얼마나 많은가! 세련된 범죄에 대해 사람들이 얼마나 관대한가! 정신적인 학대에 의한 살인죄가 무죄 판결을 받는 경우가 얼마나 많은가! 어떤 보복의 손이 사회를 덮는 장막을 갑자기 들어올렸는지 모르겠으나, 당신도 잘 아는 그런 희생양들이 내 앞에 나타났다. 내가 떠나기 며칠 전에 죽어 가며 노르망디로 출발한 보세앙 부인!* 명예를 잃은 랑제 공작부인!* 레이디 더들리가 2주일 간 머문 누추한 집에서 짧은 여생을 보내기 위해 투렌으로 와서, 당신도 알다시피 끔찍한 종말을 맞은 레이디 브랜든!* 요즈음에 이런 유의 사건들이 허다하다. 모르소프 부인을 죽음으로 몰아가고 있을 질투심의 포로가 되어 독물을 먹고 자살한 그 가엾은 젊은 여인을 모르는 사람이 있으랴? 순진함과 무지 때문에, 비열한 자의 희생양이 되어, 등에한테 쏘인 꽃처럼 결혼 생활 2년 만에 시들어 버린 사랑스런 처녀의 운명에 누가 소스라치지 않았겠는가? 롱크롤, 몽리보, 드 마르세*는 자신들의 정치적인 공작에 유용한 이 작자를 도와준다. 고결하게 남편의 빚을 갚은 다음 어떤 간청에도 뜻을 굽히지 않고 그를 다시 만나기를 끝까지 거부한 이 여인의 임종에 관한 이야기를 듣고 누가 떨지 않았겠는가? 무덤 가까이 갔던 에글르몽 부인*은 내 형이 돌보지 않았더라면 지금 살아 있겠는가? 세상과 학문이 이런 범죄들에 대해 재판을 하지 않음으로써 거기에 가담하는 셈이다. 아무도 슬픔으로, 절망으로, 상사병으로, 숨겨진 비애로, 끊임없이 다시 심어 보지만 또 뿌리째 뽑혀서 열매를 맺지 못한 희망으로 죽는 일이 없는 것처럼 보인다. 새로운 명명법은 모든 것을 설명하기 위해 기발한 단어들을 고안해 냈다. 위염, 심낭염, 귓속말로 언급되는 수천 개의 여성 병 명들은 위선적인 눈물들이 수행하는 관(棺)의 통행증과 같다. 공증인의 손이 그런 눈물을 깨끗이 닦아 준다. 이 같은 불행의 기저에 우리가 모르는 무슨 법칙이라도 있을까? 백만장자가 수많은 소(小)기업들의 노고를 자기 것으로 만듦으로써 부자가 된 것처럼, 100년 이상 장수하는 사람은 자기 주위의 땅에 시체를 잔뜩 널어놓고, 그 양분을 다 빨아먹어야만 하는가? 온화하고 연약한 이들을 먹이로 삼는 유독하고 강한 생명이 존재하는가? 신이시여! 내가 호랑이의 종족에 속하는가? 죄책감이 그 뜨거운 손가락으로 내 가슴을 옥죄었다. 눈물로 흠뻑 젖은 얼굴로 10월의 어느 습한 아침에 포플러 나뭇잎이 떨어지는 클로슈구르드의 가로수길에 들어섰다. 예전에 앙리에트가 마치 나를 돌아오게 하려는 듯이 손수건을 흔들며 서 있던 바로 그 가로수길이었다. 포플러는 그녀의 지시에 따라 심어졌다. 그녀는 아직도 살아 있을까? 숙여진 내 머리 위에 그녀의 하얀 두 손을 느낄 수 있을까? 한순간에 나는 아라벨이 선사한 모든 쾌락의 대가를 치렀는데, 너무나 비싼 값을 지불했다! 나는 그녀를 두 번 다시 만나지 않기로 결심했고, 영국에 대한 증오심을 품었다. 레이디 더들리는 그 족속의 한 변종에 불과했지만, 나는 모든 영국 여인들을 단죄하였다.

클로슈구르드에 들어가면서 나는 다시 한번 충격을 받았다. 자크, 마들렌, 도미니스 사제는 철책을 세울 때 마당에 포함되었던 경작지의 모퉁이에 꽂힌 나무십자가 앞에 무릎을 꿇고 있었다. 백작과 부인은 그 십자가를 뽑기를 바라지 않았다. 나는 마차에서 뛰어내려 눈물로 젖은 얼굴로 그들에게 다가갔다. 이 두 아이들과 근엄한 사제가 하느님께 간청하는 광경을 보고 내 가슴은 미어졌다. 그곳에 늙은 조마사(調馬師)도 모자를 벗고 몇 걸음 떨어져 있었다.

"부인은 어떻습니까?" 나는 자크와 마들렌의 이마에 입을 맞추며 도미니스 사제에게 물었다. 아이들은 기도를 멈추지 않고 내게 차가운 눈길을 보냈다. 사제가 일어서자, 나는 기대기 위해 그의 팔을 잡으며 말했다. "아직도 살아 있습니까?" 그는 천천히, 슬프게 고개를 끄덕였다. "제발, 주님의 수난을 생각해서 말을 하십시오! 왜 이 십자가 앞에서 기도를 하는 겁니까? 왜 아이들이 이런 차가운 아침 시간에 밖에 나왔습니까? 내가 무지로 실수하지 않게 모든 것을 다 말해 주십시오!"

"며칠 전부터 부인께서는 정해진 시간에만 자녀들을 보기를 원하십니다." 그는 잠시 멈췄다가 다시 입을 열었다. "그리고 부인을 다시 만나기 전에 몇 시간을 기다려야 할지도 모릅니다. 부인께서는 너무나 변하셨어요! 당신을 만날 마음의 준비를 시킬 필요가 있습니다. 그렇게 하지 않으면 더 큰 고통을 드릴 수가 있으니까요. 죽음은…… 그녀에게 축복일 것입니다."

타인의 상처를 자극하지 않고 눈빛과 목소리로 어루만져 주는 이 성스러운 인물의 손을 나는 꼭 쥐었다.

"우리는 이곳에서 모두 그녀를 위해 기도합니다." 그는 또 말했다. "죽음을 체념하고 받아들이던, 그토록 숭고하신 분의 깊숙한 내면에 며칠 전부터 죽음에 대한 공포가 싹텄습니다. 생기가 넘치는 이들에게 처음으로 침울하고 시기하는 눈길을 보내십니다. 내 생각으로는, 이런 혼란은 죽음에 대한 두려움보다 시들면서 숙성된 향을 발산하는 청춘의 꽃들로 인한 도취감에서 오는 듯합니다. 그렇습니다. 악마가 이 아름다운 영혼을 두고 하늘과 겨루고 있습니다. 부인께서는 지금 감람산에서의 싸움을 치르고 계십니다. 결혼했다는 점 이외에는 입다*의 딸과도 비유될 수 있는 부인의 머리 위에 씌어졌던 흰 장미 화관의 꽃들이 그분의 눈물과 함께 한 송이 한 송이씩 떨어지고 있습니다. 아직 부인 앞에 나타나지 말고 기다리십시오. 당신 몸에 궁정의 화려함이 배어 있으니까요. 당신 얼굴 위의 사교계에서 열리는 축제의 빛을 부인께서 보시면 또다시 탄식의 목소리가 높아질 것입니다. 하느님께서도 인간이 된 당신의 아드님에게 용서하신 나약함을 불쌍히 여겨 주십시오. 적수 없이 이긴다면 공적이 있겠습니까? 고해신부나 저와 같은 늙은이에게는 생명의 잔재밖에 남아 있지 않으니, 부인의 눈에 거슬리지 않겠죠. 기대하지 않았던 재회와, 비로토 신부가 부인에게 금했던 감정에 노출되기 전에 저희가 마음의 준비를 시킬 시간을 주십시오. 세상만사에는 신앙심이 깊은 자만이 엿볼 수 있는 일련의 신성한 섭리가 존재한답니다. 어쩌면 정신계에서 빛나는 천상의 별이 당신을 이곳에 오도록 인도했는지도 모르죠. 그런 별은 동방박사들을 예수님께서 태어나신 구유로 데려갔던 것처럼 사람을 무덤으로 데려가기도 하니까요……."

도미니스 사제는 마음을 적시는 이슬처럼 감미로운 말씨로 그간의 상황을 내게 이야기했다. 여섯 달 전부터 백작부인은 오리제 선생의 치료에도 불구하고 매일 상태가 악화되었다. 의사는 두 달 동안 매일 저녁 클로슈구르드를 방문하며 그녀를 죽음으로부터 구하려 했다. 왜냐하면 부인이 "저를 구해 주세요!"라고 말했었다는 것이다. 하지만 노(老)의사가 어느 날 외쳤다. "마음이 우선 치유되어야 육체를 치유하죠!"

"병이 악화될수록 이 온화하신 분의 말이 점점 거칠어졌습니다." 도미니스 사제가 말했다. "하느님께 데려가라고 외치는 대신 땅에게 자기를 붙잡아 달라고 소리를 치십니다. 그리고 천상의 명령에 대해 불평을 한 것을 뉘우치세요. 이렇게 양극을 오가면서 그분의 가슴은 찢어지고, 육체와 정신은 끔찍한 싸움을 벌입니다. 육체가 빈번히 승리하기도 해요! '너희들 때문에 내가 너무 많은 것을 희생했단다!' 어느 날 마들렌과 자크를 침대에서 밀어내며 말씀하시더군요. 하지만 조금 전에는, 저를 보자 하느님께 귀의하시어, 마들렌에게 이런 천사와 같은 말씀을 하셨어요. '더 이상 행복해질 수 없는 이들에게는 다른 사람의 행복이 곧 기쁨이란다!' 그 말투가 너무나 비통해서 내 눈시울이 붉어지는 것을 느꼈습니다. 부인께서 가끔 넘어지기도 하십니다. 그러나 한번 헛디딜 때마다 하늘을 향해 더욱 높이 다시 일어서십니다."

운명이 내게 보내는 일련의 계시들은 불행이라는 거대한 교향곡에서, 구슬픈 전조(轉調)로써 죽음의 주제, 즉 숨을 거두는 사랑의 절규를 예고하고 있었다. 나는 아연실색하여 소리쳤다. "잘려버린 이 아름다운 백합이 천상에서 다시 피어나겠지요?"

사제는 내게 대답했다. "당신이 떠날 때 부인은 아직 꽃이었습니다. 하지만 이제 고통의 불 속에서 타 버리고 정화되어, 아직은 재 속에 파묻힌 다이아몬드처럼 순수한 상태로 다시 만나게 될 겁니다. 그래요, 이 빛나는 영혼, 천상의 별은 눈부시게 반짝이며 구름 속에서 나와 빛의 왕국으로 들어갈 것입니다."

감사의 마음을 가득 담은 채 이 거룩한 사제의 손을 쥐었을 때, 백작은 완전히 하얗게 된 머리를 집 밖으로 내밀었다. 그는 놀라면서 내게 성큼 다가왔다.

"그녀의 말이 맞았어! 정말 자네군. '펠릭스, 펠릭스, 펠릭스가 왔어요!' 라고 아내가 외쳤어." 그는 공포로 실성한 듯한 눈으로 나를 보며 말했다. "죽음이 여기 있다네. 그것은 왜 이미 노쇠한 나 같은 늙은 미치광이를 데려가지 않고……."

나는 용기를 내어 성을 향해 걸어갔다. 그러나 잔디밭과 낮은 층계 사이에 있는 긴 대기실을 건너갈 때 비로토 신부가 나를 멈춰 세우며 말했다.

"백작부인께서 아직 들어오지 말라고 하십니다."

슬쩍 들여다보니, 하인들이 바쁘게 오가고 있었다. 그들도 슬픔으로 제정신이 아니었고, 마네트가 그들에게 전달하는 지시에 의아해 하는 눈치였다.

"무슨 일이야?" 백작은 본래 근심이 많은 성격에 다가올 무시무시한 사태에 대한 두려움이 더해져서 이런 움직임에 질겁했다.

"환자의 괜한 요구입니다." 사제가 대답했다. "부인께서는 지금과 같은 모습으로 자작님을 맞이하기를 바라지 않으십니다. 몸치장을 하겠다고 하시니, 그 뜻을 왜 거역하겠어요?"

마네트는 마들렌을 데리러 갔다. 마들렌은 어머니의 침실에 들어간 지 얼마 후에 나왔다. 자크와 그의 아버지, 두 명의 사제와 나는 조용히 집의 앞면을 따라 잔디 위를 걸었다. 집을 지나쳤을 때, 노란색으로 물든 골짜기를 바라보면서 내 시선이 몽바종과 아제에 교대로 머물렀다. 골짜기는 항상 그렇듯이 내 안에 술렁이는 감정들과 조화를 이루어 상복(喪服)을 입고 있었다. 갑자기 가을 꽃을 찾아다니는 귀여운 마들렌이 보였다. 틀림없이 꽃다발을 만들기 위해서였다. 내가 예전에 만들던 사랑의 꽃다발을 재현하려는 마음을 헤아리며 나는 배에 통증이 느껴졌고, 눈앞이 캄캄해져 비틀거렸다. 내 양쪽에 있던 두 사제는 나를 테라스의 테두리돌 위에 앉혔다. 나는 잠깐 동안 완전히 의식을 잃지 않고 멍하게 있었다.

"불쌍한 펠릭스," 백작이 말했다. "아내는 자네에게 편지를 쓰지 말라고 당부했었네. 자네가 자기를 얼마나 사랑하는지 알기 때문이지!"

비록 이곳에 오면 겪을 고통에 대해서는 이미 마음의 준비를 했었지만, 행복한 추억을 모두 되살리는 배려에는 무방비 상태였다. 나는 생각했다. '여기 흐린 하늘 아래 해골처럼 말라붙은 들판이 있군. 가운데에 꽃이 핀 관목 덤불이 단 하나 서 있는 이 들판을 예전에도 지나다니면서 감탄을 하며 바라보았지. 그 당시 매번 느꼈던 불길한 떨림은 바로 이 음울한 시간의 예감이었던 모양이군 그래.' 전에는 그토록 생기와 활력이 넘쳤던 이 작은 성안에는 온통 침울함뿐이었다. 모든 것이 울고 있었고, 모든 것이 절망과 버려짐을 이야기하고 있었다. 덜 다듬어진 오솔길, 중도에 그만둔 공사판, 서서 성을 바라보는 일꾼들이 눈에 띄었다. 포도를 수확하고 있었지만, 어떤 소리도, 수다도 들리지 않았다. 너무나 조용해서 포도밭에 아무도 없는 듯했다. 우리는 슬픔 때문에 일상적인 대화도 나눌 마음이 생기지 않아서 혼자 이야기하는 백작의 말을 그저 듣기만 했다. 아내에 대한 기계적인 애정이 엿보이는 말들을 읊은 다음, 백작은 평소의 습성대로 그녀에 대한 불만을 토로하기 시작했다. 자기가 좋은 조언을 해 주었는데도 아내는 그 말을 귀담아 듣지도, 스스로 치유하지도 않았다는 것이다. 자기가 그 병의 증상들을 경험했고, 관찰했으며, 식이요법을 따르고 강한 정신적 자극을 피함으로써 홀로 병과 싸워 극복했었다. 아내도 치료할 수 있었겠지만, 남편이란 그런 무거운 책임을 질 수가 없는 법이다. 게다가 불행히도, 모든 일에 있어서 그의 경험은 무시당하기

일쑤였다. 만류에도 불구하고, 부인은 오리제를 주치의로 선택했다. 이전에도 자기를 제대로 돌보지 않았던 그는 이제 아내를 죽게 내버려 두고 있었다. 그녀의 병이 과도한 근심에서 오는 것이라면 아내보다는 자기가 오히려 걸렸어야 했다. 아내에게 무슨 근심이 있겠는가? 부인은 행복했고, 아무런 걱정거리도, 슬픔거리도 없었다! 자신의 정성과 훌륭한 발상들 덕분에 재산 상태도 만족스러웠고, 부인이 클로슈구르드에서 모든 것을 지휘하고 결정하도록 내버려 두었다. 그리고 아이들은 예의 바르고 건강하여 더이상 걱정을 끼치지 않았다. 도대체 왜 병이 났단 말인가? 백작은 계속 떠들어 대며 탄식과, 부인에 대해 사리에 어긋나는 비난을 쏟았다. 때로 어떤 추억이 떠올라 이 고귀한 여인이 받아야 마땅한 존경심이 치솟을 때는 눈물이 오래전부터 말라 버린 눈이 젖어들곤 했다.

마들렌은 어머니가 나를 기다린다고 전하러 왔다. 비로토 신부가 내 뒤를 따라 들어왔다. 점잖은 처녀는 부인이 여러 사람이 있으면 피로해진다는 이유로 나와 단둘이 있기를 원하신다며 아버지 곁에 남았다. 이 순간의 엄숙함을 실감하며 인생의 중요한 일에 직면했을 때 우리를 지치게 하는, 몸속은 더워지고 외부는 추워지는 기분을 느꼈다. 비로토 사제는 나를 따로 불렀다. 온유하고 소박하며 인내심과 자비로움을 갖춘 그는 하느님께서 당신의 사자(使者)임을 표시하신, 그런 유의 사람이었다. 그는 내게 말했다.

"내가 이런 재회를 막기 위해 인간적인 모든 수단을 동원했음을 아십시오. 이 성녀의 구원이 거기에 달려 있었습니다. 나는 당신이 아니라 부인을 돌보아야 하니까요. 천사들이 당신이 부인을 만나는 것을 저지했어야 하지만 어쨌든 이제 당신은 부인을 보게 되었습니다. 그러니 내가 부인을 당신과 부인 자신으로부터 보호하기 위해 두 사람 사이에 함께 있겠습니다. 그분의 나약함을 존중하십시오. 사제로서 부인을 측은하게 여겨 달라고 부탁하는 것이 아니라, 당신도 몰랐던 겸허한 친구로서, 당신이 훗날 죄책감에 시달리지 않게 해 드리고 싶습니다. 정확히 말하자면, 사랑하는 부인께서는 배고픔과 갈증으로 죽어 가고 계십니다. 오늘 아침부터, 그런 끔찍한 죽음 직전에 찾아오는 초조함과 흥분에 사로잡히셨어요. 삶에 대한 미련이 어찌나 강하신지 당신에게 숨길 수가 없습니다. 반항하는 육체의 절규는 내 가슴속에 아픈 메아리가 되어 울려 퍼집니다. 하지만 도미니스 사제와 저는 그들의 아침별이자 저녁별이었던 존재를 더 이상 알아볼 수 없는 이 존귀한 가족에게 정신적인 괴로움을 면해 주기 위해서 이런 종교적인 짐을 지기를 승낙했습니다. 남편분과 자제분들, 그리고 하인들까지 모두는 물어 봅니다. '그분이 어디 갔죠?' 라고요. 그 정도로 부인은 많이 변하셨습니다. 당신을 보면, 부인께서 또다시 탄식하기 시작하실 겁니다. 사교계 인사다운 생각을 버리고, 마음의 허영심을 잊어버리고, 그분에게 지상의 보조자가 아닌 하늘의 보조자가 되어 주세요. 이 성녀가 회의에 빠져 절망의 목소리를 내면서 죽지 않도록……."

　나는 대답하지 않았다. 나의 침묵은 고해신부를 초조하게 했다. 나는 보고, 듣고, 걸을 수 있었지만 이미 지구상에 있지 않았다.

'무슨 일이 벌어진 것일까? 상태가 얼마나 나쁘길래 모든 사람들이 이토록 조심하는가?' 이런 생각에 나는 막연하기 때문에 더욱 잔인한 불안감에 떨었다. 이 질문들은 내 괴로운 심정을 모두 담고 있었다. 우리는 침실의 문 앞에 이르렀고, 신부는 걱정스런 얼굴로 열어 주었다. 흰 드레스를 입고 벽난로 앞에 놓인 작은 소파 위에 앉아 있는 앙리에트가 보였다. 벽난로 위의 두 꽃병은 꽃으로 채워져 있었고, 창문 앞의 작은 원탁 위에도 꽃이 있었다. 이런 즉흥적인 축제 분위기와 한순간에 예전의 모습으로 돌아간 이 방의 변화에 놀란 비로토 사제의 얼굴을 보고 나는 죽어 가는 이 여인이 환자들의 침상 주위의 혐오스러운 장비들을 치웠다는 것을 알아차렸다. 그녀는 열병으로 죽어 가면서도 이 순간에 그 무엇보다 사랑하는 이를 품위 있게 맞이하기 위해 어질러진 침실을 꾸미는 데 마지막 힘을 쏟았다. 피어나는 매그놀리아의 창백한 색채를 띤 얼굴은 초췌해져 있었다. 레이스의 물결 속에 파묻힌 채, 그 사랑스런 얼굴은 노란 캔버스 위에 분필로 그려진 희미한 윤곽처럼 나타났다. 하지만 독수리의 발톱이 내 가슴속에 얼마나 깊숙이 파고들었는지를 느끼려면, 이 소묘의 눈만은 완성되어 생기로 가득 찼다고 상상해 보라. 움푹 들어간 눈은 빛바랜 얼굴 안에 기이한 광채를 발했다. 그녀에게 이제 고통을 끊임없이 이겨내면서 몸에 밴 침착한 위엄은 더 이상 없었다. 유일하게 아름다움을 간직한 이마 위에는 욕망의 공격적인 대담성과 억눌린 위협이 새겨져 있었다. 길어진 얼굴이 밀랍 색으로 물들어 있음에도 불구하고 그 안쪽에서 더운 날에 밭 위로 물결치는 햇빛처럼 이글거리는 불이 새나왔다. 패인 관자놀이, 푹 꺼진 볼은 얼굴의 골격 모양을 드러냈고, 핏기 없는 입술이 그리는 미소는 어렴풋이 죽음의 냉소와 닮았었다. 가슴 위에 십자 모양으로 포개진 드레스는 아름다운 상체가 얼마나 말랐는지 보여 주었다. 그녀의 얼굴 표정은 자신이 변했다는 사실을 알고 너무나 안타까워한다고 이야기하고 있었다. 그녀는 더 이상 내 사랑스런 앙리에트도, 고귀하고 거룩한 모르소프 부인도 아니었다. 그것은 보쉬에가 말했던 이름 없는 무엇인가*였다. 그것은 허무와 싸우고 있었으며 갈망과 충족되지 못한 욕망 때문에 삶으로 하여금 죽음을 상대로 이기적인 맞대결을 하도록 시키고 있었다. 나는 그녀의 곁으로 다가가 앉으며 입을 맞추기 위해 손을 잡았다. 손은 뜨겁고 메말라 있었다. 비통함과 놀라움을 숨기기 위한 나의 노력에 오히려 그녀는 내 심정을 짐작했다. 퇴색된 입술이 억지로 미소를 짓고자 굶주린 이 위로 팽팽하게 당겨졌다. 그것은 복수가 동반하는 야유, 또는 쾌락에 대한 기대, 아니면 마음의 도취, 또는 실망한 후의 분노 등을 숨기려 할 때 짓는 그런 미소였다.

"아, 죽음이 다가오네요, 펠릭스." 그녀는 말했다. "당신은 죽음을 싫어하죠? 모든 살아 있는 존재가, 가장 용감한 연인도 혐오하는 추악한 죽음이에요. 여기서 사랑은 끝이 나죠. 나는 미리 알고 있었어요. 레이디 더들리는 변한 자신의 모습에 당신이 놀라는 것을 결코 볼 일이 없겠죠. 아, 나는 왜 당신이 오기를 바랐을까요? 당신은 결국 왔습니다. 그런 헌신에 대한 보상으로 이런 끔찍한 광경을 보여 주다니요! 옛날에 랑세 백작도 이런 광경을 보고 트라피스트 수도사가 되었다지요.* 나는 당신의 기억 속에 아름답고 숭고한 모습으로 머물러, 영원한 백합처럼 살기를 원했건만, 당신의 환상을 깨뜨려 버리는군요. 진정한 사랑은 아무 계산도 하지 않는답니다. 그래도 도망가지 말고 여기 있어요. 오리제 선생님은 오늘 아침에 내 상태가 많이 호전되었다고 했어요. 나는 곧 다시 살아날 테고, 당신의 눈빛 아래서 회생할 거예요. 그리고 내가 다시 기운을 차리고, 음식을 조금 먹게 되면 아름다움도 되찾겠죠. 나는 겨우 서른다섯 살이니, 아직 좋은 시절을 누릴 수가 있어요. 행복은 사람을 젊어지게 하니까요. 나는 행복을 경험하고 싶어요. 꿈 같은 계획을 세웠죠. 저 사람들은 클로슈구르드에 남겨놓고 우리는 함께 이탈리아로 떠납시다."

눈물이 내 눈가를 적셔서 나는 꽃을 보는 척하며 창문 쪽으로 고개를 돌렸다. 비로토 사제는 성급히 내게 다가와서 꽃다발 쪽으로 몸을 기울이며 내 귓가에 속삭였다. "눈물을 보이지 마시오!"

"앙리에트, 당신은 이제 우리의 정든 골짜기를 사랑하지 않나요?" 나는 내 급작스런 동작을 설명하기 위해 말했다.

"아니요, 사랑하죠." 그녀는 애교스럽게 이마를 내 입술 밑으로 가져오면서 대답했다. "하지만 당신이 없으면 침울할 뿐이에요…… 그대가 없으면." 그녀는 한숨을 내뱉듯 두 단어를 속삭이며 뜨거운 입술로 내 귀를 살짝 건드렸다.

나는 두 사제의 이야기보다 더욱 무시무시한 이런 미친 듯한 교태를 보고 아연실색했다. 처음의 놀라움은 조금씩 진정되었다. 그러나 이성은 비록 되찾았지만 그녀를 만나는 동안 내내 나를 뒤흔든 신경질적인 몸부림을 억누를 만큼 의지가 강하지 못했다. 나는 대답하지 않고 듣고만 있었다. 아니, 더 정확히 말하자면, 마치 어머니가 아이를 대하듯이, 그녀의 기분을 거슬리지 않기 위해 경직된 미소와 동의의 몸짓으로 대답하였다. 달라진 외양을 보고 놀란 다음, 그토록 숭고하고 위엄 있던 이 여인이 이제는 태도, 목소리, 행동, 눈빛과 생각에는 어린아이와 같은 무지, 순진함, 탐욕스러움, 자신의 욕구 또는 자기 자신과 관련되지 않은 것에 대한 깊은 무관심, 한마디로 말해서 아이의 모든 나약함을 보여 주고 있음을 알게 되었다. 그런 나약함 때문에 아이는 보호를 받아야 하는데, 그녀 역시 그러했다. 죽어 가는 사람들에게 공통적인 현상일까? 아이가 아직 사회적인 가장복을 입지 않았다면 그들은 그것을 벗는가? 아니면, 영원 속으로 사라지기 직전에 부인은 모든 인간의 감정들 중에서 오직 사랑만을 받아들여 클로에*처럼 그 그윽한 천진난만함을 표현하고 있는 것일까?

"예전처럼 당신이 내가 건강을 되찾게 도와주면 돼요, 펠릭스." 그녀가 말했다. "우리의 골짜기는 내게 유익할 거예요. 당신이 준다면 내가 무엇인들 안 먹겠어요? 당신은 너무나 훌륭한 간병인이잖아요! 게다가 힘과 건강이 넘쳐서 당신 곁에 있노라면 생명이 전염되죠. 벗이여, 내가 죽으면 안 된다는 것을, 속아서 죽으면 안 된다는 것을 증명해 줘요! 저 사람들은 내가 갈증으로 가장 고통스러워한다고 생각하더군요. 그래요, 나는 정말 갈증을 느껴요. 앤드르의 물을 보면 많이 괴로워요. 하지만 내 가슴은 그보다 더욱 타는 듯한 갈증에 시달린답니다. 당신에 대한 갈증이에요." 그녀는 뜨거운 두 손으로 내 손을 잡으면서 목소리를 더 낮추며 말했다. 그리고 내 귀에 속삭이기 위해 나를 끌어당겼다. "당신을 보지 못해서 병이 났어요. 당신이 내게 살라고 하지 않았던가요? 나는 살고 싶어요. 나도 말을 타고 싶어요! 그리고 파리, 연회들, 쾌락들을 모두 경험하고 싶다고요!"

아, 나탈리, 이런 끔찍한 절규는 억눌린 육체의 물질주의 때문에 멀리서는 차갑게 들리겠지만, 나와 노사제의 귓전에 윙윙거리며 울렸다. 이 아름다운 목소리의 억양은 한평생의 내적인 투쟁, 이루지 못한 사랑의 번민을 묘사하고 있었다. 부인은 장난감을 원하는 아이처럼 안달이 난 동작으로 일어섰다. 신부가 고해자의 이런 행동을 보자 갑자기 무릎을 꿇고 손을 모으며 기도문을 외기 시작했다.

"그래요. 살고 싶어요!" 그녀는 내게 기대기 위해 나를 일으켜 세우며 말했다. "거짓이 아닌 실제의 삶을 살고 싶어요. 여태껏 내 삶에서 모든 것이 거짓이었어요. 며칠 전부터 얼마나 많은 기만이 있었는지 세어 봤답니다. 아직 살아보지도 못한 내가 죽다니, 말이 되나요? 애인을 들판으로 마중 나간 적이 없는 내가 어떻게 죽나요?" 그녀는 말을 멈추고, 귀를 기울이는 듯하더니 벽을 넘어 어떤 냄새를 맡았다. "펠릭스! 포도를 수확하는 여인들이 저녁식사를 할 참이군요. 그런데, 나는," 그녀는 어린아이와 같은 목소리로 말했다. "주인인 나는 굶주렸어요. 사랑도 마찬가지예요. 그 여인들은 행복하겠죠!"

"키리에 엘레이손!"* 가엾은 신부가 손을 모은 채 하늘을 보면서 신도송(信徒頌)을 암송했다.

그녀는 내 목에 팔을 두르고 나를 열렬하게 포옹하며 꼭 끌어안았다. "다시는 내게서 도망치지 말아요! 나는 사랑받고 싶어요. 레이디 더들리처럼 대담한 행동도 서슴지 않고, '마이 디'를 잘 발음하기 위해 영어도 배우겠어요." 예전에 잠시 내 곁을 떠날 때 곧 돌아온다는 표시로 하던 고갯짓을 보였다. "함께 저녁식사 해요. 마네트에게 알려 주고 올게요……." 하지만 그녀는 갑자기 실신하여 쓰러지려 했다. 나는 그녀를 옷 입은 채로 침대에 눕혔다.

"전에도 당신이 나를 이렇게 들어서 안은 적이 있었죠." 그녀는 눈을 뜨며 내게 말했다.

그녀는 매우 가벼웠지만 몸이 매우 뜨거웠다. 그녀를 안으면서 몸 전체가 열기를 발하는 것을 느꼈다. 그때 델랑드 선생이 들어와서 장식된 침실을 보고 놀랐다. 그러나 나를 보자 그 이유를 알아차렸다.

"선생님, 죽는 것이 너무나 고통스럽군요." 그녀는 탁한 목소리로 말했다.

그는 앉아서 환자의 맥을 짚어 보고는 황급히 일어나, 신부에게 낮은 목소리로 이야기하고 나갔다. 나는 그의 뒤를 따랐다.

"어떻게 하실 작정입니까?" 내가 물었다.

"부인께 잔인한 임종을 면해 드리려 합니다." 그가 말했다. "이렇게 기력이 넘치실 줄 누가 알았겠습니까? 부인께서 아직 어떻게 살아 계신지를 이해하려면 지금까지 어떻게 사셨는지를 떠올려야 합니다. 42일째 마시지도, 먹지도, 자지도 않으셨습니다."

델랑드 선생은 마네트를 불렀다. 비로토 사제가 나를 마당으로 데리고 갔다.

"의사에게 맡깁시다." 그는 말했다. "마네트의 도움을 받아 부인의 몸에 아편을 발라 주실 거예요. 자, 부인의 말을 들었죠? 그런 이성을 잃은 행동이 부인 자신의 의지에 따른 것이라면……."

"아니요, 이미 부인이 아닙니다." 나는 말했다.

나는 아픔으로 망연자실했다. 갈수록 이 순간의 작은 부분들까지 확대되어 내게 다가왔다. 나는 테라스 아래 작은 문으로 급히 나가서 거룻배 안에 앉아 숨어서 상념에 젖었다. 나는 내 삶을 지탱해 주는 그 힘으로부터 스스로 벗어나려고 노력했다. 이것은 타르타르 사람들이 간통을 벌하던 방식과 비교할 만한 고문이었다. 그들은 죄인의 팔이나 다리를 나무토막에 끼워서, 굶어 죽지 않으려면 그것을 잘라 먹도록 그에게 칼을 쥐어 주었다고 한다. 내게는 무시무시한 교훈이었다. 나는 내게서 가장 소중한 부분을 절단해야 했다. 내 인생도 실패작이었다! 절망감 때문에 가장 어리석은 생각들이 떠올랐다. 그녀와 함께 죽을까 하다가, 트라피스트 수도회가 최근에 자리를 잡은 라 메유레에 가서 틀어박힐까 고민도 했다. 내 눈은 흐려져서 외부의 사물들이 보이지 않았다. 나는 앙리에트가 앓고 있는 침실의 창문을 응시하면서 그녀와 마음속으로 약혼했던 밤처럼 거기에 불이 켜졌다고 착각했다. 그녀가 내게 마련해 준 소박한 삶에 따르며, 일에 몰두하면서 그녀에게 헌신해야 하지 않았을까? 절개란 내가 지키지 못한 위대한 훈장이 아니던가? 아라벨 식의 사랑이 갑자기 역겨워졌다. 이제부터 빛과 희망을 어디에서 찾을까, 삶이 무슨 의미가 있을까 스스로에게 질문하면서 떨어뜨렸던 머리를 드는 순간, 미세한 소리가 대기를 진동시켰다. 테라스 쪽으로 고개를 돌리니, 혼자서 느린 걸음으로 산책하는 마들렌이 보였다. 그 귀여운 아이에게 십자가 앞에서 내게 냉랭한 눈길을 던진 까닭을 물으러 테라스 쪽으로 올라가는 동안 그녀는 벤치 위에 앉았다. 내가 반쯤 다가갔을 때 그녀는 나와 단둘이 있지 않으려고 일어서서 나를 못 본 척했다. 그녀의 동작은 다급했고, 의미심장했다. 어머니의 살인자인 나를 증오했고, 피하고 싶었으리라. 낮은 층계를 통해 클로슈구르드로 돌아가면서, 나는 조각상처럼 부동의 자세로 서서 내 발자국 소리를 듣고 있는 마들렌을 보았다. 자크는 층계 위에 앉아 있었는데, 무감각한 태도로 일관했다. 다 함께 산책을 할 때 이미 그런 태도에 나는 놀랐고, 여러 가지 생각들이 떠올랐다. 당장에는 마음 한 구석에 놓아두었다가 나중에 한참 곱씹는, 그런 생각들이었다. 죽음을 품고 있는 젊은이들은 모두 장례식 앞에 무감각하다는 사실에 주목한 적이 있었다. 나는 이 음울한 영혼에게 말을 걸기로 마음먹었다. 마들렌이 자신의 감정들을 혼자만 담아 두었는지, 자크에게도 나에 대한 증오심을 심어 주었는지? 나는 대화를 열기 위해 그에게 말했다.

"내게 큰형처럼 기대도 돼. 알지, 자크?"

"아저씨의 관심 따위는 필요 없어요. 저는 어머니를 따라갈 테니까요!" 그는 고통으로 사나워진 눈빛을 보내며 대답했다.

"자크, 너마저?"

그는 기침을 하면서 내게서 조금 떨어졌다. 그리곤 다시 다가와서 피가 묻은 손수건을 재빨리 보여 주었다.

"아시겠어요?" 그가 말했다.

이렇게 그들 각자는 숙명적인 비밀을 숨기고 있었다. 남매가 서로 피한다는 것을 그 이후로 알아차렸다. 앙리에트가 쓰러지자 클로슈구르드는 폐허가 되었다.

"마님께서 잠이 드셨습니다." 이제 고통스러워하지 않는 부인을 보고 안심한 마네트가 우리에게 알렸다.

이런 끔찍한 순간에는, 각자가 그 피할 수 없는 결말을 알고 있지만, 진정한 애착은 더욱 강해져서 작은 행복에 매달리게 된다. 매 분은 100년처럼 길게 느껴지고 환자의 고통이 진정되기만을 바란다. 그이가 장미꽃잎이 뿌려진 부드러운 침상 위에 쉬기를 원하고, 고통을 대신해 주고 싶고, 마지막 숨을 자신도 모르게 거두기를 바란다.

"델랑드 선생님은 마님의 신경을 자극하던 꽃을 치우게 하셨습니다." 마네트가 내게 말했다.

그녀의 본모습이 아니라 꽃이 그녀를 흥분시켰던 것이다. 대지의 교접, 수태의 축제, 식물들의 애무는 그 향기로 그녀를 취하게 하였고, 아마도 젊은 시절부터 그녀 안에서 잠자고 있던 행복한 사랑의 꿈들을 깨웠던 것이다.

"펠릭스님, 이리 오세요." 마네트가 말했다. "와서 마님을 보세요. 천사처럼 아름다우십니다."

해가 지면서 이제 성의 지붕을 장식하는 정교한 조각들을 금색으로 물들일 때 나는 죽어 가는 여인의 방으로 다시 들어갔다. 모든 것이 고요하고 청명했다. 은은한 빛이 아편을 바른 앙리에트가 누워 있는 침대를 비추고 있었다. 이제 육체는 소멸되어, 폭풍이 지나간 후의 맑은 하늘처럼 평온한 얼굴 위에 오직 영혼만이 살아 있었다. 내 기억, 내 생각, 내 상상력이 자연을 도와 변형되었던 얼굴을 다시 전처럼 회복시켜 주었기에 블랑슈와 앙리에트, 한 여인의 위대한 두 얼굴은 더욱 더 아름답게 나타났다. 영혼이 호흡의 박자에 맞춰 그 얼굴 위에 빛의 파도를 보내고 있었다. 두 신부는 침대 옆에 앉아 있었다. 백작은 사랑하는 사람 위에 펼쳐진 죽음의 깃발을 알아보고 얼빠진 채 서 있었다. 나는 소파 위에, 그녀가 있었던 자리에 앉았다. 그리고 우리 네 명은 이 천상의 아름다움에 대한 감탄과 회한의 눈물이 뒤섞인 눈길을 서로 주고받았다. 부인의 얼굴을 밝히는 마음의 빛이 가장 아름다운 성막(聖幕) 안에 하느님께서 다시 임하셨음을 알렸다. 도미니스 사제와 나는 손짓으로 서로 공통된 생각들을 교환했다. 천사들이 앙리에트를 지키고 있다! 그들의 검(劍)은 고결한 이마 위에 번쩍였다. 예전에 그 이마를 천상계의 영(靈)들과 교류하는 가시적인 영혼처럼 보이게 했던 덕성의 위대한 빛이 돌아오고 있었다. 얼굴의 선들은 정화되었고, 그녀를 지키는 천사들의 보이지 않는 향로 아래 그녀는 전체적으로 위엄 있고 장중해졌다. 육체적인 고통의 푸르스름한 색조는 완전한 백색, 다가오는 죽음의 차갑고 광택 없는 창백함으로 교체되고 있었다. 자크와 마들렌이 들어왔다. 마들렌은 열렬한 사랑의 몸짓에 이끌려 침대 앞으로 뛰어들어 손을 모으고 거룩한 탄성을 질렀다.

"드디어, 어머님이 돌아오셨군요!" 자크는 미소를 짓고 있었다. 자기도 어머니가 가는 곳으로 곧 따라갈 것을 확신했다.

"이제 목적지에 달하십니다." 비로토 신부가 말했다.

도미니스 사제는 나를 바라보며 다시 한번 이야기하는 것 같았다. '별이 반짝거리며 뜰 거라고 말하지 않았던가요?'

마들렌은 어머니에게서 눈을 떼지 않았다. 어머니의 가벼운 호흡을 똑같이 따라하며 함께 숨을 쉬었다. 우리는 부인을 삶과 이어 주는 마지막 끈인 그 숨결을 지켜보며 힘겹게 한번 들이쉴 때마다 끊어질까 두려워했다. 성전의 문 앞에 있는 천사처럼, 젊은 처녀는 갈구하면서도 침착했고, 굳세면서도 순종적이었다. 그때 마을 성당의 종루에서 만종이 울렸다. 그 소리는 온화해진 대기의 물결을 따라 밀려오며 그 시간에 온 그리스도교 공동체는 여자의 원죄를 씻은 여인에게 천사가 한 말을 반복하고 있다고 우리에게 알리고 있었다. 그날 저녁, 아베 마리아의 선율은 하늘의 인사처럼 들렸다. 예언은 너무나 분명했고, 죽음이 너무나 가까워서 우리는 울음을 터뜨렸다. 저녁의 속삭임들, 즉 나뭇잎 사이로 부는 미풍의 노랫소리, 새들의 마지막 지저귐, 벌레들의 후렴구와 윙윙거림, 물소리, 청개구리의 애처로운 울음소리, 온 자연이 골짜기의 가장 아름다운 백합에게, 그녀의 소박하고 전원적인 삶에 작별 인사를 보냈다. 종교적인 서정과 자연의 서정이 이별의 노래를 매우 잘 표현하고 있어서 우리의 흐느낌은 계속되었다. 우리는 마치 마음속에 그 기억을 영원히 새기려는 것처럼 이 소름 끼치는 장면

속에 몰두해서, 침실의 문이 열려 있었음에도 불구하고 무리 지어서 간절한 기도를 올리고 있는 집안의 하인들을 보지 못했다. 희망을 버리지 않는 데 익숙한 이 가없은 사람들은 그때까지 여주인이 살아남을 거라고 믿었으나 너무나 명백한 전조에 압도되었다. 비로토 사제의 손짓에, 늙은 조마사는 사셰의 신부를 부르러 나갔다. 의사는 과학처럼 무정하게 침대 옆에 서서 병자의 손을 잡고 있었다. 그는 이 잠이 다시 하느님 곁으로 올라가는 이 천사의 고통 없는 마지막 시간임을 고해신부에게 알리기 위해 손짓을 보냈다. 종부성사를 받을 순간이 다가왔다. 아홉 시에 그녀는 천천히 깨어나서 우리를 의아하지만 온화한 눈으로 쳐다보았다. 그때 우리는 건강했던 시절의 아름다움을 되찾은 우리의 우상을 보았다.

"어머니, 돌아가시기에는 너무 아름다우세요. 생명과 건강이 돌아오고 있잖아요." 마들렌이 외쳤다.

"사랑하는 딸아, 나는 네 속에서 살 거란다." 부인은 미소 지으며 말했다.

그때부터 어머니와 아이들은 서로 애절하게 포옹했다. 모르소프 백작은 아내의 이마에 경건하게 입을 맞추었다. 그녀는 나를 보고 얼굴이 붉어졌다.

"사랑하는 펠릭스." 그녀가 말했다. "이것이 아마도 내가 당신에게 끼친 유일한 근심일 거예요. 하지만 제정신이 아니었던 내가 당신에게 한 말은 잊어 줘요." 내게 내민 손에 입을 맞추자, 그녀는 특유의 덕성스럽고 우아한 미소를 지으며 말했다. "옛날처럼, 그렇죠, 펠릭스? ……"

우리는 모두 나가서 부인의 마지막 고해성사가 진행되는 동안 거실에 있었다. 나는 마들렌 곁으로 갔다. 사람들 앞에서 무례하다는 인상을 주지 않고 그녀가 나를 피할 수는 없었다. 그녀는 아무도 쳐다보지 않았다. 그리고 내게 눈길 한번 주지 않고 침묵을 지켰다.

"사랑하는 마들렌," 그녀에게 낮은 목소리로 말했다. "나에 대해 무슨 불만이라도 있는 거니? 죽음 앞에서 모두가 화해를 해야 할 때 왜 차가운 감정을 품는 거지?"

"지금 어머니께서 하시는 말씀이 들리는 듯해요." 그녀는 앵그르의 「성모」*와 같은 표정을 지으며 말했다. 그림 속의 성모는 비통해 하며 아들이 곧 떠나게 될 이 세상을 보호할 준비를 한다.

"어머니가 나를 용서하는데 네가 단죄하는구나. 내가 죄가 있다면 말이다."

"아저씨에 대해 말씀하시네요, 언제나 아저씨뿐이죠!"

그녀의 말투에는 코르시카 사람들이 곰곰이 생각한 후에 품는 것과 같은 증오심, 인생을 관찰한 적이 없어서 마음의 계율을 어긴 죄에 대해 관용을 베풀 줄 모르는 자들의 판단처럼 가혹한 증오심을 담고 있었다. 한 시간이 깊은 침묵 속에 흘러갔다. 이윽고 비로토 신부는 모르소프 부인의 전체적인 고백을 받고 나왔다. 우리는 모두 들어갔다. 앙리에트는 수의로 쓰일 긴 옷을 입혀 달라고 한 후였다. 고귀한 영혼들은 모두 비슷한 의도를 가지는 법이다. 그녀는 참회와 희망으로 더욱 아름다운 모습으로 앉아 있었다. 벽난로 속에 불에 타 버린 내 편지들의 검은 재가 보였다. 죽음의 순간이 되어서야 그런 희생을 치를 결심을 했다고 신부가 내게 전했다. 그녀는 예전의 그 미소로 우리를 맞이했다. 눈물로 젖은 눈은 최상의 깨달음에 이르렀음을 나타내었다. 이미 약속된 땅의 지고한 환희를 엿보는 것 같았다.

"사랑하는 펠릭스," 내게 손을 내밀고 맞잡은 내 손을 꼭 쥐며 그녀가 말했다. "여기 있어요. 당신은 내 삶의 마지막 순간을 지켜봐야 해요. 내가 겪은 고통 중에 가장 약하다고 할 수 없지만 어쨌든 당신이 주된 원인 제공자니까요."

그녀의 손짓에 문이 닫혔다. 그리고 백작에게 앉으라고 권했다. 비로토 신부와 나는 서 있었다. 마네트의 도움을 받아 부인은 일어서서 백작 앞에 무릎을 꿇었다. 백작은 몹시 놀랐지만 그녀는 그대로 있기를 원했다. 마네트가 나간 다음, 어리둥절한 백작의 무릎에 기대었던 머리를 들었다. 그리고 메인 목소리로 말했다.

"저는 비록 당신의 성실한 아내로 남았지만, 어쩌면 제 의무를 다하지 못한 적도 있었을 거예요. 방금 하느님께 당신에게 용서를 구할 힘을 달라고 기도했어요. 가족 이외의 사람에게 정을 느껴 당신에게 마땅히 쏟아야 할 정성보다 더욱 지극한 정성을 그에게 베풀었습니다. 어쩌면 당신은 그런 정성과 배려를 당신이 받는 것과 비교하여 저에 대해 노했을지도 모릅니다." 그리고 목소리를 낮추며 계속했다. "저는 누군가에게 매우 강한 애정을 품었는데, 아무도, 그 당사자도 그 전부를 헤아리지 못했답니다. 제가 비록 인간의 법에 의해서는 정숙하고 나무랄 데 없는 아내였지만 무의식적인, 또는 의식적인 생각들이 제 가슴속을 자주 스쳐 지나갔습니다.

지금은 그것들을 너무 많이 들여보낸 것 같아 두렵네요. 하지만 당신을 매우 사랑했고, 항상 당신의 순종적인 아내였기 때문에, 하늘 아래 지나간 구름들이 그 순결함을 더럽히지 않았고, 당신에게 축복을 청하며 순결한 이마를 내밀 수 있습니다. 당신의 블랑슈, 당신의 아이들의 어머니를 향한 다정한 한마디라도 당신의 입으로 들을 수 있다면, 당신이 이 모든 죄를 용서해 주신다면 저는 씁쓸한 사념 없이 죽을 수 있을 거예요. 제 자신도 우리 모두 서게 될 법정에서 사면을 받고서야 그 죄들을 스스로에게 용서했답니다."

"블랑슈, 블랑슈." 노신사가 갑자기 아내의 머리 위에 눈물을 흘리며 외쳤다. "나를 죽게 하고 싶소?" 그는 이례적인 힘을 발휘하여 아내를 자기 앞으로 일으켜 세우고는, 그녀의 이마에 거룩하게 입을 맞추고 그런 자세로 있었다. "내가 당신에게 용서를 구해야 하지 않소?" 그가 말했다. "내가 곧잘 모질게 대하지 않았소? 당신이 어린아이처럼 너무 소심하게 자기 잘못을 확대하지는 않소?"

"그럴지도 모르죠." 그녀가 대답했다. "하지만, 여보, 죽어 가는 사람의 나약함을 너그러이 봐 주시고 저를 안심시켜 주세요. 당신에게도 이 순간이 닥치면 제가 당신을 축복하며 떠났다는 것을 기억하세요. 여기 있는 우리의 벗에게 깊은 애정의 증표 하나를 남기도록 허락하시겠어요?" 그녀는 벽난로 위에 놓인 편지를 가리켰다. "이제 그는 제 양자일 뿐이에요. 마음도 제 나름대로 유언장이 있답니다. 제 마지막 소원으로 펠릭스에게 위대한 업적을 이룩하라는 명을 남기고 싶어요. 제가 그를 과대평가한 것이 아니라고 믿어요. 그에게 제 뜻을 남겨 줄 수 있도록 허락해 주셔서, 제가 당신도 과대평가하지 않았음을 보여 주세요. 저는 아직도 여자랍니다." 그녀는 그윽한 슬픔의 몸짓으로 고개를 기울이며 말했다. "당신의 용서를 구한 다음 이런 부탁도 드립니다."

"읽어 주세요. 내가 죽은 후에요." 내게 그 수수께끼의 편지를 건네주며 말했다.

백작은 아내가 창백해지는 것을 보고 그녀를 들고 침대까지 안고 갔다. 우리는 그녀의 주위로 둘러섰다.

"펠릭스." 그녀가 말했다. "내가 당신에게도 잘못을 했을지 몰라요. 가끔 당신에게 기쁨을 드릴 것처럼 기대하게 만들고는 결국 뒷걸음질을 침으로써 당신을 실망시켰을 것입니다. 하지만 아내와 어머니의 용기 덕분에 모두와 화해하고 죽을 수 있잖아요? 그러니 빈번히 내게 불평했던 당신도 나를 용서해야 합니다. 그런 부당한 불평을 나는 내심 즐겼지만!"

비로토 신부는 입술 위에 손가락을 하나 얹었다. 이에 그녀는 머리를 기울였다. 현기증이 오자 성직자들과, 자녀들과 하인들을 들어오라고 손을 흔들었다. 그녀는 내게 명령하듯이 상심한 백작과 들어온 아이들을 가리켰다. 우리 두 사람만이 알고 있는, 정신착란을 앓는 아버지가 이제 너무나 허약한 아이들의 보호자가 된 것을 보고 부인이 보낸 무언의 애원은 내 마음속에 성스러운 불처럼 떨어졌다. 종부성사를 받기 직전에 그녀는 하인들에게 가끔 다그친 것에 대해 사과했다. 자기를 위해 기도해 달라고 간청하고 그들 모두를 한 명 한 명 백작에게 부탁했다. 마지막 한 달 동안 그들을 경악하게 했을, 그리스도인답지 않은 불평을 발설했음을 의젓하게 인정했다. 자신의 아이들도 밀어냈고, 단정치 못한 감정을 품었지만, 이처럼 하느님의 뜻에 반항한 것은 참을 수 없는 고통의 탓이었다고 했다. 끝으로 모든 사람들 앞에서 인간적인 것들의 허망함을 보여 준 비로토 사제에게 진심을 담아 가슴 뭉클한 감사의 인사를 했다. 그녀의 말이 끝나자 기도가 시작되었다. 사세의 신부는 그녀에게 임종의 성체 배령을 베풀었다. 얼마 후에 그녀의 호흡은 거칠어지고, 그녀의 눈은 흐려졌다가 곧 다시 떠졌다. 내게 마지막 눈길을 보내고는, 모두가 보는 가운데 숨을 거두었다. 어쩌면 우리의 흐느낌 소리를 끝까지 들었을지도 모른다. 시골에서는 흔한 우연에 의해, 나이팅게일 두 마리가 서로 주고받는 노랫소리가 들렸다. 여러 번 반복된 단일한 음은 다정한 부름처럼 맑고 길었다. 기나긴 고통의 연속이었던 삶의 마지막 고통인 마지막 숨이 새어나왔을 때, 모든 신체와 정신의 기능들을 마비시키는 충격을 내 안에서 느꼈다. 백작과 나는 두 사제와 담임신부와 함께 밤새도록 침대 곁에서 촛불 아래 깨어 있었다. 죽은 부인은 침대 밑판 위에, 그토록 괴로워한 그 자리에서 이제는 평온하게 누워 있었다. 이것이 나로서는 죽음과의 첫 대면이었다. 밤새도록 나는 모든 폭풍이 누그러진 맑은 표정과, 얼굴의 창백함에 매혹된 채 앙리에트에게서 눈을 떼지 못했다. 나는 여전히 그 얼굴에 그녀의 수많은 감정들을 이입했지만, 이제 그 얼굴은 내 사랑에 응답하지 않았다. 이런 침묵과 냉기는 얼마나 장엄한가! 얼마나 많은 생각들을 담고 있는가! 이런 절대적인 휴식은 얼마나 아름다우며, 이런 정체는 얼마나 권위적인가. 과거 전체가 그 속에 아직 머물러 있는 동시에 미래가 거기에서 비롯된다. 아! 나는 그녀가 살아 있을 때만큼이나 죽은 그녀를 사랑했다. 아침에 백작은 잠자리에 들었고, 밤을 새는 사람들이 잘 아는 그 힘겨운 시간대에 세 신부는 지쳐서 잠이 들었다. 그때 나는 보는 사람 없이, 그녀가 생전에 표현하지 못하게 했던 내 사랑 전부를 담아 그녀의 이마에 입을 맞췄다.

그 다음 다음 날, 선선한 가을날 아침에, 우리는 마지막 거처로 가는 부인을 수행했다. 늙은 조마사와 마르티노 형제, 그리고 마네트의 남편이 그녀의 관을 들고 갔다. 그녀를 다시 찾은 날, 내가 너무나 기쁜 마음으로 올랐던 길로 내려가서, 앵드르의 골짜기를 지나 사세의 작은 공동묘지에 도착했다. 그것은 교회 뒤쪽 낮은 산등성이에 위치한 시골 마을의 초라한 공동묘지였다. 그녀는 그리스도인의 겸허한 마음으로 그곳에서 가난한 농촌의 여인처럼 소박하게 검은 나무 십자가 아래 묻히고 싶다고 말했었다. 골짜기의 가운데에서 시내의 교회와 공동묘지가 보였을 때 나는 발작적으로 몸서리를 쳤다. 불행히도, 우리는 모두 인생의 골고다 언덕을 겪어야 한다. 우리는 그곳에서 가슴을 창에 찔리고, 머리 위에는 장미 화관을 대신하는 가시관을 쓰고 서른세 살의 생애를 매몰시킨다. 그 언덕은 내게 회개의 산이었다. 엄청난 군중이 골짜기 전체의 애도를 전하기 위해 달려와서 우리를 뒤따랐다. 부인은 이곳에 수많은 선행을 남몰래 묻어 두었던 것이다. 가난한 사람들을 돕기 위해 저금통의 돈이 모자랄 때는 자신의 의상 비용을 절감하기도 했다고 그녀의 심복이었던 마네트가 말해 주었다. 그녀는 벌거벗은 아이들에게 옷을 입혔고, 기저귀를 보냈고, 어머니들을 구제했으며, 불구 노인들을 위해 방앗간 주인들에게 밀 몇 부대의 값을 대신 치렀고, 가난한 가족에게 시기적절하게 소 한 마리를 주기도 하는 등 그리스도인으로서, 어머니로서, 성주의 부인으로서 이 모든 자선을 베풀었다. 그뿐만 아니라 서로 사랑하는 남녀가 결혼할 수 있도록 지참금을 대주기도 하고, 제비 뽑힌 젊은이들에게 대리복무의 비용을 내기도 했다. "더 이상 행복해질 수 없는 이들에게는 다른 사람의 행복이 위로란다!"라고 했던 사랑하는 여인의 감동적인 선물이었다. 3일 동안의 밤샘마다 이런 이야기를 하여 군중이 더욱 거대해졌다. 나는 자크, 그리고 두 신부와 함께 관 뒤에서 걸어갔다. 관행대로 마들렌도, 백작도 우리와 동행하지 않고 클로슈구르드에 남았다. 마네트는 기필코 오겠다고 했다.

"가엾은 마님! 가엾은 마님! 이제는 편안하시겠죠"라고 그녀가 흐느끼면서 되씹는 소리가 들렸다.

장례 행렬이 방앗간들이 늘어선 제방길을 지나칠 때 군중 전체에서 울음 섞인 탄식 소리가 터져 나왔다. 마치 이 골짜기가 정신적 지주를 애도하는 듯했다. 교회는 사람으로 가득 찼다. 미사 후에, 우리는 부인이 십자가 옆에 묻힐 공동묘지로 갔다. 돌멩이와 자갈이 관 위에 구르는 소리가 들렸을 때 내 용기는 사라졌다. 비틀거리며 마르티노 형제에게 나를 지탱해 달라고 부탁했다. 그들은 실신한 나를 사세의 성까지 데려다 주었고, 그곳 주인들은 예의 바르게 내게 쉬고 가라고 제안했다. 고백하건대, 나는 클로슈구르드로 돌아가고 싶지 않았고, 앙리에트가 살던 작은 성이 보이는 프라펠에도 가기 싫었다. 사세에 머문다면 그녀의 곁을 지킬 수 있었다. 당신에게 이미 묘사한 그 평화롭고 외딴 골짜기가 보이는 방에서 나는 며칠을 지냈다. 그것은 200년 정도 된 참나무들이 가장자리에 늘어선 넓은 습곡이다. 비가 많이 오면 급류가 흐르기도 한다. 그런 광경은 내가 몰두하고자 했던 진지하고 엄숙한 명상에 어울렸다. 숙명의 밤 다음날에 분위기를 살펴본 결과, 클로슈구르드에서 나의 존재가 얼마나 성가실지 짐작이 갔다. 백작은 앙리에트의 죽음 앞에서 강한 동요를 느꼈지만, 그 끔찍한 사건에 대해 마음의 준비를 하고 있었고, 그의 머릿속 깊숙이 무관심에 가까운 체념이 자리했다. 나는 그것을 여러 번 눈치챘었다. 부인이 겸허한 자세로 편지를 내게 건넸을 때—나는 그것을 열어볼 엄두를 내지 못하고 있었다—, 평소 질투심이 많은 백작은 예상과는 달리 내게 무서운 눈초리를 보내지 않았다. 그는 앙리에트의 말이 순수한 양심과 극단적인 섬세함에서 나온 거라고 믿었던 것이다. 이기적인 사람은 본래 무심하기 마련이다. 이들 두 사람의 영혼은 그들의 육체와 마찬가지로 서로 결합한 적이 없었고, 감정을 되살아나게 하는 끊임없는 교감을 나눈 적도 없었다. 그들은 슬픔도 기쁨도 공유한 적이 없었는데, 그런 것들이야말로 우리의 모든 신경과 닿아 있고, 우리의 마음 구석구석에 묶여 있으며, 그 끈들 하나하나를 지탱하는 마음을 어루만져 준다. 그래서 그런 강력한 연줄이 끊어지면 우리의 존재는 완전히 황폐해진다. 마들렌의 적대심 때문에 나는 클로슈구르드에 갈 수 없었다. 그 매정한 처녀는 어머니의 무덤 위에서 자신의 증오심을 누그러뜨릴 의향이 없었으므로, 자기

362

의 이야기만 떠들어 대는 백작과 꺾이지 않는 혐오감을 표시하는 안주인 사이에서 나는 너무나 거북했을 것이다. 옛날에는 꽃들조차도 다정하게 느껴지고, 층계까지도 내게 이야기를 속삭이던 곳, 발코니와, 테두리의 돌과, 난간과 테라스도, 나무와 전망(展望)들도 내 추억으로 인해 시심(詩心)을 입었던 곳에서 그런 대접을 받는다는 생각, 모든 것이 나를 사랑했던 곳에서 혐오의 대상이 된다는 생각, 나는 그런 생각을 견딜 수가 없었다. 그리하여 처음부터 나는 결심했다. 오, 이것이 한 남자의 가슴속에 싹튼 가장 열렬한 사랑의 종말이라니. 외부 사람들의 눈에는 내 태도가 비난받을 만했겠지만 내 양심이 그것을 승인해 주었다. 젊음의 가장 아름다운 감정과 가장 위대한 비극이 이렇게 끝나는 것이다. 우리들 거의 모두는, 내가 투르에서 클로슈구르드로 출발했던 것처럼, 세상을 얼싸안으며, 사랑에 굶주린 가슴을 가지고 아침에 길을 나선다. 그리고 우리의 자산이 용광로 속에 들어가면, 즉 우리가 사람들과 사건들 사이에 섞이면, 모든 것이 조금씩 줄어들고, 결국에는 잿더미 속에서 약간의 금을 찾을 수 있을 뿐이다. 이것이 인생이다! 있는 그대로의 인생이다. 포부는 위대하지만 현실은 초라하다. 나는 내 자신에 대해 긴 명상에 빠졌다. 내 모든 꽃들을 베어 간 충격 후에 무엇을 할 것인지 자문해 보았다. 나는 정치와 학문의 길로 뛰어들어 야심의 구불구불한 길을 걸으며, 내 삶에서 여자를 추방하고 차갑고 무덤덤한 정치가가 됨으로써 사랑했던 성녀에게 절조를 지키기로 마음먹었다. 내 눈이 황금빛 참나무들, 그 근엄한 꼭대기와 청동빛 밑둥이 수놓는 아름다운 경치를 응시하는 동안 나의 명상은 까마득하게 멀리 뻗어 나갔다. 앙리에트의 절개가 무지에서 나온 것은 아닌지, 정말 내가 그녀의 죽음을 야기한 장본인인지 스스로 질문을 해 보았다. 나는 죄책감 속에서 허우적대고 있었다. 결국, 가을의 어느 그윽한 오후에, 투렌에서 너무나 아름다운 하늘의 마지막 미소가 세상을 비추는 날, 나는 자신이 죽은 이후에나 읽으라고 부탁했던 그녀의 편지를 읽었다. 그것을 읽으면서 어떤 기분이 들었는지 짐작해 보길.

모르소프 부인이 펠릭스 드 방드네스에게 보낸 편지

펠릭스, 너무 사랑했던 벗이여, 이제 내가 당신에게 내 마음을 열어 보여야 할 때가 왔군요. 이것은 내가 당신을 얼마나 사랑하는지 보여 주기 위해서라기보다는 당신이 남긴 상처의 깊이와 심각성을 드러냄으로써 당신이 얼마나 무거운 의무를 졌는지를 알려 주기 위해서랍니다. 내가 여독과 전투에서 입은 상처로 지쳐 쓰러지는 이 순간, 다행히도 여인은 죽고 어머니만이 살아남았습니다. 당신이 어떻게 내 병의 일차적인 원인을 제공했는지 알게 될 것입니다. 내가 나중에는 당신이 실컷 때리도록 기꺼이 몸을 내주었지만, 오늘날 당신 때문에 입은 마지막 상처로 죽어 갑니다. 그런데 사랑하는 사람의 손에 부서지는 것은 엄청난 쾌락을 가져옵니다. 곧 고통이 내 힘을 빼앗아 가겠지요. 그전에 내게 남은 마지막 판단력을 발휘하여, 나를 대신해서 어머니와 같은 마음으로 아이들을 돌보아 달라고 당신께 애원하려 합니다. 당신이 어머니의 마음을 그들로부터 앗아 갔으니까요. 내가 당신을 덜 사랑한다면 단호하게 명령을 하겠지만, 거룩한 뉘우침의 결과로서, 그리고 나에 대한 사랑의 연속선상에서 당신이 이런 의무를 자발적으로 지도록 하는 편을 택했어요. 우리에게 사랑이란 항상 뉘우침의 명상과 속죄의 두려움과섞여 있지 않았던가요? 나는 알고 있어요, 우리는 여전히 사랑하고 있다고요. 당신의 잘못은 당신으로 인해 치명적이라기보다는 내 안에서 더욱 증폭되어 그렇게 된 것입니다. 내가 질투심에 사로잡혔다고, 죽을 만큼 질투심을 느낀다고 하지 않았던가요? 그러니 지금 죽어 가고 있지요. 하지만 위안을 받으세요. 우리는 인간의 법규를 준수했으니까요. 교회는 가장 순결한 심부름꾼의 목소리를 빌려 하느님께서 본능을 억누르고 당신의계명에 복종하는 자에게 자비를 베풀어 주신다고 내게 말했어요. 사랑하는 사람, 모든 것을 다 당신께 밝히겠어요. 당신이 내생각 하나라도 모르는 채 살아가길 원치 않아요. 내가 최후의순간에 하느님께 고백하는 전부를 당신도 알아야 합니다. 하느님께서 하늘의 왕이신 것과 마찬가지로 당신은 내 마음의 왕이니까요. 앙굴렘 공작을 위해 개최된, 내가 유일하게 참석했던축제의 날까지, 나의 결혼 생활은 나를 무지한 채로 남겨 두었었지요. 처녀들의 영혼을 천사처럼 아름답게 하는 그런 무지 속에 있었단 말입니다. 나는 비록 두 아이의 어머니였지만 사랑이허락하는 쾌락을 경험한 적이 없었어요. 어찌하여 내가 그런 상태로 있었냐고요? 나도 모르겠어요. 어떤 원리로 한순간에 내 안의 모든 것이 변했는지도 모르겠고요. 당신의 입맞춤을 아직도 기억하나요? 그것은 내 삶을 지배했고, 내 영혼에 긴 자국을 냈습니다. 당신의 열정적인 피는 내 핏속에 열정을 깨웠고, 당신의 젊음은 내 젊음 속으로 침투하였으며, 당신의 욕망은 내 가슴속에 파고들었지요. 내가 머리를 높이 쳐들고 일어섰을 때 어떠한 언어로도 표현할 수 없는 기분에 사로잡혀 있었어요. 갓 난아기들이 눈과 빛의 만남, 그리고 입술 위에 삶의 입맞춤을 표현하기 위한 단어를 아직 모르는 것과 같은 이치입니다. 그래요, 그것은 메아리 속에 울리는 원음(原音)이었고, 암흑 가운데 밝혀진 빛이었고, 우주에 부여된 움직임이었어요. 이런 것들만큼 급격했지만 그보다 훨씬 아름다웠죠. 영혼의 삶이었으니까요! 세상에는 내게 아직 알려지지 않은 무엇인가가 존재한다는 사실을 깨달았습니다. 그것은 사유(思惟)보다도 아름다운 힘, 말하자면 두 사람이 서로에게 품는 감정 속에 담긴 사유 전체, 힘 전체, 미래 전체였어요. 내 모성(母性)이 절반으로 줄어드는 느낌이 들었어요. 내 가슴속에 떨어진 그 벼락은 나도 모르게 잠자던 욕망에 불을 붙였답니다. 갑자기 나는 숙모께서 내 이마에 입 맞추며 "불쌍한 앙리에트!"라고 탄식하셨던 이유를 알게 되었지요. 클로슈구르드로 돌아오는 길에 봄과, 첫 잎사귀들과, 꽃향기, 어여쁜 흰 구름들, 앵드르 강, 하늘, 이 모든 것이 여태껏 내가 알아듣지 못했던 언어로 내게 말을 했고, 그것은 당신이 내 육감을 흔들어 놓았듯이 내 영혼을 뒤흔들었어요. 당신은 그 무시무시한 키스를 잊어버렸을지 몰라도, 나는 내 기억에서 지울 수가 없었습니다. 그것 때문에 죽을 지경이에요! 그때부터 당신을 볼 때마다 그 자국은 되살아났어요. 나는 당신의 모습을 보면, 아니 당신이 곧 올 것이라는 예감만으로도 머리에서 발끝까지 흥분되었답니다. 시간도, 나의 굳건한 의지도 그런 압도적인 쾌감을 잠재우지 못했어요. 나도 모르게 궁금해졌지요. 쾌락이란 어떤 것일까? 마주친 눈길, 내 손 위에 당신의 정중한 키스, 당신의 팔을 잡은 내 팔, 당신의 다정한 목소리, 아주 작은 것들까지도 나를 너무나 강렬하게 동요시켜서 거의 언제나 내 눈 위에 구름이 덮이는 듯했고, 반항하는 육감의 소리가 내 귀를 채웠어요. 아, 만약 내가 더욱 냉랭한 태도를 보이던 그런 순간에 당신이 나를 품에 안았다면, 나는 행복에 겨워 죽었을 거예요. 때로는 당신이 나를 힘으로 항복시켰으면 하고 바라기도 했지만 기도로써 그런 나쁜 생각들을 재빨리 쫓아버렸어요. 내 아이들이 당신의 이름을 발음하면 내 심장은 더 뜨거운 피로 채워져 얼굴이 즉시 붉어지곤 했는데, 불쌍한 마들렌에게 그 이름을 말하게 하려고 함정을 팔 만큼 그 부글거리는 느낌을 즐겼답니다. 무슨 말을 또 할까요? 당신의 글씨는 어떤 마력이 있어서, 나는 당신이 쓴 편지를 마치 초상화 쳐다보듯이 길게 음미하며 쳐다보곤 했어요. 첫날부터 당신이 나에 대한 치명적인 영향력을 지니게 되었으니, 내가 당신의 마음을 읽게 되었을 때 그 영향력이 무한해진 것을 이해할 수 있겠죠. 당신이 그토록 순수하고, 전적으로 진실되고, 훌륭한 장점을 타고나 위대한 일을 할 재량이 있으며, 이미 시련으로 단련된 것을 보고 얼마나 황홀했는지! 당신은 동시에 어른이면서 아이였고, 수줍으면서도 용감했지요! 우리가 같은 아픔으로 세례를 받은 사실을 알고 얼마나 기뻤는지! 우리가 서로에게 마음속을 털어놓은 그날 저녁 이후로 당신을 잃는 것은 내게 곧 죽음을 의미했어요. 그래서 이기심 때문에 당신을 내 곁에 있게 내버려 두었죠. 당신이 떠난다면 내가 죽게 될 것을 확신한 베르즈 신부는 큰 충격을 받으셨습니다. 그분은 내 마음속을 읽으셨으니까요. 내가 아이들과 백작님에게 필요한 존재라고 판단하시고 당신에게 출입을 금하라는 지시를 내리지 않으셨어요. 내가 행위로나 생각으로 순결을 지키겠다고 약속했거든요. 신부님은 내게 말씀하셨어요. "생각은 본인의 의지와 상관없습니다. 그러나 고문을 당하는 중에도 생각을 통제할 줄 알아야 합니다." 나는 대답했어요. "내가 생각을 하면 파멸로 치닫게 되겠지요. 제 자신으로부터 저를 구해 주세요. 그가 제 곁에 머물되, 나는 정조를 지키게 해 주세요." 그 자비로운 어르신께서는 평소에 매우 엄격하시지만 나의 정직성을 보시고 관대하셨어요. "그분을 따님과 맺어 준다는 생각으로, 아들처럼 사랑하셔도 됩니다." 당신을 잃지 않으려고 고통 속에서의 삶을 용감하게 받아들였지요. 하지만 우리가 같은 멍에를 함께 쓰고 있음을 보고 사랑으로 고통을 견디어 냈습니다. 하느님! 나는 중립을 지켰고, 남편에게 충실했어요. 펠릭스, 당신에게 당신의 영지에 한 발자국도 들여놓지 못하게 했으니까요. 내 크나큰 사랑은 정신 전반에 영향을 미쳤습니다.

모르소프 백작님이 내게 가하는 괴로움을 속죄로 여기고, 온당치 못한 감정을 욕되게 하기 위해 꿋꿋하게 참아냈어요. 그전에는 불평하고 싶을 때가 많았지만 당신이 내 옆에 있게 된 후 다시 약간의 명랑함을 되찾아서, 백작님도 기분이 좋아지셨어요. 당신이 불어넣어 주는 힘이 없었다면 나는 이미 오래전에 나의 내적인 삶에 짓눌려 무너졌을 것입니다. 당신에게 이야기했던 그 내면의 삶 말이에요. 당신은 내가 죄를 짓게 된 큰 원인이긴 하지만 내가 의무를 수행할 수 있게 해 주기도 했어요. 내 아이들을 대할 때도 마찬가지였지요. 그들로부터 무엇인가를 빼앗은 것 같아서 그들에게 충분히 베풀어 주지 않을까 봐 늘 걱정했거든요. 그때부터 내 생활은 끊이지 않는 고통의 연속이었지만 나는 그것을 즐겼어요. 내 스스로 어머니와 성실한 여자의 의무를 다하지 않는다고 느끼면서 내 가슴속에 죄책감이 자리 잡았습니다. 내 의무를 소홀히 할까 봐서 항상 그 이상을 하려고 노력했어요. 유혹에 빠지지 않기 위해 나는 마들렌을 당신과 나 사이에 놓고 두 사람을 맺어 주려 했어요. 그렇게 우리 둘 사이에 장벽을 세웠지요. 하지만 그런 장벽도 소용이 없었어요! 당신이 일으키는 떨림을 억제할 수가 없었으니까요. 당신이 내 곁에 있든 없든 간에 똑같은 위력을 발휘했답니다. 나는 자크보다도 마들렌을 편애했어요. 왜냐하면 마들렌이 당신의 아내가 될 사람이었으니까요. 그러나 갈등 없이 당신을 딸에게 양보한 것은 아니었습니다. 내가 당신을 만났을 때 겨우 스물여덟 살이었고, 당신은 거의 스물두 살이었다고 생각했어요. 이렇게 거리를 줍히고, 헛된 희망을 품곤 했지요. 세상에, 펠릭스, 내가 이런 고백을 하는 것은 당신에게 양심의 가책을 덜어 주기 위해서랍니다. 그리고 어쩌면 나도 무심하지 않았다고, 사랑의 아픔은 가혹하게도 우리 두 명에게 동등한 것이었다고, 그리고 아라벨이 나보다 전혀 월등하지 않다고 말해 주기 위한 목적이 있을지도 모르겠군요. 나 역시 남자들이 사랑하는 타락한 종족의 딸이었지요. 한동안은 내면의 갈등이 너무 격심해져 매일 밤새도록 울었답니다. 머리카락도 우수수 빠질 정도였어요. 당신에게 줬던 머리카락이 바로 그때 빠진 것들이었어요. 모르소프 백작이 병이 들었을 때의 일을 당신도 기억하겠지요. 당신이 보여 준 관대함은 나를 드높이기는커녕 오히려 나를 더욱 초라하게 만들었습니다. 불행히도, 그날 이후로 그런 고매한 행동에 대한 보상으로 당신에게 나를 허락하려 했어요. 하지만 그런 미친 생각은 오래 가지 않았습니다. 당신이 참례하기를 거부한 미사 동안 그것을 하느님의 발치에 바쳤어요. 자크의 병과 마들렌의 고통은 하느님의 경고처럼 여겨졌습니다. 그분께서는 방황하는 양을 당신께로 끌어들이려 하셨던 거죠. 그리고 그 영국 여인을 향한 당신의 자연스런 연정은 내 자신도 몰랐던 비밀을 내게 깨우쳤어요. 나는 내가 믿었던 이상으로 당신을 사랑하고 있었어요. 마들렌은 내 생각에서 사라져 버렸죠. 내 불안정한 삶의 끊임없는 동요, 종교에만 기대어 스스로를 다잡으려는 노력, 이모든 것이 나를 죽음으로 이끄는 병을 준비했어요. 그 엄청난 충격은 내가 말하지 못한 증상을 가져왔습니다. 아무도 모르는 이런 비극의 결말은 죽음뿐이라고 생각했어요. 어머니가 전하신 당신과 레이디 더들리의 관계에 관한 소식을 접했던 순간과 당신이 이곳에 돌아온 날까지 있었던 두 달 동안, 질투심과 분노에 사로잡혀 격렬한 혼란 속에 살았습니다. 나는 파리에 가기를 원했고, 살의를 느끼며 그 여인이 죽기를 바랐고, 내 아이들의 다정한 손길에 무감각해졌지요. 그때까지 기도가 나를 위로해 주었지만 더 이상 내 마음에 아무런 효력이 없었어요. 질투가 넓은 틈새를 열어 죽음을 들여보냈죠. 그럼에도 불구하고 겉으로는 태평한 표정을 보였습니다. 네, 그런 갈등의 시간은 하느님과 나 사이의 비밀이었습니다. 내가 당신을 사랑하는 만큼 당신 역시 나를 사랑하고 있다는 것을 알게 되었을 때, 그리고 나를 배신한 것은 당신의 마음이 아닌 당신의 본능일 뿐임을 깨달았을 때, 나는 살고 싶어졌지만…… 이미 늦은 후였죠. 하느님께서는 자기 자신과도, 당신 앞에서도 정직한 사람을, 고통 때문에 수시로 성전의 문 앞에 찾아온 사람을 불쌍히 여기시어 나를 당신의 보호 아래 두셨던 것입니다. 사랑하는 이여, 하느님께서는 나를 심판하셨고, 모르소프 백작은 아마도 나를 용서하실 거예요. 하지만 당신은 너그럽게 대해 주시겠어요? 지금 내 무덤에서 나오는 목소리에 귀를 기울여 주겠어요? 우리가 함께 저지른 잘못을 바로잡아 주겠어요? 어쩌면 내 잘못이 더 클 테지만요. 내가 무엇을 원하는지 알고 있지요? 모르소프 백작에게 환자를 돌보는 수녀와 같은 존재가 되어 줘요. 그의 이야기를 들어 주고, 그를 사랑해 줘요. 그렇지 않으면 아무도 그를 사랑하지 않을 테니까요. 내가 그랬던 것처럼 그와 아이들 사이에 중재자 역할을 해 줘요. 당신은 이런 임무를 오래 수행할 필요도 없을 거예요. 곧 자크는 집을 떠나 조부 곁으로 파리에 갈 것이고, 당신은 그 애를 이 세상의 위험한 장애물 사이로 안내해 주겠다고 내게 약속했어요. 마들렌은 언젠가는 결혼할 거예요. 당신이 그녀의 마음에 들 수 있기를 바라요. 그 애는 나와 똑 닮았어요. 게다가 정신력이 있고, 내게는 부족했던 의지와, 정치 생활의 폭풍에 시달릴 운명에 처한 사람의 아내에게 필요한 활동력을 갖추었어요. 그리고 재치가 있고 날카롭죠. 당신과 그 애가 맺어진다면, 그 애는 어머니보다 행복한 여인입니다. 그렇게 되면 당신은 클로슈구르드에서 내가 시작했던 사업을 계속할 수 있게 되어 충분히 속죄하지 못한 잘못을 완전히 보상할 수 있겠죠. 물론 자비로우신 하느님께서는 나를 용서하셔서 내 잘못들이 하늘과 땅에서 용서받긴 했지만요. 당신도 보다시피, 나는 여전히 이기적이네요. 하지만 이는 홀로 군림하기를 원하는 사랑의 증거가 아니겠어요? 내 가족들을 통해서 당신의 사랑을 받고 싶어요. 당신의 것이 될 수 없었기에 당신에게 내 생각과 내 의무를 남기고 갑니다. 당신이 나를 너무 사랑해서 내 뜻을 따를 수 없다면, 마들렌과 결혼하기를 원치 않는다면, 적어도 모르소프 백작님을 최대한 행복하게 해 드려요. 그래야 내 영혼이 편히 쉴 수 있을 테니까요.

안녕, 사랑하는 이여! 이것이 아직 완전한 의식이 있을 때, 생명이 가득할 때 전하는 작별 인사입니다. 당신이 큰 기쁨을 준 영혼의 작별 인사지요. 그 즐거움은 너무나 큰 것이어서 그로 인해 초래된 비극에 대해 당신은 죄책감을 가질 필요가 없습니다. 당신이 나를 사랑한다고 생각하며 '비극'이라는 단어를 썼어요. 나는 의무에 희생되어 휴식의 장소에 거의 도달했죠. 하지만 미련이 조금 남은 것 같아 몸이 떨리네요. 내가 신성한 계율을 제대로 실천했는지는 나보다 하느님께서 더 잘 아실 거예요. 나는 자주 흔들렸지만, 넘어지지는 않았고, 내 죄를 변명할 수 있는 가장 큰 이유는 나를 둘러싼 유혹이 너무나 컸다는 것입니다. 하지만 나는 마치 유혹에 빠진 것처럼 죄책감에 떨며 하느님 앞에 나아갈 거예요. 마지막으로 안녕. 어제 우리의 아름다운 골짜기에게 했던 작별 인사를 당신에게도 해야겠네요. 나는 곧 그 골짜기의 품에 안겨 쉴 텐데, 당신이 그곳에 자주 와 주리라 믿어요.

앙리에트

이 삶의 숨겨졌던 심연을 이 마지막 불빛에 비추어 엿본 나는 깊은 명상에 빠져들었다. 내 이기심의 구름들이 사라졌다. 그녀는 나만큼, 나보다도 더 괴로워했단 말인가. 그로 인해 죽을 정도로. 그녀는 다른 사람들도 사랑하는 벗에게 친절하게 대해 주리라 믿었던 것이다. 사랑이 그녀의 눈을 멀게 해서 그녀는 딸의 적대감을 눈치 채지 못했다. 이런 애정의 마지막 증거는 나를 아프게 했다. 가엾은 앙리에트! 클로슈구르드와 자기 딸을 내게 주려고 했었다니!

나탈리, 당신도 이제 알게 된 저 고귀한 앙리에트의 시신과 함께 처음으로 공동묘지 안에 들어간 그 끔찍한 날 이후로, 햇빛은 덜 따뜻하고, 덜 밝고, 밤은 더 어둡고, 움직임은 둔해지고 생각은 무거워졌다. 땅 속에 묻는 사람들이 있는가 하면 우리의 가슴속에 묻은 사람들도 있다. 너무나 사랑했던 그런 사람들에 대한 기억은 날마다 우리의 심장 박동과 섞인다. 숨을 쉴 때마다 그 사람의 생각을 하고, 그 사람은 사랑 특유의 윤회 법칙에 의해 우리 안에 살아 있다. 하나의 영혼이 내 영혼 안에 들어 있는 셈이다. 내가 선행을 베풀었을 때, 옳은 말을 했을 때 그 영혼은 함께 말하고 함께 행동한다. 백합에서 좋은 향기가 나오듯 내 안에 선한 기질이 있다면 그것은 그 무덤으로부터 나오는 것이다. 냉소, 악한 근성, 당신이 비난하는 나의 나쁜 점들은 모두 내 자신의 본성에 속한다. 이제부터, 내 눈이 땅을 길게 응시한 다음 어두운 빛을 띠면서 하늘을 올려다볼 때, 내 입이 당신의 이야기와 정성스런 손길에도 불구하고 다물어진 채로 있을 때 "무슨 생각 해요?"라고 묻지 말아요.

사랑하는 나탈리, 이런 추억들이 내 마음을 너무나 아프게 해서 얼마간 쓰기를 멈추었다. 이제 이 비극이 있은 뒤의 사건을 이야기해야 한다. 몇 마디면 충분하다. 하나의 인생이 행동과 움직임으로만 이루어졌을 때는 그 이야기를 짧게 끝낼 수 있다. 그러나 영혼의 가장 높은 지대에서 살아간 인생의 전기는 장황해질 수밖에 없다. 앙리에트의 편지를 읽고 희망의 빛을 보는 듯했다. 이 엄청난 난파 중에 배를 댈 수 있는 섬이 얼핏 보였다. 클로슈구르드에 머물러 마들렌 곁에서 그녀에게 내 생애를 바치는 것이 내 가슴속에 요동치는 모든 생각들을 만족시킬 만한 운명이었다. 나는 백작에게 작별 인사를 하려 클로슈구르드에 갔다. 테라스에서 그와 마주쳤다. 우리는 오랫동안 함께 걸었다. 우선 그는 부인 이야기를 했다. 그는 부인의 죽음이 자기에게 얼마나 큰 상실을 의미하는지, 그리고 자신의 정신적인 삶에도 얼마나 큰 상처가 되었는지를 실감하는 듯했다. 그러나 첫 순간에 슬픔을 터뜨린 이후에 현재보다는 앞날을 걱정했다. 그는 딸을 무서워했다. 그는 딸애가 어머니의 온화함을 지니지 못했다고 내게 말했다. 어머니의 상냥함에 어딘가 단호함이 더해진 마들렌의 굳센 성격이 다정하게 대해 주던 앙리에트에게 익숙한 노인의 심기를 불편하게 했다. 그는 딸에게서 절대로 굽히지 않는 의지를 느꼈던 것이다. 하지만 무엇으로도 대신할 수 없는 아내를 잃은 슬픔을 위로할 수 있는 것은 자신도 곧 그녀가 있는 곳으로 가리라는 확신이라고 했다. 최근 며칠 동안 겪은 혼란과 슬픔은 자신의 병세를 악화시켰고, 예전의 통증을 되살렸다. 아버지로서의 권위와 안주인이 된 딸의 권위 사이에 예상되는 갈등은 괴로움 속에서 여생을 보내게 할 것이 분명했다. 아내에게는 저항할 수 있었지만 딸에게는 항상 양보해야 하지 않겠는가. 어찌됐든 아들은 떠날 것이고, 딸은 결혼할 것이다. 어떤 사람을 사위로 맞게 될까? 곧 죽을 것처럼 말했지만 그는 앞으로 오랫동안 외롭고 정을 붙일 곳이 없음을 한탄했다.

그는 내게 아내를 생각해서 친구가 되어 달라고 간청했다. 자기 자신에 대한 이야기만 늘어놓은 긴 시간 동안, 그는 내 앞에서 이 시대의 가장 위압적인 인간형인 '망명 귀족'의 완전한 전형을 보여 주었다. 겉으로 보기에는 쇠약하고 지쳐 있었지만, 검소한 생활 습관과 전원적인 일과 덕분에 생명이 그에게 끈질기게 붙어 있을 듯했다. 내가 글을 쓰는 이 순간에도 그는 아직 살아 있다. 테라스를 따라 걷는 우리를 봤음에도 불구하고 마들렌은 내려오지 않았다. 그녀는 나를 경멸한다는 표시로 계단까지 나왔다가 집으로 다시 들어가기를 여러 번 반복하였다. 나는 그녀가 계단으로 나왔을 때 백작에게 성으로 올라가자고 제안했다. 나는 부인이 내게 유언으로 남긴 뜻을 행한다는 핑계로 마들렌에게 할 이야기가 있다고 했다. 그녀를 볼 수 있는 유일한 방법이었다. 백작은 그녀를 데려오고는 우리 둘만을 테라스에 남긴 채 가 버렸다.

"사랑하는 마들렌." 나는 말했다. "이곳에서 네 어머니는 나보다 인생의 여러 사건들로 더 괴로워하실 때 내 이야기에 귀를 기울였지. 그러니 네게 할 이야기가 있다면 여기서 해야 되지 않겠니? 네가 속으로 어떤 생각을 하는지 잘 알지만, 사실을 알고 나를 탓하든지 말든지 하렴. 너도 알다시피, 내 삶과 행복은 클로슈구르드와 뗄 수 없는 관계에 놓여 있단다. 그런데 네가 우리를 결속시키던 우애 대신 보이는 냉랭한 태도 때문에 나는 이곳에서 추방당하는 느낌이야. 오히려 어머니의 죽음 앞에서 같은 슬픔을 나누며 더욱 돈독한 정을 쌓아야 하지 않겠니? 사랑하는 마들렌, 남자들이란 인생의 역경 속에서 보호해 준 여인들의 자녀들까지도 사랑하는 법이라서, 나는 어떤 보상도 바라지 않고, 심지어 네 자신도 모르게 너를 위해 내 목숨까지도 내놓을 준비가 되어 있단다. 그런 너는 근 7년 동안 어머니께서 품었던 계획을 모를 게다.

만약 안다면 나에 대한 너의 감정도 달라지겠지. 하지만 그런 특권을 누리고 싶지는 않아. 내가 네게 간청하는 단 두 가지는, 내가 계속 이 테라스의 공기를 맡으러 올 수 있게 해 달라는 것과, 세월이 지나 네가 사회 생활에 대한 생각이 달라지기를 기다려 보자는 것이다. 지금은 너의 생각을 거스르고 싶지 않아. 너의 판단력을 흐려 놓는 슬픔을 존중해야지. 나도 내가 처한 상황을 올바르게 판단할 능력을 상실했으니까. 나와 너의 감정 사이에 중립을 지켜 줘. 아마도 우리를 지켜보는 성녀는 이런 나의 신중함에 찬성하겠지. 너는 비록 내게 적대감을 드러내지만 나는 너에 대한 깊은 애정 때문에 아버지께 그런 계획을 설명하지 않겠어. 아버지께서는 열렬히 반기시겠지만 말이야. 선택은 네 자유란다. 시간이 지나면, 네가 이 세상에 나보다 더 잘 아는 사람은 없을 것이고, 그 누구도 나만큼 충실한 감정을……."

마들렌은 땅을 보며 내 이야기를 듣고 있다가 손짓으로 내 말을 끊었다.

"아저씨," 그녀의 목소리는 북받치는 감정으로 떨렸다. "저도 아저씨의 생각을 다 알고 있어요. 하지만 아저씨에 대한 내 감정은 변함이 없습니다. 아저씨와 결혼하느니 차라리 앵드르 강물에 뛰어들겠어요. 저를 배려해 달라고 하지 않겠어요. 그러나 어머니의 이름이 아직 아저씨에게 힘을 조금이라도 발휘한다면, 어머니의 이름으로 제가 있는 동안은 클로슈구르드에 오지 말아 주시길 부탁드려요. 아저씨를 보기만 해도 말로 표현할 수 없고 어떻게도 참아낼 수 없는 동요를 느낍니다."

그녀는 위엄 있는 몸짓으로 내게 인사를 한 뒤, 돌아보지 않고, 언젠가 어머니가 그랬듯이 태연하지만 냉혹하게 클로슈구르드로 올라갔다. 이 젊은 여인의 예리한 눈은 뒤늦게나마 어머니의 가슴속을 꿰뚫어보았던 것이다. 그리고 모든 불행의 원인 제공자로 여겨지는 사람을 향한 증오심이 자기도 모르게 동조한 것에 대한 후회 때문에 더욱 커졌을 것으로 추측된다. 거기에 심연이 있었다. 마들렌은 내가 이런 비극의 피해자인지 원인인지를 따지려 하지도 않고 나를 증오했다. 만약 어머니와 나의 사랑이 이루어졌더라면 우리를 둘 다 똑같이 증오했을지도 모른다. 이로써 공들여 쌓아 올린 내 행복의 탑은 무너져 버리고 말았다. 오직 나만이 이 무명의 위대한 여인의 삶을 알고, 오직 나만이 그녀의 감정들을 기억하고, 오직 나만이 그녀의 영혼의 전역을 돌아다녔다. 그녀의 어머니도, 아버지도, 남편도, 자녀들도 그녀를 완전히 알지 못했다. 이상한 일이다! 나는 잿더미를 뒤지고 당신 앞에서 실컷 펼쳐 놓고 있는데, 우리들 각자는 그 속에서 자신의 가장 소중한 기억의 일부를 찾아낼 수 있을 것이다. 얼마나 많은 가정에 앙리에트와 같은 존재가 숨어 있겠는가! 얼마나 많은 고귀한 존재들이 그들의 마음속을 헤아리고, 그 깊이와 넓이를 가늠해 본 총명한 역사가를 만나지 못한 채 이 세상을 떠나는가! 이것이 인간 세상의 온전한 진실이다. 흔히 자녀들이 부모를 잘 모르는 것과 마찬가지로 부모들도 자녀들을 잘 알지 못한다. 배우자, 연인, 형제간에도 그러하다. 아버지께서 돌아가시자마자 내가 승진을 도왔던 형 샤를과 법적 투쟁을 벌이게 될 줄 알았겠는가? 하느님! 가장 단순한 이야기 속에도 얼마나 많은 교훈이 담겨 있는가. 마들렌이 현관문으로 사라지자 나는 매우 상심한 채 내게 숙소를 제공해 주었던 사셰의 주인들에게 인사를 하고, 이 골짜기에 처음 왔을 때처럼 앵드르 강의 우안(右岸)을 따라 파리로 떠났다. 아늑한 퐁드뤼앙 마을도 우울한 기분으로 지나갔다. 하지만 나는 1814년에 이곳을 지나던 지친 보행자가 더 이상 아니었다. 지금은 부자였고, 정치계에서도 유망했다. 예전에는 내 가슴은 욕망으로 부풀었으나 이제는 눈에 눈물이 가득했다. 전에는 내 삶을 채울 준비가 되어 있었지만, 그때는 텅 빈 것처럼 느꼈다. 나는 매우 젊었다. 겨우 스물아홉에 내 가슴은 이미 시들어 있었다. 불과 몇 년 만에 이 풍경은 처음 봤을 때의 웅장함을 상실했고 나는 삶에 환멸뿐이었다. 돌아보았을 때 테라스 위에 서 있는 마들렌을 보고 얼마나 마음이 아팠는지 짐작하겠지.

나는 깊은 슬픔으로 짓눌려서 어디로 향하는지도 생각하지 않았다. 레이디 더들리는 완전히 잊고 있었는데, 나도 모르는 사이에 그녀의 집 마당으로 들어가고 말았다. 실수를 이왕 저질렀으니 수습을 할 수밖에 없었다. 나는 그녀의 집에서 남편처럼 행동을 했기 때문에, 곧바로 거실로 올라갔다. 결별을 선언하는 것이 얼마나 귀찮은 일인지를 생각하면서 침울한 심정이었다. 레이디 더들리의 성격과 습관을 파악했다면, 하인이 여행복 차림의 나를 거실로 안내했을 때 그녀가 화려하게 차려 입고 다섯 명의 손님에 둘러싸여 있는 것을 보고 얼마나 당황했을지 상상하고도 남을 것이다. 영국에서 가장 높은 원로 정치가 중의 하나인 더들리 경이

점잖은 체하며, 거만하고 차갑게, 아마도 의회에서 짓는 냉소적인 표정으로 벽난로 앞에 서 있었다. 그는 내 이름을 듣자 미소를 지었다. 아라벨의 두 자녀들은 어머니 옆에 있었다. 그들은 후작부인 곁에 작은 소파에 앉아 있는, 노 귀족의 사생아 중의 한 명인 드 마르세와 매우 닮았다. 아라벨은 나를 보자마자 거만한 표정을 지으며 내 여행 모자를 뚫어지게 바라보았다. 내가 웬일로 자기 집에 왔냐고 묻고 싶은 눈치였다. 마치 누군가가 소개해 주는 시골 귀족을 보듯이 나를 위아래로 훑어보았다. 우리의 깊은 관계, 영원한 사랑, 내가 자기를 더 이상 사랑하지 않는다면 죽겠다는 약속, 아르미드*다운 환상, 이 모든 것은 꿈결처럼 사라졌다. 나는 그녀와 악수를 나눈 적조차 없었고, 전혀 안면이 없는 낯선 사람이었다. 비록 그녀의 외교적인 수완에 익숙했지만 나는 의아했다. 그 누구도 그랬을 것이다. 드 마르세는 자신의 장화를 살피는 척하며 미소를 짓고 있었다. 나는 즉시 결단을 내렸다. 다른 여자였다면 나는 겸손하게 패배를 받아들였을 것이다. 하지만 죽은 여인에 대해 빈정대고 사랑 때문에 죽겠다던 여주인공이 꿋꿋이 서 있는 것을 보고 분노가 치밀었다. 나는 무례함에 무례함으로 맞설 작정이었다. 그녀는 레이디 브랜든의 비극을 알고 있었다. 그것에 대한 언급은 그녀의 가슴에 비수를 꽂는 행위였다. 비수가 금세 무디어지겠지만. 나는 말했다.

"부인, 이렇게 함부로 들어온 것을 용서하십시오. 저는 투렌에서 오는 길이고, 레이디 브랜든의 부탁으로 부인께 전언을 가지고 왔습니다. 지체 없이 전해 달라고 하더군요. 부인이 랭카셔로 떠났을까 봐 염려했지만, 파리에 머무르신다면 저를 언제 만나실 수 있을지 통보해 주십시오. 기다리겠습니다."

그녀는 머리를 끄덕였고, 나는 나왔다. 그날 이후로, 그녀를 사교계 밖에서는 만나지 않았고, 마주치면 우정어린 인사와 가끔은 독설 한두 마디를 나눈다. 나는 위로받을 수 없는 슬픔에 빠진 랭카셔의 여인들은 어디로 갔냐고 물어보고, 그녀는 위장병에 걸림으로써 절망감을 과시하는 프랑스 여인들이 아직도 있냐고 대꾸한다. 그녀의 배려 덕분에 드 마르세는 내 철천지원수가 되었다. 나는 그에게 각별한 애정을 쏟는 그녀에 대해 두 대에 걸쳐 사랑을 나눈다고 이야기하고 다닌다. 나의 불행은 완전했다. 내가 사세에 있을 때 세웠던 계획을 그대로 실천했다. 나는 일 속에 파묻혀 과학, 문학, 정치를 공부했고, 샤를 10세가 왕위에 오르자 외교계로 진출했다. 폐하께서는 내가 선왕 시절에 맡았던 직책을 폐지하셨다. 그때부터, 나는 아무리 아름답고, 재치 있고, 다정한 여인이라도 관심을 주지 않기로 결심했다. 그런 신조가 내게 매우 유익했다. 나는 놀라운 정신적인 평화와 일에 대한 높은 집중력을 얻었다. 여자들이 달콤한 몇 마디를 대가로 우리의 삶을 얼마나 낭비하게 하는지를 깨달았다. 하지만 나의 모든 결심은 실패로 끝났다. 당신은 어떻게, 그리고 왜 그랬는지 잘 알고 있다. 사랑하는 나탈리, 내 자신에게 고백하듯이 내 젊은 시절의 일을 숨김없이, 꾸밈없이 털어놓음으로써, 당신과 상관없는 감정에 대해 이야기함으로써 당신의 섬세하고 질투심 많은 마음의 한 구석을 구겼을지도 모른다. 그러나 저속한 여자라면 분노했을 이런 과거가 당신에게는, 확신하건대, 나를 사랑하는 또 다른 이유가 될 것이다. 훌륭한 여성들은 고통 받고 병든 영혼들 곁에서 숭고한 역할을 맡아야 한다. 상처를 치유하는 수녀, 아이를 용서하는 어머니의 역할이다. 예술가들과 위대한 시인들만이 고통을 받는 것이 아니다. 조국을 위해서, 민족의 장래를 위해서 사는 사람들도 자신의 열정과 사유의 영역을 넓히기 때문에 가혹한 고독을 자초하기 쉽다. 이들은 가까이에 순수하고 헌신적인 사랑의 존재를 필요로 한다. 그리고 믿어 주길. 그들은 그런 사랑의 고결함과 가치를 잘 알고 있다. 내일 내가 당신을 사랑한 것이 잘못된 선택이었는지 알게 될 것이다.

펠릭스 드 방드네스 백작님께

친애하는 백작님, 당신의 말대로 저 가엾은 모르소프 부인으로부터 받은 편지는 당신이 세상에 진출하는 데 유용했지요. 당신이 출세한 것도 그 편지 덕분이고요. 제가 당신의 교육을 완성시키도록 허락해 주십시오. 제발, 한심한 습관을 버리세요. 항상 첫 번째 남편의 이야기를 하고, 항상 두 번째 남편 앞에서 죽은 남편의 덕성을 나열하는 과부처럼 굴지 마세요. 사랑하는 백작님, 저는 프랑스 여인이랍니다. 저도 제가 사랑하는 남자와 결혼하기를 바라지만 결코 모르소프 부인과 결혼할 수는 없습니다. 당신의 이야기를 주의 깊게 읽어 보니 — 그것은 그럴 만한 가치가 있고, 당신도 아시다시피 저는 당신에게 관심이 많습니다 ─ 당신은 모르소프 부인의 미덕들을 자랑함으로써 레이디 더들리를 상당히 성가시게 하셨고, 영국식 사랑의 기교들을 과시함으로써 백작부인을 많이 아프게 하신 것 같군요. 게다가 당신의 마음에 들었다는 장점밖에 없는, 저라는 가엾은 여인을 배려하지 않으셨습니다. 제가 앙리에트처럼, 또는 아라벨처럼 당신을 사랑하지 않는다는 말을 간접적으로 하신 셈이죠. 저는 제 단점을 잘 알고 있고, 인정합니다. 그러니 왜 그것들을 그토록 거칠게 확인시켜 주시나요? 누구에게 가장 연민이 가는지 아세요? 당신이 사랑하실 네 번째 여자입니다. 그 여자는 세 명과 싸울 수밖에 없을 테니까요. 그래서 제가 당신과 그분을 위해서 당신의 기억이 지닌 위험성을 예방하려 합니다. 당신을 사랑하는 수고스런 영예는 포기하겠어요. 그러려면 그리스도교, 또는 영국 국교에서 설파하는 미덕을 충분히 갖추어야 하는데, 저는 유령들과 싸울 의향이 전혀 없습니다. 클로슈구르드의 성모가 지닌 덕성은 가장 자신감에 넘치는 여인조차 낙담시킬 정도이고, 그 용감한 아마조네스는 행복에 대한 가장 대담한 열망조차 좌절시키기에 충분합니다. 어떻게 하든 간에, 어떤 여자도 자신이 바라는 만큼의 즐거움을 당신이 느끼기를 기대할 수 없을 것입니다. 마음도, 육체도 당신의 추억을 극복하지 못해요. 우리가 자주 승마를 한다는 사실을 잊으셨더군요. 저는 당신의 거룩한 앙리에트가 죽은 이후로 식어 버린 태양의 온기를 되찾게 해드리지 못했어요. 제 곁에서 당신은 아마도 추위에 떠실 테죠. 소중한 친구여 ─ 우리는 앞으로도 계속 친구니까요 ─ 당신의 환멸을 드러냄으로써 사랑을 좌절시키고 여자로 하여금 자신감을 상실케 하는 이와 같은 고백은 두 번 다시 하지 마세요. 백작님, 사랑의 생명은 신뢰랍니다. 말 한마디를 하기 전에, 말 위에 올라타기 전에, 천사 같은 앙리에트가 언변이 더 뛰어나지 않았는지, 아라벨처럼 말을 잘 타는 여인이라면 동작이 보다 우아하지는 않을지 속으로 의식하는 여성은 분명히 다리와 혀가 떨리겠죠. 그 환상적인 꽃다발을 저도 받고 싶은 마음이 생겼지만 당신은 더 이상 그런 꽃다발을 만들지 않잖아요. 이렇듯, 당신이 다시 할 엄두를 내지 않는 것들, 당신 안에서 이제는 다시 살아나지 못할 생각들과 기쁨들이 수없이 많죠. 어떤 여자도 당신의 마음속에 간직하는 죽은 여인과 나란히 지내기를 바라지 않는다는 것을 명심하세요. 당신은 제가 그리스도교적인 자비로 사랑해 주길 원하십니다. 실제로 저는 자비를 베풀기 위해서라면 많은 일을 행할 준비가 되어 있어요. 그러나 사랑은 예외입니다. 당신은 때로 사람을 지루하게 하고, 스스로도 지루함을 느끼죠. 자기의 슬픔을 우수(憂愁)라고 부르죠. 모두 당신이 좋을 대로 하십시오. 하지만 지긋지긋해요. 그리고 당신을 사랑하는 여인에게 가혹한 근심거리를 안겨 준답니다. 저와 당신 사이에 있는 성녀의 무덤에 자주 부딪혔어요. 스스로 자문해 보았지만, 저는 아무래도 그분처럼 죽고 싶지 않아요. 당신은 매우 세련된 여성인 레이디 더들리도 지치게 했는데, 그녀를 달구던 열렬한 욕망을 느끼지 못하는 저는 더욱 빨리 식어 버릴까 두렵네요. 사랑의 기쁨을 죽은 여인들과 함께 누릴 수밖에 없으니 우리 사이에 사랑은 집어치우고, 친구로 남자고요. 이것이 제 바람입니다. 세상에, 백작님! 당신은 인생에 입문하는 시기에 사랑스런 여인을 얻었어요. 그 완벽한 연인은 당신의 출세를 생각하고, 귀족원의 의원이 되게 해 주고, 당신을 끔찍이 사랑하고, 그 대가로 절개를 지키라고 요구했을 뿐인데, 당신은 그분을 슬픔으로 죽게 만들었어요. 그보다 흉측한 일은 본 적이 없네요. 파리의 거리 위에 야망을 끌고 다니는 가장 열정적이고 가장 불행한 젊은이들 가운데, 당신이 그 진가를 알아보지 못한 특권의 반만이라도 누리기 위해서라면 누가 10년을 정숙하게 지내지 않겠습니까? 그만큼 사랑을 받았다면, 무엇을 더 바라겠습니까? 가엾은 여인! 그분은 많이 아파했겠죠. 그런데 당신은 감상적인 말 몇 마디를 하고는 그분을 죽게 한 죄를 씻었다고 생각하시는군요. 당신에 대한 나의 애정도 그런 식으로 보답을 받겠지요. 사양하겠습니다, 백작님, 저는 무덤 이편에도 저편에도 연적을 원치 않아요. 그런 죄가 양심을 괴롭히고 있다면, 적어도 입 밖으로 내지는 마세요. 저는 여성의 역할, 이브의 딸에게 걸맞는 역할을 다하느라 당신께 경솔한 요구를 했고, 당신의 역할은 솔직한 답변이 가져올 결과를 측정해 보는 것이었어요. 제게 거짓말을 하지 그러셨어요. 후에, 저는 당신께 고맙다는 인사를 했을 거예요. 애정운이 많은 남자들의 미덕이 무엇인지 모르시나요? 누구를 사랑한 적이 없다고, 처음으로 사랑을 느낀다고 우리에게 맹세하는 그들이 얼마나 인심이 후한지 알겠어요? 당신의 요구사항은 실현이 불가능합니다. 동시에 모르소프 부인과 레이디 더들리가 되라고요? 이것은 물과 불을 합하라는 것과 마찬가지 아닌가요? 당신은 여성을 그토록 모르나요? 여자는 있는 그대로이고, 장점 이면에 단점이 있기 마련이죠. 당신이 레이디 더들리를 제대로 알기에는 그녀를 너무 일찍 만났어요. 당신의 자존심이 상해서 복수하기 위해 그녀에 대해 험담을 하는 것 같군요. 모르소프 부인의 마음은 너무 늦게 헤아렸지요. 그 두 여인은 각각 상대방이 아니라는 이유로 당신에게 벌을 받았어요. 둘 다 아닌 저는 어떻게 될까요? 당신을 무척 좋아하기 때문에 당신의 앞날에 대해 깊이 생각해 봤어요. 저는 정말 당신을 좋아하니까요. 슬픈 얼굴의 돈 키호테와 같은 당신의 표정에 항상 관심이 갔습니다. 저는 우울한 사람들은 한결같다고 믿었거든요. 그런데 당신이 사회에 발을 들여놓자마자 가장 아름답고 덕성스런 여인을 죽였다는 사실을 몰랐어요. 당신이 이제 무엇을 해야 하는지에 대해 생각해 보았답니다. 정말 곰곰이 생각해 봤어요. 사랑에 대해, 열정에 대해 아무것도 모르고, 레이디 더들리나 모르소프 부인에 대해 무관심하고, 당신이 비처럼 재미없게 구는, 당신은 우수라고 명명하는 지루함의 순간들에 아랑곳하지 않으며, 당신이 바라는 수녀의 역할을 훌륭히 해낼 샌디 부인*과 같은 여자와 결혼하세요. 하지만 친애하는 백작님, 사랑하고, 말 한마디에 몸을 떨고, 행복을 기다릴 줄 알고, 행복을 주고받는 일, 열애의 수많은 폭풍을 경험하고, 사랑하는 여인의 작은 허영심들을 만족시켜 주는 일, 이런 것들은 포기하세요. 젊은 여자들에 관한 한 당신의 수호천사의 조언을 매우 잘 따르셨습니다. 그녀들을 너무나 잘 피한 나머지 그 속을 알 턱이 없지요. 모르소프 부인은 처음부터 당신을 높은 자리에 앉히기를 잘했어요. 그렇지 않았다면 모든 여자들이 당신에게 앙심을 품고 달려들어서 당신은 어디에도 도달하지 못했을 겁니다. 이제 공부를 시작하기에는 너무 늦었어요. 우리 여성들이 듣고 싶은 말을 하는 법을 배우기에도, 필요할 때 아량을 베풀고, 우리가 옹졸해지고 싶을 때 그 옹졸함마저 사랑하기에는 이미 늦었어요. 우리들은 당신이 생각하는 만큼 그리 바보가 아니랍니다. 사랑할 때는 선택한 남자를 무엇보다도 우선시합니다. 그러면서 우리의 우월감을 흔들리게 하는 것은 곧 우리의 사랑을 흔들리게 하죠. 우리를 추켜세우는 것은 곧 당신 스스로 추켜올리는 것과 마찬가지입니다. 사교계에 계속 드나들면서 여성들과의 교제를 즐기고 싶다면 제게 이야기한 것을 꼼꼼히 숨기세요. 여성들은 바위 위에 사랑의 꽃들을 심는 것도, 병든 가슴을 치유하기 위해 어루만져 주는 것도 즐기지 않습니다. 모든 여자들은 당신의 가슴이 메말랐음을 눈치 챌 테고, 당신은 항상 불행하시겠죠. 저처럼 이런 이야기를 해 드릴 만큼 솔직하고, 친구로 남자고 하며 원한 없이 당신과 이별할 만큼 마음씨 좋은 여인은 거의 없을 것입니다. 당신의 충실한 친구,

나탈리 드 마네르빌

7 "나카르 선생님께": 이 헌사는 초판본부터 등장한다.

15 "올리베": 투르보다 조금 북쪽의, 오를레앙과 인접한 소도시.

18 "자는 복되도다": "눈물 흘리는 자는 복되도다. 그들은 위로를 받을 것이니라."(마태복음 5장 4절; 누가복음 6장 21절)

21 "마라": 프랑스 대혁명의 주역 중 한 사람. 샤를로트 코르데에 의해 살해되었음.

"프레르 프로뱅시오": '프로방스 형제들'이라는 뜻. 이름으로 보아 남부 지방 요릿집.

「브리타니쿠스」: 17세기 프랑스 극작가 라신의 비극.

"탈마": 발자크 시대의 유명한 배우.

22 "생루이 섬": 센 강 위의 섬으로, 파리의 중심이자 근원.

23 "루이 16세": 프랑스 왕. 대혁명 이후 탈출하다가 잡혀서 아내 마리 앙투아네트와 함께 단두대에서 처형당함.

37 "사람의 후손이야": 죽었다가 살아남았다는 뜻.

40 "그리핀": 머리는 독수리이고 몸은 사자인 전설상의 괴물.

46 "피디아스": 고대 그리스의 조각가.

50 "모건": 17세기 영국의 해적.

61 "드(de)": 귀족의 성 앞에 붙는 첨사(添辭)로서, 독일의 von, 영국의 of와 같음.

63 "하얀 깃발": 흰색은 프랑스 국왕을 상징하는 색.

66 "생 마르탱": 19세기에 유행하던 신지학자(神智學者).

76 "엘베 … 샤레트": 대혁명 이후 왕당파 군대에서 이름을 떨친 장교들.

80 "에픽테토스": 스토아 학파의 철학자.

82 "보쉬에": 17세기 프랑스 문인.

91 "불타는 숯": 구약성서의 예언자 이사야의 계시에서 따온 비유. "천사 중 하나가 집게로 제단에서 취한 불타는 숯을 들고 나를 향해 날아왔다. 그는 그것을 내 입에 대면서 말했다. '이것이 너의 입술에 닿았으므로 너의 불결은 씻겼고 너의 죄악은 용서되었다.'"(이사야서 6장 5-7절)

92 "다모클레스의 창": '말의 머리털 하나로 매달아 놓은 다모클레스 머리 위의 칼'(동아 프라임 불한사전 참조)

106 "클라리사 할로": 리처드슨 소설(1749)의 주인공. 정절을 지키려다가 폭행당하고 가족들에게조차 학대를 받음.

107 "이는": 초판본에는 여기서 2장 '첫사랑'이 시작된다.
"준장 직위": 왕정 복고 시절에 준장들에게 수여된 직위.
"생루이 훈장": 천주교 장교들을 위해 루이 14세가 세운 훈장. 대혁명 때 폐지되었다가 1814년 9월 18일 복구되었고, 1831년에 다시 폐지되었다.

113 "로베레 추기경": 1503년에서 1512년까지의 교황(율리우스 2세).

115 "생제르맹 지구": 파리의 상류 귀족 사회가 모여 사는 지역.

126 "편안한 줄 아시오": 멕시코 아스텍의 마지막 황제인 과티모진이 스페인 사람들로부터 함께 고문을 당하는 동료가 불평하자 했던 말.

128 "카스텔 신부": 『색의 광학』의 저자이자, 음이 색과 상응하는 건반 악기를 발명한 예수회 신부.

131 "사디": 페르시아의 시인.

133 "내려준 것처럼": 구약성서의 출애굽기에 나오는 만나의 기적, 즉 사막에서 굶주린 이스라엘 백성들에게 하늘에서 만나가 내려진 기적에 대한 이야기이다. 그러나 성서에는 사하라에 대한 언급이 없다.

136 "라블레": 17세기 프랑스 소설가.

140 "수(sous)": 옛 화폐 단위.

163 "기이한 인연인가": 발자크의 『인간극』에 나오는 인물들. 모두 배우자, 연인에게 실망하거나 배신당함.

164 "있는 것일까": 신지학자 생 마르탱은 다음과 같이 악을 설명했었다. "적의 모든 횡포는 곡식을 분류하는 체와 같다. 그가 내게 느끼게 할 모든 가시는 한번 찌를 때마다 내 낡은 옷의 한 가닥을 뜯어낼 것이다. [……] 가장 유순하고 온화한 사람들이 가장 박해를 많이 받는다. 금처럼, 이들은 아무리 좁은 통로를 지나도 부서지지 않는다."(『욕망의 인간』 중, 장 에르베 도나르의 주)

169 "니오베": 그리스 신화에 나오는, 신들에게 사랑하는 아들 딸들을 모두 빼앗긴 왕비. 비운의 모성을 상징.

177 "필랭트, 알세스트": 몰리에르의 희곡 「인간혐오자」에 나오는 두 남자 주인공.

192 "겐트": 벨기에의 항구도시.

"방데 군": 왕당파는 백일천하 때 방데 지방에서 나폴레옹 타도를 목표로 하는 반란군을 조직했다. 그것이 방데 군이며, 워털루 싸움 이후에 해산했다.

193 "빈 회의": 1814년 9월에 시작하여 1815년 6월 9일에 끝난 서구 열강들의 회의.

197 "프란지스탕의 장미": 회교도들에게는 서구 유럽을 가리킴. 그러나 발자크는 그 이름에서 동양적인 느낌을 받은 듯. 여기서 동양이란 중동을 지칭.

199 "피에": 옛 길이의 단위. 1피에는 약 0.3248미터.

205 "장 바르": 루이 14세 시대의 군인.

"감옥을 짓는다": 비현실적으로 화려한 상상에 사로잡힌다는 뜻인 '스페인에서 성을 짓다'라는 표현을 비꼰 말로, 암울한 상상만을 한다는 의미인 듯.

"샹스네": 프랑스 대혁명기에 혁명파에 반대하던 신문의 논객. 재치가 넘치기로 유명하던 그는 서른다섯의 나이에 단두대에서 죽었다.

207 "라포레": 17세기 극작가인 몰리에르의 하녀.

208 "작은 왕궁":『고리오 영감』에서 발자크는 다음과 같이 설명하고 있다. "그 시절의 유행에 의하면, 가장 상위에 있는 여성들은 생제르맹 지구의 사교계에 들락거릴 수 있는 여성들이었다. 이 여성들을 '작은 왕궁'의 여인들이라 불렀다."

209 "루이 15세": 18세기 프랑스의 왕으로 여성 편력이 풍부했다.

210 "카토": 고대 로마의 정치인으로 로마의 쾌락주의 풍토에 맞선 매우 엄격한 검열관이었다.

216 "케이프와 세비녜": 17세기 프랑스의 귀부인. 딸에게 보낸 서간 모음이 불문학사의 명작으로 꼽히고 있다.

230 "이상적인 존재": 플라톤의『향연』에 나오는, 양성 구유의 가장 완전한 존재.

232 "베르길리우스": 고대 로마의 시인. 그의 명작『아이에네스』에 다음과 같은 구절이 나온다. "그리고 어머니들은 떨면서 제 자식들을 가슴에 껴안았다."

234 "파올로를 사랑했듯이": 단테의『신곡』지옥 편에 나오는 이야기로, 파올로는 형의 아내인 프란체스카의 정부였다.

"페트라르카": 페트라르카는 르네상스 이탈리아의 시인. 라우라에 대한 그의 연모는 순결한 사랑의 원형으로 남았다.

243 "마편초": 자바 산의 나무로 희거나 붉은 꽃이 재스민과 유사한 향을 낸다.

247 "평화의 왕자": 스페인의 카를로스 4세의 재상이었던 돈 마누엘 고도이의 별명. 1808년에 있었던 반란에 대한 언급이다.

252 "어떻게 된 일인지": 초판본의 3장 '두 여인'은 여기서 시작된다.

255 "엘리제 부르봉": 루이 15세 재위 초기에 지어진 궁전으로, 왕정 복고 시절에는 베리 공작 부부의 저택이었다. 그들은 그곳에서 화려한 파티를 열었다.

"베르나도트": 파리로 귀성하기 전에 루이 18세에게 "프랑스인들은 벨벳 장갑을 낀 강철 손으로 통치해야 한다"고 말했던 인물.

256 "영국 해협": 프랑스와 영국 사이의 해협.

"세인트조지 해협": 영국과 아일랜드 사이의 해협.

259 "앉은 악마처럼": 예수가 악마로부터 받은 유혹에 대한 언급.(마태복음 4장 5-8절; 누가복음 4장 5-9절)

260 "켄타우로스": 고대 신화에 나오는 반인반마(半人半馬)의 괴물.

266 "어디 있느냐": "카인은 그의 동생 아벨에게 달려들어 그를 죽였다. 그래서 하느님께서는 카인에게 물으셨다. '네 동생 아벨은 어디 있느냐?'"(창세기 4장 9절)

"헤스터 스탄호프": 영국의 재상 윌리엄 피트의 질녀로, 시리아에서 20년 이상 살았다.

268 "끔찍한 골짜기에": 최후의 심판과 죽은 자들의 부활에 대한 언급이다. 한 기독교 전통은 그것이 조사파트 골짜기에서 일어날 것이라고 전한다.

"디도": 베르길리우스의 『아이에네스』에서 디도는 아이에네스가 가버린 후에 스스로를 태우기 위해 화형대 위로 올라간다.

269 "그룹(groom)": 영어로 '마부'.

287 "철물제작업자의 아내": 다빈치가 그린 초상화. 그림 속 여인의 앞머리는 가운데 가르마를 타고 이마에 붙이고, 보석이 달린 금줄을 이마에 둘렀다. 이 머리 모양이 왕정 복고 시기에 유행이었다.

302 "생시르": 루아르 유역에 있는, 투르 근처의 작은 마을. '그르나디에르'는 '석류자'라는 뜻의 실제의 집으로, 발자크는 1830년에 이곳에 체류하였다.

305 "어웨이, 어웨이" : "떠나요! 떠나요!"

314 "다 이루었다" : "예수께서는 신 포도주를 맛보신 다음 '이제 다 이루었다' 하시고 고개를 떨어뜨리시며 숨을 거두셨다."(요한복음 19장 30절)

321 "스포소(sposo)" : 이탈리아어로 '남편'이라는 뜻. 외국어를 사용함으로써 법적인 혼인관계를 가장한 불륜을 완곡하게 표현했다.

329 "알메" : 상류 사회의 축제에서 시를 읊고, 노래하고 춤추는 인도 여인. 가장 아름다운 여자들 중에서 선발되어 교육받았다.

332 "아제" : 투르에서 남동쪽으로 약 25km 떨어진 소도시.

333 "보세앙 부인" : 『고리오 영감』에 나오는 인물로, 연인에게서 버림을 받는다.
"랑제 공작부인" : 『랑제 공작부인』의 주인공.
"레이디 브랜든" : 『그르나디에르』의 주인공.

334 "롱크롤 … 드 마르세" : 발자크의 소설에 나오는 인물들. 『결혼 서약서』에서 주인공 펠릭스의 정적(政敵)으로 소개된다.
"에글르몽 부인" : 『서른 살의 여인』의 주인공.

336 "입다" : 구약성서의 판관기(10~12)에 나오는 이스라엘 판관. 전투에서 승리하면 돌아올 때 자신을 마중 나오는 첫 번째 사람을 희생제물로 바치겠다고 하느님께 약속했다. 외동딸이 아버지를 마중 나와 희생양이 되었다.

344 "이름 없는 무엇인가" : 프랑스 작가 보쉬에(1627~1704)는 죽음을 이렇게 정의하였다.

345 "수도사가 되었다지요" : 랑세 백작(1626~1700)은 방탕하게 살다가 연인 몽바종 공작부인의 죽음을 목격하고 죄책감에 빠져 신앙에 귀의했다. 트라피스트는 침묵을 계율로 하는 수도회.

346 "클로에" : 고대 그리스 작가 롱구스의 전원 소설 『다프니스와 클로에』의 여주인공.

347 "키리에 엘레이손" : "불쌍히 여기소서!"

355 "성모": 「루이 13세의 소원」이라는 그림으로 추정된다.

380 "아르미드": 「해방된 예루살렘」의 여주인공. 아르미드는 십자군인 르노를 유혹하여 군대로부터 멀리 떨어진 자신의 환상적인 정원 안에 붙들어 놓는다.

386 "샌디 부인": 18세기 영국 소설가 스턴의 『트리스트람 샌디의 삶과 사상』에 나오는 인물. 정숙하지만 밋밋한 아내.

해설

오노레 드 발자크의 『골짜기의 백합』

정예영(서울대 강사)

1. 『골짜기의 백합』과 『인간극』

『골짜기의 백합』은 발자크가 36세였던 1835년에 『르뷔 드 파리』에 연재되다가 1836년에 단행본으로 출간되었다. 당시에는 별다른 주목을 끌지 못했으나 오늘날 발자크의 주요 작품 중 하나로 꼽힌다. 한국에서는 『고리오 영감』이 그나마 알려져 있어서 날카롭고 풍자적인 사회 묘사가 특기인 작가로 인식되고 있으나 발자크의 작품 세계는 방대한 만큼 또한 다양하다. 90여 편의 장·단편으로 구성된 발자크의 연작 『인간극』은 『풍속 연구』, 『철학 연구』, 『분석 연구』라는 세 개의 큰 부분으로 구성되어 있으며, 『풍속 연구』는 다시 『사생활 전경』, 『전원 생활 전경』, 『파리 생활 전경』, 『정치 생활 전경』, 『군생활 전경』, 『시골 생활 전경』으로 나뉜다. 단테의 『신곡(La Divina Commedia)』을 본떠서 붙여진 제목 『인간극(La Comédie humaine)』은 위대한 전작에 필적할 대작을 쓰겠다는 작가의 야심을 잘 보여 준다. 실제로 그는 "호적부와 경쟁하겠다"고 선언한 바 있다. 『골짜기의 백합』은 『시골 생활 전경』에 속한다.

『인간극』은 대하소설이 아니기 때문에, 각각의 소설들은 서로 독립적인 주제와 줄거리, 인물들을 지녔다. 하지만 같은 인물이 여러 작품에 등장하는 경우를 흔히 볼 수 있다. 한 작품의 주인공이던 인물이 다른 작품에서는 단순한 등장인물로 나오거나 그냥 언급만 될 수도 있고, 등장인물 역할만 수없이 하는 인물도 있다. 펠릭스가 비탄에 빠져서 떠올리는 랑제 공작부인, 보세앙 부인, 에글로몽 부인 등은 각각 발자크의 다른 소설의 주인공들이다. 펠릭스의 현재 연인이며 긴 고백의 수신자인 나탈리 드 마네르빌, 레이디 더들리의 양아들 드 마르세도 다른 작품의 주요 인물이며, 펠릭스 자신은 『이브의 딸』이라는 소설에서 수년 후에 결혼한 가장으로 다시 나오기도 한다. 이렇게, 『인간극』은 실제로 우리가 사는 세계를 축소시켜 놓은 '하나의 세계'이며, 인물들이 살아 숨쉬고 모든 인간적인 감정과 미덕, 악덕 등을 펼치는 무대이다. 이 거대한 작품 세계 속에서 사실주의적인 사회 묘사, 심리극, 연애소설, 추리 소설, 환상 소설 등 소설의 온갖 장르들이 총망라된다. 그중에서 『골짜기의 백합』은 작가의 낭만주의적인 색채가 가장 짙은 소설로 간주되고 있으며, 프랑스 문학사에서 연애소설의 전범이 되었다.

2. 사실과 허구

『골짜기의 백합』에는 발자크의 전기적인 사실과 감정들이 많이 녹아 있다. 작가 자신은 사생활을 드러내는 것에 대해 일종의 수치심을 느껴 초판의 서문에서 "어디에도 나 자신에 대한 이야기를 하지 않았다"고 단언하지만 같은 글에서 소설의 줄거리가 "부분적으로 사실"이며, 자기가 보고 겪은 일들을 상당 부분 소재로 삼았음을 인정하고 있다. 그 후로 발자크의 서간집과 전기 연구자들이 소설의 내용과 작가의 실제적인 삶 사이에 많은 유사점을 발견하였다. 오노레와 마찬가지로 펠릭스는 불행한 어린 시절을 보내며, 가슴속에는 부모를 향하는 사랑이 가득하나 이들은 냉담하기만 하다. 펠릭스가 어린 나이에 겪는 여러 가지 에피소드는 발자크 자신이 겪었던 것과 비슷하다. 발자크는 훗날 어머니를 몹시 원망하며 '괴물'이라는 표현까지 쓰기도 했다. 모르소프 부인 역시 발자크가 사회에 첫발을 딛던 20대 초에 만나 반했던 베르니 부인과 많이 닮았다. 발자크의 서간집에서 베르니 부인을 지칭하던 '천사', '어머니', '여신', '누이' 등의 용어들을 펠릭스가 모르소프 부인을 찬양할 때 그대로 사용한다. 게다가 『골짜기의 백합』을 집필할 당시 베르니 부인은 모르소프 부인처럼 이미 화병으로 사형 선고를 받은 것이나 다름없고, 책이 단행본으로 출간되던 그 달에 숨을 거둔다. 그러나 상황적인 유사성과 발자크 자신이 품었던 감정의 이입에도 불구하고 실제의 베르니 부인은 모르소프 부인처럼 정숙하고 덕성스런 여인이 아니라, 발자크를 포함하여 여러 연인들과 불륜을 일삼았다. 어쨌든 모르소프 부인이라는 숭고한 인물이 죽어 가는 연인을 기리기 위해서 창조되었다는 사실은 오늘날 의심의 여지가 적다.

이 외에도 모르소프 백작, 레이디 더들리, 나탈리 드 마네르빌 등도 작가 주위의 사람들을 조합하여 창조되었다. 사교계에 곧잘 출입하고 여성 편력이 심했던 발자크로서는 다양한 여성상과 남성상을 접했을 것이다. 한편, 인물들만큼이나 이 소설에서 중요한 역할을 하는 투렌 지방 역시 작가와 뗄 수 없는 관계에 있다. 상상력이 가미되기는 했지만 발자크가 사랑하는 고향 투렌과 앵드르강 유역의 풍경은 클로슈구르드 주변의 묘사를 통해 서정적으로 재현된다. 초기작들부터 투렌은 그의 작품 속에 자주 등장한다. 가끔 찾아올 때마다 평화와 휴식을 제공해 주던 이곳은 그에게 영감의 샘이었다. 이 작품에서 풍경은 단순한 배경이 아니라 인물들의 심리를 반영하며, 나아가 그들의 삶에 결정적인 영향을 미친다. 감미로운 저녁 풍경은 펠릭스와 백작부인의 감정을 증폭시키고, 후에 메마른 들판은 시들어 버린 이들의 마음과 죽어 가는 부인의 모습을 형상화한다. 백작 부부에게 앵드르 골짜기는 치유의 기능도 있지만 벗어날 수 없는 외로운 감옥이기도 하다. 모르소프 부인은 투렌의 산물이며, 투렌 풍경의 일부이다. 펠릭스는 아직 그녀가 누구인지도, 어디에 사는지도 모른 채 그 일대를 헤매다가 그녀의 거처를 멀리서 직감적으로 알아본다. 그녀는 이 골짜기에 피어난 한 송이 꽃이다. "'모든 여성 중의 꽃인 그 여인이 세상 어디선가 살고 있다면 바로 이곳일 테지!' [⋯] 그녀는 이 골짜기의 백합이었다. 그녀는 하늘의 은총을 받고 피어나고 있었으며, 그 고결한 향기는 골짜기를 채웠다."(p.34) 그리하여 그녀가 죽는 순간에도 온 전원이 함께 애도하는 듯하다.

이 소설에서는 사회 묘사보다 심리 묘사에 초점이 맞춰졌으나, 왕정 복고와 나폴레옹의 백일천하 등의 역사적인 사건들이 중요한 배경을 제공한다. 모르소프 백작은 프랑스의 18세기 말 19세기 초 정치적인 격변기의 산증인이다. 그는 대혁명 이후 왕정이 폐지되었을 때 망명 가서 온갖 고생을 겪은 후 나폴레옹의 집권하에 귀국하여 유서 깊은 가문의 딸인 부인과 결혼한다. 그는 극진한 왕정주의자이지만 망명 생활 중에 나빠진 건강과 경험 부족 때문에 루이 18세가 다시 왕위에 올랐을 때 그에게 내려진 관직을 마다할 수밖에 없다. 반면 백작부인의 아버지는 다시 요직에 오르고 어머니는 파리 사교계의 중심에 복귀한다. 이에 펠릭스는 부인의 소개에 힘입어 파리 상류계에 진출하게 되는데, 나폴레옹이 잠깐 돌아왔을 때 위험한 임무를 수행하여 왕의 신임을 얻고, 그 후로 정치적으로 승승장구한다. 루이 18세의 등장은 작품에 역사적인 사실성을 부여한다. 발자크는 궁정과 귀족 계급의 인물들을 항상 긍정적으로 묘사하지는 않지만 이들에 대한 너그러운 시선을 통해 자신의 왕정주의적인 성향을 내비친다. 이렇게, 당대 프랑스사는 『골짜기의 백합』의 줄거리와 맞물려 있으며 인물들의 운과 비운을 결정한다. 이런 면에서는 펠릭스는 '운때를 잘 만난' 젊은 이들 중 한 명이다.

3. 인물들

발자크의 소설 속 인물, 사건, 장소 등은 비록 실제 사실을 근간으로 삼고 있지만, 작가의 원대한 창조력으로 다시 태어나 발자크 고유의 허구적인 세계를 이룬다. 그래서 발자크 소설에 빠지다 보면 그 속에서 현실의 인간 유형을 찾기보다 어느덧 역으로 현실 세계에서 그의 인물들을 발견하게 된다. 프랑스에서는 '발자크적인 인물'이 보통명사가 되다시피 했다.

발자크는 모든 종류의 인간 '유형'과 사회를 움직이는 법칙들을 탐구하여 소설 속에서 재현하는 데 주력했다. 작가는 『인간극』의 서문에서, 자연의 법칙이 인간에게 적용되므로, 동물학자처럼 사회를 연구하는 것이 타당하다고 주장한다. 즉, 동물들의 다양한 종이 있어 기후, 환경 등에 따라 다른 행동 양태를 보여 주듯이, 인간도 환경과 계층, 직업에 따라 여러 유형으로 나눌 수 있다는 것이다(그런 점에서 그는 졸라가 천명한 『실험 소설』의 선구자라고 할 수 있다). "사회는 활동하는 환경에 따라 다른 동물의 종(種)이 있는 것처럼 다양한 유형의 사람을 만들어내지 않는가?" 『골짜기의 백합』에서도 여러 인물 유형들이 등장한다. 부차적인 인물들부터도 두드러진 특징들을 보인다. 모르소프 백작은 망명에서 돌아온 귀족의 전형인 동시에, 치정극의 남편답게 불쾌하고 까다롭지만 눈치가 없고, 레이디 더들리의 차갑고 경박한 기질은 영국 문화의 산물이며 ─ 여기서 영국에 대한 작가의 프랑스인다운 반감이 나타난다 ─, 국왕 루이 18세와 충신인 모르소프 부인의 아버지 르농쿠르 공작은 지나간 세기의 궁정을 대변하고, 의사, 사제들조차도 각각 그들 직종의 한 전형을 이룬다.

반면 주인공 펠릭스는 많은 변화를 겪는 입체적인 인물인데, 그런 관점에서 이 작품은 성장 소설(Bildungsroman)로 분류된다. 말하자면 그는 19세기 소설에 단골로 등장하는 '사회에 입문하는 젊은이'의 한 유형이다. 유아기부터 청년기까지 펠릭스의 삶이 전개된다. 사실 소설의 중심 줄거리는 고작 6년간에 걸쳐 일어나는 사건들로 이루어지는데, 이 기간 동안 펠릭스에게 일종의 전환기를 마련해 줄 뿐만 아니라 인생 전반에 지대한 영향을 미칠 일들이 펼쳐진다. 게다가 소설 초반에 간략하게 소개된 약 스무 살까지의 세월은 그 이후의 이야기를 이해하는 데 꼭 필요한 부분이다. 어린 시절과 청소년기에 억압받고 애정에 굶주렸기에 그는 모르소프 부인을 보자 참을 수 없는 격정에 휩싸이고, 그녀에게 맹목적인 사랑을 바치게 된다. 또한 어린 시절 역시 불행했던 그녀가 동병상련을 느끼며 마음의 문을 열고 그를 모성애로 감싸는데, 펠릭스는 곧 플라토닉한 사랑으로 만족하지 못하고 본능적인 욕망에 못이겨 파리에서 레이디 더들리와 관능적인 사랑에 빠진다. 이렇게 발자크는 나름대로 인물들의 심리와 그들 간의 관계를 인과적으로 설정하려 한다. 즉, 왜 펠릭스가 백작부인과 사랑에 빠질 수밖에 없었고, 왜 그녀를 배신할 수밖에 없었는지, 그 심리적인 추이가 제시된다. 펠릭스는 화자이긴 하지만 이 소설에서 가장 복합적인 인물이다. 여러 각도에서 그를 바라볼 수 있기 때문이다. 젊은 시절에는 순수했지만 남성이 발현되어 육체적인 쾌락에 눈을 뜨고, 사랑하는 여인의 죽음으로 충격을 받은 후 독신으로 지내다가 다시 연인을 사귀는, 여인들 때문에 웃고 우는 한 평범하고 나약한 남자로 볼 수 있다. 하지만 다른 한편으로 젊은 시절의 풍부한 감수성, 모르소프 부인을 위한 헌신, 그리고 그녀를 배신하는 와중에서조차 그가 빠지는 죄책감과 그 이후의 통렬한 참회에서 낭만주의적인 영혼이 느껴지기도 한다. 또 그에게서 위선적인 면모도 찾을 수 있을 것이다. 어쨌든, 모르소프 부인이 판단한 대로, 성실한 자세로 국왕의 신임을 얻는 것으로 보아, 유능하고 야심이 있고, 이성에서 크게 벗어나는 행동은 하지 않는 인물이라는 사실은 틀림없는 듯하다.

이 소설의 중심적인 인물이며, 펠릭스만큼 입체적이고 가장 개성적인 인물은 단연 '골짜기의 백합', 모르소프 백작부인이다. 그녀는 발자크의 창조력이 가장 돋보이는 인물 중의 하나이기도 하다. 작가가 『인간극』의 서문에서 밝히고 있듯이, "어쩌면 앵드르 강의 한 계곡에서 모르소프 부인과 정념 사이에서 벌어지는 미지의 전투는 가장 유명한 전투들보다 더욱 위대할지도 모른다." 앙리에트 드 모르소프가 그토록 독자들에게 감동을 주는 것은 단순히 그녀가 어려운 상황을 인내하며 자기를 필요로 하는 가족들에게 헌신하면서 사랑하는 남자와는 정신적인 교감만을 나누는 성녀이기 때문은 아니다. 한 인간으로서 불타는 정욕에 사로잡히면서도 가족에 대한 의리와 자신의 종교적인 신념에 충실하기 위해 속으로 치열하고 고독한 싸움을 벌이는 그녀를 우리는 동정하면서도 우러러 볼 수 있는 것이다. 펠릭스가 더들리 부인과 염문을 뿌리자 심하게 흔들리는 모습도 너무나 인간적이다. 발자크는 그녀의 변화된 자태, 표정, 말투로써 얼마나 힘겨운 시간을 보내고 있는지를 드러낸다. 여태껏 시련 속에서도 믿고 기댔던 윤리적, 종교적 신념이 무너지려는 위기 앞에 '지금까지 헛된 삶을 살았는가?' 라는 무시무시한 회의가 든 것이다. 게세마니 동산에서 예수가 고뇌했듯이 내적 갈등을 겪고 이겼기에 그녀는 더욱 위대하다. 실제로 부인의 죽음과 장례식 장면은 예수나 순교자들의 죽음 장면과 겹쳐진다. 특히 그녀의 최후는 그리스도교와 함께 발자크가 큰 관심을 가졌던 신지학(神智學)의 색채가 짙다. 부인의 숙모가 정신적인 지주로 모셨던 설교자 생 마르탱이 여러 곳에 인용되고 그의 교리가 소개된다. "인간의 삶이 숭고한 운명을 향해 나아가는 변신의 과정이라고 설명하며, 의무를 타락시키는 규범을 벗어던지고, 퀘이커 교도처럼 인생의 번민을 항상 순종적으로 받아들일 것을 설파하고, 하늘에 모신 천사에 대한 모성적인 사랑에 기대어 고통을 하찮게 여기라고 가르침으로써 천상의 열쇠를 주었다. 그것은 미래를 내다보는 금욕주의였다."(p.66) 이 이야기도 평생 이승의 불행을 감내하여 유혹을 뿌리친 한 여인이 결국 하늘로 올라가 천사가 되는 우화로 읽을 수 있다. 발자크는 신비주의적인 경향의 소설 『세라피타』에서 시련을 거쳐 하늘에 오르는 천사를 '노르웨이의 백합' 이라 칭하여 두 소설 간의 관계를 명시하기도 했다.

발자크 자신은 독실한 신자는 아니었지만 종교가 민중을 교화시켜 사회 질서를 확립한다고 믿었다. 죽은 후에 밝혀지지만, 활발한 자선행위를 벌이던 모르소프 부인은 작가가 그리던 이상적인 귀족상이다. 그것은 부인이 펠릭스에게 충고한 대로 '노블레스 오블리주(Noblesse oblige: 지위가 높으면 덕도 높아야 한다; 직역하면 noblesse는 귀족 계층을 뜻한다)'의 정신을 실천하는 귀족이다. 발자크의 보수주의는 일종의 이상주의이다. 윗사람이 아랫사람을 현명하게 통치하고 보살피며, 모두는 기독교적인 형제애 안에서 자기 본분을 지키고 역할을 다하는. 모르소프 부인이 클로슈구르드에서 벌이는 여러 가지 사업은 재산 증식의 의도 이외에 이런 이상향과 맥락을 같이한다. 『시골 풍경 연구』의 다른 두 소설들 『시골 의사』와 『시골 사제』에서는 그런 경향이 더욱 두드러진다. 시골에서 벗어난 적이 없는 젊은 여인답지 않게 ─ 이것이 바로 개연성이 조금 떨어지는 부분이다 ─ 부인은 사업 수완도 훌륭하고 사회에 대한 통찰력 역시 뛰어나다. 발자크는 그녀의 손을 빌려 펠릭스에게 보내는 긴 편지에서 사회에 대한 자신의 생각을 피력한다. 모르소프 부인은 발자크가 자기 자신을 투영한 『인간극』의 많은 위인들처럼 인간적인 한계에 부딪히지만, 그런 한계를 정신적으로 승화시켜 더욱 높은 차원으로 승격된다.

4. 소설의 주제와 구조

지금까지 살펴본 바, 『골짜기의 백합』은 주제 면에서 연애 소설, 심리 소설, 성장 소설로서의 성격을 두루 갖추었다. 사회 소설이라고 하기에는 무리가 있겠으나 그런 측면이 전혀 없는 것은 아니다. 하지만 무엇보다 이 작품은 연애 소설이다. 유부녀와 미혼 남의 사랑을 다룬 소설의 계보를 이어 가면서 그 나름대로 새로운 유형을 창조한다. 앞선 작품으로는 라파예트 부인의 『클레브 공작부인』, 그리고 스탕달의 『적과 흑』을 언급할 수 있을 것이다. 수녀원으로 들어가는 클레브 공작부인과 모르소프 부인은 둘 다 남편에 대한 절개를 지킨다. 그러나 클레브 공작부인이 사회적인 명예를 우위에 두고 결국 도피를 택했다면 모르소프 부인은 그리스도교적인 희생정신으로 자기 자리를 지킨다. 오히려 『적과 흑』과 비교했을 때 더 많은 유사점이 발견된다. 같은 시대적 배경, 시골 귀족 집안과 인연을 맺는 젊은이, 아이들과 사랑 사이에서 갈등하는 부인, 출세하는 주인공 등. 그러나 인물들의 상세한 면면과 전반적인 주제에는 큰 차이가 있다. 『적과 흑』의 쥘리앵 소렐은 나폴레옹을 동경하는 출세 지향적인 인물이고, 레날 부인은 불륜에 빠진 뒤 끊임없이 죄책감과 사랑 사이에서 갈등한다. 그리고 쥘리앵 소렐이 자신의 열정대로 끝까지 행동하는 진정한 낭만주의적인 주인공인 반면 펠릭스는 그럭저럭 사회 규범에 순응하며 성공하는 인물이다. 그 이후에 플로베르는 『감정 교육』을 집필할 때 『골짜기의 백합』을 염두에 두었다고 한다. 『골짜기의 백합』이 사랑을 이상화했다면, 『감정 교육』에서는 그 속되고 현실적인 측면이 폭로된다. 이렇게 소설가들은 '불륜의 사랑'이라는 상투적인 소재를 각기 다른 방식으로 전개시킴으로써 다른 주제를 표현한다. 『골짜기의 백합』에서는 육체와 사회라는 사슬에 묶인 이승의 사랑과 겨루는 정신적인 사랑의 위대함에 초점이 맞춰졌다. 어떤 방식의 사랑을 택하느냐는 독자의 몫이지만.

형식 면에서 이 소설의 가장 큰 특징은 일종의 '서간체' 소설이며 1인칭 소설이라는 점이다. 단 두 통의 편지만이 오고가기 때문에 ─ 펠릭스가 나탈리에게 보내는 긴 고백의 편지와 나탈리의 답장 ─ 엄밀한 의미에서의 서간체라기보다는 오히려 액자 소설에 가깝다. 하지만 이 소설이 현재의 연인을 향한 구애이자 고백이라는 점을 주목하면 다차원적인 독서를 할 수 있다. 펠릭스가 화자라는 점을 감안하여 그의 이야기를 어느 정도 거리를 두고 받아들여야 할 것이다. 모든 것이 그의 관점에서 서술되어서 객관성이 결여될 가능성이 농후하기 때문이다. 전통적인 소설에서 화자가 독자를 고의적으로 속이지 않는다는 작가와 독자 사이의 암묵적인 규약을 바탕으로, 그의 이야기를 많은 부분 '신뢰' 하면서도, 미화시켰거나 숨기는 부분이 있다고 의심해 볼 수 있다. 화자가 범인으로 판명되는 애거사 크리스티의 『로저 어크로이드의 살인 사건』에서 화자가 거짓말을 했다기보다는 결정적인 사실을 이야기하지 않음으로써 독자를 속인 것처럼, 『골짜기의 백합』에서 펠릭스는 자신이 전달하고자 하는 바와 상치되는 내용을 누락시켰을 수도 있다. 그렇다고 『로저 어크로이드의 살인 사건』이나, 편지의 내용이 허구로 드러나는 디드로의 서간체 소설 『수녀』처럼 극단적인 경우는 물론 아니다. 다만 인쇄된 글자 '사이로' 무엇이 숨겨져 있는지를 생각해 보는 '삐딱한' 독서도 가능할 것이다(물론 이런 경우에는 전체적인 주제가 위에서 말한 것과 달라질 수 있다). 예를 들어, 화자가 이에 대해 일관적이지 않기 때문에 모르소프 부인이 펠릭스에게 자신의 사랑을 얼마나 표출했는지가 분명치 않다.

서간체 소설로 보기 어렵지만 '편지'라는 모티프가 전개에 큰 역할을 수행한다. 부인은 긴 편지로서 펠릭스를 사회에 입문시키고, 편지로서 그에게 자신의 속내를 털어놓는다. 이 작품의 가장 큰 묘미 중의 하나는 마지막에 밝혀지는 부인의 마음이다. 펠릭스에 대한 사랑과 의무 사이에서 갈등한다는 암시는 이미 있었지만, 그런 식의 적나라한 고백은 소설 전체를 다른 각도에서 조명해 줄 정도로 충격적이다. 말하자면 같은 이야기를 모르소프 부인의 시점에서 다시 읽게 해 준다. 맨 마지막에 나탈리의 답변도 적잖은 분위기의 반전을 가져온다. 어떤 의미에서 현실적인 독자를 대변하는 나탈리는 펠릭스의 이야기에 냉정하고 객관적인 시선을 던지며 슬프지만 감미로웠던 꿈에서 우리를 깨우는 역할을 한다. 나탈리 자신도 무정한 요부인가, 아니면 현실적인 여성인가? 펠릭스가 계산적인 위선자인가, 아니면 연애에 서툰 순수한 영혼인가? 모든 불후의 명작들처럼, 『골짜기의 백합』은 여러 가지 해석과 다차원적인 독서에 열려 있다.

판본 소개

『골짜기의 백합(*Le Lys dans la vallée*)』은 본래 잡지 『르뷔 드 파리(*Revue de Paris*)』에 1835년 11월 22일, 11월 29일, 12월 27일, 세 차례에 걸쳐 연재되었다. 이때 발표된 것은 모르소프 부인이 펠릭스에게 보낸 장문의 첫 편지 뒤 첫 단락까지의 부분이었다. 그 후 완성되어서 1836년 6월에 베튀네플롱(Béthune et Plon) 출판사에서 두 권으로 출간되었다. 이 초판본은 연재되었던 글에 비해 특이한 표현 등을 삭제하는 등 조금 다듬어졌을 뿐 큰 변화는 없고, 대신 장이 시작되는 위치가 바뀌었다. 1838년 11월에 『골짜기의 백합』은 판권이 샤르팡티에(Charpentier) 출판사에 넘어가서 재판이 나왔다. 이 판본에서는 더 많은 수정이 가해지고 몇 구절이 삭제되기도 했다. 그 사이에 발자크는 장 구분도 삭제했다. 1844년에는 이 소설이 『인간극(*La Comédie humaine*)』이라는 제목으로 발자크의 소설들을 출판하기 시작한 퓌른(Furne) 출판사에서 다시 수정되어 나왔다. 퓌른은―뒤보세(Dubochet), 헤첼

(Hetzel), 폴랭(Paulin)이라는 다른 세 출판사와 공동으로 ─1842년 6월에서 1848년 11월까지 17권의 『인간극』을 완간했는데, 이것이 작가 생전의 최후의 판본이다. 여기서 『골짜기의 백합』은 『인간극』 중 『전원 생활 전경』에 포함되었다.

그 후 미셸 레비(Michel Lévy)가 '수정된 퓌른 판(Furne corrigé)'에 의거해서 다시 『인간극』을 완간했는데(1869~1876), 이는 작가가 출판사에는 넘기지 않고 개인적으로 소장하고 있던 퓌른 판에 가한 수정을 반영한 것이다. 이때 『골짜기의 백합』은 애초 작가의 의도대로 『시골 생활 전경』의 일부가 되었다. 이 '수정된 퓌른 판'을 피에르 조르주 카스텍스(Pierre-Georges Castex)가 편집한 것이 1976년에서 1981년 사이에 갈리마르 출판사의 플레이아드 총서(Bibliothèque de La Pléiade)로 나왔다. 본 번역은 이 판본을 대본으로 삼은 것이다. 이는 12권으로 구성된 『인간극』 전집 중 제9권에 해당한다.

오노레 드 발자크 연보[1]

1799   5월 20일 오노레 드 발자크가 프랑스 투르에서 출생. 생시르라는 근방 마을에 사는 유모에게 맡겨짐.

1803   유모를 떠나 투르의 부모 집으로 들어감. 군식량 공급 부서에서 일하던 아버지가 그 해 종합병원장이 됨.

1804   투르에 있는 르게 기숙학교 입학.

1807   6월 22일 방돔의 오라토리오회 수도사 학교에 입학. 12월 21일 아버지가 다른 동생인 앙리의 출생. 사생아인 그에 대한 어머니의 편애는 오노레의 어린 시절을 불행하게 만든다. 후에 발자크는 앙리의 아버지인 장 드 마르곤과 친해짐.

1814   6-7월 과도한 독서가 이유인 것으로 추정되었던 건강 악화로 집에서 1년간 요양 후 투르 중학교에 입학. 11월 아버지가 파리에서 식량 공급 부서장으로 임명됨. 오노레도 1816년까지 그곳에서 중등교육을 마침.

1816-1818 소르본 법대 강의 수료. 여러 법조인 사무실에서 비서로 일함. 이런 경험이 이후 그의 소설에 많이 반영된다. 「철학과 종교에 관

---

1 다작의 관계로 주요 작품의 출판 연도만 명시했음.

한 소고」와 「영혼의 불멸에 관한 소고」를 집필. 평생 간직할 철학적인 취향의 첫 발현.

1819 1월 4일 법학과 졸업. 8월 그가 공증인이 되기를 희망하던 부모의 뜻과 달리 파리의 한 다락방으로 독립하여 글을 쓰기 시작.

1819-1820 겨울에 운율을 지킨 5막짜리 희곡 「크롬웰」 집필. 콜레주 드 프랑스(공개강좌제 고등교육기관) 교수인 앙드리외는 이를 읽고 졸작이라고 평하며 발자크에게 작가의 꿈을 접으라고 충고. 9월 1일 제비뽑기에서 운이 좋아 군대를 면제받음.

1821 6월 44세의 로르 드 베르니와의 만남. 1822년에 그의 연인이 됨. 인생의 여러 분야에 그를 입문시키고 계속 가장 든든한 지지자, 조언자로 남음.

1822 가명으로, 때로 공저로 상업적인 대중 소설들을 다수 집필(1827년까지).

1825 4-5월 아브란테스 공작부인과 만남. 그녀와 연인 사이가 됨.

1826 파리에 인쇄소 개업. 빚을 내기 시작.

1828 8월 12일 인쇄소 처분. 약 6만 프랑의 빚을 남김.

1829 3월 『올빼미 당원』 출간. 발자크라는 실명으로 출판된 최초의 작품.

1830 『사생활 전경』(2권) 출간. 고된 집필 활동. 사교계 생활과 금전적 낭비. 많은 문인들과 사귐.

1831 8월 1일 『양피 가죽』 발표. 9월 『철학 소설과 단편』 발표.

1832 4월 『익살스런 단편』 10편 출간. 5월 『사생활 전경』(4권) 재판. 10월 『신 철학 단편집』 발표.

1833 7월 『익살스런 단편』 다음 10편 출간. 9월 『시골 의사』 발표. 9월 25일 한스카 부인과 뇌샤텔에서 첫 만남. 12월 『전원 생활 전경』의 1, 2권 출간.

1834 1월 26일 한스카 부인과 연애 시작. 4월 『파리 생활 전경』(2권) 출간. 10월 기도보니 비스콘티 백작부인과 만남, 연애 시작. 12월 『철학 연구』 출간.

1835 3월 『고리오 영감』. 5-6월 한스카 부인과 빈에서 체류. 12월 『루이 랑베르』, 『추방자들』, 『세라피타』 발표.

1836 6월 『골짜기의 백합』 출간. 7월 발자크가 주주였던 잡지 『파리 일보』 파산. 7-8월 남장한 마르부티 부인과 토리노 여행. 7월 27일 베르니 부인의 별세. 9월 『철학 연구』 계속.

1837 2월 『노처녀』, 『잃어버린 환상』의 첫 부분 발표. 7월 빚 때문에 고소됨. 기도보니 비스콘티 백작부인의 집으로 피신. 그녀가 그의 빚을 갚고 감옥행을 면해 줌.

1838 2-3월 노앙의 조르주 상드 저택에 체류. 3-6월 코르시카와 이탈리아 여행.

1839 6월 『잃어버린 환상』 2부 발표.

1841 5월 29일 『시골 사제』 발표. 10월 2일 『인간극』 출판을 위해 퓌른 출판사와 계약. 1842년에서 1847년까지 17권으로 나옴. 사후에 한 권 추가됨. 11월 10일 한스카 부인의 남편 별세. 발자크는 그녀와 결혼하기를 희망.

1843 7-10월 상트페테르부르크에서 한스카 부인 곁에 체류. 8월 『잃어버린 환상』 발표. 10월 건강 악화.

1845 4월 24일 프랑스 명예 훈장을 수여받음. 12월 한림원에 지원하나 실패.

1846 3-5월 한스카 부인과 로마, 스위스, 독일 여행.

1847 2-5월 한스카 부인의 파리 체류. 4-5월 『잃어버린 환상』 완간. 5월 『사촌 베트』 출간. 9월 5일 비르초브니아(폴란드)의 한스카 부인 집으로 떠나 5개월간 체류.

1848 2월 15일 혁명으로 여러 계획에 차질이 생김. 3-5월 『사촌 퐁스』 발표.

1849 1월 한림원에서 또 고배. 건강의 심각한 악화.

1850 3월 14일 한스카 부인과 우크라이나에서 결혼. 5월 20일 파리로 돌아옴. 앓아누움. 8월 18일 빅토르 위고의 문병. 그날 밤 별세.

새롭게 을유세계문학전집을 펴내며

을유문화사는 이미 지난 1959년부터 국내 최초로 세계문학전집을 출간한 바 있습니다. 이번에 을유세계문학전집을 완전히 새롭게 마련하게 된 것은 우리가 직면한 문화적 상황에 적극적으로 대응하기 위해서입니다. 새로운 을유세계문학전집은 세계문학의 역할이 그 어느 때보다 중요해졌다는 인식에서 출발했습니다. 오늘날 세계에서 타자에 대한 이해는 우리의 안전과 행복에 직결되고 있습니다. 세계문학은 지구상의 다양한 문화들이 평등하게 소통하고, 이질적인 구성원들이 평화롭게 공존할 수 있는 문화적인 힘을 길러 줍니다.

을유세계문학전집은 세계문학을 통해 우리가 이런 힘을 길러 나가야 한다는 믿음으로 만들어졌습니다. 지난 5년간 이를 준비하기 위해 많은 노력을 기울였습니다. 세계 각국의 다양한 삶의 방식과 문화적 성취가 살아 있는 작품들, 새로운 번역이 필요한 고전들과 새롭게 소개해야 할 우리 시대의 작품들을 선정했습니다. 우리나라 최고의 역자들이 이들 작품 속 한 문장 한 문장의 숨결을 생생히 전하기 위해 심혈을 기울였습니다. 또한 역자들은 단순히 번역만 한 것이 아니라 다른 작품의 번역을 꼼꼼히 검토해 주었습니다. 을유세계문학전집은 번역된 작품 하나하나가 정본(定本)으로 인정받고 대우받을 수 있도록 최선을 다했습니다. 세계문학이 여러 경계를 넘어 우리 사회 안에서 주어진 소임을 하게 되기를 바라며 을유세계문학전집을 내놓습니다.

을유세계문학전집 편집위원단(가나다 순)
김월회(서울대 중문과 교수)
박종소(서울대 노문과 교수)
손영주(서울대 영문과 교수)
신정환(한국외대 스페인어통번역학과 교수)
정지용(성균관대 프랑스어문학과 교수)
최윤영(서울대 독문과 교수)

을유세계문학전집

새로운 을유세계문학전집은 구 을유세계문학전집(1959~1975, 전100권)에서 단 한 권도 재수록하지 않았습니다.
을유세계문학전집은 계속 출간됩니다.